Q Quaderni di storia

fondati da Giovanni Spadolini
diretti da Fulvio Cammarano

Valentine Lomellini

L'APPUNTAMENTO MANCATO

La sinistra italiana e il Dissenso nei regimi comunisti (1968-1989)

Prefazione di Antonio Varsori

Postfazione di Marc Lazar

 LE MONNIER

ISBN 978-88-00-74002-9

Realizzazione editoriale
Coordinamento redazionale Alessandro Mongatti
Redazione Alessandro Mongatti
Impaginazione Marco Catarzi
Progetto grafico Cinzia Barchielli
Progetto di copertina Alfredo La Posta

Prima edizione Luglio 2010
Ristampa
5 4 3 2 1   2010 2011 2012 2013 2014

La realizzazione di un libro comporta per l'Autore e la redazione un attento lavoro di revisione e controllo sulle informazioni contenute nel testo, sull'iconografia e sul rapporto che intercorre tra testo e immagine. Nonostante il costante perfezionamento delle procedure di controllo, sappiamo che è quasi impossibile pubblicare un libro del tutto privo di errori o refusi. Per questa ragione ringraziamo fin d'ora i lettori che li vorranno indicare alla Casa Editrice.

Le Monnier Università
Mondadori Education
Viale Manfredo Fanti, 51/53 – 50137 Firenze
Tel. 055.50.83.223, Fax 055.50.83.240
www.lemonnieruniversita.it
mail: universitaria.lemonnier@lemonnier.it

Nell'eventualità che passi antologici, citazioni o illustrazioni di competenza altrui siano riprodotti in questo volume, l'editore è a disposizione degli aventi diritto che non si sono potuti reperire. L'editore porrà inoltre rimedio, in caso di cortese segnalazione, a eventuali non voluti errori e/o omissioni nei riferimenti relativi.

Stampato in Italia, Printed in Italy – Luglio 2010
Stampa Mondadori Printing N.S.M. – Cles (TN)

Indice

Indice

Prefazione

La produzione storiografica più recente sulla Guerra Fredda ha posto in luce come lo scontro fra Est ed Ovest non si fosse limitato agli aspetti politici e militari e come, anzi, avesse trovato espressione in una serie di ulteriori contesti: da quello economico a quello propagandistico, a quello culturale. È stato inoltre indicato come numerosi fossero gli attori coinvolti oltre agli Stati Uniti, all'Unione Sovietica e ad alcuni altri importanti Stati; centrale risultarono nelle dinamiche della Guerra Fredda i partiti, i movimenti, le opinioni pubbliche e singole personalità. In tale quadro, gli anni Settanta risultano periodo cruciale e il pensiero corre in maniera quasi automatica alle vicende connesse alla guerra del Vietnam, in particolare alle forme di protesta di massa contro il conflitto avutesi sia negli Stati Uniti, sia in Europa occidentale, al montante antiamericanismo presente nel «vecchio continente», alle forti correnti di terzomondismo nate nel mondo occidentale. In realtà, se gli elementi di dura critica e di aperta contestazione del modello occidentale, in particolare quello statunitense, esercitarono una forte influenza sulle relazioni fra Est e Ovest, indebolendo l'Occidente dall'interno, non si può trascurare come fattori di divisione e di disgregazione, per quanto con caratteri diversi, si manifestassero anche all'interno del blocco egemonizzato dall'Unione Sovietica. Il 1968 non fu un fenomeno limitato al mondo occidentale, e nelle stesse settimane in cui gli studenti parigini manifestavano sia contro la leadership di de Gaulle, sia contro lo «imperialismo» americano, gli studenti di Praga erano fra gli artefici di quella che sarebbe stata definita la Primavera cecoslovacca. Nel corso degli anni successivi, a dispetto della dura repressione operata dall'URSS o dai governanti delle «democrazie popolari», in diversi Paesi dell'Europa Centro-Orientale ebbero modo di manifestarsi varie forme di opposizione; all'interno della stessa Unione Sovietica alcune personalità e settori della società tentarono di esprimere la loro critica nei confronti del regime esistente. Questo fenomeno, che venne etichettato con la formula un poco vaga di Dissenso, fu in realtà caratterizzato dalla presenza di elementi, *strategie e obiettivi diversi: accanto a comunisti «critici», come ad esempio il leader cecoslovacco Dubček, si situavano oppositori del comunismo, quali ad esempio Havel o rappresentanti cattolici polacchi; a militanti della sinistra si affiancavano intellettuali conservatori, come ad esempio lo scrittore russo Solženicyn; né si può trascurare l'azione di numerosi ebrei sovietici, il cui obiettivo primo era spesso l'emigrazione per sfuggire alle misure persecutorie decise dalla* leadership *di Mosca.*

Il Dissenso all'Est trovò alimento nella diffusione, avvenuta proprio a partire dalla fine degli anni Sessanta, della crescente sensibilità da parte delle opinioni pubbliche, sia negli Stati Uniti, sia in Europa, nei confronti del tema del rispetto dei «diritti umani». L'importanza di tali diritti nel «vecchio continente» sembrò trovare una sorta di codificazione e di riconoscimento giuridico nell'ambito del cosiddetto «Terzo cesto» degli accordi di Helsinki del 1975, un tema su cui la storiografia della Guerra Fredda ha concentrato l'attenzione, giungendo da un lato a dimostrarne il rilievo per il ruolo centrale svolto dagli Stati membri della Comunità Europea nell'inserimento di tale aspetto nel quadro della CSCE, dall'altro a sostenere che il Dissenso avrebbe giocato una funzione rilevante nella disgregazione del blocco sovietico, determinando, seppur indirettamente, la fine del comunismo.

È singolare come il Dissenso all'Est si sia affermato nello stesso periodo in cui i maggiori Partiti comunisti del mondo occidentale, in particolare il Partito comunista italiano, ebbero modo di manifestare il più alto grado di autonomia dal Paese guida del «socialismo reale», l'URSS, e furono più vicini all'area di Governo. Questa contraddizione solo apparente trova una prima spiegazione nell'emergere e nell'affermarsi della distensione, una fase della Guerra Fredda, manifestatasi non a caso a partire dalla fine degli anni Sessanta e protrattasi per gran parte degli anni Settanta. Se la distensione parve riguardare soprattutto le relazioni tra gli Stati Uniti dell'Amministrazione Nixon e l'Unione Sovietica di Brežnev, essa lasciò aperti spazi di manovra all'Est in cui cercarono di inserirsi gli esponenti del Dissenso e sembrò far cadere in Europa occidentale quei «veti» che nei decenni precedenti avevano impedito ai Partiti comunisti del mondo occidentale di presentarsi quali credibili candidati a posti di responsabilità governativa. Il Dissenso ed il permanere della repressione ad opera delle varie autorità comuniste, anche se espressa in maniere meno cruente che durante l'età staliniana, pose inoltre una serie di interrogativi e di dilemmi in generale alla sinistra europea occidentale, sia di matrice comunista, sia quella di ispirazione socialista che, in una fase in cui essa parve riscuotere particolare succes-

so sul piano del consenso sia fra gli elettorati, sia fra le leadership *intellettuali dell'Europa occidentale, si trovò a dover fare i conti con la contraddittoria e a volte drammatica realtà del «socialismo reale» e del suo modo di mantenersi al potere.*

Nonostante in questi ultimi anni vari studi e iniziative scientifiche abbiano affrontato questi importanti temi, il volume di Valentine Lomellini rappresenta la prima puntuale ricostruzione nel lungo arco di tempo che spazia dalla Primavera praghese alla «caduta» del Muro di Berlino, del dibattito apertosi all'interno della sinistra italiana, in particolare nel PCI e nel PSI, intorno alla questione del Dissenso all'Est.

Non è possibile in queste brevi pagine introduttive riassumere i numerosi temi, i vari episodi, le molteplici questioni che caratterizzano il presente volume e che sono l'espressione di un lungo e approfondito lavoro di ricerca e di un'attenta ricostruzione, condotti con rigore, quanto con passione e profonda curiosità intellettuale. È forse utile individuare alcune delle questioni che anche sul piano interpretativo appaiono maggiormente stimolanti e fra i risultati più interessanti dell'intero lavoro. In primo luogo, per ciò che concerne le posizioni del PCI, analizzate sulla base di un'ampia documentazione reperibile presso gli archivi della Fondazione Istituto Gramsci, l'apporto dello studio condotto da Valentine Lomellini appare fondamentale per individuare una delle contraddizioni più evidenti manifestatesi nella politica perseguita da Botteghe Oscure. L'autrice conferma la volontà della leadership *comunista italiana di emanciparsi dallo stretto legame con Mosca e l'aspirazione a divenire, non solo «partito di Governo», ma anche parte di una più ampia sinistra europea occidentale. Proprio l'atteggiamento assunto verso i dissidenti all'interno del blocco sovietico e nella stessa URSS rivela tutte le difficoltà, le remore, gli ostacoli presenti in questo processo di «occidentalizzazione». Numerosi sono gli esempi in tal senso illustrati nel volume: dalla ritrosia a concedere la solidarietà del partito ai dissidenti di matrice «borghese» ed ai* refuznik *ebrei, alla necessità di non rompere mai definitivamente i ponti con il PCUS, alla separazione esistente nel dibattito svoltosi ai vertici del partito e alla «verità» presentata alla base dei militanti, per finire con il rifiuto di condurre insieme al PSI di Craxi una battaglia in favore del Dissenso. Centrale, come spiega Valentine Lomellini, al fine di comprendere queste contraddizioni nelle posizioni del PCI di Berlinguer, risultò il legame fra la possibilità di essere finalmente coinvolti nell'area di governo e il sostegno alla distensione sul piano internazionale. Il miglioramento delle relazioni fra Washington e Mosca venne considerato a Botteghe Oscure come la premessa in-*

dispensabile per l'eliminazione della cosiddetta conventio ad excludendum *ma, soprattutto a partire dagli accordi di Helsinki del 1975 – api-
ce, ma anche avvio della curva discendente della distensione – l'agitar-
si dei dissidenti nell'Est europeo avrebbe implicato una possibile crisi nel
rapporto Est-Ovest, mettendo così in discussione quella abile e paziente
azione condotta da Berlinguer affinché il PCI potesse presentarsi, non solo agli occhi dei leader moderati italiani, ma anche nell'opinione dei politici occidentali, come un partito legittimato a svolgere funzioni di carattere governativo. Ciò non significava rifiutare una visione critica del
«socialismo reale», ma tale espressione di dissenso doveva tuttavia avvenire spesso in forme riservate, colpire più un partner debole come il
Partito comunista cecoslovacco piuttosto che il PCUS, e fondarsi sulla
convinzione che, alla fin dei conti, il comunismo all'Est fosse in qualche
modo riformabile, magari proprio sulle basi dell'esperienza e della elaborazione teorica di Botteghe Oscure.*

*Un altro aspetto rilevante che emerge dallo studio di Valentine Lo-
mellini è rappresentato dalle difficoltà che gran parte della* leadership *comunista italiana, seppur con alcune significative eccezioni in particolare fra gli intellettuali vicini al partito, dimostrò nel comprendere pienamente quanto stava accadendo all'interno del blocco sovietico. Se il PCI
si rivelò più attento e in maggiore sintonia con i rappresentanti della Primavera praghese, i quali restavano pur sempre membri o ex-membri del
Partito comunista cecoslovacco, diverso fu l'atteggiamento nei riguardi
dei cattolici polacchi e, dopo il 1980, del Sindacato Solidarność e degli
esponenti del KOR, tanto è vero che, come ben dimostra l'autrice, per tutti gli anni Settanta e sino al colpo di stato militare del dicembre 1981,
gran parte dei leader comunisti italiani si cullarono nell'illusione che nel
POUP potessero emergere elementi in grado di condurre il regime comunista polacco verso la via delle riforme. Altrettanto difficile fu il dialogo
con numerosi dissidenti sovietici, che, sebbene meritevoli di aiuto sul
piano umano e personale, vennero spesso considerati quali rappresentanti di ideali difficilmente condivisibili, se non anzi da rifiutare, come
nel caso del 'reazionario' Solženicyn.*

*Le questioni ricordate si intrecciano, nell'analisi dell'autrice, con l'i-
dentificazione dei caratteri dell'Eurocomunismo, formula divenuta emblema della posizione assunta dal PCI, ma condivisa dal PCF e dal PCE,
nel corso degli anni Settanta. In effetti il tema della posizione verso il movimento del Dissenso rappresentò un ulteriore elemento di contraddizione e di divisione fra i tre Partiti comunisti che avrebbero dovuto divenire i portabandiera di un diverso approccio al «socialismo».*

Se la posizione del PCI riveste nello studio di Valentine Lomellini un ruolo centrale, va indicato come l'autrice abbia inteso prendere in considerazione la sinistra italiana nel suo complesso e come significative siano le pagine dedicate al PSI. In questo caso appare rilevante il netto cambiamento manifestatosi nella seconda metà degli anni Settanta con il passaggio della segreteria da De Martino a Craxi. Per il leader socialista milanese il sostegno che il PSI, da questo momento in avanti, manifestò nei confronti dei dissidenti rappresentò un aspetto centrale della politica del partito. Se nell'azione di Craxi vi fu certamente un grado di strumentalità, avendo in questo modo individuato un utile mezzo con cui porre in difficoltà il Partito comunista, da parte del Segretario socialista si manifestò in più di un'occasione la convinzione che alcuni dissidenti ponessero una serie di importanti questioni di natura teorica, contribuendo a un dibattito sui caratteri di un socialismo che si ponesse come alternativo e dotato di elementi di particolare novità. In tale ambito significative sono le pagine dedicate dall'autrice alla «Biennale del dissenso» o all'attenzione che destò nel PSI alcuni aspetti del Dissenso polacco sviluppatosi tra il 1980 e il 1981.

Va infine ricordato come l'autrice nell'esaminare la seconda metà degli anni Ottanta – non a caso un periodo di nuova distensione – sottolinei la perdurante convinzione di un PCI, ormai non più guidato da Berlinguer, nella possibilità di riformare dall'interno il «socialismo reale». Tale tendenza trovò espressione nel sostegno pieno, quanto a volte acritico, nei riguardi di Gorbačëv e del suo disegno riformatore. Non a caso il volume si conclude con il viaggio di Dubček a Bologna nel 1988 e la convinzione che il filo spezzatosi nel 1968 a Praga da Brežnev, potesse essere riannodato venti anni dopo dal nuovo leader del Cremlino. La «rivoluzione di velluto» dell'anno successivo avrebbe dimostrato come il «comunismo dal volto umano» aveva fatto il suo tempo e come i rappresentanti del Dissenso all'Est, nonché gran parte delle popolazioni dei Paesi membri del blocco sovietico, desideravano voltare in maniera definitiva le spalle a qualsiasi tipo di «socialismo reale» e aspiravano a un futuro «liberale» e «liberista», forse moderato da generosi «welfare state», come nel caso del modello offerto dalle nazioni della Comunità Europea, alla quale immediatamente tutti i Paesi usciti dal comunismo chiesero di entrare a far parte.

Ma a questo punto lo stesso PCI avrebbe deciso di cambiare nome e abbandonare la famiglia del «socialismo reale» per entrare pienamente a far parte della sinistra europea occidentale.

Il volume di Valentine Lomellini si fonda su una ricca quanto interessante documentazione archivistica, frutto di approfondite ricerche presso istituzioni italiane e straniere, nonché su una lettura attenta della stampa di partito e della produzione scientifica esistente. Esso dimostra come lo studio della relazioni internazionali non possa trascurare attori di carattere «interno», anche non riconducibili all'azione dello Stato. Questo studio risulta particolarmente importante, non solo per quanto esso apporta alle conoscenze di un significativo tema della Guerra Fredda, ma anche per la comprensione di vicende centrali nella storia dell'Italia contemporanea.

Antonio Varsori
Ordinario di Storia
delle Relazioni Internazionali
Università di Padova
Padova, maggio 2010

Elenco delle abbreviazioni

Attori politici

CDU	Christlich demokratische union
CGIL	Confederazione generale italiana del lavoro
CGT	Confédération générale du travail
CSU	Christlich soziale union
DC	Democrazia cristiana
IS	Internazionale socialista
KOR	Comitato di difesa degli operai
PCC	Partito comunista cinese
PCCS	Partito comunista cecoslovacco
PCI	Partito comunista italiano
PCF	Partito comunista francese
PCE	Partito comunista español
PCUS	Partito comunista dell'Unione Sovietica
PSF	Partito socialista francese
PSI	Partito socialista italiano
POSU	Partito operaio socialista ungherese
POUP	Partito operaio unificato polacco
PSU	Partito socialista unitario
SED	Sozialistische Einheitspartei Deutschlands
SFIO	Section française de l'Internationale ouvrière
SPD	Sozialdemokratische Partei Deutschlands
UIL	Unione italiana lavoratori
VONS	Comitato per gli ingiustamente perseguitati (Cecoslovacchia)

Archivi

ACF	Archivio del Comune di Firenze
ACFDT	Archives de la confédération française démocratique du travail
ADC	Archivio della Camera dei Deputati
AHC	Archive d'histoire contemporaine
APCI	Archivio Centrale del PCI, Fondazione Antonio Gramsci
APCF	Archivio del PCF, Seine-Saint Denis
APF	Archivi presidenziali francesi
BDIC	Bibliothèque documentation internationale contemporaine
BRR	Biblioteca Roberto Ruffilli
CADN	Centre des Archives diplomatiques de France
CIAA	CIA Archives
FBC	Archivio del PSI, Fondazione Bettino Craxi
FFT	Archivio del PSI, Fondazione di Studi Storici Filippo Turati
FJJ	Fondation Jean Jaurès
FLR	Fondo Lombardo Radice
FPN	Archivio del PSI, Fondazione Pietro Nenni

IFM   Institut François Mitterrand
IISG   International instituut voor sociale geschiedenis
NSA   National Security Archives
OSA   Open Society Archives
OURS   Office Universitaire de Recherche Socialiste
UKNA   National Archives of United Kingdom
VBA   Vladimir Bukovskij Archive

*A mio padre Demetrio, che mi ha trasmesso
la passione per la storia e la politica,
e a mia madre Daniela, che mi ha donato
un po' della sua creatività*

Introduzione
Un punto d'osservazione
inedito

Lo studio della politica della sinistra italiana nei confronti del Dissenso e dell'opposizione in seno al blocco sovietico racconta la storia di un rapporto difficile, travagliato ma anche, potenzialmente, innovativo.

Dal 1947, la Guerra Fredda aveva diviso l'Europa in due blocchi contrapposti: i partiti comunisti e socialisti dell'emisfero occidentale e le forze di protesta dell'Est vivevano in bilico tra questi due mondi. Da un lato, la sinistra italiana, portatrice di un messaggio socialista nell'universo dominato dalla logica capitalista; dall'altro, il Dissenso nei Paesi dell'Est, latore di un'esperienza drammatica, che guardava oltre la Cortina di ferro alla ricerca di un sostegno che in patria non aveva. Dalla fine degli anni Sessanta, il clima internazionale generato dall'affermarsi della distensione rese il dialogo tra questi due attori politici non solo possibile, ma anche probabile: lo sviluppo di tale rapporto aveva le caratteristiche necessarie per dare origine a un 'ponte' oltre la Cortina di ferro.

L'affiorare dei movimenti di protesta nell'Est europeo – e in particolare nell'Unione Sovietica, in Cecoslovacchia e in Polonia – non poteva infatti non riguardare da vicino la sinistra di un Paese, quale l'Italia, dove il PCI e il PSI avevano svolto e svolgevano, seppure in modo diverso, un ruolo centrale nelle vicende nazionali. L'esperienza del «socialismo reale», con i suoi risultati ma anche con le sue contraddizioni, costituiva un innegabile punto di riferimento per tutti coloro che proponevano la realizzazione del socialismo nel mondo capitalista. Il PCI, dunque, ma anche il PSI, non potevano rifuggire dal confrontarsi con l'esistenza dei sistemi socialisti, sostenendone la validità o prendendo le distanze da essi.

Se la nascita del Dissenso dell'Est era stata direttamente favorita dal clima di distensione internazionale, questo processo aveva avuto una ricaduta positiva anche nel contesto politico italiano. L'Italia era infatti il Paese dell'Europa occidentale che, dopo la Germania divisa, più aveva risentito del clima di tensione tra le due superpotenze[1]. Dal 1947-1948, l'esclusione dal Governo del PCI – il più potente e organizzato Partito comunista d'Occidente – si era cristallizzata nella formula tradizionalmente conosciuta come *conventio ad excludendum*. I comunisti italiani venivano quindi costantemente chiamati a dimostrare la propria credibilità democratica: il nodo del legame con la «patria del socialismo» costituiva l'elemento centrale nella valutazione della legittimità dell'azione politica del PCI nell'arena politica interna. Tale dinamica era valsa anche per il Partito socialista italiano, la cui linea filosovietica e filocomunista aveva sollevato non poche diffidenze tra gli osservatori nazionali e internazionali, fino alla metà degli anni Cinquanta[2]. In seguito alla condanna dell'invasione sovietica in Ungheria, il PSI si era progressivamente guadagnato lo *status* di forza pienamente democratica. In questo modo, le strade dei due 'cugini' progressisti avevano preso direzioni diverse[3].

Nel corso degli anni Sessanta e Settanta, il nodo del giudizio sui Paesi dell'Est divenne così elemento di confronto e di scontro tra le due principali anime della sinistra italiana. La questione del diverso atteggiamento dei socialisti e dei comunisti attorno al Dissenso si inseriva, in definitiva, in una frattura già esistente, una lacerazione che era destinata ad approfondirsi nel corso degli anni successivi, divenendo uno dei principali elementi di contrasto in seno al movimento operaio d'Italia.

L'analisi della strategia adottata dal PCI e dal PSI nei confronti del Dissenso nei Paesi dell'Est costituisce dunque una 'finestra' dalla quale osservare, da un punto di vista inedito, alcuni aspetti centrali dell'identità delle due principali componenti della sinistra italiana. Tale questione consente inoltre di gettare una nuova luce sulle ragioni che resero impraticabile la creazione di una sinergia tra PCI e PSI, impedendo all'Italia di avere un'alternativa credibile di sinistra all'egemonia democristiana. Il conflitto politico intorno all'esperienza del «socialismo reale» e alla valenza del Dissenso nel blocco sovietico fu generato da uno scontro di valori e, al contempo, costituì l'emblema della lotta per ottenere la *leadership* del movimento operaio. Da un lato, tale contrasto si basava infatti sull'esistenza di un'inconciliabile visione delle relazioni internazionali e del socialismo; dall'altra, esso si trasformò ben presto in una battaglia sterile, che non teneva conto della possibilità di valorizzare i punti di convergenza esistenti. Le politiche del PCI e del PSI erano inconciliabili perché perseguivano lo stesso obiettivo, quello della *leadership* della sinistra e dell'ottenimento di un ruolo centrale nel sistema politico italiano. I comunisti italiani erano impegnati nel preservare la propria posizione di partito-guida del movimento operaio, e nell'ottenere quella credibilità nazionale e internazionale necessaria all'accesso al Governo. Il seguito politico e culturale del PCI costituiva un esempio unico nel mondo occidentale, soprattutto se associato alla posizione marginale alla quale era stato confinato il PSI, passato a essere da primo partito della sinistra nell'immediato secondo dopoguerra, una forza politica di secondo piano [4]. I socialisti italiani erano quindi intenzionati a uscire dal vicolo cieco frontista: il primo passo in questa direzione sarebbe stata la ridefinizione della propria identità, come coscienza critica e unico volto realmente democratico dei progressisti italiani.

La peculiarità del tema del Dissenso risiede, quindi, nella ricaduta che esso ebbe nel contesto politico italiano. Argomento apparentemente marginale e secondario, tra gli anni Settanta e Ottanta esso si sviluppò nel dibattito politico e culturale in modo trasversale, intersecando questioni di natura internazionale, nazionale e interna agli stessi partiti. La strategia nei confronti dell'opposizione si intrecciò infatti inscindibilmente alla visione della distensione internazionale, ed al legame con la «patria del socialismo». L'aspetto nazionale fu poi evidente nell'emergere dello scontro in seno alla sinistra italiana, che trovava nella politica verso il Dissenso un fattore centrale di distinzione tra PCI e PSI. E, infine, le ricadute di tale tema all'interno degli stessi due partiti: in particolare, la presenza di un consenso in seno ad essi intorno alla politica nei confronti dell'opposizione nell'Est, e l'esistenza di una discrepanza tra la politica della dirigenza e la percezione della «base».

L'analisi della politica della sinistra italiana nei confronti dell'opposizione in seno al blocco sovietico non è, in definitiva, una ricostruzione della storia del Dissenso. I casi dell'Unione Sovietica, della Polonia e della Cecoslovacchia sono stati individuati sia per la loro rilevanza a livello internazionale ma soprattutto per il loro impatto sulla sinistra italiana, così come emerso dallo studio dei documenti. La questione dei rapporti con il Dissenso nel blocco sovietico è piuttosto uno specchio attraverso il quale valutare le relazioni interne al movimento operaio italiano, nel tentativo di fornire nuovi elementi per spiegare l'intrinseca incomunicabilità tra il Partito socialista ed il Partito comunista nell'Italia del secondo dopoguerra. Uno studio che si propone di rifuggire da facili giudizi e preordinati *cliché*, restituendo alle strategie politiche ricostruite una contestualizzazione imprescindibile per la loro comprensione.

Nel corso di questi anni di lavoro, ho avuto la fortuna di incontrare persone che mi hanno fornito spunti importanti per pensare all'oggetto di studio che mi accingevo ad analizzare. Il contributo di tutti loro è stato fondamentale nella mia formazione accademica, e non può che aver avuto ricadute positive sulla stesura del presente volume.

La prima persona a cui il pensiero corre è Antonio Varsori, confermatosi il referente che ogni giovane studioso vorrebbe avere. A lui va il merito di avermi offerto quel sostegno indispensabile a uno storico alle prime armi, pur lasciandomi ampia libertà e autonomia nella ricerca e nella rielaborazione. Un ringraziamento particolare va, inoltre, a Viktor Zaslavsky: la sua improvvisa scomparsa accresce il valore dell'esperienza di vita di cui mi aveva reso partecipe, fornendomi elementi indispensabili per l'orientamento nel vario mondo del Dissenso.

Le numerose conversazioni con Marc Lazar, Silvio Pons e Georges-Henri Soutou, nel corso dei lunghi periodi di ricerca a Roma e a Parigi, sono state assolutamente essenziali per concettualizzare il complesso tema delle relazioni tra sinistra occidentale e Dissenso. Vorrei ringraziare inoltre per la disponibilità a condividere le prime riflessioni sul progetto di ricerca anche Federigo Argentieri, Eric Bussière, Francesco Caccamo, Silvia Casilio, Marco Clementi, Mario Del Pero, Maria Ferretti, Marcello Flores, Marco Galeazzi, Marco Gervasoni, Martin Klimke, Mark Gilbert, Francesco Guida, Alexander Höbel, Peter Kammerer, Alba Grazia Lazzaretto, Francesco Leoncini, Magda Martini, Giorgio Petracchi, Carla Meneguzzi Rostagni, Piero Sensini, Eric Terzuolo, Federico Romero, Odd Arne Westad e Vladislav Zubok. Tra coloro che mi hanno reso partecipe della loro testimonianza un ringraziamento particolare è destinato a Luciano Antonetti e Adriano Guerra, ma non posso dimenticare la disponibilità dimostrata da Vladimir Bukovskij, Jiří Dienstbier, Jiří Kosta, Antonio Landolfi, Luciano Pellicani, Carlo Ripa di Meana, Antonio Rubbi, Jaroslav Šabata, Renato Sandri, Sergio Segre e Valdo Spini. Il loro contributo mi ha aiutata a dare un 'volto' alla ricostruzione di un periodo storico ancora così vicino, ma anche già lontano dalla mia generazione. Vorrei esprimere la mia riconoscenza a tutte le persone che hanno concretamente reso possibile questa ricerca grazie alla loro professionalità e disponibilità: il personale della Fondazione Gramsci di Roma, ed in particolare Giovanna Bosman e Cristiana Pipitone; Alfonso Isinelli della Fondazione Nenni; Giuseppe Muzzi della Fondazione Turati; il personale dell'Archivio della Camera dei Deputati, dell'Archivio Comunale di Firenze e dell'Institute of Social History; Emmanuelle Jouineau della Fondazione Jaurès, Pascal Carreau dell'Archivio della Seine-Saint Denis, Pascal Geneste per l'Archivio Presidenziale Francese; e Georges Saunier dell'Institut Mitterrand.

Ogni ricerca è anche risultato del fruttuoso clima di collaborazione tra colleghi. A fronte delle critiche che spesso piovono sul mondo accademico italiano, posso senz'altro affermare che il Dipartimento di Studi internazionali dell'Università di Padova ha rappresentato il luogo ideale dove sviluppare la mia ricerca e che esso è, assieme all'Institute of Advanced Studies IMT (Institutions, Market and Technologies), uno dei pochi centri che consente di fare un'esperienza autenticamente internazionale sul territorio italiano. Un particolare ringraziamento, oltre che al personale del Dipartimento ed a Nadia Orengo, va ai colleghi Giovanni Bernardini, David Burigana, Giuliano Garavini, Lorenzo Mechi, Guia Migani, Simone Paoli, Francesco Petrini e Angela Romano, che mi hanno accolta con amicizia e spirito di collaborazione. Ad Alba Grazia Lazzaretto, Francesco Leoncini e Antonio Varsori va il merito di aver letto con attenzione il testo prima della sua pubblicazione, fornendo un supporto ineguagliabile nella rielaborazione delle bozze. Un sincero ringraziamento va poi a Fulvio Cammarano, che mi ha offerto la possibilità di pubblicare il mio lavoro nella Collana da lui diretta.

La gratitudine più grande è destinata però a mia madre e a mio padre, che in ogni momento mi hanno offerto il loro incondizionato sostegno, come solo persone davvero speciali sanno fare. Una menzione di particolare rilievo a Francesco, improvvisatosi compagno di ricerche, correttore di bozze, curatore di particolari. Confidando che questa sia solo la prima, di tante future avventure, che ci veda uniti.

Note

[1] F. ROMERO, *Storia della guerra fredda. L'ultimo conflitto per l'Europa*, Einaudi, Torino, 2009, pp. 59-72.

[2] G. SABBATUCCI, *Il riformismo impossibile. Storie del socialismo italiano*, Laterza, Roma-Bari, 1991, pp. 93-111.

[3] F. ARGENTIERI, *Ungheria 1956. La rivoluzione calunniata*, Reset, Venezia, 2006, pp. 55-67. Come testimonianza, si veda: E. BETTIZA, *1956. Budapest, i giorni della rivoluzione*, Mondadori, Milano, 1956, pp. 67-81.

[4] S. COLARIZI, *Storia politica della Repubblica, 1943-2006*, Laterza, Roma-Bari, 2007, pp. 78-127.

1
Il Sessantotto cecoslovacco: tra caduta e resistenza del mito

Le questioni sono questioni di lotta. Il giornale può fare molto per impedire all'avversario di farci cuocere nel brodo cecoslovacco. Non si tratta di cancellare la Cecoslovacchia, ma di portare avanti tutte le questioni di lotta [...] tenendo presente che per i lavoratori la Cecoslovacchia non è tutto.
Luigi Longo, riunione della Direzione

Dopo la Primavera, all'indomani dei carri armati

La recente ricorrenza del quarantesimo del 1968 ha messo in chiara evidenza il carattere mitico che tale anno ha assunto nell'immaginario collettivo: non solo la storiografia ha individuato nel Sessantotto un chiaro *cleavage* della storia italiana e internazionale ma anche la produzione di matrice politologica e sociologica si è confrontata con tale tema, confermando o tentando di confutare l'idea che quei dodici mesi abbiano apportato un cambiamento irreversibile della società[1]. In effetti, anche limitandosi a osservare la cronologia degli eventi, il 1968 ha costituito un raro concentrato di episodi e processi che non possono non aver inciso nel definire la storia dei decenni successivi, e in particolare degli anni Settanta. L'impetuoso emergere del movimento studentesco, in Italia e a livello transnazionale; gli eventi legati al Vietnam, con l'aumento dello sforzo bellico che sembrava confermare le difficoltà statunitensi a livello di *leadership* mondiale ed anche sul piano interno, con il consolidamento di un più vasto fronte pacifista; e, giungendo al contesto italiano, il tramonto delle speranze riposte nella formula del centro-sinistra, costituirono alcuni dei tratti salienti di un contesto caratterizzato da un sempre maggiore dinamismo[2]. In termini generali, fu proprio questo accresciuto dinamismo la caratteristica principale del Sessantotto: la rapida e profonda trasformazione della realtà iniziò a divenire caratteristica anche dei Paesi che si trovavano a est della Cortina di ferro. Dopo la brutale repressione della Rivoluzione ungherese del 1956, i primi anni Sessanta avevano visto il timido avanzare di una qualche forma di apertura in seno al blocco sovietico. In particolare, la Cecoslovacchia – rimasta sino a quel momento sotto la stretta presa di Antonín Novotný – aveva conosciuto alcuni rilevanti elementi di apertura: nel 1960 era stata approvata una nuova Costituzione e l'anno successivo era stata istituita una commissione per la revisione dei processi politici. A distanza di due anni, fu promossa la riabilitazione delle persone ingiustamente accusate e, contestualmente, venne istituita una commissione governativa sull'economia, nel tentativo di trovare una soluzione alla disastrata situazione finanziaria del Paese. La caduta di Chruščёv e la nomina di Leonid Brežnev a segretario generale del PCUS non era riuscita a frenare il lento e graduale processo di riforma: nel 1966, le richieste di democratizzazione politica e di cambiamento economico costituirono i pilastri del XIII Congresso del Partito comunista cecoslovacco [3]. L'elezione di Alexander Dubček a leader del PCCS, nel gennaio 1968, e la creazione, nell'aprile di quell'anno, di un nuovo governo, diedero formalmente inizio a quella stagione politica che è comunemente conosciuta come la Primavera di Praga: il tentativo di conferire al «socialismo reale» un volto umano, introducendo una serie di riforme in senso democratico, volte – secondo una nota formula – a colmare le lacune tra Paese reale e Paese legale. La definizione di un «programma d'azione» e l'abolizione della censura, assieme alla creazione di nuove associazioni e all'emergere di un vivace dibattito intellettuale, furono i passi fondamentali per la definizione di un «nuovo corso» che fosse – al contempo – socialista e democratico [4]. Analoghi fermenti caratterizzarono anche altri Paesi del blocco sovietico, tra i quali la Polonia, ove però ebbero meno fortuna e generarono una endemica instabilità, destinata a sfociare in periodiche crisi nel corso degli anni Settanta e Ottanta [5]. Tali simultanee aperture non furono certamente casuali: esse erano correlate al più vasto processo di distensione mondiale, il cui corso era in grado di condizionare direttamente i singoli contesti nazionali. L'azione del leader socialdemocratico tedesco Willy Brandt, dal 1966 ministro degli Esteri e poi vicecancelliere in un governo di grande coalizione CDU/CSU-SPD, è comunemente considerata dalla storiografia internazionale come uno degli elementi centrali della «grande distensione», un processo che avrebbe caratterizzato i rapporti tra le superpotenze dalla fine degli anni Sessanta sino alla metà del decennio successivo [6]. Sebbene recenti studi abbiano dimostrato l'iniziale scetticismo dell'Amministrazione Nixon nei confronti dell'azione di Brandt e nonostante non fossero poche le perplessità dei sovietici in merito, attraverso l'azione della Repubblica Democratica Tedesca, il processo di distensione divenne in tempi rapidi un elemento determinante nella definizione delle relazioni politiche tra le superpotenze, nonché un fattore di crescente rilievo all'interno dei contesti nazionali [7].

Non certo estranea a tali evoluzioni era l'Italia, il Paese che – secondo solo alla Germania divisa – si trovava sul confine tra i due blocchi. Il realizzarsi della distensione internazionale avrebbe potuto scuotere anche la situazione politica della Penisola, nella quale la formula del centro-sinistra – almeno per come era stata intesa sino a quel momento – sembrava ormai aver perso ogni *appeal* politico. Simona Colarizi ha definito gli ultimi anni Sessanta in Italia una «stagione di movimenti»: un riferimento non solamente al movimento studentesco ma anche alla nascita dei variegati attori della sinistra extraparlamentare con un ancoraggio alle ideologie rivoluzionarie marxiste-leniniste in funzione anti-PCI, nonché in rapporto al fermento di alcuni ambienti della destra e dello Stato italiano, già manifesto nell'affare SIFAR e sfociato, nel dicembre del 1969, nell'attentato di piazza Fontana [8].

Il PCI si trovava così in una situazione inedita nella propria storia: nonostante la sfida alla propria sinistra e le suggestioni generate dall'eversione di destra, si aprivano alcuni spazi di manovra per ridefinire la *conventio ad excludendum* che lo costringeva all'opposizione sin dal 1947. Il mutato atteggiamento nei confronti della produzione legislativa del centro-sinistra aveva – secondo Colarizi – reso palese la scelta riformistica dei comunisti italiani: un'evoluzione che era stata colta anche dal leader democristiano Aldo Moro, promotore della cosiddetta «strategia dell'attenzione» nei confronti del partito di Longo [9]. Rimaneva tuttavia un nodo irrisolto e, almeno apparentemente, irrisolvibile: il legame del PCI con la «patria del socialismo». Nonostante il contesto di distensione internazionale, ogni – eventuale – ridefinizione della *conventio ad excludendum* implicava un ripensamento del legame tra Botteghe oscure e PCUS, *conditio sine qua non* il PCI avrebbe continuato ad essere visto come la *longa manus* del Cremlino nella penisola [10]. In tale contesto, l'atteggiamento del PCI nei confronti del «socialismo dal volto umano» – quello promosso da Dubček, appunto – sarebbe stato un chiaro segnale della direzione nella quale Luigi Longo aveva deciso di orientare il partito.

Attorno al problema dell'atteggiamento mantenuto dal PCI nei confronti della Primavera di Praga, studi recenti sembrano convergere sulla particolare attenzione conferita dai comunisti italiani all'esperimento del «nuovo corso» praghese [11]. Non vi è ragione per rivedere questo approccio: il sostegno degli italiani ai compagni cecoslovacchi si inseriva nel più generale contesto della riflessione sulle relazioni in seno al movimento comunista internazionale. I comunisti italiani si facevano promotori di una nuova visione dei rapporti tra «partiti fratelli» e di una innovativa – per quanto ancora embrionale – idea di socialismo, elementi in chiara rotta di collisione con il modello sovietico, accentratore e dogmatico [12]. Erano i segnali di un «nuovo internazionalismo» emerso già nell'organizzazione della Conferenza dei Partiti comunisti del Mediterraneo, nell'aprile del 1968, e durante i lavori preparatori per la Conferenza mondiale dei PC: l'apertura a forze di sinistra non comuniste ed il rifiuto di modelli precostituiti, così come di ogni condanna ideologica, erano i cardini dell'azione del PCI nel movimento comunista internazionale. Tale evoluzione si stava concretizzando «a piccoli passi»: come ha rilevato Höbel, sarebbe stata proprio la crisi cecoslovacca ad imprimere una «significativa accelerazione» ad un processo già *in itinere* [13].

«Per i comunisti, il socialismo e la democrazia sono e debbono essere indissolubilmente legati», sottolineava il settimanale del PCI «Rinascita», mettendo in rilievo la continuità tra l'elaborazione politica di Botteghe oscure e quella della Primavera di Praga [14]. Premessa la prossimità tra i due partiti fratelli, la decisione del segretario del PCI Luigi Longo di recarsi in visita a Praga, nel maggio del 1968, e la pubblicazione sulle pagine de «l'Unità» di un'intervista ad Alexander Dubček [15], altro non furono che segnali di una tendenza già ben delineata [16].

Sebbene l'atteggiamento della sinistra italiana nel suo complesso fosse positivo nei confronti dell'esperimento cecoslovacco, nei mesi primaverili del 1968 emersero alcuni elementi di forte disaccordo tra PCI e PSU. I punti di attrito erano fondamentalmente due: *in primis*, il giudizio sulle correnti di riformismo estremista del «nuovo corso», ritenute dal PCI istigatrici di «spinte irresponsabili», ma valutate in termini non negativi dal PSU [17]. In secondo luogo – e questo era certamente il punto di maggiore frizione – la questione dei rapporti tra PCI e PCUS e delle sue ricadute sul rapporto tra socialisti e comunisti in Italia. Al Comitato centrale del maggio 1968, il PSU si era mostrato profondamente diviso intorno al tema della politica da adottare nei confronti di Botteghe oscure: al termine del Comitato centrale, era prevalsa l'idea che il PSU dovesse costituire la 'cerniera' del sistema politico italiano, tornando ad essere una forza di primo piano in seno al movimento operaio [18]. La questione non era certo nuova. Le sorti del

Partito socialista erano state a lungo legate alle vicende del PCI, ed in tale legame affondava le proprie radici quella che la storiografia considera un'anomalia tipicamente italiana [19]. La svolta legata ai fatti del blocco sovietico del 1956 – il rapporto segreto di Chruščёv e l'invasione dell'Ungheria – aveva portato il PSI ad intraprendere la strada dell'autonomia dai compagni comunisti. Durante il Congresso di Venezia nel febbraio dell'anno successivo, il PSI aveva preso in modo definitivo le distanze sia dalla «patria del socialismo» – collegando i concetti di socialismo e di democrazia – sia da Botteghe oscure. Sebbene il richiamo all'azione unitaria non fosse venuto meno, la rivendicazione di una maggiore libertà di azione si era prepotentemente fatta spazio [20]. La strada verso un ruolo più indipendente da parte del PSI era andata ampliandosi con la nascita del Partito socialista unitario, nell'ottobre del 1966, passando per l'iniziativa socialista sia in campo di politica interna (il centro-sinistra), sia nell'ambito internazionale (le posizioni intorno al processo di unificazione europea) [21].

Alla fine degli anni Sessanta, il Partito socialista nel suo insieme condivideva il giudizio critico «nei confronti dell'esperienza di collettivizzazione integrale, di statalismo burocratico, di soppressione totale o parziale delle libertà democratiche compiute dai partiti comunisti al potere e finora avallata dai partiti comunisti degli altri Paesi» [22]. Stando in questi termini l'evoluzione del PS, certo non sorprende che le nuove istanze provenienti da Praga fossero state accolte con interesse e partecipazione dai socialisti. Nei suoi appunti, Pietro Nenni classificava il Sessantotto praghese come la vera ed autentica ricerca del socialismo [23]. Ma il «nuovo corso» non era gravido di aspettative solo ad est del Muro. Il deludente risultato elettorale del PSU alle elezioni del maggio 1968 aveva infatti chiaramente indicato che l'unica strada percorribile per invertire la tendenza negativa era quella di una sinergia in seno alla sinistra italiana [24]: la posizione del PCI sulla Primavera avrebbe potuto aprire un varco «all'unità operaia» [25]. Praga era come Budapest e Varsavia del 1956. Socialisti e comunisti avrebbero dovuto stringersi per «dare una mano» a Dubček [26].

Nonostante l'esistenza di punti di convergenza, il divario tra le posizioni del PCI e del PSU era destinato ad ampliarsi. Nonostante le manovre del patto di Varsavia ed i ripetuti avvertimenti del Cremlino – che considerava la Primavera un pericoloso (ed esportabile) esperimento – la situazione di stallo dell'estate del 1968 aveva indotto i riformatori cecoslovacchi e gli osservatori internazionali a ritenere improbabile un intervento militare sovietico [27]. Tali calcoli erano destinati a rivelarsi errati, come i tragici fatti del 21 agosto 1968 mostrarono [28]. L'irruzione dei carri armati a Praga contribuì a polarizzare le posizioni del PSU e del PCI, introducendo un forte elemento di contrasto in seno alla sinistra italiana e – entro certi limiti – anche all'interno degli stessi partiti. Le dinamiche della risposta dei comunisti italiani sono, dai più, conosciute [29]. Vale comunque la pena di ripercorrerle, seppur brevemente, poiché esse costituirono un punto di riferimento imprescindibile per l'evoluzione della politica del PCI e dei rapporti tra comunisti e socialisti italiani per tutto il decennio successivo.

Dopo una serie di convulsi contatti tra i dirigenti di Botteghe oscure, la Direzione pubblicò un comunicato nel quale si esprimeva il «grave dissenso» e la «riprovazione» per l'intervento sovietico [30]. «l'Unità» contribuì a mantenere alta l'attenzione su Praga: Giuseppe Boffa, inviato per il foglio comunista nella capitale boema, illustrava una situazione cupa e complessa [31]. La reazione pubblica dei compagni italiani non fu certo accolta con calore dai sovietici. Mosca smentì sia il contenuto delle corrispondenze di Boffa [32], sia le informazioni riportate su «l'Unità» [33]. In entrambi i casi – lamentava il Cremlino – si dava «rilievo a tutte le notizie sfavorevoli all'URSS» [34]. La risposta di Longo fu diplomatica ma ferma: il giornale non poteva «ignorare le notizie non ufficiali e le voci» riguardanti un caso di prima attualità. Tra le mura di Botteghe oscure, tuttavia, il Segretario generale spiegò ai dirigenti la necessità di prestare una maggiore attenzione «nella scelta delle notizie» da pubblicare.

Nonostante la raccomandazione, l'emergere di un nuovo multiforme attore politico alla propria sinistra [35], ed il manifestarsi di tendenze di vario segno all'interno del partito, indussero il PCI a sviluppare un'autentica e complessa strategia di comunicazione. Un aspetto centrale questo, che è stato sinora in parte sottovalutato dalla storiografia italiana ed internazionale. La «rielaborazione politica collettiva» si sviluppò in due direzioni. In primo luogo, «Rinascita» iniziò una campagna d'informazione sulle posizioni internazionaliste del PCI. I *testimonial* sarebbero stati proprio i leader del partito. Il PCI riconduceva concretamente la propria manifestazione di dissenso alle radici ideologiche dell'ultimo Togliatti, quello del «Memoriale di Jalta» [36], procurandosi in tal modo il *background* ideologico necessario a sostenere le proprie posizioni di critica, in un contesto tradizionale. Dopo la pubblicazione del lascito del «Migliore», anche Longo, Pajetta, Amendola, Ingrao ed Occhetto presentarono le proprie riflessioni intorno alla situazione cecoslovacca, seguendo la linea stabilita dal Comitato centrale dell'agosto 1968 [37]. Il PCI tendeva ancora a mostrarsi come il maggiore sostenitore comunista del «nuovo corso» nel blocco occidentale. Mettendo in luce la necessità di riforme sostanziali «in tutti i Paesi socialisti», i comunisti italiani coglievano l'occasione per tentare un'ulteriore definizione della via italiana al socialismo, che pure veniva tratteggiata per negazione di altri riferimenti esistenti [38]. Proprio perché il riferimento a Togliatti era così centrale, nei discorsi di Longo e degli altri leader si rifletteva il richiamo al principio della «unità nella diversità»: se si ribadiva che l'intervento dei quattro Paesi era «ingiustificato» ed «illegittimo», la collocazione internazionale del PCI era «chiara» ed «irrinunciabile» [39].

In secondo luogo, «Rinascita» contribuì a formare l'opinione pubblica comunista intorno alle vicende cecoslovacche. Dai primi mesi del 1968, una significativa quantità di servizi giornalistici vennero dedicati ai fatti di Praga: a fronte di quattro editoriali sulle vicende politiche della Primavera [40], la rivista aveva stampato circa trenta articoli che, anche per voce dei diretti protagonisti, illustravano l'evolvere del «nuovo corso». L'attività di Franco Bertone, a capo della sezione esteri del settimanale [41], si spingeva sino ad individuare nell'iniziativa militare del patto di Varsavia «una nuova fase di 'stabilizzazione' del campo socialista europeo», e «una nuova dinamica internazionale da parte dell'URSS» [42].

La strategia del PCI fu accolta con qualche sospetto tra le fila del PSU, sintomo del costante clima di diffidenza che aleggiava tra le principali componenti della sinistra italiana [43]. Per quanto concerne il contegno dei socialisti italiani intorno alla crisi cecoslovacca, due elementi paiono di particolare rilievo. In primo luogo, la stretta connessione tra la condanna dell'invasione e il sostegno alla distensione internazionale; in secondo luogo, la triangolazione tra la politica del PSU, la questione cecoslovacca ed il PCI.

Nel primo ambito, si inserisce l'intervento di Nenni all'Internazionale socialista a pochi giorni dall'invasione. Il leader socialista fu risoluto nel rifiutare di accettare il «fatto compiuto» ma si mostrò anche persuaso dalla necessità di evitare che la crisi in atto oscurasse la distensione, premessa per la pace [44]. «Siamo tutti cecoslovacchi – appuntava Nenni – Nessuna normalizzazione senza il ritiro delle truppe». Questa riflessione ne chiamava però un'altra: «Attenzione: non trasformare una crisi interna del Patto di Varsavia in un confronto tra Patto Atlantico e Patto di Varsavia» [45]. Contro i blocchi: in questo senso doveva andare la politica dei socialisti italiani; la «solidarietà attiva» ai cecoslovacchi sarebbe stata maggiormente efficace se collocata in una lotta più vasta per una «Europa libera e democratica» e per la distensione [46]. Il PSI si era schierato senza indugi dalla parte dei leader della Primavera, contro ogni ingerenza sovietica. Tale sostegno andava tuttavia contestualizzato in una politica «al tempo stesso realistica e capace di guardare lontano», cioè in un'azione di sostegno ai cecoslovacchi nei limiti della salvaguardia della *détente*[47].

Se il bene comune da preservare era la distensione, la posizione dei socialisti italiani rimaneva nella sostanza distinta – e al suo interno divisa – rispetto a quella del PCI. Il contributo del PCI alla causa del socialismo e della democrazia era messo in dubbio dalla sua appartenenza al movimento comunista internazionale. La risoluzione di Botteghe oscure era ritenuta «indice della mutata situazione dal 1956»[48], ma il «rapporto fraterno con l'URSS e con il PCUS» rimaneva il nodo centrale di una maturazione politica considerata insufficiente[49]. La posizione del PCI intorno alla crisi cecoslovacca era un «episodio», o era piuttosto destinata a generare un «ripensamento generale», una «revisione autocritica» che avrebbe investito «tutta l'esperienza del comunismo italiano ed internazionale»? Una questione certo di non poco conto, anche perché implicava non solo il riposizionamento internazionale del PCI, ma anche – e soprattutto – la possibilità di una ritrovata intesa tra socialisti e comunisti. E tale tema, sin dai fatti d'Ungheria, era suscettibile di generare divisioni profonde anche tra gli stessi socialisti. In particolare, la posizione del PCI riguardo agli «Accordi di Mosca» – il *diktat* imposto dai sovietici ai leader della Primavera ad una settimana dall'invasione – sembrò ad alcuni settori del PSU un passo indietro in confronto al comunicato del 21 agosto. Il socialdemocratico Orlandi denunciò l'ambiguità del PCI, mentre Santi – della sinistra socialista – ne esaltò l'autonomia[50]. A prescindere dalle posizioni adottate, un aspetto era ormai chiaro: non era possibile parlare della Cecoslovacchia senza nominare Botteghe oscure ed invocare un cambiamento dei rapporti di forza in seno al movimento operaio italiano[51].

Il punto focale del discorso politico del PSU era quindi quello dell'autonomia: *di chi* e *da chi* si dovesse essere autonomi, era una questione aperta a diverse interpretazioni. La sinistra del partito auspicava l'autonomia dei comunisti italiani dall'Unione Sovietica[52]; la destra del PSU pensava invece ad una ritrovata autonomia dei socialisti dai comunisti italiani[53]. La questione della Cecoslovacchia, in definitiva, si inseriva su una frattura già esistente nella Direzione del PSU, tra i sostenitori del centro-sinistra ed i promotori di un riavvicinamento al PCI. Il caso cecoslovacco divenne così un'occasione perduta per ritrovare l'unità del partito: il voto negativo espresso da alcuni deputati della sinistra socialista in merito all'ordine del giorno presentato dal

PSU sul caso cecoslovacco, nelle sedute parlamentari di fine agosto, fu solo il più evidente «caso grave di indisciplina» in seno al partito[54]. L'opportunità di «rilanciare il partito con le responsabilità di Governo» era stata nuovamente perduta[55].

Nell'ottobre del 1968, durante il Congresso del PSU[56], la posizione di Mauro Ferri ebbe la meglio: con la sua elezione a segretario, si consolidò il rilancio verso un centro-sinistra organico e una posizione più severa nei confronti del PCI[57].

Mentre nel PSU si confermava una svolta a destra, Botteghe oscure doveva affrontare le ire dei sovietici: come ricorda Antonio Rubbi, il PCUS mal tollerava le critiche alle proprie decisioni, specie se riguardavano la politica dello Stato sovietico[58]. A meno di un mese dall'invasione di Praga, di ritorno da un viaggio a Mosca, Armando Cossutta riferì la dura reprimenda dell'influente ideologo Suslov intorno alle modalità con cui la stampa comunista italiana aveva presentato i fatti cecoslovacchi[59] e alla valutazione pubblica da parte del PCI degli «Accordi di Mosca». Le critiche del Cremlino sembravano parte di una strategia dell'avvertimento più ampia di quanto inizialmente immaginato: cominciarono a giungere a Botteghe oscure notizie preoccupanti circa l'invio ai militanti di materiale filosovietico[60], mentre la presenza di frange su posizioni analoghe, facenti capo al dirigente comunista Ambrogio Donini, contribuiva a complicare la situazione interna[61]. Nel settembre 1968, nel tentativo di riequilibrare l'attenzione e le posizioni intorno alla Cecoslovacchia, Longo ritenne giunto il momento di «aggiustare il tiro»:

> Dopo l'agosto e la Cecoslovacchia dobbiamo ora superare il ritardo su tutti i problemi che avevamo posto nella campagna elettorale [...].
> Non impegnare tutto il partito sulle questioni internazionali, nemmeno al centro [...].
> Il giornale può fare molto per impedire all'avversario di farci cuocere nel brodo cecoslovacco. Non si tratta di cancellare la Cecoslovacchia, ma di portare avanti tutte le questioni di lotta [...] tenendo presente che per i lavoratori la Cecoslovacchia non è tutto. Questo non solo nel giornale, ma anche nei dibattiti sezionali e nell'attività generale del partito[62].

A partire dal settembre 1968, sebbene il PCI mantenesse un atteggiamento di coerenza riguardo alla condanna pronunciata sull'intervento del patto di Varsavia, iniziarono a farsi notare i primi segnali del recupero delle relazioni con Mosca, tendenza che si sarebbe precisata a partire dall'estate dell'anno successivo. Nell'autunno del 1968, tuttavia, mentre Longo chiedeva prudenza, l'impronta di Berlinguer iniziò a farsi più nitida. Il dirigente sardo, pur non concedendo «nessun passo sulla via socialdemocratica», richiese un maggiore approfondimento sul problema delle «contraddizioni» delle società socialiste [63], e un'elaborazione più puntuale delle posizioni del PCI nei confronti dei Paesi del blocco sovietico. L'obiettivo era quello di promuovere un'analisi che permettesse «di tener fermo, anche nella eventualità di polemiche» il punto di vista dei comunisti italiani [64].

I silenzi ed i dissensi del PCI intorno al Sessantotto cecoslovacco sono stati – come già sottolineato – da più parti analizzati. Tentando una sintesi, le tendenze storiografiche sono riconducibili a due interpretazioni, caratterizzate da una molteplicità di sfumature. Da un lato, Barbagallo, Guerra e Höbel hanno individuato nella condanna del 1968 un punto di cesura netto, che confermava la peculiarità del comunismo italiano rispetto al «socialismo reale» sin dal periodo togliattiano, e che costituiva già un'anticipazione del tentativo di creare un polo autonomo del comunismo occidentale. Dall'altro, seppure con toni ed argomentazioni molto diverse, Pons e Zaslavsky hanno posto in rilievo le ambiguità di tale svolta, mettendone in luce le zone d'ombra e le linee di continuità relative alle tendenze politiche tradizionali del Partito comunista italiano. Rispetto a tali studi di riferimento, la presente ricerca tenta di analizzare la questione del legame tra il PCI e l'Est europeo, alla luce di una prospettiva diversa. Due sono gli elementi innovativi: la scelta dell'interlocutore politico della sinistra italiana (non solo le classi dirigenti del blocco orientale, ma anche e soprattutto l'opposizione al suo interno), ed il taglio temporale (non il Sessantotto, ma il periodo successivo alla crisi cecoslovacca). Tale approccio può contribuire a mettere in luce alcuni aspetti di rilievo sulla portata della cesura costituita dagli eventi dell'agosto 1968, rimasti sinora nell'ombra.

Dall'analisi della documentazione disponibile, il primo aspetto che emerge con prepotenza è l'andamento altalenante della politica di Botteghe oscure nei confronti dell'opposizione dell'Est. Il dissenso manifestato dal PCI riguardo all'invasione della Cecoslovacchia fu mantenuto fermo nei confronti dei sovietici, con i quali tuttavia fu cercato un *modus vivendi*: il mantenimento della *special relationship* a prescindere dai dissensi sulla questione cecoslovacca. Il risultato diretto di tale politica fu che – paradossalmente – il PCI mantenne rapporti quasi invariati con il PCUS, congelando nella sostanza le relazioni con il PCCS. In tale modo, come ha affermato Maud Bracke, il Sessantotto costituì il limite di massimo confronto tra Roma e Mosca [65].

Le cause e le conseguenze principali di tale politica emersero in modo piuttosto netto. In merito ai motivi di tale scelta strategica, certamente si possono individuare una ragione indiretta, dettata dalla necessità di doversi schierare in un mondo diviso in blocchi; ed una diretta, quella cioè di preservare il rapporto con l'URSS, salvaguardando un appoggio – economico ed identitario – a livello internazionale, che consentiva la sopravvivenza ed il consolidamento del PCI in un'arena politica interna effervescente. L'Italia della fine degli anni Sessanta conosceva l'emergere di nuovi attori e di inedite dinamiche politiche: nel contesto della «democrazia bloccata», si fecero strada un eterogeneo movimento che contestava la supremazia comunista a sinistra, ed alcune derive neofasciste, la cui azione sarebbe culminata nella «strategia della tensione». L'immanente presenza della Guerra Fredda ricopriva un ruolo centrale nell'analisi politica dei dirigenti del PCI, così come l'assoluta, impellente necessità di perseguire la distensione – elemento internazionale necessario per l'accreditamento democratico dei comunisti italiani. La conseguenza principale – per quanto riguarda l'ambito di analisi del presente studio – fu il mantenimento di relazioni sporadiche, personali e per la maggior parte ufficiose con l'opposizione presente nel blocco sovietico, e l'assenza di una politica definita ed ufficiale nei confronti di tale emergente fenomeno.

Il Sessantotto si rivela poi un archetipo di riferimento anche per il confronto tra PCI e PSI sino – almeno – alla Segreteria Craxi. Un PCI che – pur (o proprio perché) – considerato il meno dogmatico del mondo occidentale, si trovava a dover fare i conti con la volontà del Partito socialista di condurlo sulla strada del distacco dall'URSS. Il dibattito sul «socialismo reale» rivelò la totale incomunicabilità tra i due 'cugini' progressisti: poiché entrambi perseguivano lo stesso obiettivo – l'egemonia in seno al movimento operaio italiano – il dialogo si ridusse ad uno scontro. Tali aspetti – che si sarebbero manifestati con maggior precisione nella seconda metà degli anni Settanta – erano già evidenti nel confronto intorno alla crisi di Praga.

1969: normalizzazione cecoslovacca e mondiale

Quando la nazionale cecoslovacca batté quella sovietica, durante i campionati di hockey del marzo 1969, la vittoria parve un *remake* di qualche film hollywoodiano sulla Guerra Fredda. Lo spirito che pervase le strade di Praga fu quello della rivincita sugli invasori ed ebbe ovviamente una colorazione antisovietica. La manifestazione servì così da pretesto per il giro di vite decisivo per la realizzazione della normalizzazione[66]. L'intervento del maresciallo sovietico Andrej A. Grečko e del viceministro degli Esteri dell'URSS Vladimir S. Semënov non lasciava margini di dubbio[67]: «Alla controrivoluzione – disse il militare – bisogna tagliar la testa». Era giunto il definitivo epilogo del «nuovo corso»: Dubček – leader simbolo della Primavera – scelse le dimissioni dalla carica di segretario per evitare un nuovo «bagno di sangue»[68].

Il Partito comunista italiano – guidato dal tandem Longo-Berlinguer, dopo l'elezione a vicesegretario del leader sardo[69] – si mosse con circospezione. I rapporti con i dirigenti dell'Est erano tesi[70] e, pur mantenendo una posizione coerente con quella assunta in occasione dell'invasione, era necessario non aggravarli. Le richieste di ripristinare la sovranità della Cecoslovacchia e di porre fine a «ogni forma di ingerenza» furono quindi associate al richiamo alla «unità del movimento comunista internazionale», e ad una valutazione non aprioristicamente negativa dell'avvicendamento tra Dubček e Husák[71]. Sulla stampa di partito, l'aspetto di continuità con il periodo del «nuovo corso» trovò ampio spazio: la nomina di Husák – vittima delle purghe degli anni Cinquanta – costituiva, a detta de «l'Unità», la migliore garanzia del rispetto della legalità[72]. Una siffatta immagine della normalizzazione pareva analoga a quella promossa dal Cremlino[73]: una rappresentazione che, almeno pubblicamente, il PCI sembrava accogliere.

Il timbro utilizzato dalla stampa di Botteghe oscure accentuò le perplessità dei socialisti, che avevano condannato con «sdegno» i «drammatici eventi cecoslovacchi» della primavera 1969[74], provvedimenti forieri di una «più accentuata linea repressiva»[75]. L'interrogativo intorno all'atteggiamento del PCI restava aperto: i comunisti italiani avevano preso le parti di Dubček o quelle del Cremlino?[76]

Gli stessi socialisti – che traslavano così la questione cecoslovacca in un *affaire* di politica interna – mostravano tuttavia un approccio meno manicheo quando si trattava di prendere una posizione, specie se essa doveva essere assunta in ambito istituzionale. Dopo le dure opinioni espresse in seguito al suicidio del giovane Jan Palach[77], a partire dall'aprile 1969, il giudizio del PSU su Husák mutò sensibilmente. Husák iniziò ad essere considerato «l'ultima possibilità di salvezza»: egli non era più ritenuto «l'uomo di Mosca», quanto piuttosto l'unico esponente politico che poteva tenere testa al Cremlino[78]. Tale rivalutazione non era certo estranea alla fluidità della situazione: Jiří Kosta ricorda che il giudizio sul ruolo di Husák non era uniforme nemmeno tra quegli esponenti della Primavera che erano stati estromessi e marginalizzati dal gioco politico[79]. L'opinione dei socialisti in merito non poteva poi non essere influenzata dallo *status* politico del PSU, parte del governo Rumor di centro-sinistra, nel quale Nenni rivestiva la carica di ministro degli Esteri[80].

Dopo il momento di *impasse* dovuto all'invasione, i rapporti governativi tra Praga e Roma erano sensibilmente migliorati. L'obiettivo sovietico di minimizzare la portata dell'intervento militare sembrava raggiunto, lasciando il Cremlino libero di occuparsi del confronto con la Cina[81]. In occasione di un incontro istituzionale nel marzo 1969, da parte italiana si sottolineò la volontà di intensificare gli scambi di opinione, «tutte le volte che ce ne sarà occasione»[82]. Il primo passo in questa direzione sarebbe stato il viaggio a Praga del sottosegretario agli Esteri italiano, il socialista Mario Zagari[83], per la conclusione dei negoziati in tema di cooperazione economica, industriale, tecnica e culturale[84]. Come puntualizzò l'Ambasciatore cecoslovacco, era necessario promuovere la distensione internazionale, affinché si realizzasse una vera normalizzazione: Praga chiese quindi di intervenire nelle sedi opportune per arrestare le manovre della NATO vicino alla frontiera cecoslovacca[85].

La normalizzazione sembrava imperare anche tra l'Italia e la Cecoslovacchia. Tuttavia, la 'crisi dell'hockey' impose un nuovo freno alle relazioni tra i due Paesi: in un colloquio con l'ambasciatore sovietico Ryjov, Nenni – in veste di ministro degli Esteri – collegò esplicitamente il sostegno italiano all'organizzazione della Conferenza paneuropea di sicurezza alla risoluzione della questione praghese. Una normalizzazione che non fosse stata «un'imposizione» ed il ristabilimento delle «condizioni di integrità territoriale e di indipendenza politica esistenti prima del 21 agosto 1968»[86] sarebbero state le condizioni necessarie per una ripresa del dialogo a livello internazionale[87]. La duplice funzione di Nenni – ministro degli Esteri ma anche leader socialista – lo costringeva a trovare un equilibrio tra i due ruoli[88]. Nella veste istituzionale, due erano le questioni che turbavano i suoi pensieri: la necessità di preservare la distensione e quella di evitare che la crisi cecoslovacca incidesse sulla cooperazione commerciale tra l'URSS e l'Italia, cresciuta sensibilmente negli ultimi anni[89].

La ricerca di un «più stabile e pacifico assetto europeo attraverso la distensione» e lo sviluppo dei rapporti bilaterali con i Paesi dell'Europa Orientale erano questioni irrinunciabili. Alla luce di questo obiettivo finale, le misure restrittive nelle relazioni italo-sovietiche, adottate in seguito all'invasione di Praga, erano già state attenuate nell'ottobre 1968 dal ministro Giuseppe Medici, due mesi prima che il leader socialista entrasse alla Farnesina. L'azione istituzionale di Nenni si attestò sulla stessa linea del governo precedente: l'interruzione del dialogo sarebbe stata poco conveniente per ambo le parti. Il governo italiano apriva dunque ad una prospettiva di riconciliazione, chiedendo ai sovietici un «gesto di buona volontà» per consentire alla Farnesina di «sciogliere la riserva» sulla firma italiana al Trattato di non Proliferazione determinata dai recenti eventi di Praga. I gesti richiesti erano in realtà due: una «comunicazione ufficiale [da parte] sovietica sul fermo intendimento di rispettare i principi sanciti dalla Carta dell'ONU», e l'appoggio del Cremlino per ottenere un posto al Consiglio dei governatori dell'AIEA[90]. Due richieste che poco avevano a che fare con la situazione praghese. Roma aderì al TNP, ma la questione cecoslovacca rimase irrisolta. Nei mesi seguenti, Nenni tentò di ritrovare un ruolo riguardo a quest'ultimo problema, esercitando pressioni diplomatiche su Husák per l'attuazione di una reale normalizzazione[91].

L'azione di Nenni tendeva quindi a svilupparsi in due direzioni: da un lato, come ministro degli Esteri, teneva una condotta politica volta a preservare la distensione, ritenuta il quadro imprescindibile anche per una risoluzione della situazione cecoslovacca; dall'altro, come leader socialista, denunciava la situazione di Praga, sollecitando una reale normalizzazione e la tutela della classe dirigente del «nuovo corso»[92]. In questo secondo ambito prendeva forza l'azione di coscienza critica rivendicata dal Partito socialista nei confronti del PCI.

Era ormai evidente che la riflessione del PSI attorno ai problemi posti dalla crisi cecoslovacca non poteva prescindere dalla posizione assunta dal PCI. La dichiarazione non ortodossa di Longo sui fatti dell'agosto 1968 e le relazioni al XII Congresso del Partito comunista avevano aperto un dibattito senza precedenti tra i socialisti, centrato sul ruolo di Botteghe oscure. Da un lato, il segretario Mauro Ferri riteneva che i comunisti non avessero fornito risposte convincenti in merito alla questione del rapporto con l'URSS[93]. Dall'altro, la corrente demartinana – persuasa che il PCI fosse ormai un «partito in movimento» – si attirava le critiche dei socialdemocratici come Preti e Tanassi, quando respingeva l'idea che i comunisti fossero «prigionieri di un apparato al servizio degli interessi dell'Unione Sovietica»[94]. Non assente dal dibattito, la corrente autonomista si attestava su una posizione cauta, ma interlocutoria: Mancini conveniva che alcuni «segni evolutivi» erano «indubbi», anche se permanevano «i tradizionali legami del PCI con il modello autoritario del socialismo»[95]. I fatti cecoslovacchi avevano impresso una svolta nelle dinamiche dei rapporti tra

il PCI e Mosca: tale cambiamento era osservato con circospezione dai socialisti italiani, e non solo da essi. Anche Washington si interrogava sulla sincerità delle posizioni di Botteghe oscure: gli analisti della CIA non escludevano che il PCI avrebbe potuto utilizzare la «disapprovazione sovietica» per migliorare la propria immagine ed accreditarsi definitivamente come forza «indipendente, democratica e rispettabile»[96].

Consci dell'attenzione nazionale ed internazionale, i comunisti italiani si trovavano in una situazione complessa. Le pressioni del Cremlino si facevano più intense proprio mentre la *leadership* del partito non era ben salda, con Longo invalidato dall'ictus che l'aveva colpito, e Berlinguer in procinto di essere eletto vicesegretario[97]. Nel novembre 1968, il Cremlino aveva programmato una serie di incontri con i partiti comunisti occidentali per verificare le loro intenzioni dopo il dissenso mostrato in occasione dei fatti di Praga. Il colloquio con il PCF aveva lasciato i sovietici soddisfatti: ampie rassicurazioni di solidarietà erano state pronunciate da ambo le parti, sancendo il ritorno all'ortodossia del partito di Waldeck Rochet[98]. Con gli italiani, le cose andarono in modo diverso. Kirilenko e Ponomarëv sottolinearono la propria «soddisfazione» per le affermazioni di «profonda solidarietà» nei confronti del PCUS ma quando i comunisti italiani si rifiutarono di sottoscrivere un comunicato finale comune – che avrebbe decretato l'allineamento del PCI – i sovietici si ricredettero. I due dirigenti di Mosca lasciarono intendere che «l'ombra» gettata da questa decisione sui rapporti tra i due partiti non sarebbe stata priva di conseguenze[99]. In realtà, il Cremlino – già impegnato sul fronte cinese – stava cercando di serrare i ranghi del movimento comunista internazionale, soprattutto in vista della Conferenza mondiale dei partiti comunisti. Tentativi di «ritrovare l'unità», anche a fronte dell'esistenza di divergenze, erano stati messi in atto sia dal PCUS sia dal PCCS tra la fine del 1968 ed il 1969[100]. Ad un'azione di recupero del rapporto con i partiti fratelli, Mosca associò le interferenze nella vita del PCI: come ha recentemente messo in luce Viktor Zaslavsky, alcuni dirigenti del partito tenevano costantemente informato il Cremlino sulle evoluzioni in seno alla Direzione[101]. I sovietici erano ben coscienti delle tensioni presenti tra i dirigenti a Botteghe oscure: i dissensi emergevano ormai ad ogni ulteriore sussulto della situazione a Praga.

L'avvicendamento agli alti vertici del PCCS diede in effetti luogo ad un aspro confronto tra due comunisti di lungo corso, Umberto Terracini e Gian Carlo Pajetta. Nel corso di un intervento in Direzione, Terracini si disse convinto che la sostituzione di Dubček altro non fosse che il diretto risultato delle imposizioni di Mosca, ma Pajetta lo interruppe bruscamente in difesa del «comunista» Husák: «Il modo in cui Terracini ha parlato di Husák e dei cecoslovacchi è un modo che non si dovrebbe adoperare neppure in una riunione come questa» [102]. Il diverbio si articolava su un nodo centrale: il giudizio sulla nuova classe dirigente a Praga implicava infatti la scelta della politica da adottare nei confronti del PCCS. Persino le visioni di Longo e di Berlinguer – i due più alti dirigenti del partito – non coincidevano in merito. Il Segretario generale era più propenso a vedere elementi che segnalavano un miglioramento della situazione; il leader sardo, invece, era meno ottimista, e prediligeva un approccio più cauto. Tali differenze non uscirono però dalle mura di Botteghe oscure: lo scontro intorno al caso Dubček aveva visto il PCI sostanzialmente fermo sulle proprie posizioni, in particolare riguardo alla richiesta del ritiro delle truppe del patto di Varsavia dalla Cecoslovacchia. Una rivendicazione che sarebbe venuta meno in occasione della Conferenza di Mosca.

La Conferenza di Mosca, un successo conteso

Nell'ottica del Cremlino, l'assise mondiale dei partiti comunisti sarebbe stata l'occasione propizia per mostrare l'unità del movimento comunista internazionale, nonostante i dissensi sull'*affaire* cecoslovacco. Botteghe oscure non condivideva tale impostazione, come fu evidente sin dalle riunioni preparatorie [103]. Negli incontri della Direzione del Partito comunista italiano, il discorso sull'atteggiamento da assumere intorno alla questione cecoslovacca in occasione della Conferenza divenne sin da subito un tema centrale: le notizie negative provenienti da Praga, ormai sottoposta ad una piena normalizzazione, rendevano tale questione drammaticamente attuale [104]. I punti di discussione erano essenzialmente due: ottenere una discussione aperta sul documento finale e ribadire il dissenso sulla Cecoslovacchia pur mantenendo intatta la propria collocazione internazionalista. Berlinguer propose una soluzione sintetica, articolata in tre direttive: «ricerca unitaria», «discussione aperta» e approvazione di «un documento di un certo tipo». Il rischio era quello dell'isolamento ma tale approccio lasciava spazio a «tutta una serie di possibilità di contatti», che non fossero necessariamente limitati ai partiti comunisti. In questo modo, Berlinguer faceva il primo riferimento esplicito alla volontà di sviluppare una rete diplomatica che uscisse dalle strette maglie del movimento comunista internazionale. Ma la sua proposta suscitò non pochi dubbi: Natta puntualizzò che l'essere «messi fuori» dal movimento comunista internazionale avrebbe comportato «gravi limitazioni politiche e materiali». Il riferimento era chiaro: la questione in gioco era quella dei fondi provenienti da Mosca, che fornivano una fonte di sostentamento essenziale per il partito [105]. Le ragioni di Natta trovarono in Longo un interlocutore attento: il dissenso sulla vicenda cecoslovacca avrebbe potuto condurre a contrasti ingestibili. Così, il Segretario generale, alla vigilia della Conferenza di Mosca, fissata per il giugno 1969, precisò la propria posizione:

> Oggi i gruppi dirigenti del PCCS, anche se hanno dovuto subire l'immissione di altre forze, costituiscono un gruppo che ha una sua autonomia [...]. A parte il modo in cui si è arrivati a questa realtà – oggi c'è questa situazione e, sia per l'aiuto che dobbiamo dare ai cecoslovacchi, sia per l'azione tendente al superamento della situazione, noi non possiamo tornare a ripetere cose dette, che abbiamo fatto bene a dire ma che oggi sarebbero anacronistiche [106].

Il compromesso raggiunto fu dunque quello di ribadire nuovamente il giudizio dell'agosto 1968, associandolo però ad un augurio diretto alla nuova classe dirigente di Praga [107]. L'evoluzione delle posizioni in seno al movimento comunista internazionale andava attentamente valutata: se, da un lato, era necessario ridimensionare le intenzioni dei sovietici di sconfessare Botteghe oscure (così Berlinguer); dall'altro, si imponeva la considerazione del ripiegamento ortodosso del PCF (Amendola) [108]. La linea sembrava dunque tracciata su due capisaldi: ribadire le proprie posizioni e «non rompere» con la «patria del socialismo» [109]. Il segno più evidente di tale strategia fu la decisione di non firmare per intero il documento finale comune, accettando solamente il terzo capitolo, quello focalizzato sulla lotta antimperialista [110].

Il 5 giugno 1969, giorno di apertura della Conferenza, il tema dell'unità del movimento comunista fu introdotto da Leonid Brežnev come «una condizione importante per il successo della lotta rivoluzionaria antimperialista» [111]. Si prevedeva un confronto difficile: l'assenza della Repubblica Popolare Cinese faceva temere la pronuncia di nuovi anatemi da parte sovietica [112]. Il rimprovero mosso da Brežnev a chi tentava di «rafforzare le sue posizioni diminuendo o anche spezzando i legami internazionali» era principalmente rivolto a Pechino; ciononostante, questo richiamo avrebbe potuto essere rivolto anche agli altri partiti fratelli dissenzienti [113]. Il PCF aveva recuperato un profilo filosovietico; il secondo bersaglio di Mosca non poteva dunque essere che il PCI. Il discorso di Berlinguer fu fortemente ispirato al principio togliattiano della «unità nella diversità», utile scudo per evitare scivolamenti sia verso l'ortodossia, sia verso l'eresia [114]. La decisione del PCI di firmare solo il terzo capitolo del documento finale non aveva precedenti e contribuì a ridefinire l'immagine del PCI di fronte all'opinione pubblica come partito autonomo. Berlinguer mise così pubblicamente in rilievo il «passo avanti» compiuto sulla strada della «unità nella diversità» [115].

Anche privatamente, l'ottimismo ebbe la meglio. Tra le mura di Botteghe oscure si pose in rilievo l'autonomia del PCI ma iniziarono ad emergere anche i timori inconfessati dai dirigenti alla vigilia della Conferenza. Essi trapelarono dalle parole di Berlinguer, quando questi si rallegrò del fatto che nessuno poteva attribuire ai comunisti italiani «la responsabilità di aver parlato per primi della Cina e della Cecoslovacchia». La preoccupazione di mantenere un profilo non 'eretico' aveva infatti indotto Berlinguer a rassicurare Brežnev nel corso del colloquio avvenuto prima dell'assise: data l'attualità della normalizzazione cecoslovacca [116], il PCI si era riservato di sollevare la questione, senza però ribadire la richiesta del ritiro delle truppe. Dalle parole del leader sardo emergeva chiaramente l'autocondizionamento imposto dal legame con Mosca. Ciononostante, i dirigenti comunisti si dissero soddisfatti di aver raggiunto i due obiettivi principali: «non rompere» e «confermare le [proprie] posizioni». Il bilancio non poteva essere che positivo: il PCI aveva «avuto un peso» a Mosca.

Dopo questa manifestazione di autonomia iniziò, tuttavia, a prevalere in modo più netto l'idea che fosse necessario «marciare uniti». Pajetta si fece portavoce dei timori diffusi di isolamento internazionale e della tentazione/pericolo di promuovere un «movimento di tipo nuovo». In questo senso andava l'accettazione della richiesta di un incontro informale avanzata da Husák durante l'assise a Mosca, ipotesi sostenuta da Longo e Pajetta, che trovava però Berlinguer perplesso. L'incontro venne posticipato a data da definirsi, mentre la situazione in Cecoslovacchia si faceva sempre più grave: nel primo anniversario dell'entrata a Praga dei carri armati sovietici, si erano verificati numerosi incidenti [117].

Sebbene la posizione del PCI fosse coerente con le scelte dell'agosto 1968 – in particolare se confrontata a quella dei principali Partiti comunisti occidentali, come il PCF – il PSU iniziò ad osservare con diffidenza i richiami all'unità che venivano dall'assise di Mosca. Se alla vigilia della Conferenza, «L'Avanti» aveva presentato la posizione del PCI come quella del partito «portabandiera» del dissenso [118], i risultati della Conferenza diedero però origine a interpretazioni diverse. Da un lato, il socialdemocratico Cariglia sostenne che Berlinguer avesse ripiegato sulla «tradizionale rotta filosovietica», mentre Orlandi rincarò: il PCI aveva compiuto «il più cieco degli atti di sottomissione», stringendo la mano «al carnefice» [119]. Dall'altro, Giolitti e Scalfari (Impegno socialista), pur sottolineando la persistenza di questioni aperte che impedivano – allo stato delle cose – una collaborazione immediata con il PCI, considerarono la posizione alla Conferenza di Mosca come un «bel passo in avanti» [120]. Infine, gli autonomisti – inclini, sino a quel momento, a cogliere gli aspetti positivi della strategia di Botteghe oscure – iniziarono a modificare (almeno in parte) la propria posizione. Ebbero probabilmente un certo peso le note pervenute a Nenni dal Ministero di cui era a capo, nelle quali si poneva in rilievo il successo di Mosca nel promuovere l'accettazione della dottrina Brežnev ed il fallimento del PCI [121]. L'impressione che Mosca avesse assorbito o neutralizzato le «tendenze centrifughe» fu avvalorata anche da un colloquio di Berlinguer con un collaboratore di Nenni, Sensi, nel corso del quale il dirigente comunista puntualizzò che non bisognava «vedere troppo nero» nei rapporti fra PCI e PCUS [122]. Alla luce di tale dialogo, Nenni concluse che socialisti e comunisti dovevano fare «ognuno la propria parte», e la parte dei socialisti era quella di «aiutare il revisionismo comunista» [123].

La «demartinizzazione» del PSI e l'affermazione della strategia degli «equilibri più avanzati» ridimensionarono i progetti di Nenni intorno al ruolo di coscienza critica del PSI [124]. Il riflesso di tale strategia fu immediatamente visibile anche nella politica dei socialisti italiani nei confronti del Dissenso cecoslovacco. L'annuncio dell'estromissione di Dubček dal PCCS fu seguito da numerosi articoli di cronaca [125] ma i commenti si ridussero significativamente, così come meno rilevante fu il ricorso alla critica al PCI [126]. La tendenza a diplomatizzare il discorso sulla Cecoslovacchia costituì certamente un paradosso della politica socialista, se si considera che, dopo la Conferenza di Mosca, la normalizzazione a Praga proseguiva a tappe forzate.

Una 'diplomazia del ping-pong' tra Roma e Praga

Mentre a Praga la possibilità dell'istruzione di processi diveniva più concreta [127], tra richieste di chiarimenti ed accuse di interferenza proseguiva lo sviluppo di una 'diplomazia del ping-pong' tra PCI e PCCS. Nonostante l'avanzare della normalizzazione ostacolasse il dialogo tra i due partiti, Praga auspicava che gli incontri fraterni potessero riprendere quanto prima[128]. La questione non era certo di semplice soluzione. Da un lato, la situazione internazionale – nel suo insieme – andava effettivamente nel senso di una normalizzazione. Era ormai chiaro che le potenze occidentali non avrebbero compromesso il processo di distensione per salvare la Cecoslovacchia: i trattati tedesco-sovietici e tedesco-polacchi ed il gesto di Brandt a Varsavia nel 1970[129] erano chiari segnali in questa direzione. Dall'altro, il PCI riteneva essenziale salvaguardare la propria posizione critica, senza per questo 'rompere' con l'URSS. Se i timori di nuovi processi politici erano comunemente condivisi dai membri della Direzione, non si poteva dire altrettanto per il giudizio intorno al «nuovo corso» e all'individuazione delle responsabilità della situazione cecoslovacca. Scoccimarro e Colombi erano dell'idea che nella Primavera fossero affiorate «linee di destra» e che «ogni parte» avesse contribuito «a far precipitare il tutto»[130]. Come nel caso dell'avvicendamento ai vertici del PCCS, intorno all'estromissione di Dubček dal partito emergeva nuovamente il duro contrasto tra Pajetta e Terracini[131]. Stante l'ammissibilità di diverse posizioni in seno alla Direzione, il Segretario fissò un punto fermo: era impensabile non prendere posizione, e non dire «questo socialismo è o non è quello che vogliamo». Erano gli stessi sviluppi politici in Cecoslovacchia a rendere necessaria una strategia precisa in merito.

A Praga la stampa aveva infatti ricevuto la direttiva «di ignorare l'Italia e il PCI»[132] e le attività degli stessi funzionari comunisti italiani di stanza nella capitale cecoslovacca venivano costantemente intralciate da «limitazioni burocratiche»[133]. Le voci che circolavano a Praga sulla presunta amicizia «di lunga data» tra l'esule Pelikán e Berlinguer contribuivano ad esasperare questo clima[134]. Fu in quel periodo che Botteghe oscure iniziò a rivedere il proprio giudizio su Gustáv Husák e la sua immagine di garante del «nuovo corso»[135]. In questo dinamico contesto avvenne poi il secondo contatto con il dissenso cecoslovacco: dopo i colloqui con Pelikán[136], in occasione del primo anniversario dell'invasione, il PCI ricevette una lettera-appello di 'oppositori eccellenti' – tra i quali l'ex parlamentare Rudolf Battěk, il drammaturgo Václav Havel, il giornalista Jiří Hochman, e l'estensore del «Manifesto delle 2000 parole» Ludvík Vaculík[137]. Non è stata rintracciata alcuna risposta diretta alla missiva; tuttavia, l'intervento di Longo su «Rinascita», intorno ai temi dell'internazionalismo, può essere considerato parte di un dialogo a distanza tra il PCI e l'emergente dissenso cecoslovacco. Il Segretario ribadì la condanna dell'intervento del patto di Varsavia, ma al contempo puntualizzò:

Mai, per nessun motivo, la nostra autonomia, la nostra ricerca critica potranno significare rottura con il movimento comunista, ripiegamento su posizioni socialdemocratiche di conservazione capitalistica e di complicità con l'imperialismo.

Longo precisava poi cosa significava «via italiana al socialismo»: l'Italia sarebbe stata una società socialista, «pluralistica», «ricca di articolazioni democratiche», «non accentratrice» e «non burocratica» [138]. Nella dichiarazione del Segretario, tuttavia, mancava una presa di posizione chiara riguardo alla classe dirigente cecoslovacca al potere: l'analisi ufficiale del PCI restava quindi quella della Conferenza di Mosca. Il forte richiamo alla solidarietà internazionalista – diverso, nei contenuti e nei toni, dal ripiegamento del PCF – fu dettato, da un lato, dal generale normalizzarsi delle relazioni internazionali e, dall'altro, dall'evolvere del contesto nazionale.

La «strategia della tensione» aveva infatti rievocato antichi timori tra i leader comunisti. La possibilità che un tale disegno funzionasse e portasse a catalizzare le simpatie degli elettori per un governo autoritario che avrebbe riportato ordine nel Paese con l'appoggio degli Stati Uniti – sulla linea di ciò che era accaduto in Grecia nel 1967 – creò non poche preoccupazioni tra le file del PCI [139]. Inoltre, nonostante Botteghe oscure avesse recuperato, in occasione dello «autunno caldo» [140], quella capacità di direzione mancata nel 1968, il partito subì un calo di consensi alle elezioni regionali del giugno 1970. L'appuntamento elettorale segnò l'arresto dello spostamento a sinistra iniziato due anni prima, prefigurando uno slittamento di segno contrario [141]. In Direzione, Macaluso non poté evitare di collegare l'esito delle urne al principale punto debole del PCI: «Mentre in Italia puntiamo tutte le carte sullo sviluppo della democrazia, nei Paesi socialisti c'è un processo inverso...» [142].

I dirigenti convennero così nel definire una strategia intorno a due direttive: mantenere una politica estera di superamento dei blocchi, consolidando il proprio «atteggiamento autonomo» e, al contempo, riaffermare il profilo del PCI come partito di gente «pulita» e «seria». Riguardo alle relazioni internazionali, essenziale per la credibilità del PCI erano i rapporti con il PCCS. Lungi dal migliorare nel primo semestre del 1970, il dialogo tra i due partiti fratelli continuò ad oscillare tra passi in direzione del recupero ed il permanere di forti divergenze. La stessa nuova classe dirigente cecoslovacca non riusciva a mantenere un comportamento coerente ed altalenava la condanna delle posizioni del PCI (con particolare riferimento alla stampa del partito), al tentativo di riconciliazione con i piani alti di Botteghe oscure[143]. In questo delicato frangente, si aggiungeva un ulteriore elemento di tensione: Mosca, infatti, interferiva apertamente nei rapporti tra PCI e PCCS. Durante i colloqui di Cossutta al Cremlino, i sovietici avevano preteso una riconciliazione tra italiani e cecoslovacchi[144].

L'estromissione di Dubček dal partito, nel giugno del 1970, smentendo nei fatti la volontà di pacificazione della nuova classe dirigente, andava tuttavia nella direzione opposta, consolidando il gelo tra i due partiti fratelli[145]. Su «l'Unità», il Segretario generale espresse il «rammarico» e la «deplorazione» del PCI[146]. Il PCCS – fortemente isolato a livello internazionale – decise di non contrattaccare: al contrario, Praga addolcì i toni nel tentativo di recuperare un rapporto con Roma. Dopo ben quattro rielaborazioni, i termini della risposta di Husák divennero «cortesi e concilianti»[147]. La vicenda era così paradossalmente destinata ad incidere positivamente sulle relazioni tra Roma e Praga. La replica di Botteghe oscure, a dispetto del tono rigido, conteneva un'importante apertura. I comunisti italiani puntualizzavano: «Da parte nostra non è esistita e non esiste alcuna intenzione di rendere più difficili i rapporti tra i nostri due partiti o di contribuire a esasperare la situazione politica del vostro Paese»[148].

La decisione dell'Ufficio politico e della Segreteria del partito di inviare in missione a Praga Armando Cossutta appose il sigillo a tale dichiarazione. Il viaggio rientrava ufficialmente nelle attività del Presidente dell'Italturist. Tuttavia, il livello degli incontri (gli interlocutori cecoslovacchi, Husák, Bil'ak e Auesperg, erano dirigenti di primo piano del PCCS), rivelava il valore politico della missione. Il confronto tra i dirigenti fu a tratti duro ma il passo volgeva inevitabilmente verso una ripresa dei rapporti. I leader cecoslovacchi respinsero le accuse di repressione ma non ritennero necessario insistere su tale aspetto. Il contegno di Cossutta fu invece più severo. Contestando le accuse di indebita intromissione, il Presidente dell'Italturist condannava fermamente la possibilità di processi politici: «Ho precisato che [...] la nostra reazione, in caso di processi, sarebbe fermissima».

L'incontro con Husák fu più rilassato: il Segretario del PCCS ribadì la volontà del proprio partito di recuperare rapporti positivi con i compagni italiani e francesi. L'incontro lasciò Cossutta dell'idea che, pur mantenendo ferme le posizioni di principio del PCI, era necessario evitare l'esasperazione dei contrasti[149].

Il recupero – anche se informale – delle relazioni con i cecoslovacchi fu criticato in seno al PCI da alcuni intellettuali, tra i quali Luca Pavolini e Luciano Gruppi. Le parole del quest'ultimo – in particolare – rivelavano un aspetto chiave della politica del PCI. Il giornalista affermò che i rapporti col PCCS non potevano essere considerati alla stregua di quelli con il PCUS: la diversità della «funzione nella lotta antimperialistica» dell'URSS ed i rapporti intrattenuti dai comunisti italiani «coi popoli sovietici» giustificavano l'adozione di due diverse misure[150].

La politica dei 'due pesi, due misure' fu evidente nella strategia del PCI lungo tutti gli anni Settanta. Dopo la Conferenza di Mosca, il PCI si mosse nel senso di una normalizzazione delle relazioni con i sovietici – spinto sia dalla difficile situazione italiana, sia dal prestigio che aveva acquisito l'URSS grazie al ruolo di primo piano nella politica di distensione. Un sensibile miglioramento delle relazioni PCI-PCUS fu riportato ancora una volta da Cossutta, delegato agli incontri tra i due partiti nel dicembre del 1969: il «clima di simpatia» che aveva caratterizzato i colloqui era stato determinato anche dall'impegno sovietico di astenersi, da allora in avanti, dal tentare di influenzare la «base» del PCI[151]. La ricerca di una normalizzazione tra i due partiti fratelli fu perseguita e accentuata nei mesi successivi[152]. Ad un anno di distanza, gli incontri tra le delegazioni del PCUS e del PCI (questa volta guidata da Longo) riconfermarono tale tendenza. A Roma Longo esordì affermando che anche se «spesso» i comunisti italiani erano stati «i discoli del movimento comunista», essi erano sempre stati «combattenti tenaci e fedeli». Il Cremlino poteva quindi contare «con immutata fiducia» sul PCI, un partito «fortemente comunista, marxista-leninista». Berlinguer confermò tale orientamento: il rafforzamento dell'internazionalismo ed il riconoscimento del ruolo del PCUS erano fuori discussione. Il ripiegamento fu tale che i dirigenti italiani fecero autocritica in merito agli «errori di superficialità» compiuti dalla propria stampa nel giudicare l'Unione Sovietica e ed i Paesi socialisti, convenendo sulla necessità di «mettere l'accento sugli aspetti positivi dell'URSS»[153].

Una nuova evoluzione segnava i rapporti tra i partiti fratelli: il sostanziale riavvicinamento al Cremlino sembrava un passo determinante verso l'accettazione della normalizzazione cecoslovacca e della dottrina Brežnev[154]. Tale nuovo orientamento della politica del PCI fu distintamente percepito dagli osservatori internazionali: il Foreign Office inglese lo ritenne segno di un chiaro riflusso[155], in particolare se associato alle richieste dell'uscita dell'Italia dalla NATO e al persistente antiamericanismo[156]. La sola posizione sulla crisi cecoslovacca – per quanto eclatante – non poteva modificare nella sostanza l'immagine che gli Stati Uniti e gli alleati atlantici avevano del partito di Longo[157].

Nel suo recente volume su Berlinguer, Adriano Guerra sostiene che il problema della rottura con l'URSS era, in realtà, una «falsa questione», date le condizioni nazionali ed internazionali in cui Botteghe oscure si trovava ad operare [158]. Bisogna convenire che la questione cecoslovacca non costituì certamente uno spartiacque per le relazioni internazionali: il processo di distensione proseguì (quasi) indisturbato, con lo sviluppo ed il successo della diplomazia tedesca e dei rapporti tra le superpotenze [159]. Dal punto di vista dei comunisti italiani, era lo stesso contesto bipolare a rendere necessaria la chiara appartenenza ad uno schieramento. Le opinioni dei dirigenti e dei quadri del PCI intervistati convergono su questo punto. Sergio Segre, inoltre, riferisce che lo stesso Brandt condivideva tale impostazione: fuori dal movimento comunista internazionale, Botteghe oscure poteva nutrire poche speranze di avere un peso nella logica della Guerra Fredda [160].

Va tuttavia sottolineato che, nei primi anni Settanta, il ripiegamento del PCI fu di rilievo, ed implicò l'accettazione della normalizzazione cecoslovacca e della natura del «socialismo reale». Se è pur vero che, a partire dalla seconda metà del decennio, il PCI divenne più audace nella critica alla «patria del socialismo», all'indomani della crisi praghese, Botteghe oscure si mosse in direzione del ristabilimento di buone relazioni con il Cremlino. Oltre agli aspetti già ricordati (la situazione politica interna, la distensione e la posizione della SPD), nel definire tale posizione ebbero un peso anche certe dinamiche interne al movimento comunista internazionale. In particolare, il confronto sino-sovietico indusse il PCI a evitare di acuire la polemica con il PCUS, per non attirarsi una condanna di eresia [161]. Il PCI cadde così in contraddizione: se i fatti dell'agosto 1968 condizionarono in modo irrimediabile i rapporti tra i compagni italiani e cecoslovacchi, le relazioni tra Roma e Mosca, principale responsabile dell'invasione di Praga, non conobbero un peggioramento nemmeno lontanamente equiparabile. L'incoerenza riguardava anche i rapporti intrattenuti con i diversi attori politici di Praga: Botteghe oscure congelò (senza interromperlo) il rapporto con Husák, rifiutando tuttavia di sviluppare un canale di dialogo privilegiato con il Dissenso cecoslovacco, in questa fase costituito dagli ex dirigenti del «nuovo corso».

Ancora una volta, le pressioni di Mosca giocarono un ruolo primario. A partire dal 1971, le richieste del PCUS affinché le relazioni fraterne fossero ristabilite si fecero più insistenti: Kirilenko giunse ad accusare i comunisti italiani di guardare solo ai propri interessi, violando così la solidarietà internazionalista [162]. L'impazienza di Mosca era dettata dalla necessità di ottenere un'accettazione della situazione di Praga in vista del XIV Congresso del PCCS, il primo dopo l'invasione. L'occasione avrebbe infatti costituito un momento di svolta: il XIV Congresso si era in realtà già tenuto clandestinamente a Visočany, mentre i carri armati entravano nella capitale boema [163]. La partecipazione del PCI all'appuntamento cecoslovacco avrebbe significato la legittimazione della nuova classe dirigente del PCCS da parte del più forte Partito comunista d'Occidente. Si capisce dunque come il XIV Congresso costituisse un nodo centrale nelle vicende di quegli anni tra Roma e Praga. A Botteghe oscure esplose il dibattito: se la larga maggioranza dei dirigenti non prese nemmeno in considerazione la possibilità di non partecipare, Berlinguer respinse l'ipotesi di «mandare una delegazione normale». Ingrao era ancora più scettico: qualsiasi partecipazione avrebbe potuto creare una «confusione ideale». Longo confermò la propria tradizionale posizione: «È un Partito comunista e noi andiamo. Verremmo meno altrimenti alla nostra unità nel movimento comunista. Noi affermiamo l'unità nella diversità». Su una linea differente ma non troppo distante su questo aspetto, Arturo Colombi puntualizzava: «Bisogna andare e parlare [...]. Credo che se andiamo prendiamo più voti di lavoratori» [164].

In prima battuta, i dirigenti non riuscirono a trovare una posizione condivisa. L'Ufficio politico – su richiesta della Direzione – delineò quindi quattro possibili opzioni di partecipazione. Non andare al Congresso avrebbe rappresentato un «gesto di rottura» che il partito difficilmente avrebbe compreso, in contrasto con la linea di presenza attiva e critica al movimento comunista internazionale inaugurata alla Conferenza di Mosca. La seconda opzione – «andare con un messaggio soltanto» – avrebbe comportato critiche analoghe: il risultato sarebbe stato il riconoscimento della «responsabilità di guida» del PCCS. La terza possibilità, valeva a dire «inviare un osservatore», fu quella più discussa: sarebbe stato un «passo indietro» rispetto alla «politica della presenza», ma avrebbe avuto il pregio di sottolineare il dissenso di Botteghe oscure. Infine, l'ultima ipotesi era quella di inviare una delegazione normale, che comprendesse membri della Direzione o dell'Ufficio politico [165]. L'Ufficio politico propendeva per l'invio di un delegato «al livello di Comitato Centrale» con un messaggio già preparato che ricalcasse le seguenti questioni: le posizioni del PCI sul «nuovo corso», il grave dissenso sull'intervento militare, il valore di principio della sovranità, le divergenze su scelte politiche chiave della *leadership* cecoslovacca al potere dopo l'agosto 1968, la concezione italiana dell'internazionalismo e l'enunciazione delle caratteristiche della società socialista per cui il PCI lottava. Arturo Colombi si oppose a questa linea: il rischio era la rottura con il PCCS, e ancor peggio, col PCUS. Anche Amendola condivideva tali timori: una decisione di quel tipo avrebbe cambiato «il carattere» del partito. La decisione finale fu quella di inviare un delegato con un messaggio già definito nei dettagli, prevenendo così un'eventuale pressione dei cecoslovacchi sul rappresentante del PCI. Tale rigida posizione fu tuttavia mitigata dalla perdurante azione di Colombi e Cossutta: i toni del documento furono talmente mitigati da indurre Ingrao a lamentarsi delle modifiche sostanziali apportate al messaggio [166]. Lo stesso poteva dirsi per la decisione del delegato da inviare: se inizialmente si era parlato di un rappresentante «a livello del CC», ora il nome designato era quello di Sergio Segre, il responsabile della Sezione Esteri [167].

Nonostante la decisione fosse certo più conciliante di quanto pensato in partenza, Segre dovette affrontare delle circostanze piuttosto inusuali per il delegato di un partito fratello in visita. Al suo arrivo a Praga, il Responsabile della Sezione Esteri constatò che nell'elenco degli interventi programmati al Congresso non era previsto quello degli italiani. Auesperberg lo informò che il messaggio del PCI era stato ritenuto in palese contraddizione con il «patto di non aggressione» convenuto tra Cossutta e Husák durante il loro ultimo incontro: il cecoslovacco chiese così di modificare il discorso, incassando però il netto rifiuto di Segre [168]. I dirigenti del PCCS gli chiesero allora di contattare Berlinguer: ma il Vicesegretario riconfermò il contenuto del messaggio. Ne derivò una veemente diatriba, nel corso della quale i cecoslovacchi lasciarono intendere che un intervento del genere avrebbe aperto una «aspra polemica» intorno alla questione «di come la stampa del PCI tratta le questioni cecoslovacche». Dopo questo maldestro e fallito tentativo, i cecoslovacchi non trovarono soluzione migliore che impedire a Segre di parlare.

L'esclusione del dirigente italiano non passò inosservata: la Direzione del PCI decise così di fornire una risposta pubblica, formale e contenuta. Longo affrontò la questione nell'ambito di una più generale intervista per il settimanale «Rinascita». Ribadendo ancora una volta la validità dell'internazionalismo, il Segretario generale rese noti i fatti del XIV Congresso del PCCS e riconfermò le «posizioni di dissenso e di divergenza» rispetto alle vicende cecoslovacche. In seguito, il testo ufficiale del messaggio non letto fu pubblicato su «l'Unità»: confermando il giudizio sull'agosto 1968, i comunisti italiani non ritenevano che fossero in seguito intervenuti «elementi» che potessero indurli a modificare la propria valutazione [169].

La vicenda riaprì uno spazio per il dissenso filosovietico in seno al PCI. Colombi disse che così non si poteva andare avanti, perché si rischiava di inasprire i rapporti «con gli altri»[170]. Le contestazioni di Colombi non intaccarono però la soddisfazione di Longo e Berlinguer: la politica del PCI si era rivelata vincente sia perché era stata decisa «sulla base della nostra linea e non per fare concessioni a emigrati»[171], sia perché non si era «venuti meno ai doveri di internazionalismo», muovendosi su una teorizzazione formulata in occasione della Conferenza di Mosca.

Anche se indirettamente, i due massimi dirigenti del partito sembravano, così, confermare che il congelamento delle relazioni con il PCCS non avrebbe significato un avvicinamento alle ragioni del Dissenso di Praga. Il compiacimento fu ancor maggiore quando i dirigenti del PCCS espressero inspiegabilmente i propri ringraziamenti «per l'atteggiamento responsabile del PCI» e sottolinearono che, da parte loro, non ci sarebbero stati altri «passi e atti» che avrebbero potuto «ravvivare le polemiche»[172].

I dirigenti italiani accolsero il messaggio di Praga come la sostanziale accettazione della loro linea. La rielaborazione del PCI pareva dunque dare frutti positivi, tanto che venne riproposta nella sostanza al XIII Congresso, in particolare nella relazione di Berlinguer – eletto, in quell'occasione, segretario generale. Nel discorso di insediamento, il richiamo al principio della «unità nella diversità» costituì il nodo centrale del discorso sulle relazioni con l'Est: la possibilità di svolgere una funzione critica «sui problemi del socialismo» costituiva, da un lato, la base per i giudizi «sugli avvenimenti cecoslovacchi», e, dall'altro, il saldo ancoraggio al movimento comunista internazionale[173]: una posizione sulla quale – tutto sommato – l'insieme del partito poteva ritrovarsi, nonostante l'energica azione promossa dai filosovietici.

La contraddizione messa in rilievo da Ingrao non si era però risolta. Mentre a Roma Berlinguer sottolineava il nesso tra democrazia e socialismo, i dirigenti del PCCS celebravano l'«innegabile successo» del Congresso della normalizzazione. Un trionfo che – a detta loro – smentiva le «calunnie» dei «rinnegati opportunisti e revisionisti» che, dall'estero, denigravano «l'ordine socialista e i legami di alleanza della Repubblica socialista cecoslovacca»[174].

Note

¹ Sul piano di un'attenta e articolata ricostruzione storiografica della questione ceco-slovacca: *Alexander Dubček e Jan Palach. Protagonisti della storia europea*, a cura di F. Leoncini, Rubbettino, Soveria Mannelli, 2008. Si veda anche *A quaranta anni dalla Primavera di Praga (1968-2008)*, a cura di F. Guida, Carocci, Roma, 2009. Si faccia poi riferimento a: *Che cosa fu la Primavera di Praga? Idee e progetti di una riforma politica e sociale*, a cura di F. Leoncini, Libreria Editrice Cà Foscarina, Venezia, 2007; *Primavera di Praga e dintorni. Alle origini dell'89*, a cura di F. Leoncini e C. Tonini, Edizioni Cultura della Pace, Firenze, 2000. Tra le prime ricostruzioni degli avvenimenti cecoslovacchi, si segnala: A. Cassuti, *Praga 1968: rivoluzione e controrivoluzione?*, presentazione di L. Lombardo Radice, Sapere, Milano, 1973. Più recentemente, invece, Bettiza ha riproposto gli articoli scritti all'epoca per il «Corriere della Sera». E. Bettiza, *La Primavera di Praga. 1968: la rivoluzione dimenticata*, Mondadori, Milano, 2008. Sul Sessantotto in Italia, tra studi storici e politologici, e testimonianze: *Il '68 diffuso. Contestazione, linguaggi e memorie in movimento. Un approccio pluridisciplinare*, a cura di S. Casilio e L. Guerrieri, CLUEB, Bologna, 2009; M. Veneziani, *Rovesciare il '68*, Mondadori, Milano, 2008; M. Capanna, *Formidabili quegli anni*, Garzanti, Milano, 2008.

² P. Craveri, *La Repubblica dal 1958 al 1992*, vol. XXIV, Utet, Torino, 1995, pp. 409-410; *1968. The World transformed*, a cura di C. Fink, P. Gassert e D. Junker, Cambridge University Press, Cambridge, 1998; M. Klimke – J. Scharloth, *1968 in Europe: A History of Protest and Activism, 1956-77*, Palgrave Macmillan, New York-London, 2008; R.H. Immerman, *«A time in the tide of men's affairs»: Lyndon Johnson and Vietnam*, in *Lyndon Johnson, Confronts the World. American Foreign Policy 1963-1968*, a cura di W.I. Cohen e N. Bernkopf Tucker, Press Syndicate of the University of Cambridge, New York, 1994, pp. 57-98.

³ M. Clementi, *Cecoslovacchia*, Editori Unicopli, Milano, 2007, pp. 185-187.

⁴ F. Fejtö – J. Rupnik, *Le printemps tchécoslovaque 1968*, Editions Complexe, Paris, 2008; T. Noguera Garcia, *Il movimento riformatore ceco-slovacco negli anni '60*, in *Alexander Dubček e Jan Palach. Protagonisti della storia europea...*, cit., pp. 59-100.

⁵ M. Martini, *«Ecco che arriva la fine del mondo»*, in *Primavera di Praga e dintorni...*, cit., pp. 121-132; A. Paczkowski, *The Spring Will Be Ours. Poland and Poles from Occupation to Freedom*, University Park, Pennsylvania, 2003, pp. 323 ss.

⁶ G. Caredda, *Le politiche della distensione 1959-1972*, Carocci, Roma, 2008, pp. 245-252; P. Ludlow, *European Integration and the Cold War: Ostpolitik-Westpolitik, 1965-1973*, Routledge, London-New York, 2007.

⁷ G. Bernardini, *'Nessuna preferenza': l'amministrazione Nixon, la Grosse Koalition tedesca e le elezioni tedesche del 1969*, in «Ventunesimo Secolo», n. 9 (marzo 2006), pp. 151-178; Idem, *'Getting the Worst from Both Words': Washington e gli albori della Ostpolitik*, in *Alle origini del presente. L'Europa occidentale nella crisi degli anni Settanta*, a cura di A. Varsori, Franco Angeli, Milano, 2007, pp. 25-37. Cfr. C. Tessmer, *«Thinking the unthinkable» to «make the impossible possible»: Ostpolitik, Intra-German Policy, and the Moscow Treaty*, in *American Détente and German Ostpolitik, 1969-1972*, a cura di D.C. Geyer e B. Schaefer, in «Bulletin of the German Historical Institute», Washington (2004), pp. 53-66.

⁸ S. Colarizi, *Storia politica della Repubblica, 1943-2006*, Roma-Bari, Laterza, 2007, pp. 85-89; *Il PCI e i movimenti del '68*, in A. Höbel, *Il Pci di Luigi Longo, 1964-1968*, ESI, Napoli, in corso di pubblicazione. Cfr. Idem, *Il PCI di Longo e il '68 studentesco*, in «Studi storici», n. 3 (2004), pp. 419 ss.

[9] S. Colarizi, *Storia politica...*, cit., p. 92.

[10] Intorno al legame tra la sinistra italiana e il Cremlino nei decenni precedenti, si veda come opera di riferimento: V. Zaslavsky, *Lo stalinismo e la sinistra italiana*, Mondadori, Milano, 2004.

[11] M. Lazar, *La gauche ouest-européenne et l'année 1968 en Tchécoslovaquie: les cas français et italien*, in corso di pubblicazione in «Revue d'Etudes Slaves», 2009; Idem, *Maisons rouges. Les Partis communistes français et italien de la Libération à nos jours*, Aubier, Paris, 1992, pp. 144-145; *Il PCI, la 'Primavera di Praga' e lo scontro con il PCUS*, in A. Höbel, *Il Pci di Luigi Longo, 1964-1968*, cit.; M. Bracke, *Which Socialism, Whose Détente? West European Communism and the 1968 Czechoslovakian Crisis*, Central European University Press, Budapest-New York, 2007, pp. 167-180 (edizione italiana con Carocci nel 2009).

[12] J.B. Urban, *Moscow and the Italian Communist Party. From Togliatti to Berlinguer*, Tauris, London, 1986, p. 249.

[13] A. Höbel, *Il Pci di Luigi Longo...*, cit. Cfr. M. Flores – N. Gallerano, *Sul PCI. Un'interpretazione storica*, Il Mulino, Bologna, 1992, p. 79.

[14] F. Bertone, *Il nuovo a Praga*, in «Rinascita», n. 9, 1 marzo 1968, p. 8. Si noti come tale valorizzazione del ruolo del Partito comunista cecoslovacco e del suo stretto rapporto con le masse fosse ribadito anche all'indomani dell'invasione; si veda G. Boffa, *Due giorni a Praga. Dal nostro inviato Giuseppe Boffa*, in «l'Unità», 29 agosto 1968, p. 12.

[15] A. Höbel, *Il PCI, il '68 cecoslovacco e il rapporto col PCUS*, in «Studi storici», n. 4 (2001), p. 1147. Per un confronto con l'atteggiamento del PCF, J. Pelikán, *Les répercussions du Printemps de Prague sur le monde communiste et la gauche occidentale*; P. Grémion, *Méprises, résistances, malentendus: la gauche français face au Printemps de Prague*, in *Le Printemps Tchécoslovaque 1968*, a cura di F. Fejtö e J. Rupnik, cit., pp. 215 e 228.

[16] *Conferenza stampa di Luigi Longo*, in «l'Unità» 10 aprile 1968, p. 1; C. Luporini, *Gli intellettuali nel socialismo*, in «Rinascita», n. 17, 26 aprile 1968, p. 18.

[17] *Rapporto sulla Cecoslovacchia*, in «Rinascita», n. 20, 17 maggio 1968, pp. 15-18; *Mille parole in risposta alle 'Duemila'*, in «Rinascita», n. 29, 19 luglio 1968, pp. 15-16; M. Lubrano, *Estate calda a Praga*, in «Mondoperaio», aprile, n. 4 (1968), pp. 5-6.

[18] P. Craveri, *La repubblica...*, cit., pp. 409 ss.

[19] G. Galli, *Storia del socialismo italiano. Da Turati al dopo Craxi*, Baldini & Castoldi, Milano, 2007; S. Colarizi, *Storia politica...*, cit., pp. 49-52. Cfr. l'opinione in parte discordante di Ilaria Favretto: I. Favretto, *Alle radici della svolta autonomista. PSI e Labour Party, due vicende parallele, 1956-1970*, Carocci, Roma, 2003, p. 95.

[20] M. Degl'Innocenti, *Storia del Psi, Dal dopoguerra a oggi*, vol. III, Laterza, Roma-Bari, 1993, pp. 209-233; G. Tamburrano, *Pietro Nenni*, Laterza, Bari, 1976, pp. 285-290; G. De Michelis, *La lunga ombra di Jalta: la specificità della politica italiana: conversazione con Francesco Kostner*, Marsilio, Venezia, 2003, p. 26; F. Cicchitto, *Il paradosso socialista. Da Turati, a Craxi, a Berlusconi*, Liberal Edizioni, Roma, 2003, p. 45; U. Intini, *Se la rivoluzione di ottobre fosse stata di maggio... I contrasti storici tra socialisti e comunisti*, SugarCo, Milano, 1977, p. 115.

[21] «Una sinistra europea per una grande Europa dei popoli», Roma, 3 luglio 1970, FFT, b. 3: s. 11 ss. A f. 106, cc 92, 1970-1977 IT, FR. sinistra europea; A. Varsori, *La Cenerentola d'Europa? L'Italia e l'integrazione europea*, Rubbettino, Soveria Mannelli, 2010, pp. 159-224. Riguardo al confronto PSI-PCI sui temi dell'integrazione nel decennio precedente: S. Cruciani, *L'Europa delle Sinistre*, Carocci, Roma, 2007, pp. 155-167.

L'appuntamento mancato

²² *Ragioni di un convegno*; A. GIOLITTI, *Il potere e la società*; G. ARFÉ, *Il Partito nel movimento socialista dell'Europa occidentale*; entrambi contenuti in «Mondoperaio», marzo, n. 3 (marzo 1968), pp. 9-14 e pp. 38-40.

²³ Appunti di Pietro Nenni sui fatti di Cecoslovacchia, agosto 1968, FPN, Serie governo, b. 128 f. 2487. Cfr. L. VASCONI, *Da Praga a Mosca*, in «Mondoperaio», luglio, n. 7 (1968), pp. 5-7.

²⁴ P. CRAVERI, *La Repubblica dal 1958...*, cit., pp. 409 ss.

²⁵ G. ARFÉ, *Un dovere di coerenza*, in «Mondoperaio», luglio, n. 7 (1968), pp. 1-2.

²⁶ Appunti di Pietro Nenni sui fatti di Cecoslovacchia, agosto '68, FPN, Serie governo, b.128 f.2487.

²⁷ Jiří Kosta, economista e consigliere del Ministro dell'Economia durante la Primavera di Praga, specifica: «I couldn't image it [the invasion], everybody was shocked. We were engaged in the political life, but we didn't expect it». Intervista dell'autrice a Jiří Kosta, Praga, 23 agosto 2008. Così anche il Segretario del PCCS: A. DUBČEK, *Il socialismo dal volto umano, autobiografia di un rivoluzionario*, Roma, Editori Riuniti, 1996, pp. 222-223.

²⁸ Nelle analisi della CIA, l'intervento, era stato causato dal timore di una minaccia reale alle autorità comuniste a Praga e del possibile contagio dei Paesi dell'Europa dell'Est. CIAA, Report «Eastern Europe and the USSR in the aftermath of the invasion of Czechoslovakia», 7 novembre 1968. Cfr. M. J. OUIMET, *The Rise and Fall of the Brežnev Doctrine in Soviet Foreign Policy*, University North Carolina Press, Chapel Hill-London, 2003. W. KIERAN, *The Prague Spring and Its Aftermath: Czechoslovakian Politics: 1968-1970*, Cambridge University Press, Cambridge, 1997, p. 11.

²⁹ A. HÖBEL, *Il PCI, il '68 cecoslovacco e il rapporto col PCUS*, cit.; IDEM, *Il contrastro tra PCI e PCUS sull'intervento sovietico in Cecoslovacchia. Nuove acquisizioni*, in «Studi Storici», vol. 48, n. 2, (2007), pp. 523-550; P. SENSINI, *Est-Ovest. I due Sessantotto*, in «Critica Sociale. Colloqui italo-britannici», n. 6 (2008), pp. 4-5; M. BRACKE, *Which Socialism, Whose Détente?...*, cit., pp. 198-203; V. ZASLAVSKY, *Resistenza e resa dei comunisti italiani*, in «Ventunesimo Secolo», n. 16 (2008), pp. 123-141.

³⁰ *Il comunicato della Direzione del PCI*, in «l'Unità», 24 agosto 1968, p. 1.

³¹ *Due giorni a Praga. Dal nostro inviato Giuseppe Boffa*, in «l'Unità», 29 agosto 1968, p. 12.

³² Giuseppe Boffa si sarebbe attirato più volte le ire dei sovietici a causa della sua attività giornalistica. Nota riservata di Armando Cossutta, 20 gennaio 1972, APCI, MF 053, p. 1200; APCI, MF 0299, pp. 0235-0240.

³³ A solo titolo esemplificativo: A. GUERRA, *Secondo la stampa sovietica la situazione è normale*, in «l'Unità», 31 agosto 1968, p. 12.

³⁴ Direzione, 23 agosto 1968, APCI, Direzione, MF 020, pp. 894-921.

³⁵ A. HÖBEL, *Il PCI di Longo e il '68 studentesco*, in «Studi Storici», n. 2 (2004), pp. 419-460.

³⁶ Il 'promemoria di Jalta' era un articolo pubblicato da Togliatti nel 1964, pochi mesi prima della sua morte. Dalla dirigenza del PCI fu considerato una sorta di testamento politico del leader: negli anni a seguire, i riferimenti a tale elaborazione furono innumerevoli e resero il documento un punto di riferimento imprescindibile per il comunismo italiano. *Togliatti ai giovani. Il promemoria di Jalta*, in «Rinascita», 23 agosto 1968, pp. 1-4; *Le radici del nostro dissenso*, ibidem. Cfr. *La morte di Togliatti e l'eredità del 'Promemoria di Jalta'*, capitolo primo, in A. HÖBEL, *Il PCI di Luigi Longo...*, cit.

³⁷ *La risoluzione approvata dal Comitato Centrale e dalla CCC del PCI*, in «l'Unità», 29 agosto 1968, p. 1.

[38] *La scelta e l'impegno dei comunisti italiani. Colloquio di Rinascita con Gian Carlo Pajetta*, in «Rinascita», n. 34, 30 agosto 1968, pp. 1-5; A. Occhetto, *Forze rivoluzionarie e lotta per il socialismo nell'Europa capitalistica*, in «Rinascita», n. 35, 6 settembre 1968, pp. 3-4.

[39] L. Longo, *Risposte a tre domande*, in «Rinascita», n. 36, 13 settembre 1968, pp. 3-4. Cfr. G. Amendola, *Il nostro internazionalismo*, in «Rinascita», n. 35, 6 settembre 1968, pp. 1-2.

[40] A titolo di esempio: *Colloquio di Rinascita con Gian Carlo Pajetta*, cit. *Il nuovo 'corso' cecoslovacco in un anno della nostra rivista*, in «Rinascita», n. 35, 6 settembre 1968, p. 6.

[41] Franco Bertone avrebbe anche curato le prefazioni di alcuni volumi di autori cecoslovacchi: si ricordi *La via cecoslovacca al socialismo: il programma d'azione ed il progetto di statuto del Partito comunista cecoslovacco*, Editori Riuniti, Roma, 1968; J. Slánska, *Rapporto su mio marito*, Editori Riuniti, Roma, 1969.

[42] F. Bertone, *Praga: la forza e i margini di una politica*, in «Rinascita», n. 35, 6 settembre 1968, pp. 5-6.

[43] Intervista dell'autrice a Sergio Segre, responsabile Sezione Esteri PCI (1970-1979), Roma, 27 novembre 2009; intervista dell'autrice a Antonio Landolfi, membro della Direzione del PSI, Roma, 10 ottobre 2008.

[44] Appunti di Pietro Nenni sull'intervento del presidente dell'Internazionale socialista Pitterman, riunione dell'Internazionale socialista a Copenhagen, 21-22 agosto 1968, FPN, Serie Partito, b. 100 f. 2286. G. Bianco, *Ristabilire i diritti fondamentali del coraggioso popolo cecoslovacco*, in «L'Avanti», 23 agosto 1968, p. 2; *Il compagno Nenni è tornato a Roma*, in «L'Avanti», 24 agosto 1968, p. 2.

[45] Appunti di Pietro Nenni sull'intervento del Patto di Varsavia in Cecoslovacchia, agosto 1968, FPN, Serie governo, b.128 f.2487. Nella risoluzione votata dalla segreteria dell'Internazionale socialista si chiedevano il ritiro delle truppe sovietiche dalla Cecoslovacchia, l'immediata convocazione del Consiglio di sicurezza dell'ONU, il ristabilimento della legge internazionale, ed il rispetto del diritto di sovranità e di non interferenza. Si veda G. Bianco, *La Cecoslovacchia non è vinta nelle aspirazioni di libertà*, in «L'Avanti», 22 agosto 1968, p. 1.

[46] Il discorso di Pietro Nenni alla Commissione Esteri era stato parzialmente riprodotto in *Contro i blocchi*, in «L'Avanti», 24 agosto 1968, p. 1. Cfr. P. Nenni, *I conti con la storia. diario 1967-1971*, vol. 3, Sugarco, Milano, 1983, p. 211.

[47] L.F., *La realtà internazionale impone maggiore impegno contro la Guerra Fredda*, in «L'Avanti», 27 agosto 1968, p. 1; *La distensione è più valida di prima*, in «L'Avanti», 27 agosto 1968, p. 1. Si veda anche la condanna dell'invasione da parte del gruppo socialista europeo: E.F., *Energica condanna dell'invasione. Il gruppo socialista europeo sulla situazione cecoslovacca*, in «L'Avanti», 7 settembre 1968, p. 3. Cfr. F. Sampoli, *Le concezioni di Stalin e la tragedia di Praga*, in «L'Avanti», 25 agosto 1968, p. 5; F. Sassano, *I retroscena dell'invasione*, in «L'Avanti», 25 agosto 1968, p. 1; *Forse raggiunto un compromesso sul ritiro graduale delle truppe*, in «L'Avanti», 27 agosto 1968, p. 1; F. Sassano, *I contatti con la popolazione preoccupano il comando sovietico*, in «L'Avanti», 27 agosto 1968, p. 1. Cfr. P. Nenni, *I conti con la storia...*, cit., p. 216.

[48] P. Nenni, *I conti con la storia...*, cit., p. 211. Si veda anche R. F., *Longo conferma il 'grave dissenso' espresso dall'ufficio politico del PCI*, in «L'Avanti», 23 agosto 1968, p. 1. G. Arfé, *Un colpo contro il socialismo*, in «L'Avanti», 22 agosto 1968, p. 1.

[49] Si vedano anche F. Orlandi, *La paura della libertà*, in «L'Avanti», 24 agosto 1968, p. 1; G. Arfé, *Al primo posto l'autonomia*, in «L'Avanti», 24 agosto 1968, p. 1.

[50] *L'aggressione: espressione diretta della concezione dello Stato guida*, in «L'Avanti», 25 agosto 1968, p. 2.

[51] A. GAROSCI, *La scelta della Cecoslovacchia*, in «L'Avanti», 1 settembre 1968, p. 5; F. SAMPOLI, *La politica di Stalin e le 'vie nazionali'*, in «L'Avanti», 1 settembre 1968, p. 5; R. O., *Siamo già al ripiegamento?*, in «L'Avanti», 2 settembre 1968, p. 5; L. PELLICANI, *L'ideologia fredda e il dramma di Praga*, in «L'Avanti», 3 settembre 1968, p. 5; *FGSI: Il PCI dimostri con i fatti la volontà di rinnovamento*, in «L'Avanti», 3 settembre 1968, p. 7; G.C.S., *Il dibattito del PCI sulla Cecoslovacchia*, in «L'Avanti», 4 settembre 1968, p. 1; *L'impegno dei socialisti dopo i fatti di Praga*, in «L'Avanti», 4 settembre 1968, p. 7; *Longo conferma il dissenso. Amendola lo minimizza*, in «L'Avanti», 10 settembre 1968, p. 1.

[52] *Comizi socialisti*, in «L'Avanti», 27 agosto 1968, p. 7; *Non è con i carri armati che si costruisce un mondo nuovo*, in «L'Avanti», 28 agosto 1968, p. 2.

[53] *La grave situazione accresce le responsabilità dei socialisti*, in «L'Avanti», 1 settembre 1968, p. 1; N. QUERCI, *Il dramma di Praga e la sinistra europea*, in «L'Avanti», 31 agosto 1968, p. 3; F. GERARDI, *L'arma della pace*, in «L'Avanti», 1 settembre 1968, p. 1.

[54] Appuntava Nenni, a tal proposito: «L'unità del nostro gruppo non ha retto neppure a questa prova e Lombardi infatti ha annunciato di non partecipare al voto, approfittandone per lodare il mio discorso e per ciò che 'intenzionalmente' non ho detto e per il rifiuto del suo animo antifascista di credere che la libertà possa essere affidata a un organismo, la NATO, di cui sono pilastri non secondari due Stati fascisti», in P. NENNI, *I conti con la storia...*, cit., p. 217. In seguito al rifiuto degli emendamenti proposti da De Martino, il vicesegretario Bertoldi – facente capo appunto alla corrente demartiniana – si era rifiutato di far parte della delegazione in viaggio per la riunione dell'Internazionale socialista. Anche la sinistra del partito, con a capo Lombardi e Bonacina, aveva dichiarato che gli atti politici di Nenni e Cariglia alla riunione di Copenhagen erano da considerare «a titolo personale». C.F., *Si sviluppa il dibattito tra le forze politiche*, in «l'Unità», 13 giugno 1969, p. 1.

[55] P. NENNI, *I conti con la storia...*, cit., pp. 218-221; *Il dibattito alla direzione del partito*, in «L'Avanti», 6 settembre 1968, p. 2.

[56] Le mozioni delle correnti al Congresso dell'ottobre 1968 sono tutte pubblicate in «Mondoperaio», ottobre, n. 10 (1968).

[57] M. DEGL'INNOCENTI, *Storia del Psi...*, cit., pp. 389-391.

[58] Intervista dell'autrice a Antonio Rubbi, responsabile della Sezione Esteri del PCI, Roma, 26 novembre 2009.

[59] Nota di Armando Cossutta sul viaggio a Mosca, 12 settembre 1968, APCI, Direzione, MF 020, pp. 971-980.

[60] Il PCF si confrontava con problemi analoghi. Incontro di Carlo Galluzzi con Raymond Guyot e Jacques Denis, 17 settembre 1968, APCI, Direzione, MF 020, p. 988.

[61] Per la posizione di dissenso di Donini: *Appassionato dibattito al CC del PCI sulla crisi cecoslovacca*, in «l'Unità», 29 agosto 1968, pp. 2-3.

[62] Riunione, 18 settembre 1968, APCI, Direzione, MF 020/939-951.

[63] E. BERLINGUER, *Le contraddizioni delle società socialiste*, in «Rinascita», n. 38, 27 settembre 1968, pp. 3-5.

[64] Intervento di Enrico Berlinguer, Direzione, 5 dicembre 1968, APCI, Direzione, MF 020/1251-1292.

[65] M. BRACKE, *Which Socialism...*, cit., pp. 365-372.

[66] A. DUBČEK, *Il socialismo dal volto umano...*, cit., pp. 282-284.

[67] Nota di Pecorari, 5 maggio 1969, APCI, MF 308, p. 704. Cfr. comunicato di Roger Seydoux, 23 aprile 1969, CADN, Moscou, Ambassade, Serie B, Cartons 645, Tchécoslovaquie – relations avec l'URSS, 1969.

[68] W. KIERAN, *The Prague spring…*, cit., pp. 227-232; M. CLEMENTI, *Cecoslovacchia*, cit., p. 231; A. DUBČEK, *Il socialismo…*, cit., pp. 285-288.

[69] F. BARBAGALLO, *Enrico Berlinguer*, Carocci, Roma, 2006, p. 106; G. FIORI, *Vita di Enrico Berlinguer*, Laterza, Bari, 2004, pp. 167-173; C. VALENTINI, *Il compagno…*, cit., p. 213.

[70] Verbale n. 98 della Seduta del Politbjuro del CC del PCUS, 2 settembre 1968, citato in «Ventunesimo secolo», cit., pp. 173-175.

[71] *Comunicato dell'Ufficio Politico del PCI, Pieno ripristino della sovranità e cessazione di ogni ingerenza*, in «l'Unità», 19 aprile 1969, p. 1; S. SEGRE, *Praga e l'Italia*, in «l'Unità», 19 aprile 1969, p. 1.

[72] S. GORUPPI, *Husák sostituisce Dubček*, in «l'Unità», 18 aprile 1969, p. 1.

[73] Nota di Roger Seydoux, 22 aprile 1969, CADN, Moscou, Ambassade, Serie B, Cartons 645, Tchécoslovaquie – relations avec l'URSS, 1969. Cfr. S. GORUPPI, *Husák andrà in Unione Sovietica per il vertice del Comecon*, in «l'Unità», 21 aprile 1969, p. 10; E. ROGGI, *Mosca: positivi i giudizi sui mutamenti a Praga*, in «l'Unità», 21 aprile 1969, p. 10.

[74] Comunicato della Direzione del PSI, *Condanna della sopraffazione*, in «L'Avanti», 19 aprile 1969, p. 1.

[75] *Una dichiarazione di Ferri*, in «L'Avanti», 19 aprile 1969, p. 1.

[76] *Condanna della sopraffazione*, in «L'Avanti», 19 aprile 1969, p. 1; G. ARFÉ, *Editoriale*, in «L'Avanti», 19 aprile 1969, p. 1.

[77] M. FERRI, *A confronto con la libertà*, in «L'Avanti», 26 gennaio 1969, p. 1.

[78] *Che succede a Praga?*, in «L'Avanti», 8 maggio 1969, p. 1; L. VA., *Da Dubček a Husák*, in «Mondoperaio», n. 4 (aprile 1969), pp. 5-6; *Attesa per i risultati della missione Husák a Mosca*, in «L'Avanti», 27 aprile 1969, p. 3; *Praga: una festa del lavoro carica di tensione repressa*, in «L'Avanti», 3 maggio 1969, p. 2.

[79] Intervista dell'autrice a Jiří Kosta, Praga, 23 agosto 2008. Cfr. Sezione Esteri del PSI, sintesi degli avvenimenti internazionali, 15 aprile 1969, FFT, b.7:s.11 ss.A f.146, cc.198, 1969, p. 52.

[80] A Francesco De Martino spettò invece la vicepresidenza dei Ministri, S. COLARIZI, *Storia politica…*, cit., pp. 90-105.

[81] Verbale della conversazione tra l'ambasciatore sovietico a Roma Ryjov ed il ministro degli Affari Esteri Nenni, 13 marzo 1969, FPN, Serie governo, b.115 f.2391.

[82] Colloquio di Di Bernardo con il ministro degli Esteri cecoslovacco Jan Marko, 17 marzo 1969, FPN, b.116 f.2394.

[83] Colloquio tra il ministro degli Esteri italiano Pietro Nenni e l'ambasciatore cecoslovacco a Roma Ludvík, 30 gennaio 1969, FPN, Serie governo, b.115 f.2391.

[84] *Nenni invitato a Praga*, in «L'Avanti», 28 marzo 1969, p. 2; V. GO., *Praga intende riprendere il dialogo con l'Occidente*, in «L'Avanti», 29 marzo 1969, p. 1.

[85] Promemoria del Governo della Repubblica Socialista Cecoslovacca per il Ministero degli Esteri italiano, gennaio 1969, FPN, Serie governo, b.115 f.2391; appunto (firma illeggibile) sull'incontro con l'Ambasciatore cecoslovacco per Pietro Nenni, 21 gennaio 1969, FPN, Serie governo, b.115 f.2391.

[86] L. BIANCHI, *Ansia dell'Italia per la Cecoslovacchia*, in «Corriere della Sera», 6 aprile 1969, p. 1; *Preoccupazione dell'Italia per la situazione in Cecoslovacchia*, in «L'Avanti», 6 aprile 1969, p. 1.

[87] Colloquio di Pietro Nenni con l'ambasciatore sovietico a Roma Rijov, 5 aprile 1969; telegramma riservatissimo di Nenni sulla progettata conferenza di sicurezza paneuropea (destinatario non riportato), 7 aprile 1969, FPN, Serie governo, b.115 f.2391.

[88] *Pietro Nenni. Intervista sul socialismo italiano*, a cura di G. Tamburrano, Laterza, Bari-Roma, 1977, pp. 140-142; IDEM, *Pietro Nenni*, Bari-Roma, 1976, pp. 350-351.

[89] Appunto sulle relazioni economiche italo-sovietiche ed i principali problemi in corso con l'URSS, senza firma, 23 dicembre 1968, FPN, Serie governo, b.115 f.2391. Analoghe preoccupazioni intorno alla distensione erano proprie anche di Mauro Ferri: M. FERRI, *A confronto con la libertà*, in «L'Avanti», 26 gennaio 1969, p. 1.

[90] Nota sull'Unione Sovietica, senza firma, databile dicembre 1968, FPN, Serie governo, b.115 f.2391.

[91] Appunti sull'incontro tra Pietro Nenni e l'Ambasciatore sovietico, 24 dicembre 1968, FPN, Serie governo, b.115 f.2391.

[92] Risposta italiana al memorandum sovietico, dicembre 1968, FPN, Serie governo, b.119 f.2409. Cfr. appunti di Pietro Nenni, gennaio 1969, FPN, Serie governo, b.116 f.2394.

[93] *Da molte parti si agitano falsi problemi nei confronti del PCI. Intervista del compagno Mauro Ferri*, in «L'Avanti», 7 febbraio 1969, p. 1; *Manifestazioni socialiste per la pace*, in «L'Avanti», 18 febbraio 1969, p. 2.

[94] Intervento di Mario Tanassi, *Iniziati ieri i lavori del Comitato Centrale. La Direzione si è presentata dimissionaria*, in «L'Avanti», 15 maggio 1969, p. 1.

[95] Intervento di Giacomo Mancini, *Iniziati ieri i lavori del Comitato Centrale. la Direzione si è presentata dimissionaria*, in «L'Avanti», 15 maggio 1969, p. 1.

[96] Special report, weekly review, CIAA, 25 ottobre 1968; Annual review of Italy for 1970, UKNA, FCO 33/1495.

[97] G. FIORI, *Berlinguer...*, cit., pp. 167-170.

[98] Resoconto della delegazione in URSS, 4 e 5 novembre 1968, APCF, Fonds Gaston Plissonnier, Archives du Secrétariat tchécoslovaque, 1968-1971, les relations PCF-PCUS, 264 J 14.

[99] Nota di Armando Cossutta sugli incontri tra PCI e PCUS a Mosca, 23 novembre 1968, APCI, MF 58, pp. 1015.

[100] Nota di Adriano Guerra, APCI, 19 aprile 1969, fasc. 58/870; colloquio tra Bil'ak e Gian Carlo Pajetta, Renato Sandri, 29 aprile 1969, APCI, MF 308, p. 696.

[101] Si vedano i documenti pubblicati in appendice all'articolo di V. ZASLAVSKY, *Resa...*, cit.

[102] Direzione, 7 e 8 maggio 1969, APCI, Direzione, MF 006, pp. 1524 ss.

[103] A. HÖBEL, *Verso il PCI di Longo e Berlinguer. Il XII Congresso, il nuovo 'patto costituzionale' e la ridefinizione del rapporto con il PCUS*, in *Il PCI di Longo...*, cit.

[104] Colloquio tra il direttore del settimanale praghese «Politika» Svoboda e Pecorari, 24-25 gennaio 1969, APCI, MF 308, p. 636; dichiarazioni di Alois Svoboda, 10 aprile 1969, APCI, MF 308, p. 648; note sulla Cecoslovacchia di J. Pe., 10 aprile 1969, APCI, MF 308, p. 653.

[105] G. CERVETTI, *L'oro di Mosca*, Baldini & Castoldi, Milano, 1999, p. 55.

[106] Riunione di Direzione, 7 e 8 maggio 1969, APCI, Direzione, MF 006, pp. 1524 ss.

[107] *Le posizioni che il PCI illustrerà e difenderà alla Conferenza dei Partiti comunisti e operai*, in «l'Unità», 28 maggio 1969, pp. 5-6. Si veda anche *Longo propone la linea da seguire alla Conferenza di Mosca*, ibidem, p. 1. Si veda anche F. BARBAGALLO, *Enrico Berlinguer*, cit., pp. 110-111.

[108] Riunione della Direzione, 29 maggio 1969, APCI, Direzione, MF 006, pp. 1675 ss. Si noti che il ritorno del PCF all'ortodossia era stato veramente repentino, ed aveva contraddetto nella sostanza le assicurazioni fornite dai comunisti francesi ai compagni socialisti. Comité Directeur, riunione del 17 luglio 1968, OURS, Procès-verbaux des réunions du Comité Directeur du Parti Socialiste SFIO, pp. 83-85.

[109] Riunione della Direzione, 29 maggio 1969, APCI, Direzione, MF 006, pp. 1675 ss.

[110] Verbale di Direzione, 16 aprile 1969, APCI, Direzione, MF 006, pp. 1389 ss.

[111] A. Guerra, *Un saluto di Brežnev ha aperto i lavori*, in «l'Unità», 6 giugno 1969, p. 1.

[112] D. Lowell, *Sino-Soviet normalization and its international implications, 1945-1990*, University of Washington press, Seattle and London, 1992.

[113] A. Guerra, *Brežnev espone le posizioni del PCUS sui problemi del movimento comunista*, in «l'Unità», 9 giugno 1969, p. 1.

[114] A. Guerra, *Berlinguer a Mosca illustra le posizioni dei comunisti italiani*, in «l'Unità», 12 giugno 1969, p. 1. Cfr. G. Napolitano, *Dal Pci al socialismo europeo. Un'autobiografia politica*, Laterza, Roma-Bari, 2005, p. 110.

[115] *Tra Mosca e Pechino il PCI si offre come mediatore*, in «Il Messaggero», 12 giugno 1969; *Il PCI per la riconciliazione tra Unione Sovietica e Cina*, in «Il Mattino», 12 giugno 1969; *Il PCI offre buoni uffici mentre la tensione cresce*, in «Il Popolo», 12 giugno 1969; *Anche il PCI contesta il Cremlino*, in «Il Giorno», ivi; *Berlinguer critica l'invasione a Praga*, in «La Stampa», ivi; *Berlinguer ha espresso con chiarezza il dissenso del PCI sul documento conclusivo*, in «La Voce Repubblicana», ivi; *Berlinguer contesta l'impostazione del rapporto di Brežnev*, in «L'Avanti», ivi; Il *dissenso del PCI al Vertice di Mosca. Berlinguer si pronuncia contro la scomunica di Mao*, in «Corriere della Sera», ivi; *Berlinguer critica a Mosca la linea politica di Brežnev*, in «Il Resto del Carlino», ivi; APCI, MF 305, Discorsi di Berlinguer, 1969, pp. 2686-2732. *Vasta eco al discorso di Berlinguer*, in «l'Unità», 13 giugno 1969, p. 10; A. Guerra, *La dichiarazione di Berlinguer. Una prova di maturità e di forza*, in «l'Unità», 17 giugno 1969, p. 10. Giuseppe Fiori commenta: «È il più duro discorso mai pronunziato a Mosca da un dirigente straniero». G. Fiori, *Vita di Enrico Berlinguer*, Laterza, Roma-Bari, 2004, p. 177.

[116] M. Clementi, *Cecoslovacchia*, cit., pp. 231-232.

[117] S. Goruppi, *Tensione a Praga: incidenti in piazza Venceslao*, in «l'Unità», 21 agosto 1969, p. 1.

[118] *Domani comincia a Mosca il vertice di settanta PC*, in «L'Avanti», 4 giugno 1969, p. 3.

[119] *Commenti socialisti al discorso di Berlinguer*, in «L'Avanti», 13 giugno 1969, p. 7.

[120] Interventi di Antonio Giolitti ed Eugenio Scalfari, *Commenti socialisti al discorso di Berlinguer*, in «L'Avanti», 13 giugno 1969, p. 7.

[121] Appunto del Ministero degli Affari Esteri in visione a Pietro Nenni, 26 giugno 1969, FPN, Serie governo, b.119 f.2409.

[122] Nota di servizio di Sensi circa l'incontro dello stesso Sensi con Berlinguer ed altri dirigenti comunisti, 19 giugno 1969, FPN, Serie governo, b.119 f.2409.

[123] Appunto di Pietro Nenni: «*Come aiutare il revisionismo comunista*», o.d.g., 4 luglio 1969, FPN, Serie governo, b.131 f.2513.

[124] S. Colarizi – M. Gervasoni, *La cruna dell'ago. Craxi, il Partito socialista e la crisi della Repubblica*, Laterza, Roma-Bari, 2005, pp. 3-6.

[125] Si ricordi che Arfé e Franco Gerardi erano stati confermati al vertice del quotidiano socialista. Si vedano i seguenti articoli: *Dubček non è più deputato. Verrà sottoposto a*

processo?, in «L'Avanti», 9 luglio 1970, p. 1; *Queste le 'colpe' di Dubček*, in «L'Avanti», 14 luglio 1970, p. 1; *La 'leggenda' di Dubček continua a vivere nel popolo cecoslovacco*, in «L'Avanti», 17 luglio 1970, p. 1; *Anche per Cernik espulsione certa*, in «L'Avanti», 23 luglio 1970, p. 6; *Bilak: fummo concordi nell'espellere Dubček*, in «L'Avanti», 25 luglio 1970, p. 6. Cfr. Report di Kevin Devlin, 28 luglio 1970, OSA, doc.n. 0674.

[126] *Un linciaggio e un ammonimento*, in «L'Avanti», 9 luglio 1970, p. 1; G. SENIGA, *Il dramma di Praga non è ancora finito*, in «L'Avanti», 10 luglio 1970, p. 9.

[127] Nota riservata di Michele Rossi, 20 luglio 1969, APCI, MF 308, p. 768.

[128] Nota strettamente confidenziale di Francesco Moranino, 27 giugno 1969, APCI, MF 308, p. 764.

[129] Nel dicembre 1970, Willy Brandt, mentre si trovava in Polonia per la firma del trattato tedesco-polacco, durante la visita al ghetto di Varsavia si inginocchiò in onore delle vittime della barbarie nazista. Il gesto suscitò vasto scalpore nel mondo.

[130] Tali posizioni erano rifiutate dal segretario Longo: L. LONGO, *La crisi di Praga*, in «L'Astrolabio», 8 settembre 1968, ripresa in *Praga e la sinistra*, Longanesi, Milano, 1970, pp. 87-106.

[131] Il provvedimento causò anche la dura reazione del PCE: *Spanish CP backs Dubček, deplores expulsion*, 28 luglio 1970, Radio Free Europe Statement, OSA.

[132] L'osservatore comunista italiano osservava però che la direttiva non aveva «retto»: si segnalava lo strano caso del cortometraggio *Autostrade, tagliatelle e rivoluzione* che, nonostante il curioso titolo, era un servizio 'eccelso' sul XII Congresso del PCI. Proprio il titolo particolare aveva ingannato i censori, che, ignari, avevano permesso la visione del cortometraggio. Appunti sul viaggio di De Lazzari in Cecoslovacchia, 25 agosto-5 settembre 1969, APCI, MF 308, p. 869.

[133] Nota non firmata, 22 agosto 1969, APCI, MF 308, p. 786.

[134] Nota riservata di Michelangelo Russo, 30 agosto 1969, APCI, MF 308, p. 802.

[135] Si vedano S. GORUPPI, *Il grave bilancio degli scontri in un comunicato del PCC*, in «l'Unità», 23 agosto 1979, p. 10; A. GUERRA, *Commenti in URSS sugli avvenimenti di Praga e Brno, ibidem*; S. GORUPPI, *Allentata la vigilanza. A Praga torna la calma*, in «l'Unità», 25 agosto 1969, p. 10; E. ROGGI, *La Pravda: infranti i piani antisocialisti, ibidem*; S. GORUPPI, *Il Rudé Právo dichiara sconfitte le forze controrivoluzionarie*, in «l'Unità», 26 agosto 1969, p. 10; IDEM, *Ancora vasta a Praga l'eco degli incidenti*, in «l'Unità», 27 agosto 1969, p. 10; F. BERTONE, *Un anno dopo*, in «Rinascita», n. 34, 29 agosto 1969, pp. 3-4. Cfr. rapporto riservato di Pecorari, 9 agosto 1969, APCI, MF 308, p. 778; informazione di Tullia Carettoni e Giuliana Valenti, 22-28 settembre 1969, APCI, MF 308, p. 949; nota sulla conversazione con K. Kincl, J. Pittermann e M. Schulz, 3 settembre 1969, APCI, MF 308, p. 861.

[136] F. CACCAMO, *Jiří Pelikán...*, cit., pp. 76-78. Per una più completa trattazione, si rimanda al prossimo paragrafo.

[137] Lettera aperta di oppositori diretta alle istituzioni cecoslovacche, 21 agosto 1969, APCI, MF 308, p. 792.

[138] L. LONGO, *La lezione degli avvenimenti dell'ultimo anno in Cecoslovacchia*, in «l'Unità», 21 agosto 1969, p. 3.

[139] Vale la pena di ricordare, inoltre, che sul finire del 1970, Junio Valerio Borghese organizzò un tentativo di colpo di Stato affiancato dal gruppo eversivo «La rosa dei venti». S. COLARIZI, *Storia politica...*, cit., pp. 102-104; cfr. A. AGOSTI, *Storia del PCI*, Laterza, Roma-Bari, 1999, pp. 102-103.

[140] G. GALLI, *I partiti politici...*, cit., pp. 148-149.

[141] *Ibidem*, p. 153.

[142] Verbale, 8 luglio 1970, APCI, Direzione, MF 003, p. 1232; verbale, 12 giugno 1970, APCI, Direzione, MF 003, p. 1152.

[143] Nota di Goruppi, 25 febbraio 1970, APCI, MF 070, pp. 1316-1323; nota riservata di Alessandro Pecorari, 24 marzo 1970, APCI, MF 070, pp. 1336-1345.

[144] Nota riservata di Armando Cossutta, 2-3 dicembre 1969, APCI, fasc. 58/880.

[145] Nota riservata di Alessandro Pecorari, 24 marzo 1970, APCI, MF 070, pp. 1336-1345. Cfr. Note sulla situazione in Cecoslovacchia in lettura all'Ufficio Politico ed a Segre, 24 giugno 1970, APCI, MF 070, pp. 1354.

[146] *Una dichiarazione del compagno Longo*, in «l'Unità», 27 giugno 1970, p. 1. Si veda anche APCI, MF 068, p. 374.

[147] Nota riservata di Michele Rossi, 10 luglio 1970, APCI, MF 070, p. 1371.

[148] Lettera della Direzione del PCI al Presidium del CC del PCCS, 28 luglio 1970, APCI, MF 070, pp. 1380-1381.

[149] Nota di Armando Cossutta, 2 settembre 1970, APCI, MF 070, pp. 1388-1397.

[150] Lettera di Pavolini a Berlinguer, 7 settembre 1970, APCI, MF 070, pp. 1398-1402; lettera di Luciano Gruppi alla Direzione del PCI, 9 settembre 1970, APCI, MF 070, pp. 1405-1406.

[151] Nota di Armando Cossutta sui colloqui a Mosca, 2-3 dicembre 1969, APCI, fasc. 58/880; cfr. relazione di Roberto Bonchio, 11-18 dicembre 1969, APCI, fasc. 58/833.

[152] G. CHIARANTE, *Da Togliatti a D'Alema. La tradizione dei comunisti italiani e le origini del PDS*, Laterza, Roma-Bari, 1996, p. 130.

[153] Incontro conclusivo tra delegazioni del PCUS e del PCI, Roma, 1 dicembre 1970, APCI, MF 58, pp. 562-594. Cfr. *Il compagno Pelsce illustra a Milano la politica e la lotta dei comunisti sovietici*, in «l'Unità», 24 novembre 1970, p. 11. Adriano Guerra rileva che nel PCI divenne «forte» la tentazione di «recuperare e accettare realisticamente la Cecoslovacchia». Intervista dell'autrice ad Adriano Guerra, cit.

[154] S. PONS, *Berlinguer e la fine del comunismo*, Einaudi, Torino, 2006, p. 6.

[155] UKNA, Annual review of Italy for 1970, FCO 33/1495.

[156] S. PONS, *La formazione della politica internazionale di Berlinguer: Europa, NATO e URSS (1968-1976)*, in *Atlantismo ed europeismo*, a cura di P. Craveri e G. Quagliariello, Rubbettino, Soveria Mannelli, 2003, pp. 589-609.

[157] S. GUNDLE, *I comunisti italiani tra Hollywood e Mosca. La sfida della cultura di massa (1943-1991)*, Giunti, Firenze, 1995, pp. 161-162. Sulle origini dell'antiamericanismo nel PCI: A. GUISO, *Antiamericanismo e mobilitazione di massa. Il PCI negli anni della Guerra Fredda*, in *L'antiamericanismo in Italia e in Europa nel secondo dopoguerra*, a cura di P. Craveri e G. Quagliariello, Rubbettino, Soveria Mannelli, 2004, pp. 149-193.

[158] A. GUERRA, *La solitudine di Berlinguer. Governo, etica e politica. Dal «no» a Mosca alla questione morale*, Ediesse, Roma, 2009, p. 100.

[159] Sulle relazioni tra la Repubblica Democratica Tedesca e l'Unione Sovietica: C. FINK – B. SCHAEFER, *Ostpolitik, 1969-1974: European and global responses*, Cambridge University Press, Cambridge, 2009.

[160] Intervista dell'autrice a Sergio Segre, Roma, 27 novembre 2009.

[161] D. LOWELL, *Sino-Soviet...*, cit., pp. 182-194.

[162] Conversazione a Mosca coi dirigenti del PCUS, 26 gennaio 1971, APCI, MF 58, fasc. 58/81.

[163] Il testo era stato pubblicato in italiano da Jiří Pelikán, con una prefazione di Lucio Lombardo Radice. *Congresso alla macchia*, a cura di J. Pelikán, Vallecchi, Firenze, 1970.

[164] Riunione, 13 aprile 1971, APCI, Direzione, MF 017, pp. 1236.

[165] Verbale, 29 aprile 1971, APCI, Direzione, MF 017, pp. 1243-1298.

[166] Verbale, 6 maggio 1971, APCI, Direzione, MF 017, p. 1311.

[167] Verbale, 13 aprile 1971, APCI, Direzione, MF 017, pp. 1214-1242.

[168] Resoconto di Segre, Verbale 3 giugno 1971, APCI, Direzione, MF 017, pp. 1385-1408; cfr. S. GORUPPI, *A ritmo intenso i lavori del PCC*, in «l'Unità», 28 maggio 1971, p. 11.

[169] *Testo del messaggio del PCI al XIV Congresso del PCC*, in «l'Unità», 29 maggio 1971, p. 1.

[170] Verbale, 3 giugno 1971, APCI, Direzione, MF 017, pp. 1406.

[171] Intervento di Berlinguer, verbale, 3 giugno 1971, APCI, Direzione, MF 017, pp. 1385-1408.

[172] Riunione, 3 giugno 1971, APCI, Direzione, MF 017, pp. 1385-1408.

[173] Relazione di Enrico Berlinguer, *XIII Congresso del PCI, Atti e risoluzioni*, Editori Riuniti, Roma, 1972, pp. 21-63.

[174] Saluto di Lucan Matej, rappresentante del PCCS, *XIII Congresso del PCI...*, cit., pp. 592-593.

2
Non solo Cecoslovacchia: crisi e apogeo del «socialismo reale» nei primi anni Settanta

L'URSS ha fallito nel suo ruolo di modello del socialismo.
Giuseppe Tamburrano,
L'incontro è possibile solo sul terreno della democrazia

Danzica e Stettino, prove generali di un conflitto tutto italiano

Nell'immaginario collettivo, il 1968 nei Paesi dell'Est viene usualmente identificato con gli avvenimenti di Praga. Tuttavia, tra la fine degli anni Sessanta ed il decennio successivo, il blocco sovietico fu attraversato da movimenti di protesta di vario genere e di differente portata. L'evento che – forse più di tutti – merita di essere analizzato, è la crisi che sconvolse la costa baltica durante il dicembre del 1970 ed i primi mesi del 1971. L'effetto domino del Sessantotto sembrò aver raggiunto la Polonia: nel gennaio di quell'anno, il veto imposto dal Ministero della Cultura e dell'Arte alla rappresentazione di *Dziady* ('Gli Avi'), la *pièce* teatrale di Adam Mickiewicz, aveva dato luogo ad una pubblica protesta[1]. Il provvedimento altro non fu che l'ultimo passo di una campagna repressiva cominciata quattro anni prima, in seguito alla pubblicazione della «Lettera aperta» degli intellettuali dissidenti Kuroń e Modzelewski[2]. L'invasione della Cecoslovacchia contribuì a portare alla luce un'insofferenza latente, nascosta dietro una spessa coltre di indifferenza[3]. Le speranze riposte in Gomułka, nel 1956, avevano accresciuto l'insofferenza nei suoi confronti quando era diventato chiaro che la nomina del neo dirigente non avrebbe portato il rinnovamento sperato. Non più efficace era stata l'azione del POUP al di fuori dei confini nazionali. Dopo i fatti dell'agosto 1968, le relazioni tra il PCI ed il POUP furono segnate da profonde «divergenze». Varsavia accusò Botteghe oscure di «integrazione nel sistema borghese e di fomentazione del revisionismo su scala internazionale», scatenando una violenta campagna stampa contro i comunisti italiani[4]. Gomułka, come i sovietici, non apprezzava che il PCI fosse visto dal Dissenso interno come un possibile interlocutore del mondo occidentale[5]. A nulla era valso l'atteggiamento prudente dei comunisti italiani, attenti a non esacerbare il rapporto già conflittuale con il POUP[6]. Tra Roma e Varsavia, il dialogo non era dei più semplici: nel dicembre 1968, di ritorno dal V Congresso del POUP, Pajetta riportò l'impressione di «rapporti non buoni» con i polacchi[7]. L'unico dirigente di cui Pajetta riferiva in termini positivi era Edward Gierek, in quel momento segretario del POUP in Slesia. Le relazioni non migliorarono nei mesi successivi, quando la posizione del PCI alla Conferenza di Mosca non mancò di sollevare nuove critiche da Varsavia[8]: forte di una rigida ortodossia, il POUP pareva più saldo che mai al potere. L'impressione non corrispondeva esattamente alla realtà.

Le prime notizie riguardo all'emergere di tensioni sociali in Polonia giunsero a Botteghe oscure nell'ottobre del 1970. L'aumento dei prezzi dei beni alimentari primari, a poche settimane dal Natale, scatenò numerose proteste e scioperi che, partendo dai cantieri navali Lenin a Danzica, dilagarono in vaste aree della Polonia[9]. La «contro-rivoluzione» – questa la definizione delle autorità di Varsavia – fu immediatamente repressa: alcuni manifestanti vennero arrestati e la notte del 17 dicembre 1970, a Gdynia, si consumò un massacro di dimostranti[10].

Gli eventi di Polonia provocarono in Italia un forte sconcerto e si tradussero, sul piano politico interno, in una forte contrapposizione pubblica tra il Partito socialista ed il Partito comunista. Il 18 dicembre, «L'Avanti» pubblicò un editoriale intitolato *Non c'é pane senza libertà*, nel quale si condannava senza appello la classe dirigente polacca[11]. Lo stesso giorno l'Ufficio politico del PCI pubblicò su «l'Unità» un comunicato stampa nel quale si ribadiva lo stretto legame tra socialismo e democrazia, e si sottolineava la diversità del progetto politico del PCI dal modello del «socialismo reale»[12]. Le parole del PCI, che ricalcavano la posizione ufficiale del partito assunta in seguito all'invasione di Praga, parvero però insufficienti ai socialisti italiani. Luciano Vasconi, sulle colonne del quotidiano socialista, reclamava un ripensamento di più ampio respiro: «[È] inspiegabile [che] la critica o la riserva si limiti alla epidermica constatazione dei 'tragici errori'». Il PCI doveva abbandonare la «politica dello struzzo»: non era possibile tenere una «massa di iscritti» in uno «stato perenne di infarto politico» ogni volta che le «famose 'contraddizioni del sistema'» scoppiavano nel blocco orientale. In definitiva, era «un danno» lasciarsi «condizionare» dal «mito» dell'Unione Sovietica anche in termini di politica interna: le sinistre in Italia avrebbero avuto una concreta possibilità di sconfiggere «le avventure reazionarie» solo se avessero «parlato chiaro sull'URSS»[13]. I toni accesi dei socialisti italiani rivelavano il momento di particolare tensione che essi stavano vivendo in politica interna. Dopo il buon risultato delle elezioni del giugno 1970, i moti di Reggio Calabria e la fine anticipata del governo Rumor III avevano affossato la strategia del segretario Mancini, assertore del consolidamento dell'autonomia del PSI dal PCI proprio sul tema della difesa della democrazia[14].

Gli attacchi dei socialisti trovarono i comunisti agguerriti. Sebbene nella Direzione del PCI fossero emerse voci a favore di un'analisi più approfondita della crisi delle società dell'Est, nella quotidianità era la denuncia dell'anticomunismo che impegnava maggiormente Botteghe oscure. Bersaglio dei comunisti era, in particolare, il partito di Ferri e di Tanassi e quelle «buffonesche figure» che pretendevano di fare «le mosche cocchiere»: si parlava della Polonia, ma si voleva colpire il PCI.

Il contrasto, più acceso con i socialdemocratici, non escludeva i socialisti: l'elemento di discordia era il giudizio sul «socialismo reale», tema intorno al quale, sulla scorta dei fatti polacchi, si aprì un primo confronto in seno al movimento operaio italiano. Il giudizio dei comunisti italiani sulla realizzazione del socialismo nel blocco sovietico – spiegava Tortorella – non poteva non essere condizionato dal «prezzo tremendo», pagato dai Paesi dell'Est per tutti i rivoluzionari del mondo, di aver aperto una «nuova era nella storia dell'umanità»[15]. Se l'analisi promossa dal PCI era quindi quella delle inevitabili contraddizioni del «socialismo reale», il PSI era di un'idea diversa: quella in atto in Polonia era una «crisi del sistema». Primo sintomo di tale disfacimento, era ravvisabile proprio nell'esistenza del Dissenso, movimento più variegato e ampio di quanto la parziale informazione proveniente dall'Est lasciasse supporre[16].

Mentre in Italia si discuteva della Polonia, l'intervento – questa volta politico – di Brežnev mise un punto fermo alla crisi di Varsavia. Per conto del Cremlino, il ministro sovietico Kosyghin sposò l'idea di un avvicendamento ai vertici del POUP. E in seguito ai colloqui tra i dirigenti polacchi, emerse proprio il nome di Gierek, il dirigente che aveva favorevolmente impressionato Pajetta[17]. Il Segretario della Slesia si proponeva come l'uomo del rinnovamento, avvalendosi di una strategia politica analoga a quella seguita da Gomułka negli anni Cinquanta[18].

Il giudizio della sinistra italiana sulla nomina di Gierek non illustrava semplicemente la sua posizione nei confronti della nuova *leadership*, ma rivelava anche lo stato dell'analisi del «socialismo reale».

Agli occhi del PCI, Gierek costituiva la risposta positiva ad una situazione drammatica: le consultazioni con la classe operaia da lui promosse rivelavano la volontà di una direzione più collegiale [19], mentre il cambio generazionale avrebbe potuto comportare un rinnovamento per la Polonia intera [20]. Gierek si poneva come obiettivo quello della restaurazione della democrazia socialista: su questo aspetto si concentrarono le speranze del PCI [21]. La fiducia nella riformabilità del «socialismo reale», non il distacco da esso, era la cifra dei comunisti italiani. Il PCI ne faceva un elemento di distinzione dai socialisti, una ragione di orgoglio che diveniva, talvolta, anche motivo di provocazione: «La rottura della solidarietà internazionalista – asseriva Luca Pavolini – è in genere l'anticamera dell'opportunismo politico, come la parabola di Pietro Nenni dovrebbe insegnare» [22]. Nella lettura promossa dal PCI, la *leadership* di Gierek poteva costituire una svolta per l'immagine del socialismo nel mondo, compromessa dai tragici eventi di quegli anni: con il messaggio di auguri per l'insediamento del nuovo Segretario del POUP, Longo espresse questo auspicio [23]. L'immagine che il PCI aveva del leader polacco non era in realtà poi dissimile da quella elaborata da diversi Governi occidentali. Per dirla con Robert Service, dopo il «cupo Gomułka», non fu difficile per Gierek conquistarsi «qualche consenso» [24]. Il nuovo Segretario del POUP – favorito dal contesto della distensione – riuscì a stabilire relazioni privilegiate con i principali Governi del blocco atlantico: le attenzioni particolari della Germania, della Francia, ed i viaggi dei presidenti americani Nixon, Ford e Carter confermarono la riuscita della diplomazia polacca [25].

Per quanto concerneva il PCI, le pessime relazioni intrattenute con Gomułka erano un biglietto da visita già sufficientemente positivo per l'istituzione di nuovi e più proficui rapporti fraterni. L'incontro del gennaio 1971 segnò un passo in questa direzione. Denunciando l'inefficienza di Gomułka di fronte ai comunisti italiani, i polacchi si mostrarono intenzionati a promuovere una democratizzazione della vita politica, che passava anche per il recupero dei rapporti con la Chiesa [26]. Le notizie provenienti da Varsavia parevano confermare tale tendenza: la Polonia – scriveva Franco Fabiani, corrispondente del «l'Unità» – sembrava Hyde Park: c'era «un'atmosfera di sollievo» [27]. Il PCI ritenne che già il primo Plenum del Comitato centrale dell'era Gierek andasse nel giusto senso, quello cioè dell'aumento della partecipazione operaia [28]. La particolare simpatia che il PCI nutriva nei confronti del «nuovo corso» polacco, di fatto avvenuto con il *placet* sovietico, non mancò di sollevare qualche perplessità negli osservatori internazionali. Il Foreign Office inglese osservava con diffidenza l'atteggiamento di Botteghe oscure, tornato – secondo gli analisti britannici – su posizioni ortodosse [29]. In effetti, l'analisi dei comunisti italiani aveva un grosso debito con l'immagine offerta dalla propaganda del POUP, quella di Gierek «capo operaio» accorso in aiuto dei lavoratori [30]. Tuttavia, l'idea che Gierek fosse capace di offrire una nuova *chance* non solo alla Polonia, ma a tutto il «socialismo reale», non era solo a consumo della stampa e non era nemmeno riducibile ad un semplice adattamento alla politica sovietica. I dirigenti del PCI riponevano realmente le proprie speranze nel nuovo leader polacco. L'impressione generale – commentava Segre dopo un incontro con Tejchma, membro dell'Ufficio politico e della Segreteria del POUP – era quella di un gruppo dirigente che si impegnava per costruire «una nuova politica», anche se tra «enormi resistenze dall'interno dell'apparato» [31]. Una sola ombra offuscava il rinnovato dialogo tra PCI e POUP: i contatti dei comunisti italiani con il Dissenso polacco. Non solo a Varsavia si era fatta strada l'idea che le posizioni del PCI fossero «uno degli elementi principali di turbamento nella vita dei Paesi socialisti» [32]. Con il POUP, la controversia si sviluppò intorno a due elementi: la riconferma di Franco Fabiani a corrispondente de «l'Unità» da Varsavia, osteggiato dai polacchi per i legami tra il giornalista e «determinati ambienti intellettuali e culturali» della capitale; e, in secondo luogo, la collaborazione di alcuni dissidenti polacchi con «Rinascita», oggetto del biasimo ufficiale da parte del POUP [33].

Al di là di questi due aspetti, i rapporti tra i due partiti si svilupparono in termini positivi per tutto il 1971. Longo incontrò Gierek nel settembre di quell'anno: quest'ultimo gli sembrò «un uomo molto concreto, positivo, con i piedi per terra», e circondato da «forze nuove» [34]. L'idea che la situazione polacca fosse «difficile», ma che grazie a «energiche misure» stesse migliorando, fu confermata anche dalle impressioni ricavate da Cavina, Pajetta e Chiaromonte, di ritorno dagli incontri del settembre 1971. L'unico punto di incertezza riguardava il discorso sulle modalità dello sviluppo della democrazia e la «questione ebraica»: i polacchi rassicurarono i compagni italiani sui cambiamenti in proposito nel loro Paese, ma questi ultimi notarono con rammarico che non era stata fatta «nessuna esplicita sconfessione dei fatti del passato» [35]. Il rinnovamento dei vertici lasciava però ben sperare: il saluto di Agostino Novella al VI Congresso del POUP, a Varsavia, nel dicembre dello stesso anno, esplicitò l'appoggio alle misure adottate dai dirigenti polacchi «in campo economico» e per lo sviluppo della «democrazia socialista» [36]. Nessuno, a Botteghe oscure, aveva il sentore che la Polonia si stesse avviando verso un forte indebitamento con l'Occidente, che sarebbe stato alla base delle crisi degli anni successivi [37]. Tanto ottimismo non era, tuttavia, condiviso dai socialisti italiani. Il PSI nutriva forti dubbi sul fatto che la sostituzione del Segretario del POUP avrebbe risolto i problemi della Polonia comunista. Lo scetticismo riguardava due aspetti. Il primo concerneva il passato politico dei nuovi dirigenti. Luciano Vasconi dipingeva un Gierek smaliziato, un «tecnocrate filosovietico» che seguiva fedelmente la via indicata da Gomułka in politica estera: ne era prova il fatto che l'alleanza con l'URSS continuava ad essere presentata come uno degli immutabili e fondanti elementi della politica estera polacca [38]. Il secondo aspetto era relativo allo «stato di salute» del blocco sovietico. Prendendo spunto dalle riflessioni contenute nella «Lettera aperta» di Kuroń e Modzelewski, Vasconi sostenne che le crisi in atto nell'Europa dell'Est fossero «sistemiche». Le proteste della Polonia non erano un caso a sé; al contrario, esse rappresentavano la «punta dell'iceberg» di un dissenso crescente e dilagante nel blocco sovietico, di cui l'Occidente aveva scarse e frammentarie notizie a causa del sistema censorio dei Paesi dell'Est: «Dodici anni fra Budapest e Praga, due soltanto fra Praga e il 'dicembre polacco': è un dato significativo, tale da legittimare la più attenta riflessione sui ritmi di velocità e di moltiplicazione del *dissenso di massa* (non solo di quello intellettuale)» [39]. L'errore era originario e risiedeva nell'ideologia leninista, la cui «componente autoritaria, quindi non socialista», era sempre presente, «in ogni forma di potere di tipo leninista» [40].

Sebbene nel corso del 1971 i commenti dei socialisti italiani si facessero meno severi nei confronti di Gierek [41], rimase invariato il giudizio negativo sul «socialismo reale». Giuseppe Tamburrano, membro del Comitato centrale del PSI, in una relazione al seminario internazionale organizzato dai socialisti a Vienna, chiarì i termini della questione:

> L'esperienza comunista ha chiaramente dimostrato i [suoi] limiti [...] perché la dittatura del proletariato si è rivelata in pratica [...] la dittatura dell'apparato del partito e di un uomo o di un gruppo.
> L'URSS ha fallito nel suo ruolo di modello del socialismo [42].

Si precisavano così i caratteri essenziali di distinzione tra PCI e PSI. Il primo traslava le speranze della riformabilità del «socialismo reale», ravvivate dal «nuovo corso» cecoslovacco, su Gierek. Era quindi all'interno dei partiti comunisti che potevano nascere le speranze per un rinnovamento dei Paesi dell'Est e per il socialismo nel mondo [43]. Il secondo, invece, identificava nel movimento del Dissenso un interlocutore politico privilegiato, detentore del potere di riforma di un sistema in declino, un sistema che aveva fallito nel proprio principale obiettivo: la realizzazione del socialismo.

Il riconoscimento che l'esperienza sovietica non fosse più valida come modello nella lotta per le forze progressiste dell'Occidente costituiva il presupposto imprescindibile per una collaborazione in seno alla sinistra italiana.

Un'eventualità che ancora pareva lontana dalla sua realizzazione.

Il caso dei piloti: la questione ebraica nel blocco sovietico

Nei primi anni Settanta, la questione della persecuzione delle comunità ebraica in Unione Sovietica – già oggetto nel passato di una forte discriminazione – tornò di scottante attualità. Dal secondo dopoguerra, le difficili condizioni nelle quali si era trovata a vivere la comunità ebraica, aggravate – tra la fine degli anni Sessanta ed il decennio successivo – dal peggioramento delle relazioni tra Mosca e Tel Aviv a causa del sostegno del Cremlino agli Stati arabi nel conflitto mediorientale, avevano portato alla nascita di un movimento per l'emigrazione in Israele [44]. Il diritto all'emigrazione era però negato: il tentativo di lasciare illegalmente il Paese era considerato «tradimento della patria», reato punibile persino con la condanna a morte. In tale contesto ebbe luogo a Leningrado, nel dicembre del 1970, il processo istituito sul caso dei piloti: alcuni attivisti di religione ebraica, ottenuto il permesso di recarsi in visita all'estero, tentarono di dirottare un aereo, cercando di arrivare in Svezia. La manovra, che aveva ben poche speranze di riuscita, attirò l'attenzione dell'opinione pubblica sulla condizione degli ebrei sovietici. Il procedimento giudiziario suscitò una larga eco in Occidente sia per le motivazioni dell'accusa, sia per le dure condanne comminate, due delle quali alla pena capitale [45]. Un'ulteriore circostanza contribuì ad aumentare la risonanza del fatto di cronaca: il processo di Leningrado si tenne contemporaneamente al procedimento giudiziario di Burgos nella Spagna franchista, elemento che aveva reso immediata l'identificazione tra la repressione del regime dittatoriale del *Generalísimo* e quella del «socialismo reale».

Come si poteva denunciare il fascismo franchista e restare inermi di fronte alla repressione nei Paesi comunisti? Questo era il nodo da sciogliere nel dibattito tra socialisti e comunisti italiani. Francesco Gozzano, dalle pagine dell'«Avanti», rivendicava il ruolo di difensore delle «libertà civili e politiche», ovunque fossero «calpestate» [46]. «l'Unità» condivideva il giudizio sulla gravità del fatto, ma il riferimento continuo all'antisovietismo e la convinzione che la fede dei condannati non avesse influenzato l'esito del processo mitigarono non poco la condanna pronunciata [47]. Agitando lo spettro dell'antisovietismo, il PCI spostava l'attenzione sull'anticomunismo italiano, alzando i toni anche nei confronti del PSI [48]. L'accusa mossa dai comunisti ai socialisti – aiuto al «nemico di classe» – era grave e pareva non estranea alla partecipazione del PSI al governo Colombo. L'incomunicabilità in seno alla sinistra italiana era totale: i socialisti richiamavano Botteghe oscure alla «critica più severa a un gruppo» che continuava la «tradizione staliniana» e che aveva accumulato «non errori, ma crimini» [49]. Per i comunisti, al contrario, non v'era spazio per un cedimento sulla «strada dell'isolamento e dell'attacco contro i Paesi socialisti»: l'identificazione tra Paesi «opposti», tra regimi socialisti e fascisti, era inammissibile [50]. Date le premesse – e nonostante il biasimo fosse stato pronunciato da ambo le parti – il dialogo tra i due 'cugini' pareva impossibile.

La differente valutazione della questione dei *refuznik* rifletteva anche la diversità di strategia tra PSI e PCI. Il primo considerava essenziale l'unità a sinistra e riteneva che il nuovo «patto costituzionale» ponesse le basi per il consociativismo [51]. Perseguendo l'obiettivo di ostacolare l'intesa tra comunisti e democristiani per recuperare un rapporto privilegiato con Botteghe oscure, il PSI si trovava dunque forzato a sviluppare una doppia strategia. Da un lato, reclamare il primato morale della sinistra italiana, come unica forza democratica del movimento operaio [52]; dall'altro, spingere il PCI ad un'evoluzione dei rapporti con il blocco sovietico, ponendo le precondizioni necessarie al perseguimento di un processo unitario [53]. La prima linea strategica emerse con chiarezza nel tradizionale saluto di fine anno di Francesco De Martino: il sistema sovietico era incapace di reggersi «se non mediante lo spietato uso della forza», come avevano dimostrato gli eventi di Leningrado. Il PSI si ergeva dunque a paladino delle forze progressiste italiane, nella convinzione di dover «salvaguardare il regime democratico da qualsiasi involuzione» e di «fare della democrazia una permanente rivoluzione pacifica» [54]. Obiettivi che richiedevano compattezza nel fronte della sinistra, impossibile fino a quando il PCI avesse perseverato nel salvaguardare il legame con l'URSS. Non era più sufficiente il richiamo alla «via italiana al socialismo» se si continuavano ad elogiare i «grandiosi progressi» compiuti dal «socialismo reale» [55]. Dalle parole di Arfé emergeva nitidamente la seconda linea d'azione: «Se i comunisti respingeranno ancora una volta questo nostro invito daranno una nuova prova della loro doppiezza [...] della loro immaturità politica» [56]. Stava dunque a Botteghe oscure «favorire» o «rallentare» il «processo unitario» [57]. La dura posizione assunta dal PSI non precludeva l'eventuale collaborazione con alcuni esponenti comunisti sensibili attorno a tali temi: essa era diretta alla *leadership* del partito e richiedeva un mutamento nella valutazione del «socialismo reale» [58].

In effetti, come sottolineato in precedenza, il PCI non aveva elaborato una strategia compiuta attorno ad alcuni nodi irrisolti delle esperienze dell'Est, come quello del Dissenso. Ciò lasciava aperto uno spazio ad iniziative personali in merito. Fu così che Umberto Terracini – esponente storico del comunismo italiano e secondo alcuni, precursore dell'idea della «terza via» [59] – fu coinvolto nella questione dei *refuznik*. «Il Giornale d'Italia» lasciò trapelare un'indiscrezione secondo la quale alcuni ebrei sovietici avevano inviato a Botteghe oscure un appello che non aveva trovato alcuna risposta, se non quella personale di Terracini. La notizia ebbe una vasta eco: agli occhi dell'opinione pubblica, la vicenda poteva sembrare la conferma dell'indifferenza dei comunisti italiani nei confronti delle sorti del Dissenso.

Ad una verifica delle fonti archivistiche, la lettera non è stata ritrovata. Tuttavia, dalla documentazione conservata, risulta che Terracini avesse inviato una missiva in merito a «l'Unità»: in essa, si richiamava alla responsabilità di denunciare una vicenda che gettava «una nuova grave ombra sull'asserita restaurazione della legalità sovietica» [60]. Terracini riteneva infatti doveroso che il partito formulasse una «netta condanna contro il modo di essere del socialismo sovietico». La lettera, spiegava un'anonima nota a margine, non era stata pubblicata perché «giunta in ritardo». Non vi sono documenti che lo dimostrino, ma si può ragionevolmente presumere che la missiva non fu stampata a causa del contenuto che – almeno in parte – si differenziava dal comunicato dell'Ufficio politico [61].

I socialisti non si lasciarono sfuggire l'occasione per puntualizzare la critica al PCI: «Il 'dissenso' [sulla repressione dell'Est] non é un fatto individuale [...] deve essere di tutto un partito» [62]. Botteghe oscure respinse le accuse al mittente e rese noto che il materiale ricevuto era stato considerato «nel definire le posizioni» assunte attorno a tale questione, sollevata «nelle forme che sono state considerate più opportune ed efficaci» con le autorità preposte [63].

Questa vicenda mette in luce aspetti nuovi dell'immagine di Botteghe oscure. L'impressionante volume di richieste di intercessione per emigrare dall'URSS lascia presumere che il PCI fosse un punto di riferimento importante per un'eventuale mediazione con Mosca [64], e potesse contare su un'immagine di forza politica aperta alle istanze di questo genere [65]. Al contempo, emerge con chiarezza la volontà dei comunisti italiani di limitare i dissensi con il Cremlino, attenuando i duri toni utilizzati da alcuni membri della Direzione nel giudizio sul «socialismo reale». In quei mesi, la questione dei *refuznik* fu al centro delle riflessioni dei dirigenti comunisti. In seguito a tali avvenimenti, Pajetta lamentava «un'impressione pesante nel partito» [66]: in effetti, alcuni compagni erano intervenuti su «l'Unità» per sottolineare le conseguenze negative della vicenda in politica interna [67]. Nella Direzione si dibatté a lungo sul da farsi: come per il caso cecoslovacco, prevalse l'opzione della prudenza. Si decise così di rilanciare l'istanza della «via italiana al socialismo» [68] e di fornire un'indicazione di massima ad Agostino Novella, a capo della delegazione in visita a Mosca nei mesi successivi per trattare della questione con i sovietici. Ai mittenti delle lettere si sarebbe invece risposto con una lettera standard, nella quale si assicurava un interessamento alla questione, nei «limiti» delle possibilità [69]. La questione basilare rimaneva però senza risposta, ed il socialista Vasconi non esitò a metterla nero su bianco sull'«Avanti»:

> Domandiamo se, in URSS, esiste veramente una forma di socialismo. Noi pensiamo che non esiste, 'non esiste ancora', se non a livello di base, di quanti combattono contro l'oppressione burocratica [70].

L'articolo di Vasconi rappresentò il picco delle tensioni interne alla sinistra italiana intorno alle vicende di Leningrado. Dal febbraio-marzo 1971 lo scontro iniziò ad affievolirsi, anche se l'attenzione socialista attorno al tema della repressione del gruppo per l'emigrazione in Israele si mantenne significativa almeno per la prima metà di quell'anno [71].

La questione, tuttavia, tornò di attualità alla fine del 1972. In seguito all'istituzione in URSS di una tassa sull'emigrazione, il PCI ricevette un appello di alcuni studiosi italiani [72] e una richiesta di intercessione da parte dell'Unione delle comunità israelitiche italiane per un'amnistia a favore dei cittadini sovietici di religione ebraica [73]. Berlinguer rispose personalmente, rassicurando il presidente Piperno sul suo intervento: i sovietici avevano garantito che «i vari casi» sarebbero stati «attentamente riconsiderati» [74]. Dal 1974, numerosi oppositori di origine ebraica lasciarono l'Unione Sovietica: tra essi, vari esponenti di spicco del movimento del Dissenso sovietico, tra i quali Viktor Nekrasov, Andrej Siniavskij e Pavel Litvinov [75]. Il caso dell'emigrazione ebraica dall'URSS divenne persino un tema di dibattito nella campagna presidenziale statunitense. L'emendamento Jackson-Vanik – che collegava lo *status* di nazione più favorita al diritto all'emigrazione degli ebrei sovietici, nell'ambito del *Trade Act* americano – rese irto di difficoltà il dialogo tra le superpotenze sul SALT II [76]. Nel corso degli anni Settanta, l'emigrazione ebraica consentì la creazione di un ponte tra Est e Ovest, favorendo una maggiore conoscenza dell'esistenza del Dissenso e dei temi dell'opposizione [77]. L'erosione del «consenso organizzato» all'Est e l'avvio dell'analisi di ciò che era il «socialismo reale» furono due dirette conseguenze di tale connessione transnazionale.

Leningrado, Danzica e Praga: *requiem* del «socialismo reale»?

Praga, Danzica, Leningrado. A fronte dell'immagine di successo in politica internazionale – l'URSS come protagonista e principale promotrice della distensione – il socialismo subiva i contraccolpi delle proprie crisi. Per il PCI, l'invasione della Cecoslovacchia non si era tradotta in una perdita di consensi: la percentuale elettorale alle amministrative del 1970 si era mantenuta stabile. Diverso era però il discorso sulla sua credibilità democratica. La principale forza politica della sinistra italiana si trovava costantemente nella condizione di rispondere alle richieste di «garanzie» che i moderati, ma anche (e sempre più insistentemente tramite le voci socialiste e quelle del «Manifesto») le forze progressiste, avanzavano nei suoi confronti. Garanzie relativamente al proprio legame internazionale; rassicurazioni inerenti alla «via italiana al socialismo»; valutazioni sul grado di autonomia e di rielaborazione politica ed ideologica raggiunte riguardo alla storia ed allo stato dei Paesi dell'Est: questi erano i nodi con i quali Botteghe oscure doveva, quasi quotidianamente, confrontarsi. La risposta del PCI poggiava su due pilastri. Innanzitutto, come già sottolineato, l'esistenza di una «via italiana al socialismo». In secondo luogo, l'importanza dell'autonomia e della «completa» capacità di critica del PCI: Botteghe oscure poteva vantare una «piena indipendenza di giudizio sugli avvenimenti e sulla politica dell'Unione Sovietica, degli altri Paesi socialisti e degli altri partiti comunisti» del mondo [78]. Incalzato dall'«Avanti», il PCI si faceva però scudo della propria scelta di campo:

Se le scelte che noi dovremmo fare sono quelle del tipo che rozzamente ci propone «L'Avanti» – o con Brežnev o con Dubček – la nostra risposta, serena e ferma, è che la scelta vera e decisiva noi comunisti l'abbiamo compiuta dal momento della Rivoluzione d'Ottobre. E non abbiamo ragione di cambiarla[79].

Proprio sulla peculiarità ed universalità dell'Ottobre sovietico, nonché sul ruolo svolto dall'URSS nell'ambito della distensione, faceva perno la centralità politica e culturale di Mosca[80]. Se questi erano i capisaldi dell'analisi del PCI, nel corso degli ultimi anni non erano mancate, in seno alla Direzione, richieste di un ripensamento organico dell'esperienza del «socialismo reale»[81]. Il dibattito interno generò un percorso di riflessione che culminò nell'istituzione del Centro di Studi e di Documentazione sui Paesi socialisti, grazie al quale l'approfondimento della realtà delle società dell'Est divenne un tema istituzionale[82]. Nelle intenzioni dei dirigenti l'attività di tale Centro e la riflessione pubblica sugli organi di partito – in particolare su «Rinascita» – dovevano essere la risposta al «disorientamento profondo» che serpeggiava nella «base». Sebbene l'analisi critica del «socialismo reale» non mancasse di provocare il disappunto del Cremlino[83], tale esigenza era considerata improcrastinabile, e su di essa si confrontarono le diverse sensibilità dei dirigenti. Nel corso di una riunione della Direzione, Terracini asserì che non si poteva più definire «socialista» il sistema sovietico; come Ingrao aveva sottolineato, era giunto il momento di giungere «a considerazioni più meditate». Amendola ipotizzava invece tra le righe uno sganciamento «organizzativo» – vale a dire finanziario – dall'URSS: un punto certo sensibile, dato che il PCI riceveva costantemente un sostegno finanziario dal Cremlino[84]. Il dibattito sembrava assumere forme nuove, quando Pajetta richiamò i leader all'eredità innegabile dell'Unione Sovietica, invitando a limitare il «giudizio critico» agli «errori, insufficienze ed incapacità» del «socialismo reale». L'intervento di Pajetta diede lo spazio a Longo per riproporre una «soluzione non irritante» per i sovietici, in vista dell'ormai prossimo viaggio di Novella a Mosca.

I leader italiani – con l'eccezione di Ingrao – si trovarono d'accordo nel fornire un'indicazione di massima al dirigente delegato: se il «socialismo reale» fosse realmente socialismo era una questione di portata troppo ampia per poter essere affrontata in colloqui bilaterali, senza una preventiva consultazione di tutto il partito. Così Novella, nel corso del colloquio con Kirilenko, nel gennaio 1971, si limitò ad esprimere le preoccupazioni del PCI per i riflessi negativi che le crisi dei Paesi dell'Est avevano nella politica interna italiana. Positivo sull'evoluzione avvenuta in Polonia, il dirigente italiano manifestò perplessità intorno agli sviluppi della situazione in Cecoslovacchia. Kirilenko fu particolarmente severo su questo secondo punto, e insistette nuovamente per il recupero delle relazioni fraterne. A fronte di tanta suscettibilità, Novella seguì l'indicazione della Direzione, e decise di soprassedere sul nodo irrisolto dell'esperienza dei Paesi del «socialismo reale» [85].

L'autocensura applicata intorno a tale centrale questione non significò il suo oblio. Botteghe oscure ritenne di traslare questo problema di ordine politico a livello culturale, promuovendone un'analisi storico-politica. L'esigenza di coinvolgere maggiormente la «base», avanzata ripetutamente in sede privata da Ingrao, venne in parte accolta. Fu così che «Rinascita» inaugurò una serie di articoli aventi come oggetto la riflessione sui Paesi socialisti, sulla scorta di quanto era avvenuto nell'Est ed, in particolare, in Polonia. L'organizzazione di una tavola rotonda intorno a tale tema costituì l'iniziativa principe della strategia politico-culturale intrapresa da Botteghe oscure. Due furono gli elementi centrali del dibattito. In prima istanza, le responsabilità dei leader al potere, la cui inettitudine aveva generato uno «scollamento» tra popolo e classe dirigente. In secondo luogo, il significato della crisi polacca come elemento contingente o sistemico del «socialismo reale». Giuseppe Boffa mise a fuoco il problema: gli eventi non indicavano una «crisi del sistema socialista», quanto piuttosto quella della «concezione staliniana». Pajetta individuava la ragione della crisi sociale e politica nella mancata valorizzazione di alcune «regole dei rapporti sociali» che erano state trascurate nei regimi comunisti, in quanto considerate eredità della borghesia. A detta del dirigente, alcune libertà (come, ad esempio, quella di stampa), pur essendo effettivamente parte del bagaglio dello sviluppo borghese dello Stato, non dovevano cessare di essere considerate uno «strumento utile e necessario». In definitiva, se il PCI dava un «giudizio positivo nella sua linea generale» sul processo storico in atto nei Paesi socialisti, ciò non doveva impedire di esprimere un «giudizio politico critico» a fronte di «errori politici» [86].

Il punto cruciale dibattuto nel partito era quello della democrazia nei Paesi socialisti: dopo il XX Congresso, non si era «andati avanti» nella direzione indicata, lasciando irrisolti dei nodi del periodo staliniano che periodicamente emergevano [87]. Parte della responsabilità degli insuccessi del comunismo era attribuibile alla mancata affermazione del movimento comunista occidentale: i comunisti italiani sarebbero quindi partiti da tale aspetto per colmare le proprie lacune. Botteghe oscure si avocava così il compito di coniare un «nuovo internazionalismo», ove «l'autonomia dei partiti e degli Stati» sarebbe stata necessaria per la trasformazione della società in cui ci si trovava ad operare[88]. Il PCI mostrava chiaramente i segni di un'aspirazione che valicava il piano nazionale.

I tempi, tuttavia, non erano ancora maturi per tale passo. Berlinguer premeva in direzione di un'analisi critica delle società socialiste, ma la svolta a destra del Paese – con il governo Andreotti e l'elezione di Leone a presidente della Repubblica – non era la condizione ottimale per lo sviluppo di tale strategia[89]. La fragilità della *leadership* di Berlinguer costituiva un ulteriore fattore destabilizzante[90] e lasciava spazio all'azione di alcuni membri della Direzione, che percepivano la ricerca di una maggiore autonomia come la negazione del ruolo centrale svolto dal PCUS.

Questa divisione emerse in occasione del dibattito intorno ai risultati del XXIV Congresso del Partito dell'Unione Sovietica, tenutosi a Mosca sul finire del marzo 1971[91]. Se Berlinguer enfatizzò l'immobilismo della classe dirigente sovietica, Pajetta diede un «giudizio positivo»: era «prevalsa una linea di equilibrio e non di chiusura». A fronte della denuncia di Ingrao intorno all'esistenza di «situazioni drammatiche nei Paesi socialisti», Bufalini sottolineò che l'URSS aveva dimostrato «di essere più avanzata e capace e moderna» del PCI nella definizione della politica estera[92]. Un tradizionale orientamento filosovietico si scontrava con una prospettiva nuova, certo non antisovietica, ma tendente ad una maggiore autonomia nei confronti della «patria del socialismo». Tra le due prospettive, l'aspetto della continuità ebbe la meglio: il commento pubblico del PCI intorno al XXIV Congresso del PCUS seguì la linea abituale, nella quale il rifiuto di ogni isolamento particolaristico era associato all'enfatizzazione della capacità critica del PCI[93].

La questione dell'analisi critica delle società socialiste rimase però sul tavolo. In occasione della discussione in seno alla Direzione del PCI relativa alla convocazione del XIII Congresso dei comunisti italiani, Berlinguer riaprì la questione della necessità di un «maggiore approfondimento» della situazione dei Paesi dell'Est, nel quale «insufficienze» e «difficoltà» fossero riconosciute. Berlinguer era però isolato in questa battaglia: Longo, Alinovi e Sereni sostenevano che fosse necessario «passare all'offensiva», valorizzando «l'aspetto delle libertà sociali del socialismo». Il rischio di «salire in cattedra» e dire ai sovietici: «Voi dovete fare la democrazia così», andava assolutamente evitato – puntualizzava Colombi. Occhetto e Napolitano vennero in soccorso a Berlinguer. Un'analisi delle società socialiste andava promossa su tre ordini di problemi: la diversità storica, il condizionamento generato da tale diversità sul piano internazionale, ed il rapporto tra la statalizzazione dei mezzi di produzione e dell'appropriazione sociale. Il silenzio intorno a tali questioni implicava un rischio grave e di natura squisitamente interna: la «crisi di credibilità derivante dalla differenza tra ciò che si dice e determinate realtà»[94]. Se, in Direzione, qualche timida apertura poteva trovare spazio su questi temi, la collocazione internazionale del PCI ed il sostegno alla politica estera sovietica non potevano subire deroghe. Longo fu chiaro su questo punto: l'URSS spendeva le proprie energie per la distensione internazionale e per «dare nuovo prestigio al socialismo»[95]. Botteghe oscure non poteva non tenerne conto.

Processo al «nuovo corso». (Il primo) Berlinguer e (l'ultimo) De Martino

Memori delle tragiche conseguenze della repressione ungherese, la classe dirigente di Praga aveva atteso diversi mesi prima di dare il via all'epurazione del partito e ai processi politici. A due anni dall'intervento, i tempi furono considerati maturi. L'arresto del gruppo HRM (*Hnutí Revoluční Mládeže*), accusato di attività controrivoluzionaria, era stato il primo segnale della repressione distintamente percepito in Italia. Un gruppo eterogeneo di intellettuali italiani di sinistra – Lucio Colletti, Lucio Magri, Aldo Natoli, Rossana Rossanda de «il manifesto», Pino Ferraris del PSIUP, Giorgio Gaezzi, Lucio Lombardo Radice e Luigi Nono del PCI – richiese l'immediato rilascio dei giovani contestatori[96]. Che un'opposizione in Cecoslovacchia si stesse gradualmente sviluppando non era certo una novità per Botteghe oscure[97]. I comunisti italiani furono informati dal ministro Tichy dell'inizio dei processi politici con qualche giorno di anticipo[98]. Il 4 febbraio 1972, Jiří Lederer fu condannato al massimo della pena prevista per il reato di «diffamazione nei confronti di una potenza alleata» – ossia la Polonia. Contestualmente, venivano arrestati il filosofo Karel Kosík, lo storico Karel Bartošek, il giornalista Vladimír Nepraš e Rudolf Slánský, figlio del Segretario del partito giustiziato nel 1952 e riabilitato durante gli anni Sessanta[99]. Sulle colonne de «l'Unità», la pubblica condanna dei processi di Praga non tardò e fu ferma: al severo giudizio sulla politica di Husák fu associato l'appoggio ai dissidenti arrestati, i «compagni» Kosík, Kaplan e Hübl[100]: i primi ad essere «feriti» da quanto accadeva a Praga – sosteneva il PCI – erano proprio i comunisti[101]. Botteghe oscure era direttamente coinvolta in tale vicenda: la collaborazione con il PCI e persino l'influenza della «campagna» dei comunisti italiani e del «Memoriale di Jalta» erano infatti considerati capi di accusa ai danni dei protagonisti del «nuovo corso» cecoslovacco [102]. Per questa ragione, interveniva «Il manifesto», Berlinguer aveva l'obbligo di assumere una posizione chiara nei confronti del Governo e del Partito cecoslovacco [103]. Praga era ancora una questione aperta, così come la discussione intorno alla posizione da adottare nei confronti del PCCS. In concomitanza dei processi, Pajetta riferiva in Direzione: «Abbiamo mandato una delegazione. Si è ristabilito così un rapporto *de facto*. Ora è intervenuto il caso Ochetto che è spiacevole e che alla vigilia del Congresso può dare conseguenze preoccupanti» [104]. Valerio Ochetto, giornalista della RAI inviato a Praga, era infatti stato trattenuto in Cecoslovacchia, nel gennaio 1972, con l'accusa di essere il corriere dei dissidenti. La sua scarcerazione, avvenuta ad un mese dall'arresto e dopo l'intervento – tra gli altri – dei dirigenti di Botteghe oscure, costituì un ulteriore motivo di divergenza tra il PCI ed il PCCS [105]. I provvedimenti restrittivi e punitivi adottati da Praga nei confronti di alcuni giornalisti italiani (tra i quali anche l'inviato de «l'Unità», Ferdinando Zidar), e l'incoerente atteggiamento mantenuto dai cecoslovacchi rendevano difficile l'individuazione di una strategia di medio-lungo periodo nei confronti del PCCS. La decisione di istituire processi politici contraddiceva nella sostanza tutti gli atti che il governo Husák aveva compiuto al fine di ristabilire normali relazioni con gli italiani [106]. La definizione di una politica chiara nei confronti del PCCS fu poi rallentata dall'esplicarsi di alcuni eventi di natura interna, che modificarono in modo determinante la fisionomia del PCI e la situazione politica italiana.

Nel marzo del 1972, Enrico Berlinguer fu eletto segretario generale del PCI, dopo un triennio di coabitazione con Longo, le cui condizioni di salute si erano aggravate [107]. Esponente di una generazione che non aveva conosciuto la Resistenza, Berlinguer aveva fatto parte del ristretto gruppo di giovani cresciuto attorno a Togliatti. Al suo fianco alla Sezione Esteri, dopo la sostituzione di Galluzzi dovuta alle pressioni sovietiche [108], andava Sergio Segre, ex segretario di Longo ed interlocutore privilegiato della socialdemocrazia tedesca. Con questa nuova formazione, il PCI ottenne un risultato discreto alle elezioni politiche del maggio 1972, esito fortemente mitigato dall'arretramento generale della sinistra: il Paese sembrava scivolare lentamente verso destra [109].

Attorno al nodo della normalizzazione cecoslovacca, la nuova classe dirigente del PCI decise di non mutare la politica elaborata in precedenza: condanna della repressione, distacco dal PCCS, ma mantenimento della solidarietà internazionalista e dei rapporti tra partiti fratelli. L'elemento nuovo stava nel fatto che le critiche a tale strategia iniziavano a giungere anche dalla sinistra del PCI: in particolare, il gruppo di espulsi riuniti intorno a «il manifesto» faceva di questo elemento un tema centrale della propria contestazione nei confronti di Botteghe oscure. Nel luglio del 1972, durante l'estate dei processi, il quotidiano del PDUP comunicò che Praga aveva reso nota l'esistenza di un accordo informale tra PCI e PCCS, in base al quale il primo avrebbe limitato, sino alla rottura, «i rapporti con i gruppi di 'rinnegati'»[110]. Al silenzio di Botteghe oscure, il quotidiano di estrema sinistra rincarò la dose:

> Se dei comunisti vanno in galera a Praga è anche perché i dirigenti del PCI [...] contribuiscono a mandarceli alzando la bandiera del non intervento.
> Non invidiamo quei dirigenti del PCI che impotenti non sono, ma corresponsabili[111].

I comunisti italiani risposero indirettamente, esprimendosi sulla gravità «politica» dei processi[112]. Come per gli eventi di Varsavia e Leningrado, l'attenzione del PCI si concentrò sulla denuncia dell'anticomunismo e sul rilancio del nuovo internazionalismo[113]. La vera novità stava tuttavia nel tono conciliante utilizzato nei confronti dei socialisti italiani, con i quali si aprivano spazi per la ricerca di una «strada comune»[114]. La tregua tra PCI e PSI intorno ai temi del «socialismo reale» non era certo estranea al mutamento politico che si stava verificando in casa socialista.

Dopo i fatti di Reggio Calabria, con la campagna scandalistica del settimanale «Candido» sui fondi neri al PSI e il tracollo dei socialisti italiani alle elezioni politiche del 1972 (9,6%)[115], l'era manciniana poteva dirsi conclusa. Il potere passava nelle mani del presidente del partito, Francesco De Martino, un personaggio politico ben visto dai comunisti italiani. Longo lo considerava infatti il migliore interprete della strategia degli «equilibri più avanzati», che prevedeva un saldo legame con il PCI[116]. Il ritorno del PSI all'opposizione e la ritrovata intesa in seno alla sinistra intorno all'elezione del presidente della Repubblica[117], portarono a far riaffiorare le speranze di un confronto più produttivo tra PCI e PSI. Recuperare l'identità di sinistra, indebolita dalla partecipazione al Governo, era uno degli obiettivi apertamente perseguiti da De Martino: una strategia non invisa ai comunisti, che cercavano di uscire da uno stato di forte isolamento[118].

Nel corso del dibattito tra PCI, PSI, PSIUP e Sinistra indipendente intorno all'elezione del presidente della Repubblica, venne così messa in rilievo la «solidità» dello schieramento di sinistra, aspetto destinato a «incidere considerevolmente» sulla situazione politica [119]. L'analisi socialista intorno allo stato dei rapporti con il PCI vantava due elementi nuovi: in primo luogo, la prospettiva di una stretta collaborazione non frontista, che avrebbe consentito alle forze partecipi anche di avere una diversa collocazione (il PSI al Governo, il PCI all'opposizione) [120]; in seconda istanza, il riconoscimento del distacco da Mosca. I comunisti italiani avevano infatti offerto una «prova di autonomia», «non definitiva ma convincente» [121]. Lo schieramento della sinistra, concludeva Fabrizio Cicchitto, non era più un «dato occasionale», ma costituiva un «elemento reale nella società italiana» [122]. La posizione assunta dal PCI sulla Cecoslovacchia era quindi considerata un «punto di svolta nel rapporto tra socialisti e comunisti» – un «giudizio storicamente decisivo» nelle parole di Francesco De Martino [123].

In questa cornice va valutata la strategia adottata dai socialisti nei confronti della repressione attuata in Cecoslovacchia nel 1972. Analizzando le fonti, in particolare quelle a stampa, appare immediatamente evidente che l'attenzione che il PSI rivolse a questi avvenimenti fu notevolmente ridotta se comparata a quella dell'agosto 1968. Il dato è in primo luogo quantitativo: gli articoli dedicati alle vicende degli ex protagonisti della Primavera furono notevolmente ridimensionati, spesso relegati in pagine secondarie ed affiancati a denunce di violazioni della libertà in Italia e negli Stati Uniti [124]. Ma ancora più rilevante, il dato da osservare è qualitativo: durante tutto il 1972, dal gennaio-febbraio degli arresti sino all'estate dei processi, la latitanza dei rappresentanti di prima linea del partito sul tema della repressione non può non essere notata. E ancora, anche quando esponenti di rilievo dell'*intelligencija* socialista rilasciarono dichiarazioni in merito, i toni utilizzati verso i compagni comunisti furono notevolmente addolciti, così come sfumata divenne la pretesa di essere la coscienza critica della sinistra italiana. Nel febbraio 1972, quando ormai la campagna di arresti arbitrari in Cecoslovacchia aveva raggiunto il proprio picco, i socialisti riproposero i punti salienti del comunicato emesso da Botteghe oscure, senza un rigo di commento [125]. Persino gli articoli di Luciano Vasconi furono meno severi del solito nei confronti di Botteghe oscure. Sebbene Vasconi continuasse a richiamare il PCI a prendere una «posizione» ed a mostrare solidarietà verso l'opposizione dell'Est, l'aspetto che maggiormente veniva posto in rilievo fu la frattura creatasi tra il PCI ed il Cremlino [126].

Questo non significò una diminuzione dell'attenzione nei confronti del Dissenso cecoslovacco: nel 1971, Jiří Pelikán lanciò il bollettino dell'opposizione cecoslovacca «Listy» grazie al sostegno del PSI, che aveva supplito alle gravi difficoltà economiche in cui versava l'emigrazione cecoslovacca in Italia[127]. La dura posizione dei socialisti italiani riguardo al caso Valerio Ochetto – in cui era stato implicato lo stesso Pelikán, nel tentativo di screditarlo – era il segno della stretta collaborazione tra l'ex Direttore della televisione di Praga ed i socialisti italiani[128]. L'elemento di novità stava nell'ammorbidimento dei toni nei confronti dei comunisti – non nel diminuito interesse nei confronti del Dissenso dell'Est: esso era l'effetto più evidente della 'demartinizzazione' del partito, caratteristica del PSI dei primi anni Settanta[129].

Assente su questi temi dalle tribune politiche, Pietro Nenni confidava al proprio diario politico alcune perplessità in merito. Il leader socialista era conscio che con il PCI bisognava «sempre essere pronti a fare i conti», ma riteneva che fosse necessario promuovere «l'alleanza e l'accordo con le forze democratiche laiche e cattoliche» per intraprendere una «via democratica». Una prospettiva ritenuta «irrealizzabile» per i comunisti[130]. Commentando la celebre metafora del PCI-giraffa, Nenni rivelava un forte scetticismo nei confronti della possibilità di riformare il «socialismo reale» e una rilevante diffidenza riguardo alla presunta 'diversità' del comunismo italiano. La Segreteria di Berlinguer, per quanto segno di un rinnovamento generazionale, non avrebbe fatto la differenza[131]. L'aspetto della continuità era infatti evidente nell'atteggiamento dei dirigenti del PCI, che sembravano considerare i processi cecoslovacchi «a sé stanti»[132].

L'occasione per presentare un'immagine del PSI differente da quella proposta da De Martino e più vicina alle idee di Nenni fu la presentazione delle tesi per il XXXIX Congresso del PSI, che si tenne a Genova, nel novembre 1972. Fu nuovamente Luciano Vasconi ad infrangere la cortina di pura cronaca dietro la quale «L'Avanti» si era trincerato riguardo ai processi cecoslovacchi. Vasconi richiamò il partito all'«esigenza dell'autonomia», dicendo: «No alla subordinazione, che sia chiesta dalla DC o dal PCI». La conseguenza di tale scelta sarebbe stata un «suicidio politico»[133]. I socialisti italiani rivendicarono così una sorta di primogenitura nel distacco dalla «patria del socialismo», portando alla luce un'analisi particolarmente severa dello stato del «socialismo reale»[134]. L'identificazione tra la battaglia dei socialisti italiani e quella dell'opposizione cecoslovacca era pressoché totale, e passava per la rivendicazione dell'autonomia (dal PCI, per i socialisti italiani; da Mosca, per i cecoslovacchi)[135]. L'articolo di Vasconi parve il segnale del recupero dell'identità autonomista: Nenni tornava alla presidenza e

Craxi veniva eletto vicesegretario [136]. Tuttavia, come rileva Massimo Pini, la gestione unitaria del PSI imposta da De Martino imbrigliava il partito «in un bozzolo» [137]. La schiacciante maggioranza demartiniana, pari al 45% dei voti, costituì l'ossatura del PSI durante i primi anni Settanta, e definì la nuova strategia politica del ritorno al Governo con la DC, nell'ottica del nuovo centro-sinistra, lasciando un varco aperto per l'intesa con il PCI [138]. Nel frattempo, alla luce di quanto stava avvenendo in Francia, Bettino Craxi raffinava la propria visione politica intorno al rapporto tra socialisti e comunisti. L'*union de la gauche* sembrava segnare la strada di una nuova collaborazione in seno al movimento operaio in Europa: di tale esperimento, Craxi accolse soprattutto l'idea del riequilibrio in favore del PSF promosso da Mitterrand [139], prospettiva che avrebbe avuto modo di perseguire a distanza di qualche anno.

I risultati del Congresso socialista di Genova aprirono un dibattito sul futuro della sinistra italiana anche in seno al PCI. A fronte delle posizioni di apertura di alcuni dirigenti nei confronti di una possibile collaborazione con i socialisti – fra i quali Giorgio Napolitano [140] – Berlinguer continuava a manifestare dei dubbi. La nuova Direzione socialista mostrava un «sostanziale atteggiamento amichevole e di rispetto verso il PCI», ma forte era la volontà di «restare distinti» dai comunisti. Era quindi necessaria un'azione positiva anche se prudente: non respingere le richieste di collaborazione del PSI, ma ricordando che era emersa al Congresso di Genova «la volontà di non andare oltre un certo limite» di collaborazione [141].

La tregua instauratasi tra PSI e PCI costituiva nuova fonte di disappunto per le *leadership* dell'Est, già indispettite dalle posizioni dei comunisti italiani sui processi cecoslovacchi. Le accuse di «attività sovversiva» a carico di Jaroslav Šabata, tra il 1968 ed il 1969 dirigente di partito in Moravia, e l'ex docente della scuola di partito Hübl erano infatti state respinte dal PCI con un «rinnovato dissenso» e «riprovazione» [142]. Dalla documentazione della Fondazione Gramsci, non è stato possibile ricostruire un'azione privata in favore di Milan Hübl, condannato a sei anni di reclusione per aver mantenuto «rapporti con l'estero», espressione con la quale si faceva esplicito riferimento anche ai contatti intrattenuti con il PCI [143]. Sebbene le relazioni fraterne non fossero state ristabilite come il PCUS aveva più volte richiesto – e questo fosse dovuto in larga parte alla volontà del PCI – Botteghe oscure accettò di fatto la normalizzazione come pegno da pagare per proseguire sulla strada della distensione internazionale [144]. Il dissenso manifestato in occasione dell'invasione sarebbe rimasto il punto massimo di critica da parte del PCI, almeno sino alla metà degli anni Settanta.

Dissenso sui dissidenti: intellettuali sulla linea di confine

L'immagine che il PCI rifletteva all'esterno era nella sostanza quella di un partito monolitico: il principio del «centralismo democratico» regolava la vita interna e sembrava lasciar poco spazio ai singoli dissensi. Come recenti studi hanno dimostrato, a partire dalla morte di Togliatti e, ancor più dal 1966, erano in realtà emersi contrasti anche importanti, rimasti, sin a quel momento, latenti[145]. Nel corso dell'XI Congresso, in seguito ad un acceso confronto, alcuni esponenti della sinistra del PCI – Luigi Pintor, Rossana Rossanda e Aldo Natoli – furono allontanati dai propri incarichi[146]. Si consolidò così una discriminante duratura nella vita del partito, un dibattito tra posizioni inconciliabili, intorno a due questioni di centrale rilevanza: l'elaborazione concreta di un'alternativa nell'ambito nazionale e il posizionamento del PCI nel movimento comunista internazionale, con particolare riferimento ai rapporti con il PCUS.

Per ovvie ragioni, seguiremo qui il *fil rouge* di questo secondo aspetto, lasciando la trattazione del primo a studi che su esso si sono concentrati[147]. Nel corso del XII Congresso, il gruppo facente capo a Rossana Rossanda puntualizzò la critica alla linea del partito adottata in vista della Conferenza di Mosca: due, in particolare, erano i punti di disaccordo[148]. Innanzitutto, il principio dell'«unità nella diversità» era ritenuto insufficiente per rinnovare il rapporto con l'URSS: la sua applicazione induceva ad una forte diplomatizzazione del discorso sulla Cecoslovacchia ed al progressivo peggioramento delle relazioni con le forze escluse dalla Conferenza, tra quali la Repubblica Popolare Cinese. In secondo luogo, si contestava l'analisi dello stato dei Paesi socialisti: l'Unione Sovietica era accusata di essersi occidentalizzata in seguito al XX Congresso[149].

L'intervento della Rossanda usciva inequivocabilmente dal tracciato della critica così come consentita dalla vita interna del partito: Boris Ponomarëv non mancò di rilevarlo, definendo il suo discorso «inaccettabile»[150].

L'iniziativa della sinistra del PCI non si sarebbe tuttavia limitata all'intervento in sede congressuale: a distanza di poche settimane fu dato alle stampe il primo numero della rivista «il manifesto», a dispetto della contrarietà manifestata dalla Direzione del partito in merito[151]. Con la dura critica alla partecipazione del PCI alla Conferenza di Mosca stampata sulla copertina[152], si apriva così un dibattito pubblico tra il gruppo de «il manifesto» e la Direzione del PCI, che rispondeva per voce di Paolo Bufalini[153]. La posizione dei dirigenti non fu subito di rottura: nel tentativo di temporeggiare per osservare l'evoluzione della situazione, i dirigenti comunisti istituirono un organismo *ad hoc* per la valutazione del caso, la V Commissione [154]. Nell'agosto 1969, il quarto numero della rivista arrivò così sul tavolo dei membri della Commissione: «Praga è sola», denunciava l'editoriale, in aperta polemica con la politica del PCI nei confronti della Cecoslovacchia [155].

A partire da quel momento, sotto la pressione di alcuni esponenti filosovietici (ma non solo), ogni discussione sul merito fu accantonata: la maggioranza dei membri della V Commissione concordò sull'intento frazionistico dell'iniziativa, seppure con accenti diversi [156]. In particolare, la richiesta di un riposizionamento internazionale – avanzata dal gruppo di dissenzienti – fu ritenuta «sciagurata ed irresponsabile» in quanto ostacolava lo «sviluppo» dell'azione sul piano internazionale» ed accreditava un'immagine distorta del PCI. La riconferma di posizioni non conformi alla linea del partito, pubblicate sul quinto numero della rivista, persuase anche i dirigenti ancora incerti sul da farsi, tra i quali il Vicesegretario: era giunto il momento di «smettere di dilazionare», bisognava prendere una posizione netta [157]. Così, nel novembre 1969, fu reso noto un severo comunicato della Direzione che chiudeva al dialogo [158], passo che fu accolto favorevolmente dai sovietici. Vadim Zagladin, uno dei principali collaboratori di Ponomarëv, riferì che i sovietici consideravano le decisioni prese su «il manifesto» «utili», anche «per evitare equivoci e difficoltà nei rapporti non solo col PCUS, ma anche con altri partiti» [159]. I giochi erano fatti e l'inconsistenza del dibattito in sede di Comitato centrale lo dimostrava: radiazione per Rossana Rossanda, Luigi Pintor e Aldo Natoli, colpevoli di attività frazionistica. Contro tale decisione si espressero gli stessi tre promotori de «il manifesto», nonché Lucio Lombardo Radice, Cesare Luporini e Fabio Mussi. Astenuti Sergio Garavini, Giuseppe Chiarante e Nicola Badaloni. La radiazione venne confermata all'unanimità dalla Commissione centrale di controllo anche per Lucio Magri [160].

Il rapido epilogo della vicenda de «il manifesto» mostrava essenzialmente due elementi peculiari al PCI, che avrebbero costituito una costante negli anni a venire. In primo luogo, la Direzione non tollerava iniziative tese a dividere o disorientare la «base», elemento che sarebbe riemerso – certo in modo più attenuato – con il caso Cossutta, nei primi anni Ottanta. Inoltre, fatto ancora più importante, i dirigenti di Botteghe oscure respingevano ogni ipotesi di rottura con la «patria del socialismo», specialmente se ciò significava un avvicinamento ad un altro modello internazionale.

La Guerra Fredda ed il contesto bipolare rendevano inevitabile la scelta dei blocchi: il PCI aveva scelto la propria appartenenza e non poteva, né voleva, mutare un elemento fondante della propria identità. L'apprezzamento di Suslov attorno alle misure adottate nei confronti de «il manifesto» costituiva parte integrante della normalizzazione delle relazioni tra i due partiti. Il gruppo della rivista «aveva tentato di coagulare delle posizioni caratterizzate dall'antisovietismo» presenti anche al di fuori di essa. Suslov si riferiva ad un gruppo di intellettuali più sensibili alle posizioni dei dissidenti dell'Est: anche dopo la fuoriuscita del gruppo de «il manifesto», alcuni comunisti fecero infatti di tali temi un ambito importante di azione. La loro attività venne in generale tollerata e, in alcuni casi, concordata con i dirigenti del PCI. In altri, invece, essa venne a costituire un elemento sufficiente per allontanare il dissenziente dai piani alti di Botteghe oscure.

La conclusione del caso di Lajolo – non riconfermato al Comitato centrale nel 1975 – costituisce un esempio di come il dissenso interno incontrollabile, associato ad iniziative in contrasto con la linea ufficiale, costituisse ragione sufficiente per l'isolamento nel partito. Nell'autunno del 1971, Davide Lajolo pubblicò su «Giorni – Vie nuove», un'intervista all'ex presidente dell'Assemblea nazionale cecoslovacca, Josef Smrkovský. Lajolo, oltre che direttore della rivista, era anche deputato comunista, e membro del Comitato centrale del PCI. L'intervista ad un rivoluzionario come Smrkovský, rappresentava – nelle intenzioni del Direttore – un «contributo serio e responsabile per chiarire all'interno del mondo socialista e anche all'esterno» quelli che erano «i troppi punti oscuri» della vicenda cecoslovacca. Un tributo, quindi, da apportare alla concezione di internazionalismo dei comunisti italiani, quella dell'«unità nella diversità». A parere di Lajolo, era stato proprio l'abbandono di tale principio a condurre alle attuali lacerazioni interne al movimento comunista internazionale, i «gravi fatti» cecoslovacchi, sino-sovietici e polacchi. Lajolo collocava quindi la questione cecoslovacca e la condanna della normalizzazione in un più ampio panorama di incomunicabilità interna al movimento comunista internazionale, rivolgendo un doppio atto d'accusa nei confronti della classe dirigente sovietica e di quella cinese.

L'eco dell'esclusiva fu internazionale e forse ancora maggiore di quanto immaginato dallo stesso Lajolo [161]. Nel PCI prevalse lo sconcerto, visto che nessuno, all'interno della Direzione, ne aveva avuto notizia in anticipo [162]. L'iniziativa editoriale suscitò aspre critiche anche da parte dei partiti fratelli. Nel corso dei colloqui bilaterali, i dirigenti praghesi a stento mascherarono il loro «imbarazzo», non sapendo «rispondere concretamente»[163]; i leader del POUP si espressero invece in modo chiaro, definendo «grave» la scelta di Lajolo e comunicando la propria «meraviglia» per il tacito assenso del PCI[164]. Ma fu il PCUS a reagire più duramente: il direttore di «Giorni» fu accusato di «garaudismo»[165]. Se il capro espiatorio era Lajolo, i veri destinatari delle critiche erano però i dirigenti di Botteghe oscure. Zagladin, viceresponsabile della Sezione Esteri del PCUS, sosteneva che «molti scrittori» del PCI uscivano dallo stesso «terreno di principio» dei dirigenti italiani, specie quando affrontavano «la realtà sovietica»[166].

A fronte di tale ingerenza, la difesa dei compagni accusati fu totale nelle parole di Pajetta, che pure non condivideva le analisi dei comunisti italiani chiamati in causa dal sovietico. Pajetta rifiutò fermamente che nel PCI vi fosse una «linea», di alcuni o di un gruppo, «antisovietica»; ed in ogni caso, lo «studio più lungo e profondo delle esperienze socialiste e dell'URSS» andava incoraggiato. Di fronte all'orgogliosa difesa del partito, i sovietici ammorbidirono i toni: «Per ora si tratta di colloqui interni, non di critiche 'esterne'». Tuttavia, la situazione conobbe un rapido peggioramento quando Lajolo partecipò al «Convegno dei cinque», un confronto organizzato dalla televisione italiana, per affrontare proprio il caso Smrkovský ed i problemi legati alla situazione cecoslovacca. Al dibattito, presieduto dal socialista Paolo Vittorelli, parteciparono anche il senatore repubblicano Michele Cifarelli, il vicedirettore del «Popolo» Marcello Gilmozzi ed il giornalista liberale Federico Orlando. Nel corso del confronto, rivendicando la pubblicazione dell'intervista come scelta personale, Lajolo dichiarò:

La sovranità limitata [...] per il mondo comunista a me non va bene per niente e non va bene neanche al mio partito in Italia, che ha detto delle cose ben chiare a questo proposito[167].

Nonostante Lajolo avesse dichiarato che la scelta di pubblicare l'intervista di Smrkovský era stata personale, il riferimento al PCI rendeva ufficiale la sua posizione. Questa volta i compagni di Botteghe oscure – all'oscuro delle intenzioni del giornalista – non lasciarono correre: «Bisogna parlare con Lajolo e dirgli chiaramente che non è ammissibile che per cose di questo tipo [la sua partecipazione a dibattiti pubblici su tali temi] non chieda preventivamente il parere del partito»[168].

Lajolo avrebbe ospitato nuovamente le parole di Smrkovský sulla propria rivista: nel 1974 pubblicò le memorie del leader simbolo della Primavera, dettate sul letto di morte. Il giornalista comunista rese nota inoltre la lettera di Dubček alla vedova di Smrkovský [169]: gli articoli suscitarono nuovamente scalpore e, al contempo, le ire dei partiti fratelli. Quella volta, tuttavia, Davide Lajolo ne avrebbe pagato in prima persona le conseguenze: l'atteggiamento poco conforme alla linea del partito, concretizzato nell'appoggio pubblico ai protagonisti dell'opposizione cecoslovacca, gli sarebbe costato «l'estromissione» dal CC, organismo nel quale non fu rieletto nel 1975 [170].

Il caso di Lajolo dimostrava la severità del PCI nei confronti di coloro che fornivano sostegno ai dissidenti, uscendo dalle linee tracciate dal partito e in assenza di un accordo della classe dirigente. Ma il sostegno a titolo individuale al Dissenso dell'Est non era condannato *tout court*. Certamente, esso trovava un consenso maggiore tra alcuni dirigenti piuttosto che tra altri. Talvolta, esso era persino concordato con la Direzione, e appoggiato da certi dirigenti ai quali – per la posizione di responsabilità che ricoprivano – non erano consentite posizioni che esulavano da quelle ufficiali. Certamente godevano di maggiore libertà di azione in questo senso Giuseppe Boffa e Lucio Lombardo Radice.

Boffa era stato il primo inviato italiano a Mosca nell'immediato secondo dopoguerra, e accompagnatore di Longo durante il primo incontro ufficiale con i dirigenti della Primavera, nel maggio 1968 [171]. Dopo l'invasione, egli divenne uno degli intellettuali più criticati dal Cremlino per i commenti pubblici sulla normalizzazione. Si trovava però in buona compagnia: nel mirino dei sovietici finirono i giornalisti Umberto Cerroni e Alberto Jacoviello e persino il dirigente Giorgio Amendola [172]. Nel settembre 1969, Bianca Vidali riferì una poco velata minaccia, raccolta nel corso dei colloqui con i sovietici: «Voi comunisti italiani non immaginate neppure quello che vi attende, ciò che si prepara contro di voi» [173].

Nel maggio dello stesso anno, Boffa si recò a Praga e Bratislava, per sondare gli umori della popolazione in seguito all'estromissione di Dubček dalla carica di segretario del PCCS. Con l'assenso degli organi dirigenti del PCI, Boffa incontrò numerosi leader cecoslovacchi caduti in disgrazia, tra i quali Milan Hübl, che sarebbe stato di lì a poco condannato per contatti con l'estero (e con il PCI). L'attività di Boffa – sostenuta dal segretario Longo – fu però invisa ad alcuni altri dirigenti del PCI: uno dei più scettici nei confronti del suo dinamismo fu Gian Carlo Pajetta. Tale diffidenza emerse in seno alla Direzione, in occasione delle discussioni intorno alla Conferenza di Mosca, nel corso delle quali Pajetta esternò forti riserve sulla partecipazione del giornalista alla delegazione italiana. Solo qualche mese prima, infatti, Boffa era stato protagonista di un violento diverbio con Ponomarëv, seguito da una pole-

mica diretta nei suoi confronti sulle pagine della «Pravda»[174]. I sovietici erano «indignati» per le sue corrispondenze[175]; inoltre, sottolineava
Alinovi, le sue posizioni non sempre corrispondevano a quelle del partito. In quell'occasione, il sostegno di Berlinguer e di Longo consentì al
giornalista di recarsi nella capitale sovietica, ma questo non lo mise al
riparo da nuove critiche. A distanza di qualche mese, nel febbraio del
1970, il quotidiano cecoslovacco «Rudé Právo» pubblicò un articolo
dal titolo *Lo strano cavallo di Giuseppe Boffa*: il giornalista veniva accusato esplicitamente di connivenza non solo con l'inviso filosofo Sartre, ma soprattutto con il dissidente Antonín Liehm. Secondo l'autore
dell'articolo, nella recensione del volume di Liehm *Tre generazioni*, Boffa aveva «consapevolmente» confuso l'opinione pubblica italiana progressista, passando sotto silenzio le concezioni antipartito del dissidente[176]. Fu proprio Pajetta a prendere pubblicamente posizione in favore di Boffa, specificando che le critiche rivolte alla stampa comunista
italiana riguardavano tutto il PCI[177]. Nonostante Botteghe oscure avesse impiegato – e non casualmente – Pajetta per difendere il lavoro di
Boffa, la sua attività continuò ad essere seguita e criticata dall'Est. Nel
marzo 1970, un anonimo informatore del PCI a Praga riferì che l'inviato era stato iscritto alla lista nera dei posti di frontiera dal Ministero
degli Esteri cecoslovacco[178]. La sua implicazione nel caso Ochetto, a
due anni di distanza, non fu certamente fortuita[179].

La diffidenza delle classi dirigenti dell'Est non riguardava solamente Boffa. Essa rivelava una differenza culturale sostanziale[180], e concerneva la politica del PCI nei confronti degli intellettuali di partito. In occasione di un incontro con i sovietici, il Cremlino non si era trattenuto
dall'esprimere la propria opinione: «Siete troppo deboli con questi
compagni, tollerate troppo. Il momento del centralismo non viene ri-
spettato e vi troverete ad agire in ritardo così come vi siete trovati con
quelli de 'il manifesto'»[181].

Tale avvertimento non poteva non riferirsi, tra gli altri, a Lucio Lombardo Radice, molto attivo a sostegno degli oppositori della Cecoslovacchia, della Jugoslavia, della Repubblica Democratica Tedesca e dell'Unione Sovietica[182]. All'indomani dell'invasione dell'agosto 1968, il matematico comunista riconsiderò le collaborazioni di carattere culturale con i
Paesi del Patto di Varsavia, arrivando a dimettersi dall'Associazione per i
Rapporti Culturali con la Polonia[183]. Nonostante il sostegno ai dissidenti
dell'Est costituisse una parte rilevante della sua attività politica, Lombardo Radice fu sempre attento ad evitare eventi dal sapore antisovietico, che
avrebbero potuto mettere in imbarazzo il partito[184]. Il carteggio con

Dubček, all'indomani dell'intervento militare, ben rende la propensione di Lombardo Radice ad appelli «liberi ed individuali» che, restando nei limiti dell'azione personale, si muovessero all'interno della linea strategica ufficiale del PCI [185]. Alla vigilia dell'estromissione di Dubček dal ruolo di Segretario del PCCS, su invito di Erika Kladečová [186], Lombardo Radice si recò a Praga, riportando l'impressione che il «nuovo corso» fosse stato definitivamente liquidato. Come nel caso di Boffa, lungi dall'essere un'iniziativa personale, tale viaggio era stato concordato con i dirigenti italiani, ai quali il matematico fornì un dettagliato resoconto del soggiorno [187].

Quanto la Direzione del PCI 'guidava' le azioni dei propri intellettuali e quanto, invece, questi ultimi si muovevano in libertà, talvolta persino contraddicendo, nei fatti, la linea indicata ufficialmente dal partito? È nuovamente il caso di Lombardo Radice a fornire qualche spunto di riflessione in merito. Nel settembre del 1970, il matematico italiano partecipò alla trasmissione della BBC *24 hours: Czech anniversary* [188], affrontando il tema della sostituzione ed estromissione di Dubček dalla Segreteria del PCCS. Lombardo Radice riconobbe che l'esperienza della Primavera, per quanto breve, era stata preziosa per le rivoluzioni nei Paesi del blocco occidentale, costituendo un punto di riferimento irrinunciabile: il «nuovo corso» aveva infatti dimostrato la realizzabilità della «via italiana al socialismo». Ciononostante, ancora una volta, Lombardo Radice riaffermò la necessità del mantenimento della solidarietà internazionale con l'Unione Sovietica, secondo il principio dell'«unità nella diversità». Anche in questo caso, pur sembrando iniziativa personale, questa intervista fu in realtà combinata con i piani alti di Botteghe oscure, al fine di valutare le reazioni interne ed internazionali ad alcune prese di posizione del partito [189], come conferma un appunto del matematico per Renato Sandri [190].

Come per l'attività di Boffa, l'azione dell'intellettuale non raccoglieva il consenso unanime di tutti i leader del partito: la 'questione Lombardo Radice' non tardò ad emergere in seno alla Direzione. Durante una riunione dell'aprile 1971, Cossutta sollevò il problema. Prima la prefazione al libro di Pelikán, poi la partecipazione ad una conferenza stampa con il dissidente cecoslovacco: Lombardo Radice stava varcando una linea pericolosa. Era necessario «fare delle osservazioni», visto che i partiti fratelli si erano ripetutamente lamentati di tale attività [191]. Colombi adottò una posizione ancor più dura: Pelikán aveva «l'atteggiamento di un nemico» e la sua collaborazione con Lombardo Radice imponeva che quest'ultimo non restasse nel Comitato centrale «con quelle posizioni» [192]. Lo stesso Longo, seppur lontano da opinioni così estreme, poneva in evidenza la necessità di riaffermare la solidarietà con l'URSS, mettendo un freno alle posizioni di alcuni compagni che partivano da «un pregiudizio che è quello dell'avversario antisovietico». Collegandosi ad una questione sollevata da Berlinguer in precedenza, Natta ridefinì la questione, non limitandola al solo caso Lombardo Radice: il PCI doveva trovare una posizione chiara ed unanime attorno all'informazione sui Paesi socialisti, perché da troppo tempo le posizioni pubbliche oscillavano «tra momenti di silenzio e momenti troppo critici». Una soluzione a tale problema era sollecitata dallo stesso Lombardo Radice: il matematico richiese un incontro con Berlinguer al fine di affrontare congiuntamente «questioni di giudizio storico e di prospettiva», alla luce delle caute posizioni ufficiali del PCI nei confronti della ex classe dirigente cecoslovacca perseguitata [193]. Dalla documentazione conservata presso la Fondazione Gramsci non è dato sapere se l'incontro avvenne: certo è che l'attività di Lombardo Radice a favore del Dissenso andò intensificandosi nella seconda metà degli anni Settanta e, con essa, accrebbe il biasimo delle classi dirigenti del blocco sovietico – in particolare di quella cecoslovacca – nei suoi confronti.

Come si è visto, la collaborazione con gli esponenti del «nuovo corso» fu certo un nodo centrale delle critiche mosse agli intellettuali sulla linea di confine, sia all'interno del PCI, sia per voce dei partiti fratelli.

Nell'analizzare la questione del rapporto tra PCI e Dissenso, non si può quindi evitare un cenno alla vicenda di Jiří Pelikán, 'l'ambasciatore' dei dissidenti cecoslovacchi nel mondo [194]. Pelikán fu forse il più convinto assertore del ruolo centrale della sinistra occidentale nel sostegno al Dissenso. Tuttavia, come ha sottolineato Caccamo, l'ex Direttore della televisione cecoslovacca era profondamente consapevole del timore dei dirigenti occidentali di perdere la propria influenza sul partito o, peggio, di ritrovarlo spaccato a metà a causa di posizioni troppo audaci nei confronti dell'opposizione dell'Est [195]. Pelikán conosceva l'intricata situazione nella quale si trovavano i comunisti italiani: «Comprendo che il PCI non può avere rapporti ufficiali con me, ma saluterei ogni possibilità che mi consentisse di aiutare in qualche modo il partito. Non formulo richieste di aiuto, chiedo solo comprensione» [196]. Con questa convinzione, Pelikán si rivolse al PCI per dare il via a una collaborazione, confidando nella persistenza dei legami che avevano unito il partito di Longo a quello di Dubček, durante la breve stagione della Primavera [197]. Le perplessità di alcuni dirigenti in merito non gli preclusero la possibilità di svolgere per qualche tempo un'attività ufficiosa di analista delle questioni cecoslovacche [198], e di sviluppare – negli anni a seguire – un'azione più vasta, atta alla sensibilizzazione dell'opinione pubblica e dei partiti della sinistra intorno a tale tema [199]. Sebbene non sia stato possibile ricostruire con esattezza la politica decisa dalla Direzione nei confronti di Pelikán, è comunque realistico ipotizzare che Botteghe oscure, pur mantenendo un contatto ufficioso con il dissidente, non volesse in nessun caso formalizzarlo. Nel suo libro di memorie, Pajetta scrisse che a Pelikán venne detto che entrare nel PCI significava «rinunciare a condurre la lotta fra i cecoslovacchi e in Cecoslovacchia» [200]. Il dissidente cecoslovacco «scelse il PSI», ma – a detta dello stesso Pajetta – era «rimasto per noi un compagno, naturalmente». Tale lettura appare quantomeno edulcorata, soprattutto se pronunciata da un dirigente tra i più inclini ad evitare ogni contatto con i dissidenti.

Il caso Pelikán mette in rilievo due elementi centrali del rapporto tra il PCI ed il Dissenso dell'Est, *topoi* che ritorneranno anche nell'analisi delle relazioni con il Dissenso polacco. Innanzitutto, il PCI costituì – per *forma mentis*, capacità organizzativa ed attrattiva, e rapporti internazionali – il principale punto di riferimento per il Dissenso di orientamento socialista. Ciò fu particolarmente vero per l'ex classe dirigente della Primavera, sia per l'esistenza di precedenti contatti, sia perché il progetto politico del PCI fu visto da molti come la prosecuzione ideale del «nuovo corso». Secondo, nei primi anni Settanta, il PCI preferì evitare di definire una politica nei confronti del Dissenso. Ciò fu dovuto principalmente a tre ragioni: la sottovalutazione del fenomeno, l'attribuzione del ruolo di guida della società (e della sua riforma) ai PC, e la volontà di non creare ulteriori motivi di tensione con le classi dirigenti dell'Est. I dirigenti del PCI preferirono lasciare spazio all'azione individuale di alcuni, che – come mostrato nei casi illustrati ma anche in quelli, ad esempio, dei giornalisti comunisti e specialisti, rispettivamente, della Cecoslovacchia e della Polonia, Luciano Antonetti e Francesco Cataluccio – si mostrarono sensibili ed attenti nei confronti del Dissenso.

L'esperienza degli intellettuali sulla linea di confine ben illustra la contraddizione del PCI, che non fu né il principale interlocutore del Dissenso, né adottò una posizione isolazionista. Il suo atteggiamento era più sfumato, e va colto nella sua complessità: il forte limite della politica di Botteghe oscure fu quello di consentire l'iniziativa privata ma impedire che essa divenisse la linea ufficiale – o più semplicemente – una politica del partito. La conseguenza principale fu che un altro attore politico – il PSI – riempì quel vuoto, ergendosi a unico interlocutore della sinistra italiana che potesse dirsi realmente democratico.

Note

[1] Discorso di Gomułka, 19 marzo 1968, APCI, MF 552, pp. 2105-2150. Cfr. C. TO-NINI, *Mickiewicz e il '68 polacco*, in *Per Mickiewicz*, a cura di A. Ceccherelli, Accademia Polacca delle Scienze, Varsavia-Roma, 2001, pp. 204-215.

[2] A. PACZKOWSKI, *The Spring Will Be Ours...*, cit., p. 299.

[3] *Ibidem*, p. 333; A. KEMP-WELCH., *Poland under Communism*, Cambridge University Press, Cambridge, 2008, pp. 148-157.

[4] Nota informativa di Pecorari, 4-10 giugno 1968, APCI, MF 552, pp. 2185-2197; cfr. *Il dovere dei comunisti*, in «Trybuna Ludu», 8 settembre 1968, APCI, Direzione, MF 020, fasc. 996.

[5] Discorso di Gomułka al V Congresso del POUP, 11 novembre 1968, APCI, MF 552, pp. 2201-2208.

[6] Lettera di Schacherl all'UP del PCI, 10 maggio 1968, APCI, MF 552, p. 2167.

[7] Riunione, 5 dicembre 1968, APCI, Direzione, MF 020, pp. 1251-1292.

[8] Relazione di Gomułka al CC del POUP, 25 giugno 1969, APCI, MF 308, pp. 1543-1544.

[9] Nota di Sergio Segre, 29 ottobre 1970, APCI, MF 071, pp. 420-421; discorso di Jaszckuk al Comitato centrale del POUP, 14 dicembre 1970, APCI, MF 071, pp. 423-425.

[10] A. KEMP-WELCH, *Poland...*, cit., pp. 180-188.

[11] *Non c'è pane senza libertà*, in «L'Avanti», 18 dicembre 1970, p. 1. Il titolo riprendeva il celebre slogan del movimento studentesco polacco del marzo 1968. Cfr. F. LEON-CINI, *L'opposizione all'Est 1956-1981*, cit., pp. 255-257; AA.VV., *Contestazione a Varsavia. I documenti delle agitazioni studentesche polacche dal marzo 1968 ad oggi*, Bompiani, Milano, 1969.

[12] *Comunicato dell'Ufficio politico del PCI*, in «l'Unità», 18 dicembre 1970, p. 1.

[13] L. VASCONI, *Il dolore non fa politica*, in «L'Avanti», 19 dicembre 1970, p. 1; G. SMI-DILE, *La nostra frontiera*, in «L'Avanti», 20 dicembre 1970, p. 1.

[14] La Direzione del PSI, il 23 aprile 1970, aveva eletto la nuova Segreteria: Giacomo Mancini era stato eletto segretario. M. DEGL'INNOCENTI, *Storia del PSI...*, cit., pp. 404-408; G. GALLI, *Storia del socialismo...*, cit., pp. 375-383; A. LANDOLFI, *Storia del PSI*, Sugarco, Milano, 1990, pp. 315-318.

[15] A. TORTORELLA, *Sui fatti di Polonia*, in «l'Unità», 20 dicembre 1970, p. 1.

[16] L. VASCONI, *Crisi di un sistema che fa capo all'URSS*, in «L'Avanti», 22 dicembre 1970, p. 1.

[17] A. PACZKOWSKI, *The Spring Will Be Ours...*, cit., p. 350.

[18] N. BETHELL, *Gomułka: la Polonia e il suo comunismo*, Longanesi, Milano, 1969, pp. 409-433.

[19] *Gierek sostituisce Gomułka alla testa del partito polacco*, in «l'Unità», 21 dicembre 1970, p. 1.

[20] G. BOFFA, *Il rapporto con le masse*, in «l'Unità», 22 dicembre 1970, p. 1. Si vedano anche IDEM, *Una discussione aperta*, in «l'Unità», 20 dicembre 1970, p. 1; *Tra i nuovi dirigenti giovani quadri*, in «l'Unità», 21 dicembre 1970, p. 1; *Atmosfera più distesa in Polonia dopo i mutamenti al vertice del POUP*, in «l'Unità», 22 dicembre 1970, p. 1.

[21] F. BERTONE, *La crisi polacca*, in «Rinascita», n. 51, 25 dicembre 1970, pp. 3-4.

[22] L. PA., *Nessun disimpegno*, in «l'Unità», 22 dicembre 1970, p. 1.

[23] *Messaggio di Longo al compagno Gierek*, in «l'Unità», 23 dicembre 1970, p. 1. Si veda anche la lettera di Longo a Gierek, 22 dicembre 1970, APCI, MF 071, p. 426.

Non solo Cecoslovacchia: crisi e apogeo del «socialismo reale» nei primi anni Settanta

²⁴ R. Service, *Compagni. Storia globale del comunismo nel XX secolo*, Laterza, Bari-Roma, 2008, p. 488.

²⁵ Le relazioni positive con l'Occidente servirono a Gierek come 'lasciapassare' per ottenere prestiti dai Paesi dell'Europa dell'Ovest, ma anche a livello interno, per accrescere il proprio prestigio. K.Z. Poznanski, *Poland's Protracted Transition: Institutional Change and Economic Growth 1970-1994*, Cambridge University Press, Cambridge, 1996, p. 64.

²⁶ Incontro tra Starewicz, Longo, Pajetta e Segre, 9 gennaio 1971, APCI, MF 058, p. 64. Sui rapporti tra Stato polacco e Chiesa all'inizio degli anni Settanta, cfr. J. Jerschina, *Church, State and People*, in *Polish Paradoxes*, a cura di S. Gomułka e A. Polonsky, Routledge, London-New York, 1990, p. 90.

²⁷ F. Fabiani, *Dibattito in Polonia per preparare una nuova piattaforma del partito*, in «l'Unità», 12 gennaio 1971, p. 9.

²⁸ F. Bertone, *L'autocritica polacca*, in «Rinascita», n. 7, 12 febbraio 1971, pp. 12-13; Idem, *Le nuove scelte della Polonia*, in «l'Unità», 11 febbraio 1971, p. 3; Idem, *Due preoccupazioni nella linea polacca*, in «Rinascita», n. 1, 12 marzo 1971, pp. 10-11.

²⁹ Italy: annual review 1970, 1 gennaio 1971, UKNA, FCO 33/1495.

³⁰ A. Paczkowski, *The Spring Will Be Ours...*, cit., p. 352.

³¹ Nota di Segre, 18 giugno 1971, APCI, MF 058, pp. 166-168.

³² A. Guerra, *La solitudine di Berlinguer...*, cit., p. 75.

³³ Nota di Segre per l'Ufficio politico del PCI, 1° luglio 1971, MF 162, p. 1239.

³⁴ Riunione, 29-30 settembre 1971, APCI, Direzione, MF 017, pp. 1588-1589.

³⁵ Viaggio in Polonia di Pajetta e Chiaromonte (26-30 settembre 1971), APCI, MF 0162, pp. 1257-1260; nota di Cavina, 21 settembre 1971, APCI, MF 0162, pp. 1254-1255.

³⁶ Saluto di Novella a nome del PCI al VI Congresso del POUP, Varsavia, 9 dicembre 1971, APCI, MF 0162, pp. 1417-1422.

³⁷ A. Kemp-Welch, *Poland under Communism...*, cit., pp. 192-198.

³⁸ L. Va., *Chi sono i protagonisti della 'svolta in Polonia'*, in «L'Avanti», 22 dicembre 1970, p. 3; *Cambio della guardia al governo polacco*, in «L'Avanti», 24 dicembre 1970, p. 1.

³⁹ L. Vasconi, *La caduta di Gomułka*, in «Mondoperaio», n. 12, dicembre 1970, pp. 14-17.; Idem, *L'equazione Varsavia-Praga*, in «Mondoperaio», n. 1, gennaio 1971, pp. 10-11.

⁴⁰ G. Duse, *Per un'analisi marxista del leninismo*, in «Mondoperaio», n. 12, dicembre 1970, pp. 44-45.

⁴¹ *Continuano a Danzica scioperi e agitazioni*, in «L'Avanti», 20 gennaio 1971, p. 1.

⁴² G. Tamburrano, *L'incontro è possibile solo sul terreno della democrazia*, in «L'Avanti», 15 gennaio 1971, p. 1; G. Mancini, *Nessuno vive solo di storia*, in «L'Avanti», 24 gennaio 1971, p. 1.

⁴³ Intervista dell'autrice a Antonio Rubbi, responsabile della Sezione Esteri, Roma, 26 novembre 2009.

⁴⁴ Si vedano, come opere generali di riferimento, AA.VV., *Russian Jews on Three Continents. Emigration and Resettlement*, a cura di N. Lewin-Epstein, Y. Ro'i e P. Ritterband, Frank Cass, London, 1997; AA.VV., *Jews and Jewish Life in Russia and Soviet Union*, a cura di Y. Ro'i, Frank Cass, London, 1995.

⁴⁵ Mark Ju. Dymšic e Eduard Kuznecov furono condannati a morte. M. Clementi, *Storia del dissenso sovietico*, Odradek, Roma, 2007, pp. 142-144.

L'appuntamento mancato

[46] F. GOZZANO, *Una sentenza contro un popolo*, in «L'Avanti», 27 dicembre 1970, p. 1.

[47] *Una sentenza incomprensibile*, in «l'Unità», 27 dicembre 1970, p. 1. Si veda anche *Due condanne capitali emesse a Leningrado*, in «l'Unità», 27 dicembre 1970, p. 1.

[48] *Fermezza nella richiesta, chiarezza nella distinzione*, in «l'Unità», 28 dicembre 1970, p. 1.

[49] *Chi aiuta il nemico di classe*, in «L'Avanti», 29 dicembre 1970, p. 1.

[50] *Parlare chiaro e onesto*, in «l'Unità», 30 dicembre 1970, p. 2.

[51] P. CRAVERI, *La Repubblica...*, cit., pp. 472-474.

[52] *Proteste in tutto il mondo per la sentenza di Leningrado*, in «L'Avanti», 29 dicembre 1970, p. 1.

[53] G. ARFÉ, *Il processo di Leningrado e il PCI*, in «Mondoperaio», n. 12, dicembre 1970, pp. 3-4.

[54] F. DE MARTINO, *Per la democrazia, per il progresso*, in «L'Avanti», 31 dicembre 1970, p. 1.

[55] L. LONGO, *Ai compagni, agli amici, ai lavoratori*, in «l'Unità», 31 dicembre 1970, p. 1; *Dichiarazione del compagno Longo*, in «l'Unità», 2 gennaio 1971, p. 1; *La stampa sovietica sottolinea l'equità della nuova sentenza*, in «l'Unità», 2 gennaio 1971, p. 1.

[56] G. ARFÉ, *Il processo di Leningrado e il PCI*, in «Mondoperaio», n. 12, dicembre 1970, pp. 3-4.

[57] Cfr. *La forza dell'internazionalismo*, in «L'Avanti», 2 gennaio 1971, p. 1.

[58] *Proteste in tutto il mondo per la sentenza di Leningrado*, in «L'Avanti», 29 dicembre 1970, p. 1. Sull'attività in favore del dissenso di Bianchi Bandinelli: M. MARTINI, *La cultura all'ombra del muro: relazioni culturali tra Italia e DDR (1949-1989)*, il Mulino, Bologna, 2007, pp. 62-70.

[59] L. GIANOTTI, *Umberto Terracini. La passione civile di un padre della Repubblica*, Editori Riuniti, Roma, 2005, pp. 202-213. Cfr. *La coerenza della ragione. per una biografia politica di Umberto Terracini*, a cura di A. Agosti, Carocci, Roma, 1998.

[60] «Lettera al Direttore» di Umberto Terracini per «l'Unità», 28 dicembre 1970, APCI, MF 163, pp. 338-341. Si noti inoltre che Umberto Terracini aveva curato la prefazione al volume *Il grido degli ebrei nell'URSS: lasciateci partire. Il nuovo antisemitismo sovietico*, STEC, Roma 1970.

[61] *Una lettera senza risposta degli ebrei di Riga al PCI*, in «Il Giornale d'Italia», 2-3 dicembre 1970, APCI, MF 163, 1971.

[62] L. VASCONI, *Tragico 'diversivo'*, in «L'Avanti», 5 gennaio 1971, p. 1.

[63] *Comunicato stampa dell'Ufficio Politico. Una lettera sugli ebrei sovietici e l'intervento del PCI*, in «l'Unità», 6 gennaio 1971, p. 2.

[64] Il numero di missive di ebrei indirizzate al PCI all'inizio degli anni Settanta conservate presso la Fondazione Gramsci è quasi di quaranta. La maggior parte delle richieste proveniva da ebrei sovietici che chiedevano di raggiungere Israele, o da ebrei residenti in Israele che intercedevano per i familiari o amici rimasti in URSS. Un numero significativo richiedeva l'emigrazione per ragioni di ricongiungimento familiare. Ai fini del presente studio, particolare menzione merita la lettera di Sil'vija Zamalson, una delle condannate per il caso dei piloti. APCI, MF 163, fasc. Ebrei in URSS.

[65] Si noti che nell'Archivio Centrale del Partito comunista francese, per il medesimo periodo, sono state ritrovate solo tre missive del genere. Certo questo può significare che la politica interna del PCF non prevedesse di conservare questo genere di corrispondenza; ma può anche essere il risultato di una diversa immagine che i due principali partiti comunisti dell'Occidente fornivano di sé.

Non solo Cecoslovacchia: crisi e apogeo del «socialismo reale» nei primi anni Settanta

[66] Relazione di Pajetta, riunione, 8 gennaio 1971, APCI, Direzione, MF 017, p. 0995.

[67] *Lettere all'Unità, Dibattito sui recenti fatti internazionali*, in «l'Unità», 14 gennaio 1971, p. 4.

[68] *Con il PCI per andare avanti sulla via italiana al socialismo*, in «l'Unità», 21 gennaio 1971, p. 1.

[69] Lettera della Segreteria del PCI, 16 giugno 1971, APCI, MF 163, p. 520.

[70] L. VA., *Una denuncia coraggiosa ma una risposta incompleta*, in «L'Avanti», 9 gennaio 1971, p. 1.

[71] *Attesa per oggi la sentenza a carico di Wolf Zalmanson*, in «L'Avanti», 7 gennaio 1971, p. 1; *Nuovi processi ad ebrei in URSS?*, in «L'Avanti», 17 gennaio 1971, p. 3; *Clamorosa protesta a Mosca di ebrei che vogliono emigrare*, in «L'Avanti», 27 marzo 1971, p. 6. Si noti, in particolare, che in quest'ultimo articolo veniva messa in rilievo la «legalità» delle azioni di protesta dei dissidenti.

[72] APCI, Questione degli ebrei nell'URSS, MF 54, pp. 1157-1159.

[73] Lettera di Piperno, 19 dicembre 1972, APCI, MF 054, p. 1176.

[74] Risposta di Berlinguer a Piperno, 5 gennaio 1973, APCI, MF 054, p. 1178.

[75] V. ZASLAVSKY, *Storia del sistema sovietico. L'ascesa, la stabilità, il crollo*, La nuova Italia scientifica, Roma, 1995, pp. 191-193; M. CLEMENTI, *Storia del dissenso...*, cit., p. 149.

[76] J. M. HANHIMAKI, *The Flawed Architect. Henry Kissinger and American Foreign Policy*, Oxford University Press, Oxford, 2004, pp. 360-361 e 379-381.

[77] L. ALEKSEEVA, *Soviet Dissent*, Wesleyan University Press, Middletown, 1985, pp. 285-286; per un esempio di Dissenso ebraico, si veda il caso di Boris Kochubiyevsky, presentato in *The Structure of Soviet History*, a cura di R.G. Suny, Oxford University Press, New York-Oxford, 2003, pp. 393-397.

[78] A. NATTA, *A chi ci chiede garanzie*, in «Rinascita», n. 33, 21 agosto 1970, pp. 1-2.

[79] IDEM, *Da che parte stiamo*, in «Rinascita», n. 34, 28 agosto 1970, p. 7.

[80] IDEM, *Gli approdi dell'Ottobre*, in «Rinascita», n. 44, 6 novembre 1970, pp. 1-2.

[81] Si vedano, a titolo di esempio, le seguenti riunioni di Direzione: 16 aprile 1969, APCI, Direzione, MF 006, pp. 1389 ss.; 20 giugno 1969, APCI, Direzione, MF 006, pp. 1721 ss.; 25 settembre 1969, APCI, Direzione, MF 006, pp. 2000 ss.; 29 aprile 1971, APCI, Direzione, MF 071, pp. 1243-1298.

[82] Intervista dell'autrice a Adriano Guerra, Roma, 19 giugno 2007.

[83] Nota sul colloquio tra Zagladin e Ieni, 24 novembre 1969, APCI, MF 308, p. 2036; nota di Cossutta sui colloqui a Mosca, 2-3 dicembre 1969, APCI, fasc. 58/880.

[84] Riunione, APCI, Direzione, 8 gennaio 1971, MF 017, pp. 972-1010. G. CERVETTI, *L'oro...*, cit., pp. 53-54.

[85] La frase di Novella in merito a tale spinosa questione fu: «Vi sono questioni generali di principio che adesso noi qui non solleviamo». Appunti di Novella sull'incontro PCI-PCUS, 26 gennaio 1971, APCI, MF 58, fasc. 58/81.

[86] *Tavola rotonda. Come affrontare i problemi delle società socialiste*, in «Rinascita», n. 8, 19 febbraio 1971, pp. 11-17. Alla discussione presero parte Boffa, Gerratana, Ingrao, Natta, Pajetta e Procacci,

[87] *Tavola rotonda di «Rinascita». Dopo Chruščëv*, in «Rinascita», n. 50, 17 dicembre 1971, pp. 17-22. Alla tavola rotonda parteciparono Cerroni, Luporini, Minucci, Napolitano, Ragionieri e Natta in veste di moderatore. Cfr. M. ROSSI, *Dalla svolta del XX Congresso ai problemi attuali del socialismo*, in «Rinascita», n. 40, 8 ottobre 1971, p. 19.

[88] V. Galetti, *Il punto cruciale: la democrazia socialista*, in «Rinascita», n. 11, 12 marzo 1971, p. 8.; P. Valenza, *Dialettica nel partito e con la società*, in «Rinascita», n. 12, 19 marzo 1971, pp. 7-8.

[89] P. Craveri, *La Repubblica...*, cit., pp. 480-487.

[90] G. Fiori, *Vita di...*, cit., p. 131.

[91] Si veda C. B., *Cinquemila delegati al congresso del PCUS*, in «l'Unità», 29 marzo 1971, p. 1; A. Guerra, *Il 24° Congresso del PCUS si apre stamane a Mosca*, in «l'Unità», 30 marzo 1971, p. 1; *La relazione di Brežnev al Congresso del PCUS*, in «l'Unità», 31 marzo 1971, p. 1.

[92] Intervento di Bufalini, riunione, 13 aprile 1971, APCI, Direzione, MF 017, pp. 1214-1242.

[93] A. Natta, *La nostra autonomia*, in «Rinascita», n. 15, 9 aprile 1971, pp. 1-2.

[94] Riunione, 29-30 settembre 1971, APCI, Direzione, MF 017, pp. 1615-1616 e pp. 1618-1620.

[95] Riunione, 3 novembre 1971, APCI, Direzione, MF 017, pp. 1643-1644.

[96] *Per sedici compagni in carcere a Praga*, in «L'Espresso», 24 gennaio 1971, APCI, MF 0162, fasc. 396. Un altro appello venne da Gian Mario Albani, Simone Gatto, Riccardo Lombardi e Ferruccio Parri, 12 marzo 1971, APCI, MF 0162, fasc. 418.

[97] Nota di Goruppi, 10 febbraio 1971, APCI, MF 058, pp. 115-117.

[98] Nota di Segre, 18 luglio 1972, APCI, MF 053, p. 1270.

[99] *Fermi e arresti a Praga*, in «l'Unità», 5 febbraio 1972, p. 13.

[100] *La nostra protesta e le speculazioni altrui*, in «l'Unità», 5 febbraio 1972, p. 14.

[101] *Gravi notizie da Praga*, in «Rinascita», 11 febbraio 1972, p. 6.

[102] Nota riservata di Goruppi, APCI, MF 53, maggio-giugno 1972, pp. 1257-1259.

[103] *I processi di Husák*, in «il manifesto», 4 febbraio 1972, p. 2.

[104] La delegazione della quale parlava Pajetta era probabilmente quella di Galetti e Conte alla quale ci siamo riferiti in precedenza. Riunione, 2 febbraio 1972, APCI, Direzione, MF 032, pp. 416-451.

[105] Nota di Sergio Segre, 14 gennaio 1972, APCI, MF 053, p. 1199.

[106] Nota di Goruppi, 23 marzo 1972, APCI, MF 053, pp. 1249-1250; estratto dal rapporto della Presidenza del CC del PCCS, APCI, MF 053, p. 1204.

[107] G. Fiori, *Vita di...*, cit., pp. 203-211; F. Barbagallo, *Berlinguer...*, cit., pp. 164-166.

[108] A. Guerra, *La solitudine...*, cit., p. 109; L. Barca, *Cronache dall'interno del PCI. Con Berlinguer*, vol. II, Rubbettino, Soveria Mannelli, 2005, p. 493.

[109] P. Craveri, *La Repubblica...*, cit., pp. 453-466.

[110] *Una lettera a Berlinguer (non pubblicata dal PCI) dei comunisti cechi vittime della repressione*, in «il manifesto», 22 luglio 1972.

[111] *Praga e il PCI, ieri e oggi*, in «Il manifesto», 23 luglio 1972, p. 1.

[112] *Processi e condanne a Praga*, in «Rinascita», 28 luglio 1972, p. 31.

[113] *La nostra posizione sulle questioni cecoslovacche. Contro ogni mistificazione*, in «l'Unità», 1 agosto 1972, p. 12.

[114] R. Ledda , *I processi di Praga e i comunisti italiani*, in «Rinascita», n. 32, 11 agosto 1972, pp. 3-4.

[115] Nenni rifletteva, amaro: «Non siamo più un partito di massa». Appunto di Nenni, 7 maggio 1972, FPN, b. 131, f. 2514.

[116] S. Di Scala, *Da Nenni a Craxi: il socialismo italiano visto dagli USA*, Sugarco, Milano 1991, pp. 286-287.

[117] G. Galli, *Storia del socialismo...*, cit., pp. 379-383.

Non solo Cecoslovacchia: crisi e apogeo del «socialismo reale» nei primi anni Settanta

[118] S. Colarizi, *Storia politica…*, cit., pp. 106-111.

[119] *Che cosa fare per una nuova unità?*, in «Rinascita», n. 3, 21 gennaio 1972, pp. 3-5.

[120] Interventi di Lombardi e di Manca, *Che cosa fare per una nuova unità?*, in «Rinascita», n. 3, 21 gennaio 1972, p. 3.

[121] Intervento di Arfé, *Che cosa fare per una nuova unità?*, in «Rinascita», n. 3, 21 gennaio 1972, pp. 3-4.

[122] Intervento di Cicchitto, *Che cosa fare per una nuova unità?*, in «Rinascita», n. 3, 21 gennaio 1972, p. 5.

[123] F. Cicchitto, *Autoanalisi del PCI tra coraggio e conformismo*, in «Mondoperaio», n. 4, aprile 1972, pp. 39-41; *Il discorso di De Martino*, in «L'Avanti», 14 marzo 1972, p. 3.

[124] Si noti che una strategia analoga era stata seguita dalla SFIO nei confronti di Rochet nel periodo seguente alla crisi cecoslovacca. Comité Directeur, riunione del 23 agosto 1968, OURS, procès-verbaux des réunions du Comité Directeur du Parti Socialiste SFIO, pp. 86-91.

[125] *Un commento di «Rinascita»*, in «L'Avanti», 11 febbraio 1972, p. 3.

[126] L. Vasconi, *La diffusione del rapporto Bil'ak: un monito ai partiti comunisti*, in «L'Avanti», 15 febbraio 1972, p. 3; *Un appello e una solidarietà mancata*, in «Mondoperaio», n. 2, febbraio 1972, pp. 11-12.

[127] Information by Ota Šik, IISG, Socialist International Fund, Czechoslovakia, 1970, folder 570. Antonio Landolfi, membro della Direzione del PSI, conferma che il sostegno a «Listy» fosse uno degli elementi centrali della strategia socialista a sostegno del Dissenso cecoslovacco, ma non solo cecoslovacco. Intervista dell'autrice ad Antonio Landolfi, Roma, 10 ottobre 2008. Anche il vicesegretario del Partito socialista nei primi anni Ottanta, Valdo Spini, ricorda che Pelikán «veniva fortemente aiutato» dal PSI. Intervista dell'autrice a Valdo Spini, Roma, 8 ottobre 2008. Cfr. M. Pini, *Craxi. Una vita, un'era politica*, Mondadori, Milano, 2006, pp. 78-80.

[128] *Pro memoria per Husák*, in «L'Avanti», 6 febbraio 1972, p. 1.; *Gravi accuse di Praga a Ochetto. Inamissibili richieste all'Italia*, in «L'Avanti», 6 febbraio 1972, p. 1; *False e menzognere le accuse di complotto fra Ochetto e me*, in «L'Avanti», 8 febbraio 1972, p. 3. Sui rapporti tra il dissidente e Ochetto: F. Caccamo, *Jiří Pelikán…*, cit., p. 83.

[129] Sulla continuità tra Nenni e De Martino rispetto all'autonomismo socialista si veda: G. Tamburrano, *Nenni e De Martino. La rinascita del socialismo autonomista*, in *Francesco De Martino e il suo tempo. Una stagione del socialismo*, a cura di E. Bartocci, «Quaderni della Fondazione Brodolini», n. 1, Edisegno, Roma, 2009, pp. 141-146.

[130] Appunti di Nenni, 1971-1972, FPN, b. 131, f. 2513.

[131] Appunti di Nenni sul XIII Congresso del PCI, marzo 1972, FPN, b. 130, f. 2510.

[132] Note di Nenni, FPN, b. 136, f. 2550.

[133] L. Vasconi, *Da Praga a Pechino*, in «L'Avanti», 10 agosto 1972, p. 1.

[134] *La «Pravda» approva i processi di Praga*, in «L'Avanti», 17 agosto 1972, p. 6.; *Da Stalin a Brežnev*, in «L'Avanti», 13 agosto 1972, p. 2; *Husák non mantiene le promesse*, in «L'Avanti», 8 agosto 1972, p. 6.

[135] *Praga e noi*, in «L'Avanti», 20 agosto 1972, p. 1; G. Seniga, *I processi di ieri e di oggi*, in «L'Avanti», 22 agosto 1972, p. 6.

[136] U. Finetti, *Storia di Craxi…*, cit., p. 92.

[137] M. Pini, *Craxi. Una vita…*, cit., pp. 75-77.

[138] M. Degl'Innocenti, *Storia del PSI…*, cit., p. 409; cfr. A. Landolfi, *Storia del PSI*, Sugarco, Milano, 1990, p. 291.

[139] U. Finetti, *Storia di Craxi...*, cit., p. 94.

[140] A titolo di esempio: G. Napolitano, *Il rapporto col PCI*, in «Rinascita», n. 41, 20 ottobre 1972, pp. 3-4.

[141] Riunione, 16 novembre 1972, APCI, Direzione, MF 032, pp. 976-1007.

[142] *Sui processi in Cecoslovacchia. Comunicato dell'Ufficio Politico del PCI*, in «l'Unità», 10 agosto 1972, p. 1; cfr. APCI, MF 53, pp. 1264-1268.

[143] *Hübl chiama in causa Berlinguer e Husák*, in «il manifesto», 2 agosto 1972, p. 1.

[144] S. Pons, *Berlinguer...*, cit., p. 9.

[145] G. Galli, *Storia del socialismo...*, cit. p. 141. F. Barbagallo, *Enrico...*, cit., pp. 63-80.

[146] P. Ingrao, *Volevo la luna*, Einaudi, Torino, 2006, pp. 315-316; R. Rossanda, *La ragazza del secolo scorso*, Einaudi, Torino, 2005, p. 326.

[147] A. Garzia, *Da Natta a Natta: storia del Manifesto e del PDUP*, Dedalo, Bari, 1985; S. Dalmasso, *Il caso «manifesto» e il PCI degli anni Sessanta*, CRIC, Torino, 1989. Mi permetto di citare anche: V. Lomellini, *Alla sinistra del PCI: il caso de «il manifesto» a Botteghe Oscure*, Annali Ugo La Malfa, Rubbettino, Soveria Mannelli, 2007, pp. 115-139.

[148] Sulla linea ufficiale in merito, si vedano in particolare gli interventi di Longo, Napolitano e Occhetto in *XII Congresso del Partito comunista italiano. Atti e risoluzioni*, Editori Riuniti, Roma, 1969, pp. 37-67; pp. 152-153; p. 323.

[149] Intervento della Rossanda, *XII Congresso...*, cit., pp. 421-426.

[150] Incontro tra delegazioni PCI-PCUS, 20 febbraio 1969, APCI, fasc. 58/ 847.

[151] *Comunicato dell'Ufficio Stampa della Direzione del PCI*, in «l'Unità», 15 maggio 1969, p. 3. Cfr. Riunione, 7 e 8 maggio 1969, APCI, Direzione, MF 006, fasc. 1524.

[152] «il manifesto», n. 1, giugno 1969.

[153] A titolo di esempio: *Una lettera di Rossana Rossanda. A proposito della rivista «il manifesto»*, in «Rinascita», n. 30, 25 luglio 1969, pp. 29-30.

[154] Riunione, 28 luglio 1969, APCI, Direzione, MF 006, fasc. 1916.

[155] L. Magri, *Praga è sola*, in «il manifesto», 22 agosto 1969, pp. 3-5.

[156] V Commissione, APCI, MF 305, fasc. 531, 2 ottobre 1969.

[157] Si notino i tentativi di dialogo con i vari dissenzienti: riunione, 5 novembre 1969, APCI, Direzione, MF 006, fasc. 2109.

[158] *Comunicato della Direzione del PCI su «il manifesto»*, in «l'Unità», 12 novembre 1969, p. 1.

[159] Nota sul colloquio a Mosca con Zagladin, 24 novembre 1969, APCI, MF 308, fasc. 2036.

[160] Si veda anche la lettera di Trentin, 26 novembre 1969, APCI, MF 305, fasc. 279. C. Luporini, *Il dibattito al Cc e alla CCC sulla relazione di Natta*, in «l'Unità», 27 novembre 1969, p. 9; *Radiati dal partito i dirigenti del manifesto*, in «l'Unità», 27 novembre 1969, p. 1. Cfr. R. Rossanda, *La ragazza...*, cit., p. 384.

[161] Fondo Jiří Pelikán, ADC, Sottoserie 4, Il Dissenso e l'emigrazione politica 1969/1989, busta 38, fasc. 001.

[162] Corrispondenza tra Pajetta a Secchia, 17 settembre e 5 ottobre 1971, APCI, fasc. 57/1463-1465.

[163] Nota di Goruppi,13 ottobre 1971, APCI, MF 058, p. 253.

[164] Nota di Pajetta e Chiaromonte, 26-30 settembre 1971, APCI, MF 0162, p. 1257.

[165] Curatore di «Dossier cecoslovacco», l'intellettuale comunista francese era stato da poco espulso dal PCF a causa della propria attività editoriale in favore dei dissidenti cecoslovacchi. AA.VV., *Dossier cecoslovacco*, Il Saggiatore, Milano, 1968.

[166] Riunione, 3-7 gennaio 1972, APCI, Direzione, MF 032, p. 372.

[167] «Il Convegno del cinque. Il caso Smrkovský e la situazione cecoslovacca», RAI, 11 ottobre 1971. ACD, Sottoserie 4, il Dissenso e l'emigrazione politica, 1969-1989, busta 38, fasc. 001.

[168] Appunto a mano a margine di una nota di Cossutta, senza data, APCI, MF 0162, p. 467.

[169] In «Giorni – Vie nuove», n. 11, 20 marzo 1974, pp. 29-31.

[170] Intervista dell'autrice a Luciano Antonetti, 8 maggio 2008. Cfr. L. ANTONETTI, *Postfazione*, in A. DUBČEK, *Il socialismo...*, cit., p. 337; F. CACCAMO, *Jiří Pelikán...*, cit., p. 81. D. LAJOLO, *Finestre aperte a Botteghe Oscure. Da Togliatti a Longo a Berlinguer, dieci anni vissuti all'interno del PCI*, Rizzoli, Milano, 1975, pp. 210-211 e 235.

[171] Riunione, 29 aprile 1968, APCI, Direzione, MF 020, fasc. 620.

[172] Appunti su un viaggio a Mosca, 24 gennaio 1969, APCI, fasc. 58/839.

[173] Documento del PCUS al PCI, senza data (ma databile dopo gli «Accordi di Mosca»), APCI, MF 553, pp. 529-556; nota di Bianca Vidali, 16 settembre 1968, APCI, MF 058, pp. 977-980.

[174] G. BOFFA, *Memorie dal comunismo: storia confidenziale di quarant'anni che hanno cambiato volto all'Europa*, Ponte alle Grazie, Milano, 1998. pp. 158-161.

[175] Intervento di Pajetta, riunione, 29 maggio 1969, APCI, Direzione, MF 006, p. 1720.

[176] P. NEJEDLÝ, *Lo strano cavallo di Giuseppe Boffa*, in «Rudé Právo», 25 febbraio 1970, APCI, MF 070, pp. 1330-1333.

[177] G.C. PAJETTA, *Sulla situazione cecoslovacca. Dopo gli articoli del Rudé Právo e di Tvorba*, in «l'Unità», 5 marzo 1970, p. 3.

[178] Nota di Pecorari, 24 marzo 1970, APCI, MF 070, pp. 1336-1345.

[179] Nota di Cossutta, 20 gennaio 1972, APCI, MF 53, p. 1200.

[180] Intervista dell'autrice a Sergio Segre, cit.

[181] Nota di Marmugi, 14 dicembre 1971, APCI, MF 058, fasc. 329.

[182] E. TAVIANI, *Lucio Lombardo Radice e gli intellettuali del dissenso*, in «Studi storici», n. 3 (luglio-agosto 2004), p. 842; G. NAPOLITANO, *Dal Pci...*, cit., pp. 112-113 e 123. Rispetto all'attività in favore di Robert Havemann, M. MARTINI, *La cultura...*, cit., pp. 178-181; 258-264. Sulla sua attività si veda anche l'articolo comparso su «Rinascita» in occasione della sua scomparsa: A. TORTORELLA, *Il socialismo come impegno costante di libertà*, in «Rinascita», 26 novembre 1982, n. 45, p. 8.

[183] Lettera di Lombardo Radice a Karteski, 28 settembre 1968; lettere di De Lazzari, 23 agosto e 17 settembre 1968, APCI, FLR, Paesi Socialisti, Cartella Cecoslovacchia.

[184] Manifesto della Comunità Europea degli scrittori per la Cecoslovacchia, APCI, FLR, Paesi Socialisti, Cartella Cecoslovacchia.

[185] Lettera di Lombardo Radice, 9 settembre 1968; lettera di Lombardo Radice a Dubček e risposta, senza data, APCI, FLR, Paesi Socialisti, Cartella Cecoslovacchia. Cfr. L. LOMBARDO RADICE, *Socialismo e libertà*, Editori Riuniti, Roma, 1968.

[186] E. TAVIANI, *Lucio Lombardo Radice...*, cit., p. 847.

[187] Nota di Lombardo Radice, 14 aprile 1969, APCI, MF 308, fasc. 659.

[188] BBC, «24 hours: Czech anniversary», 3 settembre 1970, APCI, FLR, Paesi Socialisti, Cartella Cecoslovacchia.

[189] E. TAVIANI, *Lucio Lombardo Radice...*, cit.

[190] Lettera di Lombardo Radice a Sandri, 15 agosto 1970, APCI, FLR, Paesi Socialisti, Cartella Cecoslovacchia.

[191] Appunti di Novella, 26 gennaio 1971, APCI, fasc. 58/ 81; lettere dell'ambasciatore cecoslovacco Berger a Segre, 5 marzo 1971 e 13 aprile 1971, APCI, MF 0162, fasc. 406-407 e 420; nota di Galetti e Conte, 13-16 dicembre 1971, APCI, MF 032, pp. 400-407.

[192] Intervento di Colombi, riunione, 13 aprile 1971, APCI, Direzione, MF 017, pp. 1214-1242.

[193] Lettera di Lombardo Radice a Berlinguer, 19 maggio 1971, APCI, FLR, Paesi Socialisti, Cartella Cecoslovacchia.

[194] Intervista dell'autrice a Jiří Kosta, Praga, 23 agosto 2008. Sulla vicenda di Pelikán si veda l'intervista da lui rilasciata sul «Times», *Why I have disobeyed to return to Prague*, in «Times», 1 ottobre 1969, ACD, serie 003, Jiří Pelikán: attività 1969-1989, busta 3, fasc. 001.

[195] F. Caccamo, *Jiří Pelikán...*, cit., p. 41.

[196] Lettera di Pelikán a Berlinguer, 4 febbraio 1970, APCI, MF 070, pp. 1290-1299.

[197] Nota di Carlo, 3 luglio 1969, APCI, MF 308, fasc. 749; nota di U. Pech., 31 agosto 1969, APCI, MF 308, p. 813.

[198] Lettera di Pelikán a Pajetta, 22 gennaio 1969, APCI, MF 308, fasc. 634; nota di conversazione tra Pecorari e J. Pe., 4 febbraio 1969, APCI, MF 308, fasc. 634; nota di Pecorari, 10 aprile 1969, APCI, MF 308, fasc. 653. Cfr. intervista dell'autrice a Jiří Kosta, cit.

[199] J. Pelikán, *Why I have disobeyed the order to return to Prague*, in «The Times», Fondo Jiří Pelikán, ACP, Serie 003, attività 1969-1989, fasc.001; Idem, *Prefazione*, in *Congresso alla macchia*, cit.; Idem, *Prefazione*, in *Il rapporto proibito. Relazione del Comitato Centrale del Partito comunista cecoslovacco sui processi politici e sulle riabilitazioni degli anni '49-'68*, Sugar, Milano, 1970. Cfr. F. Caccamo, *Jiří Pelikán...*, cit., p. 42.

[200] G. Pajetta, *Le crisi...*, cit., p. 133.

3
Transizione verso nuove dinamiche: i casi degli oppositori eccellenti

E quando incontravi qualcuno per la prima volta, inevitabilmente lo guardavi come un futuro testimone per il prossimo processo. Inevitabilmente pensavi: durante quale interrogatorio crollerà, al primo o al secondo?

Vladimir Bukovskij,
Il vento va, e poi ritorna

L'*affaire* Solženicyn. Se il dissidente è 'antisovietico'

La vicenda dell'espulsione di Aleksandr Solženicyn dall'Unione Sovietica costituì un nodo centrale nell'evoluzione della politica della sinistra italiana nei confronti del Dissenso dell'Est. Non poteva essere altrimenti, dato che la storia personale dello stesso Solženicyn era un emblema della parabola del «socialismo reale».

Combattente durante la seconda guerra mondiale, deportato ed imprigionato in un campo di lavoro nel 1945, lo scrittore sovietico vi aveva trascorso molti anni scontando una pena inflittagli ingiustamente. Durante la detenzione, durata sino ai primi anni Cinquanta, l'intellettuale – che sarebbe stato insignito del Nobel per la Letteratura nel 1970 – aveva stilato la sua principale opera, l'imponente *Arcipelago Gulag*, lucida e tragica testimonianza sul sistema repressivo sovietico. Dopo la breve parentesi del disgelo chruščëviano – durante la quale lo scrittore aveva potuto pubblicare il suo racconto più famoso – *Una giornata di Ivan Denisovič* – il KGB aveva ricominciato ad osservarlo con attenzione, in linea con la stretta censoria imposta da Brežnev.

Sin dal processo Siniavskij-Daniel', nel 1966, l'attenzione dell'opinione pubblica internazionale era sensibilmente cresciuta intorno al tema della repressione politica nella «patria del socialismo»[1]. Nel giugno

1968, tale questione divenne elemento di dibattito tra il PCI ed il PCUS. In occasione di un incontro tra i partiti fratelli, Longo sollevò il problema della limitazione delle libertà in URSS; di fronte alla convinta (ma poco convincente) risposta di Kirilenko – centrata sulla valorizzazione del «processo di democratizzazione» – il Segretario italiano non ritenne opportuno insistere. Si convenne di rimandare il confronto su tali temi agli incontri tra i dirigenti delle sezioni culturali [2]: la situazione in Cecoslovacchia restava un elemento di scontro importante; era quindi opportuno non cercarne altri.

La questione riemerse tuttavia nuovamente nel corso del 1969, quando giunse in Occidente la notizia che Solženicyn era stato escluso dall'Unione degli scrittori dell'URSS. La posizione del PCI intorno a tale provvedimento è di particolare interesse per valutare i mutamenti della politica dei comunisti italiani riguardo al tema della libertà di espressione nell'Unione Sovietica. Nel 1969, i capisaldi della posizione del PCI furono la dura condanna della misura amministrativa – «un meschino tentativo di negare la realtà» della grandezza di Solženicyn come scrittore – ed il riconoscimento di una «grande dignità morale ed estetica» e delle «doti di coraggio civile e politico» dell'intellettuale [3]. Il diritto di Solženicyn di essere uno scrittore veniva difeso sulle pagine di «Rinascita» da Vittorio Strada, che respingeva l'idea di «tranquillizzare la nostra coscienza politica, risolvendo il caso di Solženicyn in termini antisovietici» [4]. Ad un'attenta analisi – sosteneva Strada – sarebbe emerso che «il socialista» era il dissidente, e non i suoi «persecutori» [5]. Ai sovietici non sfuggì il riferimento polemico, e non mancarono di lamentarsene nel corso di un colloquio con Cossutta, nel dicembre dello stesso anno [6].

Dopo questa presa di posizione, in seguito alla Conferenza di Mosca, Botteghe oscure ritenne opportuno moderare i termini dello scontro con il Cremlino intorno al tema delle violazioni della libertà, come aveva fatto per la questione cecoslovacca. Il PCI era alla ricerca di una nuova dimensione interna ed internazionale. Nel contesto di una crisi a livello mondiale – si pensi ai fatti cileni, alla guerra dello Yom Kippur ed allo shock petrolifero – aggravata in Italia dalla fragilità del sistema politico e resa evidente dall'emergenza su vari fronti (si ricordino solo il terrorismo di destra, la svalutazione della lira e l'esplodere dell'epidemia di colera a Napoli), diveniva necessario ritrovare una nuova stabilità. Il «compromesso storico» poteva offrire qualche *chance* in questo senso. Affinché tale strategia fosse efficace sul piano interno, era necessario che il PCI ottenesse quella credibilità democratica che ancora gli faceva difetto. Si apriva quindi uno spazio per un'azione politica innovativa, basata sulla triangolazione tra il dissenso sugli eventi cecoslovacchi, l'appoggio alla *Ostpolitik* e l'apertura all'integrazione europea [7]. Tale aspirazione era sufficiente per acuire il malumore dei sovietici, e non solo: anche Washington guardava con sospetto alla direzione presa dai comunisti italiani, «elementi turbatori» della distensione concepita in termini kissingeriani, vale a dire come consolidamento dei blocchi [8]. La situazione imponeva una certa prudenza intorno ai temi più delicati, se si voleva proseguire sulla strada di questa nuova strategia internazionale [9].

Una delle questioni sensibili era certamente quella della violazione dei diritti umani nel blocco sovietico. Nel 1973, a margine dell'organizzazione di una Conferenza dei Partiti comunisti dell'Europa Occidentale a Bruxelles, Berlinguer e Marchais raggiunsero un accordo di base sulla promozione di «iniziative politiche dei partiti dei Paesi capitalisti europei sui problemi del passaggio al socialismo e questioni come [le] libertà democratiche, [e la] pluralità dei partiti» [10]. L'iniziativa era destinata a morire sul nascere: l'ambivalenza del PCF e la diffidenza di Mosca nei confronti di una proposta che poteva assumere un sapore antisovietico determinarono il fallimento dell'accordo [11]. I tempi per cercare una coesione tra i PC occidentali erano prematuri: in Italia, in particolare, la situazione interna riduceva ulteriormente i margini per la definizione di una strategia internazionale nuova. Il colpo di Stato contro il governo Allende scosse i comunisti italiani: l'idea che l'Italia sarebbe potuta divenire un nuovo Cile non era certo estranea alle valutazioni dei dirigenti di Botteghe oscure [12], e fu avvalorata anche dai sovietici [13].

Nelle analisi del PCI, la situazione interna ed internazionale imponeva quindi l'unità internazionalista. Inoltre, le iniziative delle forze moderate, ed in particolare quelle dei neoconservatori americani [14] in sostegno di Solženicyn e Sacharov, irritavano non poco Mosca, pronta a tacciare di antisovietismo chiunque muovesse critiche analoghe alla situazione interna sovietica. E anche agli occhi dei comunisti italiani, l'azione dei repubblicani guidati dal senatore Jackson non faceva che aggravare ulteriormente l'immagine degli Stati Uniti – già offuscata dalla guerra in Vietnam e dallo scandalo del *Watergate*.

La scelta del PCI di mantenere un profilo basso attorno al tema dei diritti umani affiorò con evidenza in diverse occasioni. Nel corso di una riunione della Direzione in preparazione del Comitato centrale nell'ottobre 1973, Longo denunciò la «campagna antisovietica» che, orchestrata sotto le spoglie di una «battaglia per la libertà della cultura», altro non era che un «attacco nei confronti dell'URSS», e andava pertanto combattuta [15]. Il dibattito in Direzione ricalcò le dinamiche già illustrate per il caso cecoslovacco. Al forte richiamo all'internazionalismo di Longo e Colombi, si oppose l'invito a non respingere «problemi di questo tipo», da parte di Terracini. In favore di quest'ultimo intervenne Berlinguer: il neosegretario si disse propenso ad aprire una «discussione libera», in merito, in seno al movimento comunista internazionale. L'ostacolo principale, tuttavia, rimanevano i sovietici: il discorso tenuto a Milano da Enrico Berlinguer, denso di cenni alla libertà di espressione in URSS, venne considerato dal Cremlino come un'indebita «interferenza» [16].

Nonostante le periodiche critiche, la strategia di Mosca era però quella di non drammatizzare le divergenze, minimizzando il confronto. Questa tattica emerse con chiarezza nei confronti di Botteghe oscure. In un primo momento, infatti, Mosca utilizzò la critica indiretta: la stampa, sia attraverso il biasimo rivolto a «l'Unità» sia mediante l'intervento di esponenti di rilievo dell'informazione sovietica [17]; e le pressioni nei confronti degli esponenti locali [18]. Solo quando la questione divenne di stretta attualità, data l'imminenza della Conferenza per la Sicurezza e la Cooperazione Europea, Brežnev ritenne giunto il momento di richiamare all'ordine i dirigenti del PCI: il ruolo del più potente partito comunista dell'Occidente era quello di difendere l'immagine democratica e liberale dell'URSS. L'avvicinarsi della CSCE rendeva i sovietici particolarmente sensibili a tali temi: pur sottovalutando l'impatto che i principî del Terzo Cesto avrebbero avuto [19], Mosca non intendeva restare inerme di fronte alla campagna dell'Occidente sui diritti umani. I comunisti italiani condividevano tali preoccupazioni e cercarono un confronto sulla questione con i sovietici. In un incontro con Ponomarëv, Pankov e Smirnov, nell'ottobre 1973, Agostino Novella tentò di mettere in guardia il PCUS dalle possibili conseguenze di un confronto attorno ai diritti umani in sede CSCE. I dirigenti del Cremlino non intendevano però entrare nel merito. Ponomarëv non si sbilanciò: ripetendo una trita propaganda, affermò che la difesa dell'Unione Sovietica era, e doveva rimanere, la priorità [20]. La questione era troppo delicata, e la posta in gioco – l'appoggio di Mosca alla distensione – troppo alta: il PCI preferì così seguire la linea indicata dai sovietici.

La scelta di mantenere un basso profilo venne presa anche in merito all'*affaire* Solženicyn, la cui gestione fu lasciata alla Sezione culturale, guidata da Giorgio Napolitano: una decisione che consentì alle più alte cariche del partito di mantenersi ai margini della discussione. La strategia individuata fu quella di guidare il dibattito sul caso Solženicyn, evitando spiacevoli scivolamenti antisovietici. Il dirigente

napoletano ebbe così il compito di stilare un testo di riferimento ispirato alle posizioni del PCI, attorno al quale raccogliere l'adesione di
«intellettuali comunisti e democratici». L'obiettivo era quello di unifor-
mare le diverse iniziative di personalità del mondo della cultura comunista sul tema della «libertà di espressione in URSS e nei Paesi socialisti» [21]. L'iniziativa fu accolta con favore dal Cremlino [22]. Eguale
soddisfazione fu mostrata da Ponomarëv per il commento ufficiale del
PCI in merito all'espulsione del Nobel per la Letteratura dall'URSS [23].
Nel dicembre del 1973, infatti, in seguito al suicidio della sua principale collaboratrice – sottoposta a cinque giorni di interrogatori –
Solženicyn aveva deciso di pubblicare la propria opera all'estero. A
quel punto, il direttore del KGB Andropov aveva ottenuto dall'Ufficio
politico del PCUS l'autorizzazione all'espulsione [24].

Il corsivo di commento al provvedimento, pubblicato su «l'Unità»
del 13 febbraio 1974, condannava tali «misure amministrative e giudiziarie» e sottolineava la necessità di «replicare sul terreno della battaglia
delle idee» agli oppositori. Tuttavia, il quotidiano del PCI sostanzialmente accoglieva l'analisi sovietica del caso Solženicyn, attribuendo le
responsabilità dell'arresto e dell'espulsione allo stesso scrittore, posto-
si su posizioni «sempre più esasperate», «aberranti», ed «inaccettabili per
dei comunisti» [25]. La colpa più grave addebitata a Solženicyn era quella
di aver tentato di «ostacolare il processo internazionale di distensione».
L'idea che i dissidenti fossero nemici – o nella migliore delle ipotesi elementi turbatori – della distensione, era piuttosto diffusa tra gli *establishment* delle due superpotenze, e veniva accettata dallo stesso PCI. Nel
caso in esame, tale analisi nasceva dalla rielaborazione politica dell'intellettuale sovietico. Solženicyn, infatti, condannava la politica di distensione: durante un discorso al Congresso americano, lo scrittore sovietico sostenne che la *détente* era incompatibile con la repressione del
Dissenso in URSS. Non solo: la prima rinforzava la seconda, legitti-
mando sul piano internazionale il regime brežneviano [26].

Il valore conferito al processo di distensione divenne così il punto di
maggiore contrasto tra i comunisti italiani ed il dissidente sovietico. I primi guardavano con speranza al superamento dei blocchi, fattore indispensabile per la propria legittimazione politica, per ottenere quella credibilità nazionale ed internazionale necessaria per l'accesso al Governo,
nella prospettiva berlingueriana del «compromesso storico». Per i comunisti italiani, inoltre, senza la distensione, ogni prospettiva di rielaborazione autonoma del comunismo occidentale sarebbe venuta meno.
Solženicyn – ma anche altri illustri dissidenti sovietici, come Vladimir

Bukovskij – consideravano invece la distensione come un'evidente manifestazione del disinteresse e del disimpegno dell'Occidente intorno alle questioni delle libertà civili e della democrazia nel blocco sovietico [27]. In realtà, l'immagine dei dissidenti come nemici della distensione derivava da una concezione pragmatica delle relazioni internazionali, che concepiva il processo di distensione più come consolidamento dei blocchi che come superamento di essi. Una visione, questa, che accumunava il Cremlino e la Casa Bianca. Era stata infatti questa riflessione ad indurre il presidente americano Ford ed il segretario di Stato Kissinger a rifiutare di ricevere Solženicyn, ribadendo la «necessità» della riduzione della tensione tra i blocchi [28]. Al contrario, il PCI vedeva nella *détente* un processo dinamico: accogliendo l'immagine dell'URSS come 'motore della distensione', i comunisti italiani non colsero il reale significato che essa aveva per Mosca.

Quello che potremmo chiamare il mito della distensione si faceva strada a Botteghe oscure: l'imperativo costituito dalla necessità di superare i blocchi impedì ai comunisti italiani non solo di cogliere appieno le contraddizioni del «socialismo reale» nell'ambito dei diritti umani, ma anche di comprendere – ad esempio – la vera natura dell'espansionismo dell'URSS nel Terzo Mondo [29].

Prendendo le mosse dal mito della distensione, la posizione del PCI intorno all'*affaire* Solženicyn fu espressa in via definitiva in un articolo di Napolitano su «Rinascita». In aperta polemica con i socialisti italiani, il PCI rivendicava il diritto-dovere di discutere dei temi della libertà dei Paesi dell'Est, promuovendo un'analisi che fosse libera da pregiudizi antisovietici ed anticomunisti. Lo scritto di Napolitano era articolato su due capisaldi. Innanzitutto, il sistema socialista era superiore rispetto a quello occidentale anche in merito alla questione delle libertà; in secondo luogo, vi era una determinante discontinuità tra l'Unione Sovietica staliniana e quella brežneviana, faro della distensione internazionale [30]. Nonostante Napolitano procedesse nel sottolineare la peculiarità del PCI, prendendo in parte le distanze dal «socialismo reale», il caso Solženicyn mostrava il forte appiattimento della posizione di Botteghe oscure su quella del PCUS: la posizione del 1969 era stata modificata nella sua sostanza [31].

Le ragioni erano piuttosto evidenti. Il PCI stava muovendo i primi passi verso una posizione di maggiore autonomia da Mosca, tentativo che gli era valso uno scontro di rilievo con il PCUS e un crescente isolamento in seno al movimento comunista internazionale. Nonostante lo scenario di una rottura con i PC dell'Est – anche con i più intransigenti –

non fosse realistico[32], i continui distinguo del PCI avevano sollevato non pochi malumori oltre il Muro. Due erano, in particolare, gli elementi di disappunto. In primo luogo, l'atteggiamento refrattario degli italiani nei riguardi dei tentativi di Mosca di ricostituire un'unità monolitica tra partiti comunisti: Berlinguer coltivava, al contrario, l'aspirazione a una maggiore autonomia del PCI in seno al movimento comunista internazionale. Il contrasto intorno a questo diverso modo di concepire le relazioni tra partiti fratelli si presentò in diverse occasioni. Mentre il Cremlino tentava di organizzare una nuova conferenza comunista mondiale (ipotesi respinta dal PCI), Berlinguer promosse, nel 1974, una Conferenza europea dei partiti comunisti occidentali a Bruxelles, provocando l'irritazione di Mosca. In seconda istanza, elemento di duro confronto tra partiti fratelli fu la crisi portoghese, che vide comunisti italiani e sovietici su sponde opposte (i primi sostenitori del socialista Mário Soares; i secondi del comunista Álvaro Cunhal)[33]. L'esigenza di non aprire un nuovo fronte con il PCUS – nel perseguimento del duplice obiettivo di acquistare un ruolo non marginale nel movimento comunista internazionale e di recuperare il rapporto con Mosca – fu quindi la ragione principale che determinò l'allineamento alle posizioni sovietiche.

Un altro elemento, tuttavia, va tenuto in considerazione: al di là delle necessità tattiche, i comunisti italiani ritenevano veramente impossibile il dialogo con Solženicyn, sostenitore dell'irreformabilità dell'URSS. Solo così si spiega la dura posizione di un intellettuale comunista da tempo attento ai temi del Dissenso, come Lucio Lombardo Radice[34]. Nell'ottobre del 1975, questi pubblicò un articolo molto critico nei confronti di Solženicyn, definendolo un «fanatico dell'antisovietismo», «incapace di giudizio storico». Se la storia del Paese della Rivoluzione d'ottobre era da «dimenticare», allora – sosteneva il matematico italiano – «Solženicyn non mi interessa più, perché non c'è più la possibilità di avere con lui un rapporto»[35]. Come aveva asserito in precedenza Pajetta, il PCI poteva biasimare l'URSS esprimendo un giudizio politico: ma il giudizio storico restava invariabilmente positivo. Il limite di tale posizione era stato acutamente indicato da Vittorio Strada già nel novembre 1969, nel citato articolo sull'espulsione di Solženicyn dall'Unione degli scrittori dell'URSS, pubblicato su «Rinascita». Secondo Strada, la pregiudiziale chiusura nei confronti del Dissenso non socialista, soprattutto se conservatore e tradizionalista, indicava l'incapacità di comprendere il punto di partenza dal quale quell'analisi proveniva, valeva a dire la persistente violazione della legalità socialista nello Stato sovietico nel secondo dopoguerra.

Proprio la differente valutazione del fenomeno del Dissenso costituiva la cifra del diverso approccio a tale questione in seno alla sinistra italiana. Sin dai fatti cecoslovacchi, la denuncia della crisi sistemica del «socialismo reale» costituiva un elemento di forte distinzione tra PCI e PSI. Con la «demartinizzazione» del Partito socialista italiano – come abbiamo visto – l'elemento di critica nei confronti del PCI e del suo legame con Mosca fu ridimensionato. La situazione era, tuttavia, in rapida evoluzione. La strategia socialista degli «equilibri più avanzati» era frustrata dall'enunciazione del «compromesso storico»: tra le file del PSI, si osservava con preoccupazione il ridimensionamento dello spazio di mediazione tra le due maggiori forze politiche italiane. Al Comitato centrale del dicembre 1974, emersero con chiarezza le debolezze della strategia socialista. Si aprirono quindi spazi nuovi di azione alle correnti minoritarie ed in particolare a quella autonomista e lombardiana, in sintonia dopo la comune battaglia per il divorzio [36]. Il vicesegretario Bettino Craxi, da tempo sensibile ai temi del Dissenso nei Paesi dell'Est e tra i principali sostenitori – morale e finanziario – della rivista dell'opposizione socialista cecoslovacca «Listy» [37], individuò nell'analisi del «socialismo reale» l'elemento chiave di distinzione non solo rispetto al PCI, ma in seno allo stesso Partito socialista. È in tale ambito che si concretizzò in modo chiaro la prima azione di Craxi come sostenitore del Dissenso, iniziativa antesignana della politica che il leader milanese avrebbe perseguito negli anni della sua Segreteria.

L'evolvere del contegno intorno all'*affaire* Solženicyn mostra l'articolarsi di questa dinamica in seno al PSI. In occasione della consegna del Premio Nobel allo scrittore sovietico, nel 1970, «L'Avanti» si era espresso in favore del dissidente, meritevole di essere proposto come «modello» non solo in URSS, ma anche in Occidente [38]. Ciononostante, la mancanza di interventi di solidarietà diretta dei leader del PSI aveva costituito l'elemento più evidente della diplomatizzazione del discorso socialista sul Dissenso [39]. Nel 1974, i giochi cambiarono in seguito al mutare degli equilibri in politica interna.

A partire da quell'anno, analizzando la stampa del partito si possono individuare due tendenze in seno al PSI: l'una era quella maggioritaria, che trovava espressione nei «fondi» non firmati del giornale [40]; l'altra era quella degli autonomisti, rappresentati da Bettino Craxi, tra i pochi dirigenti di rilievo del PSI a prendere pubblicamente posizione sul caso di Solženicyn [41]. La prima anima sviluppava il proprio pensiero su tre capisaldi: innanzitutto, in URSS non vi era stato un «ritorno allo stalinismo», sebbene la classe dirigente al potere non avesse rotto con il «passato staliniano». In seconda battuta, alla condanna delle prassi repressive e dell'«autoritarismo» sovietico, si accostava una visione della distensione non dissimile da quella comunista: anche per i socialisti, il processo di dialogo internazionale avrebbe portato alla «graduale rottura dell'isolamento e dell'ingabbiamento» della società sovietica. Infine, si verificava una certa convergenza tra PCI e PSI sull'analisi della visione politica di Solženicyn: essa non era condivisibile in quanto investiva il valore della Rivoluzione d'ottobre, innegabile anche per i socialisti[42].

La corrente di Craxi si attestava su una posizione differente. Il leader autonomista condivideva i timori per le ombre che i provvedimenti nei confronti dei dissidenti sovietici potevano gettare sulla distensione, ma richiamava i dirigenti europei di orientamento progressista a non cedere a «nessun pavido opportunismo», che avrebbe «intorpidito» le coscienze della sinistra occidentale sul «valore della democrazia e della libertà»[43]. Riprendendo le idee di Nenni[44], Craxi riteneva che l'Unione Sovietica stesse conoscendo «uno scontro impari» tra «tendenze neo staliniste al potere» e «un nuovo ideale di democrazia socialista». La «solidarietà» dei socialisti italiani nei confronti dei dissidenti era fuor di dubbio: Craxi, mutuando la celebre espressione di Riccardo Lombardi, disse che il PSI era «con l'altra America, e con l'altra Russia»[45]. Sia il PCI sia l'URSS erano quindi oggetto di biasimo. Il primo, negando il proprio esplicito appoggio al Dissenso cecoslovacco, aveva reso palese che il «problema di fondo» – vale a dire «l'analisi critica della natura del potere sovietico» – era irrisolto[46]. Il secondo, l'Unione Sovietica, alternava «il volto sorridente» delle occasioni internazionali a quello, «arcigno», della «repressione poliziesca» in ambito interno[47].

Le due tendenze erano chiaramente identificabili; è tuttavia importante sottolineare che la diversa sensibilità mostrata attorno a tali questioni non implicava una condivisione parziale della svolta del 1956 in seno al partito[48]. La «assoluta condanna» dei provvedimenti liberticidi di Mosca ne era la prova. In occasione dell'espulsione di Solženicyn, Craxi denunciò, infatti, l'esistenza di «rigurgiti neo stalinisti» in URSS: il dissidente sovietico era autore di una «memorabile, coraggiosa e tragica ricerca nel passato della sua patria»[49]. Alla dichiarazione di Craxi si associò anche quella del socialista Luigi Mariotti, vicepresidente della Camera dei deputati[50]. E Massimo Pini, stretto collaboratore di Craxi, organizzò a Milano un incontro sul caso dell'oppositore espulso. In quell'occasione, uno dei giovani esponenti socialisti più vicini a Craxi, Claudio Martelli, affermò che «l'atteggiamento ufficiale» de «l'Unità» era «la riprova di un'autonomia inesistente da parte del PCI»[51]. La questio-

ne fu ripresa sul settimanale socialista «Mondoperaio», che aprì un dibattito sulle idee del premio Nobel russo per la Letteratura [52]. A partire
dall'*affaire* Solženicyn, l'iniziativa dei socialisti autonomisti in favore
del Dissenso si fece più spiccata: il PSI, nel suo insieme, iniziava a maturare il timore che la prospettiva del «compromesso storico» potesse
mettere in discussione il ruolo di 'cerniera' giocato dai socialisti nell'a-
rena politica italiana. Questo timore favoriva l'intraprendente azione
della corrente autonomista: Nenni ormai riteneva che tra comunisti e
socialisti esistessero «differenze incolmabili», per quanto i rapporti in seno alla sinistra italiana potessero migliorare [53]. La valorizzazione del legame profondo tra democrazia e socialismo sarebbe stato un punto a
favore dei socialisti, nella direzione di un riequilibrio delle forze all'interno del movimento operaio italiano.

L'appoggio dei socialisti all'opposizione dell'Est diveniva, quindi,
parte di una strategia nazionale e si inseriva nell'ambito di una difesa
generale della libertà di espressione nei Paesi dell'Est. In merito a questo secondo aspetto, un dato ulteriore va messo in rilievo. Il sostegno
del PSI al Dissenso fu caratterizzato nella sua essenza dalla ricerca di
interlocutori omogenei, o in altri termini, di orientamento socialista [54].
Tale aspetto – sul quale i testimoni intervistati sono in disaccordo –
emerse già nei primi anni Settanta [55]. Solo per fare due esempi, il dibattito che si aprì su Solženicyn sulle pagine di «Mondoperaio» coin-
volse rilevanti esponenti del mondo del Dissenso di sinistra, come Michal Reiman e Roy Medvedev [56]. In secondo luogo, si riprese, raffor-
zandolo e consolidandolo, il discorso aperto sulla Cecoslovacchia, of-
frendo il proprio sostegno a quegli ex dirigenti del «nuovo corso» – Pelikán più di tutti – la cui azione politica era di orientamento dichiara-
tamente socialista.

Sull'onda di Helsinki: il caso Sacharov

Scienziato e in seguito attivista politico, Sacharov è considerato da
alcuni studiosi l'anticipatore della *perestrojka*, la politica di riforme intrapresa da Mikhail Gorbacëv in URSS, nella seconda metà degli anni
Ottanta [57]. Nel corso del secondo dopoguerra, Sacharov visse diverse
'vite'. Tra il 1950 ed il 1968, fu il brillante scienziato che a soli tren-
tadue anni mise a punto la bomba ad idrogeno sovietica, divenendo
membro dell'Accademia delle Scienze dell'URSS. Già nel 1961, tuttavia, opponendosi alla ripresa degli esperimenti nucleari, giocò un ruo-

lo determinante nella firma degli accordi sul *Test ban Treaty* tra URSS e Stati Uniti, intraprendendo così la strada che l'avrebbe condotto alla sua 'seconda vita' [58]. Nel 1968, pubblicò il volume *La liberté intellectuelle en URSS et la coexistence* [59] e nel marzo del 1973, firmò assieme a Medvedev e Turčin la «Lettera dei tre scienziati» diretta alle autorità sovietiche, intorno alla questione del lascito dello stalinismo [60]. Sacharov assunse definitivamente la veste di dissidente quando, nell'ottobre dello stesso anno, presenziò al processo degli oppositori Pimenov, Vajl' e Zinov'eva [61]. Fu proprio dai primi anni Settanta che il suo caso iniziò ad interessare i rapporti tra la sinistra italiana e le autorità sovietiche. Il coinvolgimento di Sacharov nel «caso 24» portò alla ribalta l'attività politica dello scienziato. Nel giugno del 1972, lo storico Pjotr Jakir e l'economista Viktor Krassin, entrambi oppositori del regime e collaboratori esterni del *samizdat* «Cronaca degli eventi correnti», vennero arrestati. Nella confessione ad essi estorta, i due rivolsero dure accuse a Sacharov e Solženicyn [62]: le deposizioni servirono da *casus belli* per aprire una violenta campagna stampa contro i due dissidenti più conosciuti, di cui si ebbe larga eco anche all'estero [63]. In seguito a tali vicende, il Partito comunista italiano si informò, per via riservata, della situazione dei due intellettuali sovietici. Com'era prevedibile, il Cremlino respinse ogni critica [64] e colse l'occasione per attaccare gli italiani, accusandoli di interferire negli affari interni dell'URSS e richiamandoli ad un uso più responsabile della stampa nell'illustrare la realtà sovietica [65]. In realtà, i fogli del PCI si erano mossi con una certa prudenza intorno a tali temi, come ebbe a riconoscere anche l'influente ideologo sovietico Ponomarëv nel corso dei colloqui del marzo 1975 [66]. Se Berlinguer aveva ribadito la critica del PCI «verso atti e metodi che colpiscono la libertà della cultura e limitano il dibattito politico e delle idee» [67], alcuni interventi di riflessione pubblicati su «Rinascita» mettevano in luce l'evoluzione della società sovietica, ponendo in rilievo il carattere strumentale della *bagarre* sollevata attorno alla repressione dei dissidenti interni. La polemica intorno ai casi di Sacharov e Solženicyn era, in definitiva, ritenuta l'estremo tentativo «di dare un colpo» alla prospettiva della realizzazione della coesistenza pacifica [68]. Come già sottolineato per il caso del Nobel per la Letteratura, la maggioranza del PCI riteneva che fosse necessario appoggiare in modo inequivocabile la distensione. Alla necessità di preservare tale processo, si aggiungeva quella di mantenere la *special relationship* con il Cremlino, turbata – come ricordato – da alcuni eventi di natura internazionale. Le velleità del PCI in seno al movimento comunista inter-

nazionale avevano causato da più parti accuse di opportunismo, associate a critiche veementi alla strategia del «compromesso storico», adottata in via definitiva al XIV Congresso del partito, nel marzo 1975 [69].
L'imminenza delle elezioni amministrative in Italia – in una situazione
di forte crisi economica e sociale – rendeva il sostegno politico (e finanziario) dell'URSS non solo utile, ma necessario. La strategia adottata dai comunisti italiani fu dunque quella di ricercare punti di convergenza con il PCUS sui temi della distensione, in particolare, e della
politica internazionale, in generale [70]. Seguendo tale linea, la polemica
sui casi del Dissenso conobbe un chiaro ammorbidimento nei toni e
nei modi. Il discorso sulla lotta per la democrazia ed il socialismo non
fu affatto abbandonato ma il canale principale che venne utilizzato per
affrontare tale nodo fu quello dei contatti tenuti in via confidenziale.
Le critiche mosse tramite canali riservati nei confronti degli *establishment* dell'Est divennero quindi notevolmente più severe di quanto i dirigenti italiani facessero trapelare pubblicamente.

La diversa modulazione di toni tra discorso pubblico e privato emerse con chiarezza già dal contegno mantenuto dal PCI in merito all'attribuzione del Premio Nobel per la Pace ad Andrej Sacharov. Se la posizione ufficiale del PCI si attestò al limite del rifiuto del dialogo con Sacharov, i dirigenti comunisti italiani difesero tenacemente il diritto ad
esprimersi del dissidente nei colloqui privati con i sovietici. Una tattica
dalle ragioni non evidenti, in particolare se si considera che la politica
del PCI dalla metà degli anni Settanta era tesa a recuperare consensi nel-
l'ambito della borghesia colta e progressista, attraverso la ridefinizione
dell'immagine del partito come forza politica pienamente democratica [71]. L'URSS era ormai divenuta – secondo la definizione di Ulam – un
«vecchio parente piuttosto screditato» anche se «ancora ricco ed influente»: quali motivi potevano dunque spingere il PCI a mantenere riservata la polemica sul Dissenso, contrariamente a quanto faceva il PCF, tradizionalmente più ortodosso? [72] Le ragioni di una tale strategia furono,
probabilmente, la necessità di difendere la distensione e la prospettiva
eurocomunista. Il PCI temeva, in primo luogo, un irrigidimento del-
l'URSS nel processo di distensione internazionale, elemento essenziale
per allentare il vincolo esterno alla base della «questione comunista» in
Italia. In seconda istanza, la ricerca di un'autonomia in seno al movimento comunista internazionale rendeva necessario ridimensionare le
ragioni di attrito con Mosca: data la priorità accordata alla prospettiva
eurocomunista, le ulteriori ragioni di divergenza sarebbero dovute passare in secondo piano per evitare un aggravamento della tensione tra

Botteghe oscure e il Cremlino. Per di più, i comunisti italiani erano persuasi che le battaglie per la prospettiva eurocomunista e per la distensione avrebbero indirettamente inciso sulla stessa realtà sovietica, inducendone una sostanziale trasformazione. La percezione di tale capacità di condizionamento era probabilmente sproporzionata in confronto alla reale influenza del PCI; tuttavia, la ricerca di una nuova prospettiva ebbe l'effetto di generare rilevanti momenti di riflessione intorno ai temi del «socialismo reale», come vedremo con maggiore attenzione nel prossimo capitolo[73].

La prudenza con la quale venne difeso pubblicamente Sacharov si rivelò presto un'arma a doppio taglio, suscettibile di introdurre elementi di ambiguità nell'immagine di Botteghe oscure. Nel commento de «l'Unità» intorno all'assegnazione del Nobel per la Pace a Sacharov, il PCI contestò duramente le motivazioni del Comitato di Oslo, mettendo in rilievo il legame tra il sostegno da esso così prestato ai dissidenti, ed i pericoli per la distensione[74]. Inoltre, come per il caso Solženicyn, nei commenti ufficiali i comunisti italiani respinsero la possibilità di un dialogo con Sacharov[75]: la valutazione del dissidente sul «socialismo reale» e sulla possibilità di una sua riforma rendevano vana la possibilità di un confronto produttivo[76]. L'URSS non viveva – secondo gli organi di stampa del PCI – un rigurgito stalinista; al contrario, a Mosca era in atto il superamento delle strutture dello stalinismo. Proprio in tale processo il PCI si riteneva investito da una missione universale: lo stretto legame tra socialismo e democrazia – affermato dai comunisti italiani – avrebbe avuto la funzione di indurre anche il blocco sovietico ad accelerare un'evoluzione in questo senso[77].

Il divieto di ritirare il Premio Nobel, imposto a Sacharov dalle autorità sovietiche, sollevò numerose proteste in Italia e mise il PCI in difficoltà[78]. Alcuni deputati democristiani inviarono una lettera al presidente della Repubblica Giovanni Leone, affinché quest'ultimo, in occasione di un suo imminente viaggio a Mosca, affrontasse tale questione[79]. Il PCI era stretto in una morsa: alla propria sinistra, «il manifesto» metteva in rilievo le contraddizioni della politica di Botteghe oscure; il PSI premeva per una presa di posizione più netta e meno diplomatizzata, che rivedesse nella sua complessità il rapporto dei comunisti italiani con l'URSS; e il Cremlino osservava con attenzione ogni mossa di Berlinguer, alla ricerca di una prova di eresia. Affrontare il tema del «socialismo reale» in modo più organico stava divenendo improcrastinabile: in particolare, l'azione del PSI metteva in luce gli elementi di contraddizione della strategia dei comunisti italiani. Nel 1973, l'annuncio del «compromesso storico» aveva reso il PSI più attento e sensibile rispetto a questi temi[80]: a due anni di distanza, i risultati delle amministrative indicarono che la prospettiva di un'ulteriore marginalizzazione del PSI era non solo possibile ma anche probabile[81].

Il contegno mantenuto dal Partito socialista intorno al caso Sacharov, nel corso del 1975, mosse proprio dalla considerazione di dover uscire dalla morsa in cui il PCI l'aveva costretto. La chiusura «a riccio» dei partiti comunisti occidentali era un aspetto da valutare attentamente per verificare la loro credibilità[82]: la dottrina delle vie nazionali era diventata «lo schermo» per evitare quel «bilancio critico» sulla realtà dell'Est che l'attualità politica rendeva improrogabile[83]. Nel corso di una riunione della Direzione socialista, Craxi fu preciso in merito: il PSI avrebbe dovuto ricoprire un ruolo attivo nella riflessione attorno al «socialismo reale» e respingere la pretesa del PCI di «dare la linea», usando la «vecchia norma del bastone e della carota»[84]. Contestualmente, il Vicesegretario autonomista poneva in rilievo una concezione diversa della distensione rispetto a quella proposta dal PSI nella prima metà degli anni Settanta. La *détente* andava certamente sostenuta, ma ciò non poteva significare la rinuncia ad una «difesa intransigente» della «concezione democratica ed antiautoritaria del socialismo e dei suoi sviluppi nel mondo»[85].

Il ritrovato dinamismo da parte socialista avrebbe potuto compromettere l'immagine di partito autonomo che il PCI si era costruito, riuscendo a persuadere larghi strati della società della propria credibilità democratica. Nel dicembre 1975, l'interpellanza intorno al caso Sacharov, rivolta dal PCI al presidente del Consiglio Aldo Moro ed al ministro degli Esteri Rumor, tese a recuperare terreno in questa direzione. Al contempo, l'iniziativa era però suscettibile di scatenare le ire del Cremlino: nonostante le parole dei comunisti italiani fossero state colme di cautele, i sovietici risposero con durezza a Botteghe oscure[86]. Dopo un primo confronto con il direttore de «l'Unità», Luca Pavolini[87], l'ambasciatore sovietico ebbe un colloquio con Pajetta, nel corso del quale espresse la propria «meraviglia» per la pubblicità che il PCI dava delle divergenze tra partiti fratelli[88].

L'asprezza del confronto con il Cremlino aveva un peso relativo: la linea che vedeva come punti focali l'ancoraggio all'URSS e la ricerca di un rapporto privilegiato con i comunisti francesi andava riconfermata[89]. L'imminenza delle elezioni politiche del 1976 rendeva essenziale il sostegno materiale del PCUS e l'ancoraggio alla «patria del socialismo»[90]. La lettera inviata dalla Direzione del PCI al Cremlino fu la conseguenza di tale riflessione: in essa si riprendeva il discorso di Pajetta, con l'impegno di opporsi alla «campagna antisovietica». Il ripiegamento era totale: i comunisti italiani ammettevano che avrebbero dovuto utilizzare canali indiretti per chiedere informazioni ai sovietici [91]. Il Cremlino apprezzò l'autocritica: nel corso di un incontro a Mosca nel gennaio 1976, Ponomarëv riconobbe che Botteghe oscure, nell'esprimere le sue «critiche ed i suoi dissensi», aveva sempre «respinto le speculazioni nemiche» [92]. A scanso di ogni equivoco, Pajetta e Pecchioli ritornarono a Roma con un opuscolo informativo redatto dal Cremlino per fornire ai partiti fratelli appoggio nella battaglia contro l'antisovietismo [93]. Considerando chiuso l'incidente con gli italiani, Mosca si concentrò sugli agitati discorsi del PCF: Marchais, nel tentativo di recuperare i consensi sottrattigli dal PSF, giocava la carta del 'sostegno gridato' al Dissenso per accreditarsi come forza democratica [94]. Indispettito dalla politica di Marchais e dall'uso che i neoconservatori americani facevano delle notizie sulla repressione nell'Est, il Cremlino decise di serrare i ranghi. Il PCUS richiamò duramente all'ordine il PCI sulla gestione del caso Sacharov, dichiarando di considerare «un atto nettamente non amichevole» nei confronti del partito stesso e dell'URSS «la *démarche* intrapresa dai deputati membri del PCI» con l'interpellanza da essi presentata nel dicembre 1975 [95].

Berlinguer decise, questa volta, di non arretrare, senza però compromettere in modo irreparabile le relazioni con Brežnev. La partecipazione al XXV Congresso del PCUS avvenne nel solco della continuità con la strategia berlingueriana: i motivi di contrasto non vennero nascosti ma le divergenze furono mitigate per evitare uno scontro diretto col PCUS. Mentre il PCF decise di disertare l'incontro, il PCI si mostrò più conciliante e partecipò all'assise, non evitando però i motivi di contrasto sul caso Sacharov. In tale occasione, Berlinguer chiese un «gesto» in favore del dissidente. Il Segretario del PCI ebbe l'impressione che vi fosse una divergenza di opinione tra i dirigenti sovietici: Brežnev aveva mostrato «un grande interesse», mentre Suslov e Ponomarëv erano precipitosamente intervenuti per chiedere a Berlinguer «di andare a verificare di persona che in URSS la democrazia c'è».

L'incontro con i sovietici destò diverse reazioni ai piani alti di Botteghe oscure. Se Gian Carlo Pajetta valutò il confronto del marzo 1976 come un punto a favore del dialogo [96], Napolitano e Terracini sottolinearono il divario crescente tra la politica del PCI e l'assenza di un cambiamento reale ad Est [97]. Alla difficoltà di confrontarsi sui temi delle libertà personali nel blocco comunista si sommava la questione di Praga: una ferita sempre aperta, significativa testimonianza delle contraddizioni del «socialismo reale».

Praga, ferita aperta? I costi della *Realpolitik*

L'immagine dei carri armati del patto di Varsavia che invadevano le strade di Praga, nell'estate del 1968, costituì a lungo una ferita aperta tra il PCI ed il PCCS, un nodo che non si sarebbe risolto sino al crollo del Muro di Berlino. Tra il 1970 – anno della visita di Cossutta nella capitale boema – ed il 1973, le relazioni fraterne rimasero in sostanza congelate, divenendo un punto di frizione importante anche tra Roma e Mosca. Nel corso dei colloqui tra Berlinguer e Brežnev, nel marzo del 1973, il leader sovietico confermò la necessità dell'intervento in Cecoslovacchia, ponendolo in relazione con la realizzazione della distensione[98]. Il discorso di Brežnev non aveva convinto gli italiani nel 1968, e ancor meno li persuadeva a distanza di cinque anni, alla luce delle tragiche conseguenze della normalizzazione. La condanna dell'invasione veniva ribadita in termini immutati[99]: le notizie che giungevano dai corrispondenti del PCI non erano affatto incoraggianti. «Si va avanti con la propaganda per la propaganda» – commentava Silvano Goruppi – «tutto viene strumentalizzato in modo pesante e per niente convincente»[100].

Tra il 1973 ed il 1974 si ebbe tuttavia una svolta: due avvenimenti incisero non tanto sul dialogo con l'*establishment* di Praga (non almeno nel lungo periodo), quanto piuttosto sulle relazioni tra Botteghe oscure ed il Dissenso cecoslovacco. Nel settembre del 1973, Joseph Smrkovský scrisse una lettera a Brežnev, inviandone «a titolo di informazione» una copia anche a Berlinguer, al segretario del POSU Janos Kádár, ed allo stesso Husák[101]. Il plico destinato al PCI conteneva anche una missiva indirizzata al Segretario generale italiano[102]. Due aspetti rendevano tale scritto di rilievo: un lucido spaccato della non normalizzata situazione cecoslovacca e la chiara definizione del Partito comunista italiano come interlocutore privilegiato del Dissenso di quel Paese. Il PCI era considerato l'unico attore politico in grado – per affinità ideologica, capacità di riflessione critica e peso politico in seno al movimento comunista internazionale – di riprendere il filo perduto del «socialismo dal volto umano». Altri attori politici della sinistra occidentale – si pensi ad esempio al Partito socialista francese – si erano candidati a questo ruolo: nell'ottica di Smrkovský tuttavia, l'esistenza di un rapporto di lunga data con i comunisti italiani era destinato ad avere un peso determinante nella ridefinizione dei rapporti tra l'ex classe dirigente del «nuovo corso» e le forze della sinistra occidentali, nel periodo successivo all'agosto 1968[103]. Smrkovský proponeva quindi l'istituzione di un «collegamento sicuro ed operativo» tra Roma e Praga[104]. Nella visione dell'ex Presidente dell'Assemblea nazionale, tale collaborazione avrebbe dovuto essere inserita in una più ampia richiesta di pacificazione sociale, e nel quadro più generale della distensione internazionale [105]. Nell'inoltrare la propria risposta a Brežnev, Berlinguer fece propria la speranza di Smrkovský di una reale normalizzazione della situazione cecoslovacca, elemento determinante per il successo di una «politica di sicurezza e cooperazione» in Europa, così come per il successo della lotta per «la democrazia e il socialismo» dei comunisti occidentali [106].

Se la maggioranza dei dirigenti del PCI confidava di aprire un dialogo, intorno a tale tema, con i sovietici, le loro aspettative sarebbero presto rimaste deluse [107]. Mosca lasciò deliberatamente cadere la questione: Cossutta fu informato che il PCUS non voleva intraprendere una polemica con i compagni italiani «su questo punto» [108].

Diversamente da quanto evidentemente si pensava al Cremlino, i dirigenti del PCI ritenevano che la crisi cecoslovacca avesse modificato in modo sostanziale le dinamiche interne al movimento comunista internazionale. La lotta per la riformulazione dei rapporti tra partiti fratelli era ormai parte integrante della strategia di Botteghe oscure. La Conferenza dei Partiti comunisti dell'Europa occidentale, a Bruxelles, a fine gennaio 1974, avrebbe offerto un'ottima occasione per promuovere una nuova dinamica nelle relazioni tra partiti comunisti. In quell'occasione si sarebbe potuto non solo caldeggiare un'ampia e libera discussione, ma anche dimostrare che essa era «possibile» e «utile» [109]. Ciò significava – e questo non era certo un aspetto secondario – fornire un sostegno alla prospettiva di maggiore coordinamento tra i partiti comunisti dell'Europa occidentale. Il Cremlino intravedeva però in tale azione il tentativo di dare forma ad un coordinamento che sfuggisse alla propria egemonia. I sovietici tentarono così, ripetutamente, di scoraggiare l'iniziativa: poiché non vi riuscirono, provarono – grazie all'azione dei PC più ortodossi – a controllarne gli esiti. Botteghe oscure – se non voleva mettersi in rotta di collisione con la «patria del socialismo» – doveva cedere su qualcosa.

Il costo politico che il PCI avrebbe dovuto pagare sarebbe stato quello della riapertura del dialogo con il PCCS, opzione caldeggiata dai sovietici da lungo tempo. Tale recupero delle relazioni internazionaliste avvenne quasi a prescindere da un miglioramento effettivo dei rapporti tra italiani e cecoslovacchi: segno, questo, che la necessità di un ritorno ad un rapporto 'normalizzato' prescindeva sia dalle evoluzioni della situazione praghese, sia del reale appianamento delle divergenze. Negli ultimi mesi del 1973, Praga non perse infatti occasione di attaccare i compagni di Roma: l'ambasciatore Berger intervenne presso Botteghe oscure per condannare l'inserimento di alcuni volumi di dissidenti cecoslovacchi nel catalogo degli Editori Riuniti, casa editrice controllata dal PCI[110]. Sconcertati da tale «inammissibile interferenza», i comunisti italiani inviarono immediatamente Elio Quercioli a Praga[111]. Ma i cecoslovacchi non intendevano arretrare, e nel corso del colloquio con il delegato italiano, decisero di contrattaccare su un nervo scoperto della strategia del PCI: «Come mai voi siete in buoni rapporti con gli occupanti e non con le loro vittime, con noi che siamo occupati?». La contraddizione era lampante e mise Quercioli in difficoltà. Alla richiesta di ulteriori informazioni circa il rapporto tra PCI e dissidenti cecoslovacchi, il dirigente italiano si trovò quindi a rassicurare i suoi interlocutori: «Non abbiamo e non intendiamo avere rapporti con gruppi esterni al PCCS sia dell'emigrazione che del Paese»[112].

La preclusione nei confronti dei dissidenti assumeva una chiara valenza politica. Il PCI escludeva la possibilità di istituire un dialogo con i dissidenti cecoslovacchi, al fine di non aggravare ulteriormente le relazioni con Husák. A conferma di ciò, la proposta di creare un collegamento operativo e permanente, avanzata in precedenza da Smrkovský, fu respinta in quanto «non opportuna». Il PCI assicurava all'ex dirigente cecoslovacco che sarebbe intervenuto contro la repressione e si riservava di far conoscere le proprie valutazioni attraverso «le iniziative più opportune e responsabili»[113]. Tuttavia, era ormai chiaro che i comunisti italiani non desideravano stabilire rapporti ufficiali con l'opposizione cecoslovacca, parte della quale era costituita dall'ex classe dirigente del «nuovo corso»[114].

La politica nei confronti di Praga si faceva più definita: non fu un caso che, per la prima volta dall'agosto 1968, una delegazione dell'Associazione Italia-Cecoslovacchia partisse per la capitale boema[115] e, a distanza di qualche mese, nell'aprile del 1974, Emanuele Macaluso conducesse una missione politica ufficiale nel Paese dell'Est[116]. Nel corso di quest'ultimo incontro, le due delegazioni mantennero le proprie posizioni, evidentemente inconciliabili. Ne era consapevole anche Bil'ak, quando concluse sommariamente: «Voi avete alcune vostre opinioni, noi le nostre. Però siamo comunisti, non abbiamo conflitti ineliminabili»[117]. Nella relazione di rito alla Direzione, Macaluso era stato più diretto: i colloqui erano stati «sterili»[118]. Il dirigente siciliano sostenne la necessità di mantenere «ben ferma» la posizione del PCI: l'uso strumentale e «scorretto» che i cecoslovacchi avevano fatto del comunicato congiunto, in particolare, e della visita della delegazione italiana, in generale, erano elementi rivelatori della strategia di Husák[119].

Nel corso del decennio, le relazioni con Praga continuarono ad essere difficili, ma questo non significò una maggiore apertura da parte del PCI nei confronti del Dissenso cecoslovacco. Come illustrato nel precedente capitolo, la decisione di Lajolo di pubblicare su «Giorni-Vie nuove» il testamento politico di Smrkovský, accompagnato da una dichiarazione di Dubček, ebbe conseguenze severe: questo fatto fece probabilmente precipitare la già precaria posizione del comunista italiano, e lo portò all'estromissione dal Comitato centrale nel 1975 [120]. Al contempo, alcuni quadri del partito, tra i quali il giornalista e specialista di questioni cecoslovacche Luciano Antonetti, furono ripetutamente invitati ad interrompere le relazioni che intrattenevano con i dissidenti [121]. Nonostante la situazione sembrasse andare verso un appianamento dei contrasti, il governo Husák continuò a mantenere alta la pressione su Botteghe oscure: la distribuzione de «l'Unità» a Praga fu sospesa e l'emittente radiofonica «Oggi in Italia» fu chiusa, così come caldeggiato dal governo italiano da svariati anni. Non furono risparmiati nemmeno i redattori comunisti italiani alla radio di Stato, che vennero licenziati in massa [122].

Il persistere di tale forte contrasto – per quanto sotterraneo – contribuì a consolidare, agli occhi della nascente opposizione cecoslovacca, l'immagine del PCI come interlocutore potenzialmente privilegiato nel blocco occidentale [123]. Prova lampante ne è una lettera inviata da alcuni dissidenti cecoslovacchi all'attenzione dei maggiori partiti comunisti d'Occidente, in occasione della Conferenza dei PC europei, a Berlino, fortemente voluta da Mosca [124]. In essa, Ždenek Mlynař, Jiří Hajek, Václav Slavík e Karel Kosík misero in rilievo l'intima identità tra l'esperienza del «nuovo corso» cecoslovacco e la proposta politica eurocomunista. I dissidenti cecoslovacchi avevano concentrato le proprie aspettative sull'evento internazionale che si tenne nella capitale tedesca, nel giugno 1976: ai loro occhi, esso si prestava ad una dichiarazione netta del PCI in favore del legame tra socialismo e democrazia e di una nuova, vigorosa denuncia dell'anormalità della situazione cecoslovacca. In questo modo, il PCI avrebbe potuto raccogliere l'eredità della Primavera di Praga, già insita nel progetto eurocomunista.

Tali aspettative andarono però deluse, o almeno lo furono in parte: un'eco della lettera-appello dei dissidenti cecoslovacchi trovò spazio nelle parole di Berlinguer e di Carrillo, ma in un riferimento limitato, inserito – come d'abitudine, dopo l'agosto 1968 – nella più ampia questione dei problemi relativi al rapporto tra democrazia e socialismo nell'Est europeo [125]. Gli italiani erano stati impegnati in un duro dibattito con i sovietici sui temi e le modalità di confronto durante gli incontri preparatori della Conferenza: fare di tale occasione una tribuna a favore del Dissenso, non solo sarebbe andato contro la strategia impostata dal PCI in precedenza, ma avrebbe determinato uno squilibrio della posizione di Botteghe oscure, portando Berlinguer ad un faccia a faccia con Brežnev.

Lo scambio Bukovskij-Corvalan. L'intervento riservato di Berlinguer

Nel corso degli anni Sessanta e Settanta, Vladimir Bukovskij era divenuto – suo malgrado – un fine conoscitore del sistema repressivo sovietico: era stato infatti condannato per la prima volta nel 1962, poco più che maggiorenne, ad un periodo di detenzione in un ospedale psichiatrico. Tra un arresto e l'altro (venne nuovamente incarcerato nel 1967 e poi nel 1970), era riuscito a raccogliere una quantità importante di materiale sull'uso della psichiatria ai fini della repressione politica [126]. Alla vigilia del XXIV Congresso dell'URSS, nel 1971, Bukovskij era divenuto ormai consapevole delle pressioni che l'Occidente poteva esercitare su Mosca: il dissidente era quindi riuscito a far pubblicare sul quotidiano inglese «Times» un appello per la verifica delle condizioni mentali dei dissidenti politici internati, con il fine, ovviamente, di dimostrare la loro totale sanità mentale [127]. In seguito a tale vicenda, Bukovskij fu nuovamente sottoposto a stato di fermo. Nonostante una campagna internazionale in suo favore fosse riuscita ad impedire il suo immediato arresto, il dissidente venne di nuovo processato a Mosca, nel gennaio 1972. L'oppositore – in quanto recidivo – venne condannato al massimo della pena prevista per l'accusa contestatagli, ossia «diffusione tra corrispondenti stranieri di materiale antisovietico e diffamatorio»: sette anni di detenzione, dei quali due da scontare in un campo di lavoro, ed i restanti cinque in un carcere a regime severo. Ad essi vennero aggiunti anche cinque anni di confino [128].

Nell'agosto 1975, i Paesi del blocco sovietico firmarono il cosiddetto «Atto Finale di Helsinki», al termine di negoziati durati tre anni nell'ambito della Conferenza per la Sicurezza e la Cooperazione in Europa. Soddisfatta per l'ottenimento della sanzione internazionale dello *status quo* del vecchio continente che mirava a conseguire, l'Unione Sovietica sottovalutò l'approvazione del «Terzo Cesto», concernente la protezione dei diritti umani. Lo strumento giuridico scelto per l'Atto Finale non era quello di un trattato internazionale, ma piuttosto quello di una dichiarazione di intenti, con effetti non vincolanti per i Paesi firmatari; ciononostante, il documento divenne la base di rivendicazione di tutta l'opposizione del blocco sovietico, un paradigma giuridico irrinunciabile per il movimento del Dissenso[129]. Il fiorire di un'opposizione in seno ai Paesi dell'Est e la formale accettazione dei principî di Helsinki non apportò, tuttavia, alcun miglioramento alla condizione dei dissidenti sovietici. Al contrario: come mette in rilievo Andrea Graziosi, il processo di Helsinki ebbe come effetto perverso l'inasprirsi della repressione, sebbene realizzata in modalità differenti da quelle del passato[130].

La censura e l'informazione parziale (per usare un eufemismo) dei Paesi dell'Est non impedirono tuttavia alla nascente opposizione di cogliere i segnali di cambiamento provenienti dal blocco atlantico. Le trasmissioni di Radio Free Europe e le notizie che giungevano dagli emigrati offrivano una panoramica – per quanto ristretta – delle vicende e delle voci dell'Occidente. Le dichiarazioni di Berlinguer ebbero così una certa eco tra gli oppositori del blocco sovietico, e gli stessi dirigenti dell'Est erano consapevoli che, a partire dal 1968, il PCI era percepito dalle «forze diverse» che premevano per un cambiamento profondo dei Paesi del «socialismo reale», come un baluardo del socialismo democratico[131].

Probabilmente fu questa una delle ragioni che spinsero la madre di Vladimir Bukovskij ad inviare una lettera al Segretario generale del PCI, nell'estate 1976. Rifacendosi alle dichiarazioni del leader sardo in favore di «una vera democrazia» e dei «diritti dell'uomo», la madre di Bukovskij chiedeva un'intercessione presso Brežnev, affinché fosse consentito al figlio di emigrare «in qualunque Stato fuori dai confini dell'Unione Sovietica»[132]. Secondo la testimonianza del dissidente, Berlinguer fu pregato di intercedere da una comune amica, attiva nella Resistenza francese ai tempi del fascismo[133]. Il fatto è impossibile da verificare; è certo però che Berlinguer ritenne opportuno dare seguito alla richiesta e inviò una missiva al Segretario del PCUS, sollecitando una risoluzione della questione, anche in virtù delle conseguenze negative che tale situazione produceva nell'opinione pubblica e nella classe operaia italiana[134]. A conferma della posizione assunta da Berlinguer, nel novembre dello stesso anno, il PCI tornò a richiedere al Comitato centrale del PCUS una «applicazione concreta ed integrale delle decisioni prese alla Conferenza di Helsinki»[135].

La mobilitazione per Bukovskij fu una delle più rilevanti dell'azione del PCI in questo ambito[136]: tuttavia essa non trovò alcuna eco sulla stampa di partito e rimase un fatto riservato alla dimensione dei rapporti tra partiti fratelli tra le mura di Botteghe oscure[137]. Anche quando, nel dicembre del 1976, sotto l'impulso del sindaco comunista di

Bologna Renato Zangheri, il Consiglio comunale inviò una nota ufficiale all'Ambasciatore italiano a Mosca riguardo al caso di Bukovskij, «l'Unità» riprese la notizia in un articolo di una quindicina di righe, conferendo a tale gesto il minor risalto possibile [138]. Si confermava, in definitiva, la diversa modulazione di toni (più accesi in privato, piuttosto prudenti in pubblico) che già aveva caratterizzato la politica del PCI nei casi Solženicyn e Sacharov; una scelta opposta rispetto a quella del proprio principale partner occidentale, il Partito comunista francese. Nello stesso periodo, infatti, Marchais pubblicizzava l'appoggio dei comunisti francesi al Dissenso dell'Est come elemento distintivo dell'eurocomunismo. La fotografia che ritraeva la stretta di mano tra il membro del Comitato centrale Pierre Juquin ed il dissidente sovietico Leonid Pliušč fu il simbolo di tale fittizio avvicinamento. Lo stesso Juquin venne poi duramente rimproverato dal responsabile della Sezione Esteri Jean Kanapa, per l'incauto gesto [139].

A differenza de «L'Humanité», «l'Unità» utilizzava toni pacati, quasi dimessi, per commentare i fatti relativi al Dissenso. Alla notizia dello scambio tra il leader comunista cileno Corvalan e Bukovskij, il quotidiano del PCI mantenne un profilo di medio livello: non vi fu nessun comunicato ufficiale, ma solamente alcuni articoli informativi e un numero limitato di editoriali. Questi ultimi seguirono una linea di critica moderata, sebbene tra le pareti di Botteghe oscure si biasimasse l'URSS per aver accettato lo scambio, ed essersi messa al livello della dittatura cilena [140]. Se l'incriminazione e la detenzione per reati d'opinione era «inammissibile» in qualsiasi Paese, l'equiparazione tra i due regimi era categoricamente respinta. Ancora una volta, «l'Unità» proponeva la tesi delle inevitabili contraddizioni del «socialismo reale». Lo scambio con Bukovskij era da ritenersi «un episodio» che segnalava «la fatica di un grande Paese» ad «estendere le proprie conquiste fino ai diritti di libertà individuale, ancora imperfetti o negati» [141]. Tale posizione non lasciava certo alcun margine all'apertura di un dialogo con il Dissenso, specialmente con quel genere di opposizione che aveva posizioni «catastrofiste» e «distruttive» sul «socialismo reale» [142].

Note

[1] V. ZUBOK, *The Zhivago's Children. The Last Russian Intelligentsia*, Belknap Press, Cambridge (MA), 2009, pp. 261-263.

[2] Incontro tra le delegazioni del PCUS e del PCI, 27 giugno 1968, APCI, MF 058, pp. 912-925.

[3] *Il diritto di essere scrittore*, in «Rinascita», 14 novembre 1969, n. 45, p. 22.

[4] V. STRADA, *Non é questione solo di letteratura*, in «Rinascita», 28 novembre 1969, n. 47, pp. 25-26. Cfr. IDEM, *Autoritratto autocritico. Archeologia della rivoluzione di ottobre*, Edizioni Liberal, Roma, 2004, pp. 64-65.

[5] IDEM, *Gli ideali di Solženicyn*, in «Rinascita», 14 marzo 1969, n. 11, p. 25.

[6] Nota di Cossutta, 2-3 dicembre 1969, APCI, fasc. 58/880.

[7] S. PONS, *Berlinguer...*, cit., pp. 24-26.

[8] Esprimendosi contro il «compromesso storico», Kissinger chiariva: «We totally opposed to communist participation in Government, direct, indirect, or via dialogue or in any other way. Moderate communists are more dangerous than non-moderate communists». Incontro tra Andreotti e Kissinger, 4 novembre 1975, NSA; Cfr. M. DEL PERO, *Henry Kissinger...*, cit., p. 93; U. GENTILONI SILVERI, *L'Italia sospesa: la crisi degli anni Settanta vista da Washington*, Einaudi, Torino, 2009, pp. 142-145.

[9] Incontri tra le delegazioni del PCUS e del PCI, 11-15 marzo 1973, APCI, Direzione, MF 041, p. 562.

[10] Nota di Cossutta, 19 marzo 1973, APCI, MF 046, pp. 352-365; nota di Oliva, 11 aprile 1973, APCI, MF 046, pp. 336-340.

[11] Si veda la citazione relativa ai diari di Černjaev, S. PONS, *Berlinguer...*, cit, p. 38. Cfr. S. COURTOIS – M. LAZAR, *Histoire du Parti...*, cit., pp. 370-380.

[12] Confidential Annual Review – Italy, British Embassy in Rome, 1 gennaio 1973, UKNA, Fco 33/2492: annual review for Italy, 1974. Sulle reazioni del PCI ai fatti cileni, cfr. A. MULAS, *Allende e Berlinguer: il Cile dell'Unidad Popular e il compromesso storico italiano*, Manni, Lecce, 2005; A. SANTONI, *Il PCI e i giorni del Cile: alle origini di un mito politico*, Carocci, Roma, 2008.

[13] Discorso di Zimjanin, 19 settembre 1973, APCI, MF 065, p. 1450.

[14] M. DEL PERO, *Henry Kissinger...*, cit., pp. 143-144.

[15] Riunione, 9 ottobre 1973, APCI, Direzione, MF 057, pp. 1-91.

[16] Incontro tra la delegazione dei Segretari di Federazione e i sovietici, Zagladin e Pankov, 5 ottobre 1973, APCI, MF 047, pp. 640-642.

[17] Discorso di Zimjanin, 19 settembre 1973, Mosca, APCI, MF 065, cit., p. 1450.

[18] Incontri dei Segretari di Federazione con Zagladin e Pankov, 5 ottobre 1973, APCI, MF 047, pp. 640-642.

[19] A. ROMANO, *From Détente in Europe to a European détente*, PIE/Peter Lang, Bruxelles, 2009, pp. 99-102.

[20] Incontro tra Novella e Rubbi, e Ponomarëv, Pankov e Smirnov, 11 ottobre 1973, APCI, MF 057, pp. 126-147. Riguardo alla contro-informazione del Cremlino sulla campagna antisovietica in Occidente: About anti-Soviet campaign abroad to prove existence of opposition in the USSR, 13 gennaio 1971, VBA, No.77-A.

[21] Riunione di Segreteria, 11 settembre 1973, APCI, MF 047, pp. 564-566.

[22] Riunione, 24 ottobre 1973, APCI, Direzione, MF 057, p. 44.

[23] Nota di Chiaromonte, 18 febbraio 1974, APCI, MF 074, p. 413.

[24] V. ZUBOK, *The Zhivago's Children...*, cit., pp. 308-310.

[25] *Solženicyn arrestato a Mosca*, in «l'Unità», 13 febbraio 1974, p. 1.

[26] A. Solženicyn, *Un mondo in frantumi, Discorso di Harvard*, La Casa di Matriona, Milano, 1978, pp. 500-508.; Idem, *Il prezzo della distensione*, Ares, Milano, 1975. Cfr. M. Del Pero, *Henry Kissinger...*, cit., p. 143.

[27] Bukovskij ritiene persino possibile che l'eurocomunismo fosse stato inventato dai sovietici. Intervista dell'autrice a Vladimir Bukovskij, Padova, 17 maggio 2007.

[28] Conversazione tra Ziegler e Kissinger, 14 febbraio 1974; colloquio telefonico tra Hartman e Kissinger, 28 giugno 1975; telefonata di Eagleburger a Kissinger, 18 luglio 1975; dialogo tra Pierpoint e Kissinger, 12 agosto 1975; NSA. Si vedano: *Solženicyn incontra il senatore Jackson*, in «l'Unità», 11 luglio 1975, p. 14; *Disaccordi nel Partito repubblicano USA per Solženicyn*, in «l'Unità», 19 luglio 1975, p. 16; *«Ford traditore» dice Solženicyn*, in «l'Unità», 23 luglio 1975, p. 11. Cfr. M. Del Pero, *Henry Kissinger...*, cit., pp. 141-144.

[29] S. Pons, *Berlinguer...*, cit., pp. 111-114.

[30] G. Napolitano, *Ancora sul caso Solženicyn*, in «Rinascita», n. 8, 22 febbraio 1974, pp. 7-8.

[31] S. Pons, *Berlinguer...*, cit., p. 77.

[32] L. Fasanaro, *Eurocommunism. An East German perspective*, in *The crisis of détente in Europe. From Helsinki to Gorbachev, 1975-1985*, a cura di L. Nuti, Routledge, New York, 2009, pp. 248-251. Cfr. Idem, *L'eurocomunismo nelle carte della SED*, in «Mondo Contemporaneo», n. 3 (2007), pp. 63-95.

[33] S. Pons, *Berlinguer...*, cit., pp. 52-54; M. Del Pero, *I limiti della distensione: gli Stati Uniti e l'implosione del regime portoghese*, in *Alle origini del presente. L'Europa occidentale nella crisi degli anni Settanta*, a cura di A. Varsori, Franco Angeli, Milano, 2007, pp. 39-66.

[34] Lombardo Radice aveva anche curato la pubblicazione di un saggio di Solženicyn, assieme ai contributi di altri dissidenti dell'Est europeo. L. Lombardo Radice, *Gli accusati*, De Donato, Bari, 1972.

[35] Idem, *Dove comincia la storia nuova?*, in «Rinascita», n. 41, 17 ottobre 1975, pp. 23-24.

[36] M. Degl'Innocenti, *Storia del Psi...*, cit., pp. 412-419.

[37] M. Pini, *Craxi...*, cit. pp. 78-79.

[38] W. Pedulla, *Un modello di intellettuale*, in «L'Avanti», 10 ottobre 1970, p. 3. Cfr. J. Pelikán, *Nuova situazione e nuove possibilità per l'opposizione socialista a Praga*, in «L'Avanti», 13 gennaio 1972, p. 3.

[39] *Deplorato dalle autorità sovietiche il Nobel a Solženicyn*, in «L'Avanti», 10 ottobre 1970, p. 3; *La seconda verifica*, in «L'Avanti», 10 ottobre 1970, p. 3; *Il rapporto proibito sui processi di Praga*, in «L'Avanti», 11 ottobre 1970, supplemento; *Presto processato in segreto il dissidente Amal'rik*, in «L'Avanti», 13 ottobre 1970, p. 6; *Condannato in URSS lo scrittore Makarenko*, in «L'Avanti», 14 ottobre 1970, p. 4.

[40] Il direttore sarebbe stato lo storico Gaetano Arfé, fino al 1978.

[41] Cfr. A. Spiri – V. Zaslavsky, *I socialisti italiani e il dissenso nell'Est europeo*, in *Bettino Craxi, il socialismo europeo e il sistema internazionale*, a cura di A. Spiri, Marsilio, Venezia, 2006, p. 165.

[42] *I veri antisovietici*, in «L'Avanti», 7 settembre 1973, p. 1.; *Intolleranza*, in «L'Avanti», 13 febbraio 1974, p. 1.

[43] *Dichiarazione di Craxi*, in «L'Avanti», 6 settembre 1973, p. 1.

[44] Pietro Nenni riteneva che tale 'stagnazione' dell'URSS fosse dovuta alla permanenza di principî stalinisti. Appunti di Pietro Nenni sul «Manifesto dei tre scienziati», 19 marzo 1970, FPN, b. 131, f. 2513.

[45] B. CRAXI, *Solženicyn e i fantasmi del passato*, in «L'Avanti», 10 gennaio 1974, p. 1; U. FINETTI, *Storia di Craxi...*, cit., p. 95.

[46] G. DE ROLD, *Soffia ancora sulla Cecoslovacchia il vento gelido dei carri armati*, in «L'Avanti», 19 agosto 1973, p. 5; *Repressione nell'URSS contro la dissidenza*, in «L'Avanti», 29 agosto 1973, p. 6; *Accesa critica di Solženicyn ai sistemi repressivi sovietici*, in «L'Avanti», 29 agosto 1973, p. 6.

[47] *URSS: disco rosso per i 'dissidenti'*, in «L'Avanti», 31 agosto 1973, p. 3; *I veri antisovietici*, in «L'Avanti», 7 settembre 1973, p. 1.

[48] Si noti l'ampia informazione che «L'Avanti» diede della vicenda: *Un generale contro Solženicyn*, in «L'Avanti», 29 gennaio 1974, p. 3; *Solženicyn sotto il torchio*, in «L'Avanti», 2 febbraio 1974, p. 8; *Solženicyn arrestato*, in «L'Avanti», 13 febbraio 1974, p. 1; *Qui è stata decisa l'espulsione di Solženicyn*, in «L'Avanti», 14 febbraio 1974, p. 1; *Deplorata l'URSS per l'espulsione di Solženicyn*, in «L'Avanti», 21 febbraio 1974, p. 3; *Stalin e Solženicyn*, «L'Avanti», 24 febbraio 1974, supplemento; S. GALLIUSSI, *Solidarietà con Solženicyn e i militanti del dissenso in URSS*, in «L'Avanti», 27 febbraio 1974, p. 3.

[49] *Una dichiarazione di Craxi*, in «L'Avanti», 13 febbraio 1974, p. 1; G. DA ROLD, *Il coraggio della verità*, in «L'Avanti», 14 febbraio 1974, p. 1.

[50] *Viva indignazione in Italia e nel mondo*, in «L'Avanti», 14 febbraio 1974, p. 1.

[51] G. DA ROLD, *Le mistificazioni contro 'Arcipelago Gulago'*, in «L'Avanti», 15 febbraio 1974, p. 3

[52] Cfr. F. COEN – P. BORIONI, *Le cassandre di Mondoperaio. Una stagione creativa della cultura socialista*, Marsilio, Venezia, 1999, pp. 47-60.

[53] Discorso di Pietro Nenni al CC del PSI, ottobre 1974, FPN, b. 104, f. 2315.

[54] Spini mette anche in evidenza l'appoggio indifferenziato al Dissenso da parte del PSI e l'unicità del ruolo svolto dal leader milanese in questo senso in tutta l'Europa, segnale di «una posizione più avanzata di Craxi». Intervista a Valdo Spini dell'autrice, Roma, 8 ottobre 2008. Cfr. G. DA ROLD, *Soffia ancora sulla Cecoslovacchia il vento gelido dei carri armati*, in «L'Avanti», 19 agosto 1973, p. 5.

[55] Spini la conferma, mentre Pellicani respinge l'idea che esistesse un rapporto preferenziale con il Dissenso socialista. Intervista dell'autrice a Spini, cit.; e a Pellicani, cit.

[56] M. REIMAN, *Lettera aperta a Solženicyn*, in «Mondoperaio», n. 3, marzo 1975, pp. 53-60; R. MEDVEDEV, *A proposito dell'Arcipelago Gulag*, in «Mondoperaio», n. 8-9, agosto-settembre 1975, pp. 90-95.

[57] M. CLEMENTI, *Il diritto al dissenso. Il Progetto costituzionale di Andrej Sacharov*, Odradek, Roma, 2000; A. GRAZIOSI, *L'Urss dal trionfo al degrado...*, cit., p. 422.

[58] C. VAISSIÉ, *Pour votre liberté et pour la notre. Le combat des dissidents de Russie*, Robert Laffont, Paris, 1999, pp. 219-220; A. SACHAROV, *Mémoires*, Seuil, Paris, 1990, pp. 297-311.

[59] Il libro apparve nel 1968 in inglese e, nel 1969, in francese: A. SACHAROV, *La liberté intellectuelle en URSS et la coexistence*, Gallimard, Paris, 1969.

[60] AA.VV., *La lunga strada di un'alternativa nell'URSS, 1968-1972. Sei documenti del samizdat politico*, a cura di M. Gori, Jaka Book, Milano, 1972.

[61] L. ALEKSEEVA, *Soviet Dissent*, cit., pp. 313-316; H. S. HUGHES, *Sophisticated Rebels: the Political Culture of European Dissent: 1968-1987*, Harvard University Press, Cambridge, 1988, pp. 94-117.

[62] *Scarcerati Jakir e Krassin*, in «il manifesto», 2 novembre 1973, p. 4. Cfr. *Roy Medvedev. Intervista sul dissenso in Urss*, a cura di P. Ostellino, Laterza, Bari, 1977.

[63] L. Alekseeva, *Soviet Dissent*, cit., pp. 315-316; A. Graziosi, *L'Urss dal trionfo...*, cit., pp. 405-407; C. Vaissié, *Pour votre liberté...*, cit., pp. 125-127; V. Zaslavsky, *Il consenso organizzato: la società sovietica negli anni di Brežnev*, Il Mulino, Bologna 1981, pp. 124-126.

[64] Discorso di Zimjanin, 19 settembre 1973, APCI, MF 065 p. 1450.

[65] Incontro dei Segretari di Federazione con Zagladin e Pankov, 5 ottobre 1973, APCI, MF 047, pp. 640-642.

[66] Riunione, 24 ottobre 1973, APCI, Direzione, MF 057, p. 44.

[67] *Berlinguer alla festa de 'L'Unità' a Milano*, in «l'Unità», 27 ottobre 1973, p. 1.

[68] A. Guerra, *Fatti e propaganda sul 'dissenso' in URSS*, in «Rinascita», n. 43, 2 novembre 1973, pp. 15-16.

[69] Nota riservata di Rubbi, 15 gennaio 1975, APCI, MF 201, pp. 779-783. Cfr. Kosizyn, *Problemi di teoria. Lo stato del socialismo sviluppato*, in «Pravda», 26 settembre 1975, APCI, MF 208, pp. 2155-2168; nota di Baldassi, 17 aprile 1975, APCI, MF 204, p. 785. Cfr. *XV Congresso del Partito comunista italiano. Atti e Risoluzioni*, Editori Riuniti, 1979.

[70] Riunione, 23 ottobre 1975, APCI, Direzione, MF 208, pp. 0377-0401. Cfr. S. Pons, *Berlinguer...*, cit., pp. 70-72.

[71] S. Colarizi, *Storia politica...*, cit., pp. 124-125.

[72] A.B. Ulam, *The Communists. The Story of Power and Lost Illusions, 1948-1991*, MacMillan, New York, 1992, p. 334.

[73] Si consideri, ad esempio, la già citata istituzione del Centro di Studi e di Documentazione sui Paesi Socialisti, sotto la direzione di Adriano Guerra, nel 1978. Intervista dell'autrice ad Adriano Guerra, cit.

[74] *Assegnato a Sacharov il Nobel per la pace*, in «l'Unità», 10 ottobre 1975, p. 13.

[75] Va tuttavia rilevato che Adriano Guerra ha rivelato che i rapporti con Sacharov esistevano, ma erano tenuti indirettamente tramite Pontecorvo. Intervista dell'autrice ad Adriano Guerra, cit.

[76] A. Guerra, *Il caso Sacharov*, in «Rinascita», n. 46, 21 novembre 1975, p. 24; E. E., *Conferenza stampa a Milano della signora Sacharova*, in «l'Unità», 20 novembre 1975, p. 13. Si veda l'interessante contributo di Pelikán sul caso Sacharov e sul rapporto del Dissenso sovietico con la sinistra italiana: J. Pelikán, *Perché Sacharov non avrà il premio Nobel per la pace*, ACD, serie 003, Jiří Pelikán: attività 1969-1989, busta 5, fasc. 0023.

[77] L. Gruppi, *Qualche risposta alla 'Pravda' e anche ai socialisti*, in «Rinascita», n. 41, 17 ottobre 1975, pp. 5-6; *Reazioni del mondo alla scelta del Nobel*, in «l'Unità», 11 ottobre 1975, p. 13.

[78] Si noti che la questione di Sacharov venne affrontata, in via riservata, anche dall'Amministrazione statunitense. La significativa cautela adottata dal segretario di Stato Kissinger in merito offre un interessante punto di vista per valutare la politica americana riguardo al tema del Dissenso. Si vedano i seguenti documenti: telefonata tra Weisner e Kissinger, 11 maggio 1973 e 13 luglio 1973; colloquio tra Kissinger e Kennan, 14 settembre 1973, NSA.

[79] *Lettera a Leone di deputati DC*, in «l'Unità», 14 novembre 1975, p. 11.

[80] Relazione di Francesco De Martino al Comitato centrale del PSI. 16 ottobre 1975, APCI, MF 0208, pp. 1525-1546. Si vedano in particolare gli interventi di Carlo Galluzzi e Paolo Bufalini: riunione, 9 ottobre 1975, APCI, Direzione, MF 208, pp. 0250-0264.

[81] Conversazione tra Kissinger, William Rogers, e Amintore Fanfani, 1 dicembre 1976, NSA.

[82] U.F., *Chi è in pericolo: l'URSS o Sacharov?*, in «L'Avanti», 11 ottobre 1975, p. 3; *Il 'peso' dell'URSS*, in «L'Avanti», 18 ottobre 1975, p. 6.

[83] G. ARFÉ, *Socialisti e comunisti*, in «L'Avanti», 4 ottobre 1975, p. 3.

[84] Intervento di Bettino Craxi, Direzione, 11 dicembre 1975, FBC, Sottoserie 3: Direzione Nazionale ed Esecutivo, scatola 14, fasc. 1.

[85] Intervento di Bettino Craxi, Direzione, 16 gennaio 1976, FBC, Sottoserie 3: Direzione Nazionale ed Esecutivo, scatola 14, fasc. 1. Cfr. *Sacharov per un'amnistia internazionale*, in «L'Avanti», 11 dicembre 1975, p. 8.

[86] *Interpellanza del PCI sul 'caso' Sacharov*, in «l'Unità», 2 dicembre 1975, p. 2. L'interpellanza era stata avanzata da Tortorella, Natta, Segre, Pajetta, Cardia, Pochetti e Caruso. g.f.p., *Il PCI: rafforzare la distensione per sviluppare i valori democratici*, in «l'Unità», 2 dicembre 1975, p. 3.

[87] Lettera di Pavolini, 9 dicembre 1975, APCI, MF 210, pp. 1022-1023.

[88] Riunione, 12 dicembre 1975, APCI, Direzione, MF 209, p. 93.

[89] Riunione, 12 dicembre 1975, APCI, Direzione, MF 209, pp. 0049-0102.

[90] Si confrontino le due versioni della questione dei finanziamenti del 1975-1976. G. CERVETTI, *L'oro di Mosca*, cit., pp. 56-57; V. RIVA, *Oro da Mosca...*, cit., pp. 752-754.

[91] Lettera della Direzione del PCI al PCUS, 17 dicembre 1975, APCI, MF 210, pp. 1030-1031.

[92] Appunti di Pecchioli, 20 gennaio 1976, APCI, MF 212, pp. 0376-0381.

[93] Opuscolo inviato dal CC del PCUS al PCI, gennaio 1976, APCI, MF 212, p. 0407. Cfr. V. BUKOVSKIJ, *Gli archivi segreti...*, cit., pp. 210-211. Nota riservata di Pajetta e Pecchioli, gennaio 1976, APCI, MF 212, pp. 0327-0361.

[94] La svolta del PCF era avvenuta in occasione del XX Congresso: *Le XXII Congrès du PCF, l'évolution du mouvement communiste international et les relations PS-PC*, AHC, Fonds Gilles Martinet, MR 13, Dossier 3. Relations parti socialiste-parti communiste, 1975-1981. Cfr. *Le PC s'élève contre l'internement de Pliušč et contre l'attitude du PS*, in «Le Monde», 27 ottobre 1975. Intorno alla polemica tra PCF e PCUS sui toni utilizzati dal primo nella critica al secondo, si veda, a titolo esemplificativo: incontro tra le delegazioni del PCUS (Kirilenko, Ponomarëv, Zagladin) e del PCF (Laurent, Kanapa, Trigon, Rousson), 5 novembre 1977, APCF, Fonds Gaston Plissonnier, 264 J17: Relations PCF-PCUS, 1956-1987.

[95] Lettera del CC del PCUS alla Direzione del PCI, 18 febbraio 1976, APCI, MF 0280, pp. 0443-0448.

[96] Riunione, 5 marzo 1976, APCI, Direzione, MF 0227, pp. 0063-0090.

[97] Riunione, 23 giugno 1976, APCI, Direzione, MF 0239, pp. 603-647.

[98] Incontri tra le delegazioni del PCI e del PCUS, 11-15 marzo 1973, APCI, MF 041, p. 562.

[99] *L'azione del PCI per un'Europa democratica e pacifica*, in «l'Unità», 18 marzo 1973, p. 1; A. GUERRA, *La coerenza della posizione del PCI sugli avvenimenti cecoslovacchi*, in «l'Unità», 21 agosto 1973, p. 11.

[100] Nota di Goruppi, senza data, APCI, MF 053, p. 1257.

[101] Nota di Rossi, 3 settembre 1973, APCI, MF 048 p. 251.

[102] Lettera di Smrkovský a Berlinguer, settembre 1973, APCI, MF 048, pp. 203-256.

[103] Lettere di Smrkovský al PSF, 13 e 27 novembre 1973, FJJ, boite 403 RI 1, Tchécoslovaquie: «Tchécoslovaquie, Socialisme et Démocratie».

[104] Lettera di Smrkovský a Berlinguer, cit.

[105] Lettera di Smrkovský a Brežnev, 18 settembre 1973, APCI, MF 048, p. 241.

[106] Lettera di Berlinguer a Brežnev, 11 ottobre 1973, APCI, MF 048, pp. 663-664.

[107] Verbale della riunione di Direzione, 24 ottobre 1973, APCI, Direzione, MF 057, p. 44.

[108] Nota riservata di Cossutta, 10 dicembre 1973, APCI, MF 57, p. 631.

[109] In particolare si vedano gli interventi di Berlinguer e Pajetta. Riunione, 24 ottobre 1973, APCI, Direzione, MF 057, pp. 44 ss.

[110] Lettera di Berger a Bonchio, 19 novembre 1973, APCI, MF 065, p. 766; nota di Segre, 21 novembre 1973, APCI, MF 65, p. 764.

[111] Lettera della Segreteria del PCI al CC del PCCS, 23 novembre 1973, APCI, MF 065 p. 767. Si noti, tra l'altro, che nel dicembre del 1974, le autorità cecoslovacche avevano rifiutato il visto di ingresso per ragioni di lavoro a Silvano Goruppi, incaricato di seguire per «l'Unità» la visita di Brandt a Praga. Nota di Goruppi, 20 dicembre 1973, APCI, MF 074, p. 36.

[112] Nota riservata di Quercioli, 15-20 febbraio 1974, APCI, MF 074, pp. 51-64.

[113] Lettera del PCI, settembre 1973, APCI, MF 048, p. 252.

[114] In contrasto con tale documentazione, appare la testimonianza di A. Rubbi, Incontri con Gorbačëv, Editori Riuniti, Roma, 1990, pp. 152-153.

[115] Lettera di De Lazzari a Segre, 27 novembre 1973, APCI, MF 066, pp. 132-133.

[116] Riunione dell'UP, 3 aprile 1974, APCI, Direzione, MF 075, p. 611.

[117] Intervento di Bil'ak, colloqui PCCS-PCI, 1-4 luglio 1974, APCI, MF 080, pp. 127-156.

[118] E. Macaluso, 50 anni nel PCI, Rubbettino, Soveria Mannelli, 2003, p. 169.

[119] Secondo Macaluso la visita era «stata utilizzata anche per scoraggiare l'opposizione interna» e per mostrare che con il PCI tutto era «tornato come prima». Relazione di Macaluso, 10 luglio 1974, APCI, MF 080, pp. 119-121.

[120] D. Lajolo, Finestre aperte a Botteghe Oscure..., cit., pp. 210-211 e 235.

[121] Intervista dell'autrice ad Antonetti, cit.

[122] Secondo Antonetti, i redattori comunisti italiani vennero licenziati perché si rifiutarono di diventare spie. L. Antonetti, Postfazione, in A. Dubček, Il socialismo..., cit., p. 339. Sulla sospensione della distribuzione de «l'Unità»: nota, 1976, APCI, MF 228, p. 476. Licenziati i redattori di Radio Praga, in «Listy», febbraio 1976; lettera di protesta al PCI di Silhan, Hajek e altri, 25 maggio 1976, in «Listy», 41/76, p. 44. BRR, anton_arch 1.att. PCI 2.Radio Pr 004-005.

[123] Si vedano Una 'lettera aperta' del filosofo Kosík da Praga, in «l'Unità», 27 maggio 1975, p. 11; Personalità ceche per la libertà dei detenuti politici in Europa, in «l'Unità», 8 ottobre 1975, p. 12; Una lettera di Jiří Hajek alle autorità cecoslovacche, in «l'Unità», 12 novembre 1975, p. 13; Ž. Mlynář, Comunisti senza tessera in Cecoslovacchia, 12 aprile 1976, APCI, MF 228, pp. 0116-0128. Cfr. A. Rubbi, Il mondo di Berlinguer..., cit., pp. 112-121. Le dichiarazioni apparse su «l'Unità» contro la condanna dei «rinnegati» fornirono una base concreta a tale percezione: L. PA., Risposta al «Rudé Právo» in «l'Unità», 3 settembre 1976, p. 6.

[124] S. Pons, Berlinguer..., cit., pp. 84-86.

[125] L. Antonetti, Postfazione, in A. Dubček, Il socialismo..., cit., p. 340. S. Segre, La conferenza di Berlino, in «Rinascita», n. 28, 9 luglio 1976, pp. 1-2; A. Rubbi, Berlino, oltre le polemiche, in «Rinascita», n. 31, 30 luglio 1976, pp. 9-10.

[126] V. Bukovskij, Il vento va, e poi ritorna, Feltrinelli, Milano 1978; L. Alekseeva, Soviet Dissent..., pp. 311-312.

[127] V. Bukovskij, Gli archivi segreti..., cit., pp. 225-226; A. Martin, Vladimir Bukovskij: il contestatore, Edizioni Paoline, Bari, 1975. Intervista dell'autrice a Bukovskij, cit.

[128] M. Clementi, *Storia del dissenso...*, cit., pp. 162-165.

[129] V.L. Ferraris, *Testimonianze di un negoziato: Helsinki-Ginevra-Helsinki, 1972-1975*, Cedam, Padova, 1977; C. Meneguzzi Rostagni, *The Helsinki Process. A Historical Reappraisal*, Cedam, Padova, 2005; G. Barberini, *Dalla CSCE all'OSCE: testi e documenti*, Edizioni Scientifiche Italiane, Napoli, 1995; A. Romano, *From Détente...*, cit.

[130] A. Graziosi, *L'Urss dal trionfo al degrado...*, cit., pp. 422-423.

[131] Nota riservata di Segre sull'incontro con Brecz, 13 novembre 1976, APCI, MF 0280, pp. 0382-0385; cfr. l'intervista rilasciata da Enrico Berlinguer a Gianpaolo Pansa per il «Corriere della Sera», 13 giugno 1976, APCI, MF 239, pp. 1158-1171.

[132] Lettera di Nina Ivanovna Bukovskaja a Berlinguer, 10 giugno 1976. APCI, MF 0241, pp. 1304-1305; lettera di Karatnycky, 23 settembre 76, APCI, MF 0243, pp. 1976-1978.

[133] Bukovskij si è rifiutato di comunicare il nome della donna; intervista dell'autrice, cit. Si noti che un appello in favore di Bukovskij fu inviato a Berlinguer anche da Jean Marie Bressand. Lettera di Bressand, 31 agosto 1976, APCI, MF 241, pp. 1618-1620.

[134] Lettera di Berlinguer a Brežnev, 6 agosto 1976, APCI, MF 0241, pp.1306-1307.

[135] Lettera del CC del PCI al CC del PCUS, 7 novembre 1977, APCI, pp. 0553-0554.

[136] Si noti che anche l'Internazionale socialista aveva richiesto la liberazione di Bukovskij: General Secretary report (GS26/76) to Bureau Members, circular no. B11/76, 19 marzo 1976, FFT, b. 32: s. 11 ss. C f. 20, cc. 352, 1976, Internazionale socialista.

[137] Cfr. A. Guerra, *Dalle 'svolte' di Togliatti e Stalin del 1944 al crollo del comunismo democratico*, Dedalo, Bari, 2005, p. 283. Cfr. A. Rubbi, *Il mondo di Berlinguer...*, cit., pp. 110-111.

[138] *A Bologna passo del Consiglio Comunale per Bukovskij*, in «l'Unità», 14 dicembre 1976, p. 6.

[139] P. Juquin, *De battre mon cœur n'a jamais cessé*, L'Archipel, Paris, 2006, pp. 468-469. Cfr. S. Courtois – M. Lazar, *Histoire du Parti Communiste Français*, PUF, Paris, 2000, p. 381.

[140] Intervista dell'autrice a Renato Sandri, Mantova, 7 gennaio 2009.

[141] *Due realtà*, in «l'Unità», 18 dicembre 1976, p. 1.

[142] Si pensi al caso di Amal'rik: *Uno scritto di Andrej Amal'rik*, in «l'Unità», 23 dicembre 1976, p. 14.

4
Il ritorno della Primavera? Limiti e potenzialità di un «nuovo corso» dell'Est (e dell'Ovest)

> *Noi non accetteremo, direi di più: noi non avremo rapporti mai con un partito che pretendesse di imporci quello che dobbiamo pensare o dire.*
> Gian Carlo Pajetta, riunione della Direzione del PCI

Charta 77 ed il caso Mlynář: più eurocomunisti dell'eurocomunismo

Dopo il successo della firma dell'Atto Finale di Helsinki, nell'estate 1975, i rapporti tra i due blocchi erano tornati ad essere più complessi: mentre la strada della distensione diveniva irta di ostacoli, l'apparente tranquillità del blocco sovietico era turbata dall'emergere di un variegato movimento di Dissenso che, in alcuni casi – si pensi alla Polonia, e, entro certi limiti, alla Cecoslovacchia – stava volgendo in opposizione al regime. L'approvazione del Terzo Cesto di Helsinki si sarebbe rivelata un'arma a doppio taglio, suscettibile di mettere in imbarazzo le autorità dell'Est di fronte all'opinione pubblica internazionale [1]. Intorno a tali temi, il Cremlino era quindi diventato progressivamente più sensibile alle osservazioni critiche dei partiti fratelli [2]. Nuova linfa al movimento di Dissenso nel blocco sovietico era venuta poi dall'azione delle Nazioni Unite: il 1977 era stato infatti proclamato l'anno dei diritti dei prigionieri politici. Infine, l'elezione del democratico Jimmy Carter alla presidenza degli Stati Uniti rese la questione dei diritti umani uno dei terreni di confronto della Guerra Fredda. Sin dalla campagna elettorale, Carter aveva polemizzato con il segretario di Stato repubblicano Kissinger, definendo la sua politica verso l'Unione Sovietica «statica» e «conservatrice»[3]. Fu quindi chiaro sin dalle prime iniziative promosse da Carter – l'incontro con Bukovskij e la corrispondenza intrattenuta con Sacharov – che la sua presidenza avrebbe determinato una svolta rispetto alla politica di Nixon e di Ford. La nomina di Zbigniew Brzezinski, di origine polacca e di religione ebraica, a consigliere per la Sicurezza nazionale, confermò tale impressione.

La nuova tendenza di Washington, pur costituendo la principale preoccupazione di Mosca, non era certo l'unica: i sovietici erano infastiditi dal chiassoso emergere dell'«eurocomunismo», attorno al quale la stampa internazionale mostrava un crescente interesse. Nel giugno 1976, durante un comizio Berlinguer-Marchais a Parigi, il Segretario italiano accolse la denominazione coniata dal giornalista Frane Barbieri[4], sancendo così la nascita ufficiale dell'eurocomunismo, una nuova sinergia tra PCI, PCF e PCE.

Agli occhi dei comunisti italiani, la situazione sembrava evolvere rapidamente: il crollo dei regimi autoritari di Grecia, Portogallo e Spagna segnava una svolta degli equilibri politici del Mediterraneo. La stessa elezione di Carter non aveva avuto solamente una ricaduta sul mondo del Dissenso. I primi passi del Presidente democratico lasciarono pensare che la posizione di chiusura pregiudiziale nei confronti del comunismo occidentale – caratteristica dell'azione del segretario di Stato dei due precedenti Governi, Henry Kissinger – appartenesse ormai al passato. Durante la campagna elettorale, il candidato democratico si era infatti distinto per un contegno non aprioristicamente negativo nei confronti delle forze comuniste del blocco atlantico. In realtà, Berlinguer nutriva delle illusioni in merito: la pregiudiziale anticomunista non apparteneva ancora al passato. La nuova politica statunitense di non ingerenza negli affari italiani non significava certo che Washington avrebbe accettato la partecipazione del PCI al Governo[5]. Se Carter manteneva, intorno a tale questione, una posizione non troppo differente rispetto a quella dei suoi predecessori, anche alcuni leader europei mostravano dubbi riguardo alla possibilità di un governo occidentale a partecipazione comunista. Come ha di recente ricostruito Antonio Varsori, nel 1976, in occasione del vertice di Puerto Rico, il cancelliere tedesco Helmut Schmidt si era pronunciato contro tale prospettiva, proponendo di vincolare il sostegno all'economia italiana all'esclusione dei comunisti dal Governo[6].

L'atteggiamento degli attori internazionali era tuttavia percepito in termini meno negativi da parte dei comunisti italiani: il clima di distensione ed il passaggio di potere alla Casa Bianca facevano ritenere a Berlinguer di poter osare, accentuando il proprio dinamismo nella politica interna così come in quella internazionale. Per quanto concerne l'atteggiamento del PCI nei confronti del Dissenso, tale vitalità ebbe come effetto immediato un aumento dell'attenzione di Botteghe oscure nei riguardi del fenomeno dell'Est. Per la prima volta, l'enunciazione del legame tra socialismo e democrazia trovò un riscontro anche nella ricerca di un contatto con la nascente opposizione nel blocco sovietico. Furono in particolare la fondazione della cecoslovacca Charta 77 e l'istituzione del polacco KOR (Comitato di difesa degli operai), a suscitare l'interesse del partito di Berlinguer. Lasciando al prossimo capitolo l'analisi delle relazioni con l'opposizione di Varsavia, ci concentreremo qui sul tema dei rapporti con il Dissenso di Praga.

Charta 77 fece la propria apparizione nel mondo occidentale i primi giorni del gennaio 1977. In confronto alle eterogenee manifestazioni del Dissenso nel periodo precedente, Charta 77 possedeva una fisionomia più uniforme ed intelligibile: il suo orientamento socialista ed il chiaro legame con il «nuovo corso» consentivano l'identificazione di un soggetto politico definito[7]. Probabilmente, questo aspetto contribuì a favorire la comprensione del fenomeno da parte degli osservatori del blocco atlantico: i segnali che il PCI lanciò agli esponenti di Charta 77 furono da subito incoraggianti[8].

«l'Unità» pubblicò, infatti, la dichiarazione di alcuni intellettuali comunisti in favore del movimento di opposizione[9]. In occasione del discorso sulla politica di austerità, l'iniziativa dell'*intelligencija* comunista italiana ottenne il *placet* ufficiale di Berlinguer[10]. E mentre alcuni giornalisti de «l'Unità» furono inviati in Cecoslovacchia, affinché potessero incontrare gli esponenti del Dissenso[11], Luciano Antonetti propose al viceresponsabile della Sezione Esteri, Antonio Rubbi, l'organizzazione di un dibattito con alcuni esponenti dell'opposizione cecoslovacca[12]. L'iniziativa si sarebbe poi realizzata solamente nel 1978, ma il dato qui rilevante è l'apertura di un processo che tendeva a promuovere la conoscenza ed il dialogo con il Dissenso dell'Est. Oltre il Muro, il volto eurocomunista otteneva vasti consensi tra gli oppositori: alla ricerca di un dialogo con il PCI era in particolare l'anima eurocomunista del gruppo di Charta 77, l'«E-club», alla cui testa era Zdeněk Mlynář, l'ex segretario del Comitato centrale del PCCS espulso dal partito nel 1970[13].

Una pioggia di missive cadde su Botteghe oscure: la richiesta principale proveniente dalla «nuova opposizione cecoslovacca» fu quella di un appoggio esplicito e concreto, che ostacolasse una «caccia alle streghe», minaccia per «il futuro del socialismo», e per la distensione[14].

La campagna di sensibilizzazione lanciata da Charta 77 aveva come destinatari principali i tre partiti eurocomunisti e, in seconda battuta, anche i socialisti europei, tra i quali, in particolare, Brandt, Mitterrand, Craxi, Kreisky e Palme [15].

Il Dissenso socialista, quindi, ricercava interlocutori nell'ambito della sinistra occidentale in generale, ma con maggiore convinzione nei confronti dei partiti eurocomunisti, visti come i continuatori dell'esperienza della Primavera di Praga. Una sintonia tra le posizioni della sinistra comunista occidentale e del Dissenso cecoslovacco si avvertì nel caso di Milan Hübl, incarcerato per aver collaborato con il PCI e con il settimanale «Rinascita». Una missiva dello stesso ex dirigente del PCCS informava Botteghe oscure dell'accaduto, sottolineando come tale provvedimento fosse stato adottato per colpire il PCI, oltre che il Dissenso cecoslovacco [16].

Nonostante il nuovo attacco indiretto proveniente da Husák ed il fiorire di contatti con il Dissenso, dall'analisi della documentazione conservata presso la Fondazione Gramsci emerge nuovamente l'assenza di una strategia organica nei confronti dell'opposizione socialista cecoslovacca. Dopo lo spiccato interesse manifestato nei primi mesi del 1977, il PCI mostrò un contegno più cauto. Alcune ragioni di natura interna possono spiegare questo contraddittorio ritorno alla stasi, nel mezzo del periodo eurocomunista: innanzitutto, l'idea che i dissidenti non dovessero divenire «interlocutori privilegiati» [17]. La *forma mentis* dei dirigenti del PCI li portava a considerare con maggiore attenzione le «forze reali», vale a dire quelle che incidevano in modo determinante nelle dinamiche della società [18]. In tale analisi, era chiaramente ravvisabile una sottovalutazione della questione del Dissenso e della sua reale incidenza non solo in seno al blocco sovietico, ma relativamente all'*appeal* del «socialismo reale». In secondo luogo, la compresenza, in seno al PCI, di diverse sensibilità attorno al tema dell'opposizione dell'Est, posizioni che si articolavano dal pubblico sostegno ai dissidenti – in particolare rispetto a quelli cecoslovacchi – all'indifferenza nei loro confronti, sino alla completa avversione [19]. L'esistenza di tendenze anche contrastanti rendeva difficile la definizione di una politica nei confronti del Dissenso dai contorni chiari. In terzo luogo, e quest'ultimo era un aspetto condiviso trasversalmente all'interno del partito, la necessità di mantenere un profilo medio-basso per non favorire la campagna antisovietica, e soprattutto per non accrescere le tensioni con l'Unione Sovietica, già profondamente irritata dalle posizioni eurocomuniste del PCI. Si rendeva quindi necessario promuovere la propria autonomia, evitando pericolose identificazioni: la tensione intorno al tema del Dissenso, in seguito all'elezione di Carter, era cresciuta in modo esponenziale non solo nel confronto USA-URSS, ma anche all'interno del movimento comunista internazionale, tra eurocomunisti e filosovietici. Inequivocabile in proposito fu l'esternazione di Pajetta in una riunione della Direzione: «Noi siamo per la libertà di espressione ma non ci identifichiamo con nessun gruppo di dissidenti in presenza di un rincrudimento ed una aggressività della campagna anticomunista» [20]. La prospettiva eurocomunista andava consolidata evitando però un dannoso isolamento: per questo si imponeva di «avere rapporti con tutti» e «non dare l'impressione di volere contrapporsi ad altri». La questione del Dissenso, sia per la sua natura intrinseca di problema interno alla «patria del socialismo», sia per l'uso antisovietico al quale si prestava, andava quindi trattata con grande cautela.

Un prossimo avvenimento internazionale rendeva, inoltre, il tema del Dissenso di grande attualità: tra il 1977 ed il 1978, si sarebbe tenuta a Belgrado la conferenza di verifica dell'applicazione dei principi di Helsinki. L'appuntamento internazionale, nell'analisi dei sovietici, avrebbe potuto trasformarsi facilmente in un processo per le violazioni della legalità compiute nel blocco sovietico, provocando seri danni all'immagine delle classi dirigenti dell'Est [21]. Se l'appuntamento di Belgrado rendeva nervosi tutti i dirigenti al di là del muro, Husák divenne certamente il più suscettibile, essendo il più esposto su tali temi. A fronte dell'interesse manifestato dal PCI nei confronti di Charta 77, Husák accusò apertamente Botteghe oscure di «incitare i dissidenti», e di prendere parte in modo «attivo» alla campagna «isterica» contro il governo cecoslovacco [22]. Anche il Cremlino esercitò pressioni sul PCI in questo senso: il dovere dei partiti comunisti occidentali era quello di fare fronte comune dinnanzi a certe critiche; non certo di dare loro adito [23]. I sovietici mostravano forti segni di insofferenza nei riguardi dell'atteggiamento degli alleati occidentali.

Un nuovo ritrovo dei tre segretari eurocomunisti era all'orizzonte: sebbene Berlinguer, Marchais e Carrillo respingessero pubblicamente l'idea che l'eurocomunismo fosse un movimento o tanto meno un nuovo modello, Brežnev osservava con sempre maggiore sospetto la sinergia tra i tre partiti. Per queste ragioni, in occasione dell'incontro dei leader eurocomunisti a Madrid, nel marzo 1977, Mosca fu chiara: quel ritrovo non doveva generare una piattaforma comune, pervasa da una «critica non oggettiva» al PCUS e alla «società socialista sovietica». Nei discorsi dei dirigenti di Mosca, una tale eventualità avrebbe inevitabilmente condotto alla «scissione» tra i partiti comunisti del blocco occidentale e di quelli del blocco orientale [24]. Il legame tra democrazia e socialismo – e, conseguentemente, il tema del Dissenso – era di nuovo al centro dei contrasti tra partiti fratelli. Esso era – in realtà – un paravento che mal celava le sempre più evidenti insofferenze del Cremlino nei riguardi dei moti d'indipendenza dei partiti comunisti occidentali. Né Mosca né Botteghe oscure erano però intenzionate a rompere. Da parte dei compagni italiani, il legame con la «patria del socialismo» era talmente radicato – dal punto di vista della tradizione ideologica, del legame finanziario, e della prospettiva internazionale – che un allontanamento dal Cremlino era impensabile. Nemmeno i successi della distensione, il mutato atteggiamento dell'Amministrazione statunitense e il nuovo ruolo del partito in politica interna potevano sostituire l'elemento fondante ed identitario costituito dalla relazione internazionalista.

Il legame con l'URSS non poteva essere spezzato. Ragioni di natura interna ed internazionale rendevano obbligata questa scelta, agli occhi dei dirigenti del PCI. Innanzitutto, la costitutiva fragilità dell'eurocomunismo. Se per gli italiani esso significava adempiere alla propria 'missione universale' di riforma del comunismo, per i francesi l'intento era assolutamente strumentale ed intrinsecamente correlato al raggiungimento dei propri obiettivi in politica interna; ancor diverso era lo scopo degli spagnoli, gli unici forse convinti della necessità di costituire un terzo polo del comunismo a livello europeo [25]. In secondo luogo, era l'obiettivo stesso dell'eurocomunismo ad essere d'ostacolo alla rottura del legame con Mosca. Contrariamente a quanto asserito recentemente da Cossiga [26], nell'opinione di chi scrive, Berlinguer mirava ad una riforma del comunismo mondiale realizzabile solo dall'interno del movimento comunista internazionale. La costituzione di un modello alternativo avrebbe fatto gridare i sovietici all'eresia, mettendo il PCI nell'impossibilità di raggiungere il proprio scopo. Infine, vi era un elemento di natura interna. Botteghe oscure – dopo le clamorose vittorie elettorali degli anni 1975 e 1976 – scorgeva i primi segni di perplessità nel proprio elettorato di fronte alle svolte impresse alla strategia del partito, ed in particolare riguardo al sostegno indiretto al governo Andreotti, che non pareva dare i frutti sperati in termini di riforma del sistema politico italiano. In queste condizioni, distanziare definitivamente l'immagine del PCI da quella del «socialismo reale» poteva rivelarsi una scelta azzardata.

Conseguenza diretta di tali considerazioni fu una nuova presa di distanza nei confronti dell'opposizione dell'Est. Si palesava quindi la maggiore contraddizione del PCI: anche nel pieno periodo eurocomunista,

Botteghe oscure mise dei chiari limiti al dialogo con gli oppositori del blocco sovietico. Se si voleva continuare a contare, se si desiderava che l'eurocomunismo avesse un avvenire, non si poteva rompere con le classi dirigenti dell'Est. E quindi, non si riteneva concretizzabile l'istituzione di un legame ufficiale con gli oppositori del proprio principale alleato.

La gestione del caso di Zdeněk Mlynář rese esplicito questo ragionamento. Mlynář, leader del PCCS durante la Primavera di Praga ed estensore della Charta 77, era stato esiliato nel 1977 ed era il più convinto sostenitore dell'eurocomunismo tra gli oppositori cecoslovacchi [27]. Nell'estate di quell'anno, attraverso la mediazione di Jiří Pelikán [28], Mlynář tentò di stabilire un contatto ufficiale con Berlinguer. La richiesta di un incontro al massimo livello, segno di un nuovo inizio tra PCI ed opposizione cecoslovacca, fu fortemente sostenuta da Luciano Antonetti e da Giuseppe Boffa [29]. La Direzione ritenne tuttavia che la scelta fosse avventata, ed acconsentì solo ad un incontro con Adalberto Minucci, membro della Direzione e direttore del settimanale comunista «Rinascita». Nella testimonianza di Antonetti, la scelta intorno alla tipologia di incontro che poté ottenere Mlynář – con un dirigente del PCI, ma non di primo piano – era comprensibile considerando che essa avveniva in un «momento di accresciuta tensione tra PCI e PCUS» [30]. In effetti, Mosca stava conducendo una violenta campagna stampa contro i partiti eurocomunisti, che ravvisava nel progetto politico dei partiti comunisti occidentali un pericoloso tentativo di «rottura» nel movimento comunista.

Così la Direzione de «l'Unità» decise di non conferire risalto all'incontro, dandone notizia in poche righe sul fondo della prima pagina [31]: nelle parole di Antonetti, interprete per l'occasione, «ambedue gli interlocutori rimasero scontenti, il che non impedì tuttavia che negli anni successivi si stabilisse una buona collaborazione tra l'esponente cecoslovacco e la nostra stampa» [32]. L'incontro non diede, in effetti, frutti immediati.

Durante il colloquio con Minucci, Mlynář fece delle richieste ben precise, caldeggiando una chiara presa di posizione da parte del PCI: dopo aver espresso gratitudine nei confronti dei comunisti italiani per il sostegno politico e morale fornito ai compagni della Primavera, l'esule avanzava richieste concrete, tra le quali l'organizzazione di «un seminario di studi sugli insegnamenti della vicenda cecoslovacca dal 1948», e l'intervento dei «Partiti eurocomunisti presso Mosca e Praga» in occasione del decimo anniversario dell'occupazione, affinché ribadissero che la questione cecoslovacca era «ancora aperta» [33]. Alcune delle richieste di Mlynář vennero accolte: tuttavia, risultarono evidenti i limiti dell'appoggio al dissidente, un sostegno che si voleva mantenere a livello culturale. Come nei primi anni Settanta, il clima di incertezza lasciò lo spazio ad alcune iniziative personali a favore del Dissenso: il volume di Mlynář, *Praga questione aperta*, fu pubblicato da De Donato grazie all'aiuto del PCI. Il testo venne integrato da una prefazione di Lombardo Radice, e fu recensito da Bertone su «Rinascita»[34].

In occasione del decimo anniversario dell'agosto 1968, Botteghe oscure sembrò accogliere l'invito alla riflessione sui temi del «socialismo reale» avanzato da Mlynář. Nel 1977, Luciano Antonetti propose di organizzare un convegno sul «nuovo corso» che avrebbe dovuto coinvolgere anche alcuni esponenti della Primavera. L'evento effettivamente ebbe luogo ma senza la partecipazione dei protagonisti cecoslovacchi. La scelta fu dettata dalla volontà di non offrire spazio ai rappresentanti del governo di Husák, che ripetutamente e con inusuale insistenza aveva proposto la propria partecipazione[35]. L'evento si poneva nel solco della politica elaborata dai comunisti italiani nei confronti di Praga: sostenere indirettamente i dissidenti, promuovendo una riflessione intorno alle diverse vie al socialismo. L'aspetto nuovo fu, in quel caso, il riconoscimento dell'esistenza di importanti limiti nel dialogo con l'opposizione socialista dell'Est, e con quella cecoslovacca, in particolare. La ragione di tale manchevolezza era da ricercare nella diversità delle esperienze vissute dai due attori politici[36]. Tuttavia, al di là di questa inedita riflessione, l'incontro si mosse sulla scia della strategia già consolidata, vale a dire una manifestazione di dissenso nei confronti di alcuni provvedimenti delle classi dirigenti dell'Est, associata ad una conferma dell'internazionalismo ed al rifiuto a stabilire un legame permanente ed ufficiale con l'opposizione del blocco sovietico.

Il confronto tra Roma e Praga in occasione del decimo anniversario dell'invasione fu invece foriero di una recrudescenza del contrasto tra i due partiti fratelli. La riconferma del giudizio positivo sul «nuovo corso» da parte del PCI, associato alla condanna delle sentenze ai danni degli attivisti di Charta 77, generò un nuova campagna accusatoria ai danni di Botteghe oscure[37]. Il segretario del Comitato centrale del PCCS, Jan Fojtík, accusò gli eurocomunisti di essere responsabili della diffusione di un'immagine falsata della Cecoslovacchia, basata solamente sui «brontolii dei dissidenti»[38]. L'ennesima accusa cecoslovacca indusse i comunisti italiani a sancire il congelamento dei rapporti tra Berlinguer e Husák, mai realmente ristabiliti dal 1968. Pajetta replicò provocatoriamente alle polemiche: «Noi non accetteremo, direi di più: noi non avremo rapporti mai con un partito che pretendesse di imporci quello che dobbiamo pensare o dire»[39].

Questo valeva certamente anche nei confronti dei possibili alleati in politica interna, soprattutto se politicamente indeboliti e divisi al proprio interno come era il Partito socialista italiano degli anni Settanta. Una certa presunzione in merito alla forza elettorale ed organizzativa viziava l'atteggiamento del PCI nei confronti di De Martino [40]. Quel contegno paternalistico – malvisto da tempo da numerosi dirigenti socialisti – trovava ora una risposta audace nell'intraprendente azione del Vicesegretario autonomista. Craxi iniziò a conferire al tema del Dissenso un rilievo politico e talvolta strumentale, come risultò evidente già nella gestione del già citato caso Mlynář. Grazie alla collaborazione di Pelikán con il PSI, Mlynář riuscì senza alcun problema ad assicurarsi un incontro con Craxi. Fu lo stesso Pelikán, nell'ambito della mediazione con i comunisti, a sottolineare la diversità di atteggiamento dei due leader italiani: «Il Segretario del PSI – riferiva l'esule cecoslovacco – ha già detto che sarà felice di incontrare Mlynář» [41].

La vicenda del 'dissidente eurocomunista' costituiva quindi la pietra di paragone della diversa strategia politica di PCI e PSI attorno al tema del Dissenso. Il primo, infatti, pur non rinunciando ad un dialogo con l'opposizione dell'Est, riteneva di mantenere un profilo medio-basso al fine di non inasprire ulteriormente i rapporti già tesi col PCUS, per non giungere ad una rottura non desiderata da nessuno dei due attori del movimento comunista mondiale. I leader del PSI, al contrario, liberi da vincoli di natura internazionale, facevano dei contatti con i dissidenti una bandiera dell'identità socialista. L'azione del settimanale socialista «Mondoperaio» si sviluppò proprio in questo senso: da un lato, sensibilizzare ed informare l'opinione pubblica circa il movimento del Dissenso; dall'altro, incalzare il PCI a «proseguire nel processo di revisione ideologica e culturale» [42].

Ma la diversità delle due principali componenti del movimento operaio italiano risiedeva, prima ancora che nella definizione di una politica, nell'analisi del fenomeno del Dissenso. Nel 1974, Craxi stilò la prefazione ad un volume che raccoglieva le riflessioni inedite di un anonimo ex dirigente del «nuovo corso» cecoslovacco: lo scopo del delfino di Nenni era quello di squarciare il «velo di silenzio» che era sceso sulla situazione di Praga, grazie all'azione di *democratici intransigenti*, «opportunisti», «complici» e «super realisti» [43]. Rivelando pubblicamente, per la prima volta, la vicenda della lettera inviata da Smrkovský a Brežnev ed a Berlinguer, Craxi riconosceva la peculiarità della nascita di una «*opposizione socialista cecoslovacca*», che raccoglieva idealmente il testimone degli ex leader della Primavera ma che costituiva, al contempo, una realtà potenzialmente innovativa [44]. Era una riflessione di grande rilievo: a differenza dei comunisti italiani – che ritenevano come unico plausibile agente di cambiamento un'opposizione sulla falsariga di quella del 1968 cecoslovacco, cioè nata all'interno del partito, avanguardia del cambiamento – Craxi vide in quel dissenso esterno al PCCS l'unica, concreta e reale possibilità di rinnovamento del «socialismo reale» [45]. La sinistra occidentale aveva, quindi, il «diritto morale di esercitare sulla direzione sovietica una pressione politica»; essa doveva prendere coscienza, in definitiva, del proprio diritto-dovere di solidarietà [46]. L'azione politico-culturale del PSI sul terreno della difesa degli oppositori dell'Est iniziò quindi a consolidarsi sin dal 1973-1974, grazie all'azione della corrente autonomista.

«Mondoperaio» organizzò così, nel 1974, il convegno «Il sistema sovietico tra Stalin e Brežnev» [47]. L'iniziativa, antesignana di quella della Biennale del 1977, si poneva come obiettivo principale l'analisi del «socialismo reale» dalla fase dominata dal dittatore georgiano sino a quella degli anni Settanta. All'evento parteciparono giornalisti, studiosi italiani e stranieri, ed alcuni oppositori al regime husákiano [48]. L'intervento di Pelikán, focalizzato sul ruolo e sui doveri della sinistra occidentale, fu particolarmente pungente. Secondo l'intellettuale cecoslovacco, i progressisti del blocco atlantico avrebbero dovuto sostenere il Dissenso del blocco sovietico attraverso tre canali: innanzitutto, incoraggiando una riflessione approfondita della realtà effettiva del «socialismo sviluppato», promuovendo la creazione di appositi istituti di ricerca; in secondo luogo, avanzando una critica più «netta ed esplicita» nei confronti dei «fenomeni di repressione in URSS e nei Paesi socialisti». In terza battuta, Pelikán invitava le forze comuniste e socialiste europee a conferire uno spessore maggiore alla propria proposta di un socialismo 'altro' rispetto a quello reale [49].

Sebbene non fosse nominato espressamente, il riferimento alla fragile consistenza dell'eurocomunismo apparve palese. Secondo alcuni, la stagione dell'eurocomunismo – appena inaugurata – viveva già il suo tramonto.

I processi di Mosca. Berlinguer tra equilibrio ed equilibrismo

L'appuntamento internazionale per la prima verifica dell'applicazione dell'Atto Finale – fissato a Belgrado, nel 1977 – suscitò grandi aspettative nel variegato mondo del Dissenso. La speranza che Belgrado divenisse il banco d'accusa del «socialismo reale» di fronte alla comunità internazionale era trasversalmente condivisa dalle diverse anime dell'opposizione in seno al blocco sovietico [50]. In particolare, alcuni dissidenti ritenevano che il PCI – baluardo della critica all'interno del movimento comunista internazionale – avrebbe potuto esercitare un'efficace pressione sul Cremlino in questo ambito [51]. Brežnev non intendeva tuttavia farsi mettere all'angolo dalla questione dei diritti umani: le intenzioni dei sovietici in merito furono comunicate in tempi rapidi al Partito comunista italiano. Durante un incontro a Mosca, nel febbraio 1978, Botteghe oscure espresse i propri timori riguardo alle possibili evoluzioni dell'appuntamento di Belgrado: il comportamento reticente dei sovietici avrebbe potuto essere indicato come la ragione del fallimento dell'assise internazionale. Come nel caso di Sacharov, Ponomarëv lasciò intendere che la politica estera sovietica era di esclusiva competenza del Cremlino e che, in nessun caso, sarebbe stata oggetto di discussione con un partito fratello [52]. L'ideologo del PCUS rispose così con la trita propaganda, paventando l'azione di «spie e sabotatori» [53]. Ponomarëv tenne, però, anche a rassicurare i comunisti italiani, puntualizzando che Mosca aveva già chiarito la propria posizione in merito, con Washington: l'incontro di Belgrado era stato convocato «non per litigare» o «avanzare pretese reciproche», ma per «sostenere e sviluppare uno spirito positivo di cooperazione e distensione» [54]. Su tale questione, l'URSS non transigeva: l'intervento sovietico in Angola e l'ingerenza nel conflitto somalo-etiope avevano già offuscato l'immagine del Cremlino come 'campione' della distensione e promotore della pace nel mondo [55]. Se su tali questioni Mosca poteva solo rispondere con la consueta controinformazione, Helsinki forniva una carta in più in difesa della piena ed insindacabile libertà del Cremlino di gestire la propria politica interna, compresa la gestione del Dissenso. Il richiamo ai principi di non ingerenza e del rispetto della sovranità, contenuti nel Primo Cesto, avrebbe impedito che la repressione in seno al blocco comunista divenisse oggetto di discussione nell'arena internazionale [56].

L'Unione Sovietica non era sola a considerare Belgrado come un appuntamento svuotato di ogni significato sul piano della difesa dei diritti umani. Divenne infatti presto evidente che nemmeno gli altri Stati partecipanti erano intenzionati a compromettere i risultati della distensione per difendere le libertà politiche dei popoli dell'Est europeo. In questo senso pare si fosse espresso anche il ministro degli Esteri italiano. Forlani – riportava Zagladin al PCI – aveva garantito ai sovietici che l'appuntamento internazionale si sarebbe svolto «in modo tranquillo e positivo», e soprattutto «senza reciproche accuse» [57].

La distensione non era tuttavia l'unica questione sul tavolo a Belgrado: la Conferenza sarebbe stata anche un test per l'unità del movimento comunista internazionale[58]. I partiti comunisti occidentali erano chiamati a difendere la «patria del socialismo» dalla «caccia alle streghe» contro il comunismo[59]. Fu ancora una volta Pajetta a tranquillizzare i sovietici sull'unità del fronte comunista mondiale: Botteghe oscure, pur non volendo nascondere le «differenze», desiderava evitare irrimediabili «rotture». Bufalini puntualizzò: da parte del PCI e della sua stampa, non sarebbe stato stabilito un «rapporto prioritario» tra la questione del Dissenso ed il problema del disarmo[60]. La posizione dei comunisti italiani era certo pragmatica e nella sostanza poco si discostava da quella delle due superpotenze. Oltre al Cremlino, anche l'Amministrazione statunitense aveva ridimensionato la politica dinamica sui diritti umani sotto l'influenza del segretario di Stato Vance, secondo il quale il tema del disarmo doveva avere la priorità nel dialogo con l'URSS[61].

Oltre che dall'elemento internazionale, la strategia del PCI nei confronti della repressione nel blocco sovietico non poteva non essere influenzata dall'inedito ruolo che Botteghe oscure si ritrovò a ricoprire nella seconda metà degli anni Settanta. Vale infatti la pena di ricordare che i comunisti italiani stavano – in quel frangente – appoggiando indirettamente il «governo delle astensioni», reso necessario dall'emergenza dovuta ad alcuni fattori di natura interna (la crisi economica, la persistente instabilità governativa e la violenza dell'attacco terroristico in Italia, solo per citare i principali). I 'terremoti' delle consultazioni del 1975 e 1976, con il significativo spostamento dell'elettorato verso sinistra, avevano reso impossibile garantire la sopravvivenza di un Governo senza il sostegno (o – meglio – la benevola astensione) del Partito comunista italiano. L'appoggio indiretto del PCI consentì così ad Andreotti di formare il governo della «non sfiducia», nel luglio 1976. In una siffatta situazione, se il Governo italiano non intendeva attaccare l'Unione Sovietica sui temi del Terzo Cesto, non sarebbe stato certo il PCI a contestare la politica estera del proprio Paese, prendendo le distanze da essa per condannare l'URSS, il proprio principale alleato, sulla questione della repressione interna al blocco sovietico. Belgrado non sarebbe stata occasione di una rottura: su questo punto – garantiva di nuovo Pajetta – il PCI ed il Governo italiano erano in sintonia[62].

L'iniziativa di riportare l'attenzione degli Stati partecipanti all'originario obiettivo dell'appuntamento internazionale – la verifica degli Accordi di Helsinki – fu quindi lasciata a due attori politici *outsider*: i socialisti italiani e francesi. Il responsabile degli Esteri del PSI – Carlo Ripa di Meana – annunciò la sua missione di protesta a Belgrado a margine della Biennale di Venezia sul Dissenso, da quest'ultimo promossa in veste di presidente dell'Ente culturale. Al termine di un rocambolesco viaggio, Ripa di Meana portò al rappresentante sovietico la lista degli intellettuali trattenuti all'Est ai quali era stato impedito di partecipare alla Biennale, reclamando il rispetto dei principi di collaborazione culturale, contenuti nell'Atto Finale [63]. La risposta della delegazione sovietica fu concisa ma densa di significato: «Un sergente e tre soldati bastano a far saltare in aria il ponte della distensione Est-Ovest» [64]. Era ancora una volta il tema della distensione a costringere i sostenitori dei diritti umani nell'angolo; a Belgrado non ottenne ascolto nemmeno la delegazione del PSF, che chiedeva conto dell'antisemitismo in URSS [65].

Anche il PCI fornì il proprio apporto alla discussione sulla mancata applicazione del Terzo Cesto, nel limite che riteneva gli fosse consentito, ossia quello dell'analisi e della riflessione culturale. A differenza dei compagni francesi, la posizione di Botteghe oscure non implicava infatti un totale ripiegamento: essa si articolava nel sostegno alla politica estera dell'URSS, ma parallelamente anche nella critica ai limiti dell'esperienza sovietica. I dirigenti del PCI avevano però fatto male i loro calcoli: gli interventi apparsi su «Rinascita» causarono un durissimo confronto tra Roma e Mosca [66]. Suslov rimproverò aspramente Berlinguer per aver consentito alla stampa del PCI di tratteggiare un «quadro indecoroso» della realtà dell'URSS [67]. Il Cremlino – in una fase, come ricordato, di debolezza della propria immagine – mal tollerava ogni critica al proprio operato. L'ipersensibilità dimostrata dal PCUS risulta particolarmente evidente se si considera che nelle dichiarazioni dei comunisti italiani emergeva con chiarezza il riconoscimento del ruolo internazionale dell'Unione Sovietica e, conseguentemente, l'impossibilità di recidere il legame con la «patria del socialismo». I limiti che i dirigenti comunisti si erano posti in merito furono identificati con chiarezza dal giornalista di «Rinascita» Franco Bertone:

Il Dissenso [nei Paesi dell'Est] può essere visto come un rivelatore [...] specifico di un'esigenza di riforma politica che ha delle basi ben più larghe di quelle del Dissenso stesso [...]. Che i leader sovietici credano di potere impunemente 'cancellare' con metodi illegali il Dissenso [...] è soltanto una prova aggiuntiva della loro volontà di ritardare al massimo il momento in cui saranno obbligati ad affrontare politicamente i problemi che lo sviluppo della società e gli stessi risultati della politica di distensione pongono [...].

Se tutto questo è vero, gli appelli che [...] ci vengono rivolti, di 'rompere' con l'URSS sono [...] dei puri e semplici incitamenti a distoglierci anche dalla strada maestra della lotta per la distensione. Sono sbagliati, pericolosi e persino immorali. Perché noi sappiamo bene – e con noi altri milioni di uomini – che la distensione non ha alternative. E sappiamo bene che la distensione internazionale non può fare assolutamente a meno del contributo dell'Unione Sovietica [68].

Il tema centrale era – ancora una volta – quello del legame tra diritti umani e distensione, questione che metteva in rilievo le ambiguità e le contraddizioni della politica non solo dell'URSS, ma anche dei comunisti italiani. Il mancato progresso dei Paesi dell'Est sul piano della democrazia rendeva, infatti, sempre più evidente il contrasto tra le posizioni italiane e la realtà del «socialismo reale». Tale nodo insoluto costringeva Berlinguer all'angolo, inducendolo ad oscillare tra l'affermazione della peculiarità del comunismo italiano e il mantenimento della *special relationship* con Mosca, in bilico su un instabile equilibrismo. Nella visione dei comunisti italiani, la stessa prospettiva eurocomunista acquisiva un valore aggiunto in quanto funzionale a modificare dall'interno il movimento comunista internazionale. Una rottura con Mosca, oltre a spingere Botteghe oscure nell'isolamento, comprometteva dunque la possibilità di riformare il comunismo.

Inoltre, nel corso di quei mesi, il progetto eurocomunista mostrava la propria costitutiva fragilità. Con l'imprevedibile Carrillo impegnato sul fronte della transizione spagnola (e comunque su posizioni più estreme di quelle del PCI) [69], il successo dell'eurocomunismo dipendeva degli umori politici e dalle dinamiche interne al contesto francese. Il dissolvimento della *union de la gauche* tra comunisti e socialisti, nell'autunno 1977, non lasciava certo intravedere prospettive rosee [70]. Infine, il PCI doveva affrontare l'isolamento in seno alla sinistra italiana: il «deterioramento dei rapporti tra socialisti e comunisti» si poneva su una linea di tendenza europea, il cui esempio più lampante era appunto quello francese. Tale tendenza andava tuttavia in senso contrario al «nuovo internazionalismo» del PCI, che prevedeva un ampliamento ed approfondimento del dialogo con i partiti socialisti e socialdemocratici [71]. Lo sviluppo di contatti con tali forze politiche – ed in particolare con la SPD – subì un duro colpo a causa del ritorno del clima di Guerra Fredda che costrinse Botteghe oscure all'isolamento sul piano mondiale e in seno al movimento comunista internazionale. Va, infatti, rilevato che anche le relazioni tra i partiti fratelli avevano conosciuto un raffreddamento. Il Cremlino aveva osservato con crescente diffidenza e nervosismo le dichiarazioni di Berlinguer: poche settimane prima delle elezioni politiche italiane del giugno 1976, il dirigente comunista aveva rilasciato un'intervista al «Corriere della Sera» nella quale si lasciava intendere che il percorso politico del PCI fosse maggiormente garantito nell'ambito dell'alleanza atlantica. Tensioni ancor maggiori aveva suscitato il discorso pronunciato dal Segretario Generale italiano per il Sessantesimo della Rivoluzione d'Ottobre, nel novembre 1977, a Mosca. In quest'ultima occasione, di fronte ad una platea di sbigottiti gerontocrati sovietici, Berlinguer pronunciò un intervento breve ma incisivo: il valore universale della democrazia, la necessità di uno Stato non ideologico e l'esigenza del pluralismo furono i cardini del suo discorso. Le parole del Segretario del PCI ebbero un'accoglienza glaciale da parte degli attoniti dirigenti sovietici, ma furono riprese dalla stampa internazionale: la figura di Berlinguer venne così ad identificarsi definitivamente con quella del principale artefice dell'eurocomunismo. La posizione dei francesi, esposta da Paul Laurent, ricalcava nella sostanza quella di Berlinguer, ma non ebbe certo la stessa eco. A fronte di un gesto così clamoroso, i sovietici si mostrarono tuttavia prudenti. Il colloquio con Brežnev, a margine delle celebrazioni, era stato nella sostanza cordiale. Il Segretario del PCUS aveva infatti riconosciuto la «grande forza» ed il «contributo» apportato alle relazioni tra i due Paesi dai comunisti italiani: il PCI era certamente «diverso» dagli altri partiti comunisti occidentali[72]. La questione del Dissenso sovietico non era stata sollevata: né i sovietici né gli italiani volevano essere responsabili del peggioramento di un rapporto già problematico[73].

Il colloquio non aveva segnato nessuna evoluzione in merito al disaccordo sul legame tra socialismo e democrazia ma la questione era destinata a ripresentarsi in tempi rapidi ed a suscitare uno spiacevole contrasto tra PCI e PCUS. Nel maggio 1978 Juri Orlov, Presidente del Comitato per l'osservanza degli Accordi di Helsinki e stretto collaboratore di Sacharov, fu processato e condannato a sette anni di carcere ed a cinque di esilio. Il PCI denunciò la natura politica dell'operazione giudiziaria, pur continuando a parlare di «contraddizioni», legate alla storia ed alla situazione sociale dell'URSS. Per la prima volta, tuttavia, Botteghe oscure riconobbe che vi era, in Unione Sovietica, «la possibilità di allargare gli spazi di partecipazione democratica» parallelamente allo «sviluppo della coesistenza pacifica», accogliendo nella sostanza l'ipotesi del dissidente sovietico marxista Roy Medvedev[74]. L'attenzione attorno alla repressione in atto a Mosca si mantenne alta a causa dei processi a Alexandr Ginzburg ed Anatolij Ščaranskij[75], tenutisi in concomitanza dei negoziati per la conclusione del SALT II, in un frangente di forte attrito tra le due superpotenze e di contrasti interni allo stesso Congresso statunitense intorno alla politica estera[76].

Tali processi costituirono un vero e proprio *turning point* nella definizione della politica di Botteghe oscure riguardo alla questione del Dissenso, almeno per due ragioni. Innanzitutto, nel confronto tra PCI e PCUS si scorse un'asprezza inusitata ed inedita. In secondo luogo, forse ancor più che in altre occasioni, il PCI decise di modulare in modo differente il discorso pubblico e quello privato. Le scelte significative furono due: adottare un profilo basso nella politica ufficiale intorno al tema del Dissenso, evitando così un conflitto pubblico con i sovietici, a costo di pagare tale ambiguità in termini di consenso e di credibilità politica; e mantenere – al contempo – un livello di critica significativo nell'ambito dei colloqui privati. La decisione di adottare con convinzione tale tattica fu determinata, in particolare, dalla situazione internazionale. Ancor più che in periodi precedenti, il tema dei diritti umani era infatti divenuto un campo di battaglia della Guerra Fredda. Il delicato frangente mondiale ed il timore di venir accusati di favorire gli avversari politici, causando un nuovo scontro con il PCUS, imponevano cautela e prudenza, almeno in pubblico. La necessità di preservare la prospettiva eurocomunista e la distensione era centrale nei pensieri dei comunisti italiani: in tale contesto, il rapporto tra il PCI ed il Dissenso passava necessariamente per la ridefinizione del rapporto con il Cremlino. La moderazione dei termini pubblici fu chiara. Il «grave giudizio» espresso in merito ai processi di Mosca venne infatti mitigato dalla reiterata denuncia dell'anticomunismo[77]. L'imperativo di non colpire pubblicamente l'URSS su un terreno così delicato ebbe probabilmente un peso anche nella scelta del presidente della Camera Pietro Ingrao: il dirigente comunista, da sempre propenso ad un atteggiamento critico verso l'URSS, glissò sulla richiesta di intercessione avanzata dal Presidente del Knesset israeliano in favore di Ščaranskij[78].

A dispetto delle caute posizioni pubbliche, i comunisti italiani si apprestarono ad affrontare, nei colloqui riservati, il più duro confronto con i sovietici sui temi del Dissenso. Nell'ottobre 1978, in occasione dell'incontro riservato tra le delegazioni italiana e sovietica, la posizione di Berlinguer fu estremamente severa in merito[79]. Pur riconoscendo tutta la «pretestuosità» della «campagna» di Carter, il PCI non poteva chiudere gli occhi di fronte ad una situazione in Cecoslovacchia «che non era affatto normalizzata»; e nemmeno dinnanzi alle «limitazioni delle libertà di espressione e di opinione» in URSS. La risposta dei sovietici non fu meno intransigente: Suslov e Ponomarëv insinuarono che il PCI si stesse allineando alla politica americana sui diritti umani, accusandolo indirettamente di tradire l'alleanza con la «patria del socialismo». Ma il vero motivo del contendere emerse ben presto nelle parole di Ponomarëv, quando l'ideologo individuò nell'eurocomunismo la causa indiretta dell'emergere della campagna antisovietica, e dei contrasti tra partiti fratelli.

Palesato il reale terreno di confronto, il dialogo si sviluppò serrato. Berlinguer constatò che l'ideale socialista non aveva più «una grande forza di attrazione», addossandone indirettamente la responsabilità alla classe dirigente sovietica. Tentando di smorzare il tono della polemica, il Segretario italiano aggiunse: «Vi diciamo queste cose con spirito amichevole». «Non sempre amichevole» – commentò amaro Suslov [80]. Il confronto era stato, in effetti, particolarmente veemente. La strategia del PCI era stata contestata su tutta la linea: dubbi erano stati sollevati sulla scelta di partecipare al «governo di solidarietà nazionale»; critiche al limite della sconfessione erano state mosse nei confronti della scelta del pluralismo; ancor più severo era stato il giudizio sull'eurocomunismo.

Berlinguer tendeva tuttavia a non cedere al pessimismo: gli incontri avevano nel complesso mostrato «rispetto per il prestigio del PCI». Nel corso della riunione della Direzione, il Segretario italiano sottolineò la necessità di ricercare interlocutori alternativi, sulla scia della strategia inaugurata con una serie di viaggi nell'autunno 1978 [81]. Tali attori politici di riferimento sarebbero stati in primo luogo, il PCF; «altri Partiti comunisti», come ad esempio, quello portoghese; e le forze politiche parte dell'Internazionale socialista. Non tutto il partito era però conquistato da tale prospettiva: Longo e Pajetta esternarono le proprie riserve. Pur sostenendo la prospettiva individuata, Berlinguer convenne che era necessaria una certa prudenza: dopotutto con il PCUS la tensione sarebbe continuata «su alcuni punti non secondari» [82]. In un'intervista al TG2, Berlinguer mantenne quindi la linea del non allineamento, suggerita in precedenza da Pajetta. Così facendo, il PCI avrebbe potuto consolidare il proprio volto autonomo e eurocomunista, pur preservando il legame con il Cremlino [83]. Seguendo tale linea, la stampa di Botteghe oscure non si soffermò sul duro scontro avvenuto con Mosca. Al contrario, due concetti vennero confermati e meglio definiti: in primo luogo, la richiesta al PCI di «rompere» con l'URSS, avanzata da alcune forze politiche italiane, era «immorale» e «pericolosa». In seconda battuta, i comunisti italiani sostenevano la visione sovietica della distensione: era necessario distinguere il dialogo sui temi del rispetto delle libertà democratiche da quello intorno al disarmo, in modo che il primo non potesse influenzare negativamente il secondo.

> Quando [...] da parte sovietica [...] si sostiene che occorre fare di tutto perché temi come quelli della sorte dei dissidenti dell'URSS (o della popolazione nera o portoricana negli Stati Uniti) siano esclusi dal tavolo delle trattative sul disarmo [...] si dice una cosa senz'altro sensata [84].

Aspirazioni egemoniche? Il Dissenso, un'arma culturale

L'offensiva craxiana: il dibattito sulla stampa e la Biennale del Dissenso

L'elezione di Craxi alla Segreteria del PSI segnò certamente un punto di svolta nell'atteggiamento dei socialisti italiani nei confronti del Dissenso del blocco sovietico. Il partito «demartiniano» – come abbiamo ricordato – aveva adottato una politica di *appeasement* nei confronti del PCI, che aveva influito in modo determinante sulla definizione della strategia nei confronti dell'opposizione dell'Est. A fronte della prudenza dell'ala demartiniana, nella prima metà degli anni Settanta, l'iniziativa in questo ambito era stata prerogativa della corrente autonomista e del suo Vicesegretario. La sensibilità di quest'ultimo per il tema della libertà nei Paesi del «socialismo reale» affondava le proprie radici negli anni Cinquanta, quando Craxi si era recato a Praga in veste di delegato del Centro Universitario Democratico Italiano ad una conferenza dell'Unione internazionale degli studenti, l'organismo che da Mosca coordinava le sezioni giovanili dei partiti socialisti e comunisti europei. In quell'occasione, il futuro Segretario del PSI aveva incontrato Ripa di Meana e Pelikán: lo «stangone milanese allampanato con gli occhiali pesanti» già in quel frangente si era distinto per il grande interesse mostrato per la realtà della Cecoslovacchia comunista [85]. In seguito, la tragedia ungherese ed i fatti del Congresso di Venezia lasciarono un segno indelebile nel vissuto della generazione di Craxi, che entrò nel Comitato centrale del PSI proprio nel 1957, nelle file minoritarie della corrente autonomista [86]. La sua designazione dopo la cosiddetta «congiura del Midas» – il 'parricidio' ad opera della generazione dei quarantenni in seguito al disastroso risultato alle elezioni politiche del giugno 1976 – portò una ventata di rinnovamento nel partito [87].

Dei molti volti che sono stati attribuiti a Craxi – 'Bettino l'americano', il socialista riformista, il laico della politica italiana – tutti mettono in rilievo il cambiamento introdotto dal dirigente autonomista dal suo insediamento alla Segreteria del PSI[88]. Per quanto concerne l'interesse mostrato nei confronti della questione del Dissenso, è tuttavia necessario ridefinire la portata della cesura costituita dalla nomina di Craxi a segretario. Se è vero, infatti, che a partire dal 1976 il PSI si candidò in modo convinto, convincente ed ufficiale a divenire il principale interlocutore (italiano, ma forse anche occidentale) del Dissenso nell'Est, l'apertura alla «altra Russia» era stata un carattere distintivo della fisionomia politica autonomista sin dalla fine degli anni Sessanta.

L'attenzione ai temi della democraticità del sistema comunista era parte dell'eredità nenniana; Craxi seppe tuttavia maturare tale visione, spingendosi oltre. Mentre Nenni riteneva che il PSI dovesse svolgere il ruolo di coscienza critica della sinistra italiana, indicando al PCI la strada verso la rottura con l'Unione Sovietica, Craxi non desiderava una frattura in seno al movimento comunista internazionale. In questo senso, il permanere del legame tra Botteghe oscure e Mosca era, in qualche modo, congeniale al leader del PSI: consentiva infatti ai socialisti di mantenere il primato del volto democratico della sinistra, mettendo all'angolo i comunisti, puntando sulle loro contraddizioni di forza politica «in mezzo al guado», e tentando così di sfruttare le incongruenze del PCI per riconquistare un ruolo centrale in seno al movimento operaio italiano. In altri termini, Craxi puntava alla ridefinizione dei rapporti di forza in seno alla sinistra italiana, battendo la strada inaugurata da François Mitterrand. Proprio le contraddizioni del PCI sarebbero state funzionali al riequilibrio tra i partiti progressisti, condizione senza la quale non si sarebbe aperta una prospettiva concreta per la costituzione di un'alternativa al Governo.

Tale progetto non poteva certo attuarsi in tempi brevi: Craxi puntava quindi a destabilizzare il PCI per ottenere uno sbocco in un governo di centro-sinistra, ove però il Partito socialista avrebbe potuto partecipare non più come comprimario, ma da protagonista[89]. Un'opzione – questa – certo non invisa a Washington, che guardava con interesse al dinamismo craxiano, dopo i tentennamenti del periodo demartiniano[90]. Come ha rilevato Sabbatucci, dal luglio 1976 sino al marzo 1978, Craxi non si contrappose frontalmente alla prosecuzione del «governo delle astensioni»[91]. I contorni della strategia socialista di medio periodo si sarebbero definiti con maggiore precisione in seguito ad un evento che può essere a ragione considerato un vero spartiacque nella storia della Repubblica Italiana: il rapimento di Aldo Moro, presidente della Democrazia cristiana e principale fautore – assieme a Berlinguer

– del «compromesso storico»[92]. In seguito al sequestro del dirigente democristiano, si aprì un aspro dibattito sulla possibilità di avviare una trattativa per la sua liberazione. La decisione di Craxi di rompere il «fronte della fermezza» fu percepito da Berlinguer come il deliberato tentativo di mettere in difficoltà il PCI che, assieme alla DC, respingeva ogni prospettiva di dialogo con le Brigate Rosse[93].

Il leader socialista puntava a mettere in luce le contraddizioni del PCI al fine di influenzare la realizzazione del «compromesso storico», ottenendo, in una volta, due risultati: incrinare il dialogo privilegiato DC-PCI, recuperando il tradizionale ruolo di 'cerniera' tra le due forze principali del sistema italiano; e attaccare il PCI da destra, erodendo quella base elettorale che i comunisti italiani avevano conquistato nel corso degli anni Settanta, proprio grazie al rinnovato volto democratico. Recuperare una forte radice identitaria e sottrarre a Botteghe oscure il ruolo di forza egemone in senso alla sinistra italiana erano quindi gli obiettivi primari di Craxi. Se il contegno adottato attorno al caso Moro fu uno dei pilastri della strategia del leader milanese, la politica del neo Segretario si distinse da quella dei suoi predecessori anche sulle questioni ideologiche, i temi del dissenso, dell'umanitarismo e della libertà[94].

Le interpretazioni storiografiche intorno all'azione di Craxi nei confronti del Dissenso sono rispettivamente focalizzate sulla natura sincera e disinteressata dell'azione del dirigente milanese, o al contrario, sull'uso strumentale di tale questione in politica interna, in funzione anticomunista. A parere di chi scrive, non necessariamente i due aspetti devono essere letti in termini antitetici. Da un lato, l'esperienza biografica di Craxi l'aveva portato a considerare l'appoggio al Dissenso come un elemento fondamentale della propria identità politica. La frattura del 1956 incise in modo determinante nel plasmare la visione politica della sua generazione: il rapporto con Ripa di Meana concorse ad accrescere tale sensibilità. D'altro canto, non va sottovalutata l'intuizione strategica del politico milanese: il delfino di Nenni riuscì – anche grazie alla questione del Dissenso – a rilanciare il PSI come attore protagonista della politica italiana, riscattando il passato demartiniano di cautele e prudenze. In questo senso, Craxi operò per restituire al proprio partito un ruolo di primo piano nell'arena nazionale, svincolandolo dallo stato di subalternità al PCI dal quale non si era mai totalmente affrancato. Non solo: sulla questione del Dissenso, Craxi maturò un'ulteriore evoluzione rispetto alla strategia nenniana. La principale innovazione introdotta in questo ambito fu quella di sviluppare (ed utilizzare) estensivamente la questione del Dissenso sul piano culturale e di tradurla, grazie all'esercizio di una *lea-*

dership forte, nella definizione della linea del partito. La questione del Dissenso dei Paesi dell'Est – parte del rilancio del PSI – fece da collante nella disgregante logica correntizia dei socialisti italiani. Tale azione nei confronti dell'opposizione dell'Est rientrò pienamente nella nuova logica del socialismo italiano. Il PSI – nel suo insieme – perseguì con convinzione il mito della «terza forza», laica, moderna e progressista, capace di attirare quella parte di borghesia che si era rivolta al PCI – a metà anni Settanta – alla ricerca di un rinnovamento politico e sociale.

Questa strategia si attuò trasversalmente sul piano politico e culturale, basandosi su alcuni capisaldi. Come hanno brillantemente ricostruito Colarizi e Gervasoni, la rielaborazione teorica del marxismo e l'enfatizzazione della contrapposizione tra leninismo e pluralismo, ad opera di Norberto Bobbio, furono due elementi centrali della riflessione politica craxiana [95]. Ma la strapotenza del PCI – al proprio culmine elettorale – poteva essere ridimensionata anche grazie ad un confronto intorno all'esperienza del «socialismo reale». Un dialogo in merito era ormai improcrastinabile: esso era imprescindibile sia per una definizione più precisa dell'identità socialista, sia per un (eventuale) riavvicinamento tra socialisti e comunisti. I canali utilizzati per tale operazione politico-culturale furono essenzialmente due: da un lato la stampa e, in particolare, il settimanale «Mondoperaio»; dall'altra le iniziative culturali. In questi ambiti, Craxi ripropose dunque una strategia che aveva dato i propri primi frutti già durante l'era demartiniana, utilizzandola non più per ottenere un margine di manovra in seno al partito (o non principalmente, almeno), ma per riconquistare la centralità da esso perduta nel movimento operaio italiano. Da elemento di confronto all'interno del Partito socialista, la questione del Dissenso divenne tema di dibattito in seno alla sinistra italiana.

La stampa socialista divenne l'incubatrice della rinascita del PSI, grazie alla configurazione che essa aveva assunto nel secondo dopoguerra. Nella fucina di «Mondoperaio» – dove già si erano ritrovati gli azionisti cattolici, i comunisti dissenzienti, ed una parte degli esponenti della cultura radicale sessantottina – confluirono anche alcuni intellettuali del blocco sovietico costretti all'esilio. Favorendo la partecipazione al dibattito su «Mondoperaio», i socialisti italiani non solo offrirono un importante sostegno morale ed economico agli esponenti del Dissenso all'estero, ma garantirono una tribuna per le loro idee [96]. Sulla base di questo intreccio di collaborazioni, la direzione di Federico Coen conferì un nuovo respiro intellettuale al settimanale, ponendolo al centro della riflessione intorno ai temi aperti in seno alla sinistra italiana [97].

Con particolare riguardo alla questione qui trattata, l'attenzione della stampa socialista si focalizzò su due aspetti. Innanzitutto, la contestazione del totalitarismo sovietico; in secondo luogo, la denuncia dei limiti e delle contraddizioni del PCI e dell'eurocomunismo attorno la riflessione sul «socialismo reale» e, conseguentemente, sul fenomeno del Dissenso. Riguardo al primo aspetto, il PSI riteneva che il regime sovietico fosse una delle «forme di organizzazione sociale tra le più dispotiche ed alienanti della storia dell'umanità»[98]. La Russia degli anni Settanta era considerata, senza dubbio, un esempio di neo-stalinismo: sia la politica interna, con la repressione del Dissenso e la negazione di una reale democrazia, sia la politica estera, caratterizzata da un espansionismo da politica di potenza, ne erano la dimostrazione[99]. Il Partito socialista italiano si poneva in questo senso in totale rottura con l'esperienza dell'Unione Sovietica e denunciava la limitatezza della proposta eurocomunista, che si proponeva come «variante alternativa» del «socialismo reale», e non come nuovo modello di riferimento. Nell'ottica del PSI, il PCI svolgeva un'azione «frenante» in seno al movimento eurocomunista, come dimostrato dalle dichiarazioni ambigue rilasciate in occasione dell'incontro di Madrid: il tema del Dissenso era stato infatti 'annegato' in un generico riferimento a Helsinki[100].

Va rilevato che, nonostante le critiche di Craxi all'eurocomunismo non fossero prive di fondamento, esse venivano mosse proprio nel momento in cui Botteghe oscure sviluppava un'azione più critica nei confronti del proprio principale alleato, aprendo anche al dialogo con il Dissenso dell'Est[101]. I silenzi ed i tentennamenti del PCI nei primi anni Settanta sembravano aver lasciato un segno indelebile nelle valutazioni dei collaboratori di Craxi, che nutrivano una forte diffidenza nei confronti dei comunisti e della sincerità dei loro progetti[102].

Attivo sul piano sindacale – si ricordi l'elezione di Giorgio Benvenuto alla UIL – Craxi poté concentrarsi su un'offensiva ideologica e culturale[103]. L'azione del leader milanese in favore del Dissenso fu sostenuta poi dal socialista Sandro Pertini, divenuto presidente della Repubblica in seguito alle dimissioni di Leone nel 1978, sulla base di un largo consenso che aveva visto coesi il PSI ed il PCI[104]. Appena salito al Quirinale, il Capo dello Stato intervenne in merito ai processi di Mosca: Pertini appoggiò le posizioni socialiste già espresse da Pelikán[105], esigendo che «i diritti umani e le libertà fondamentali sancite a Helsinki» non venissero lese dai procedimenti giudiziari in corso nell'URSS[106]. Con i processi di Mosca si affinò, inoltre, la critica dei socialisti italiani nei confronti del PCI, chiamato da un «obbligo politico e morale» a «portare a fondo» l'analisi sul «socialismo reale»:

> Non deve essere più possibile confondere socialismo e dispotismo [...] bisogna cominciare a chiamare avversari ideologici quelli che per troppo tempo si è seguitato impropriamente a chiamare 'compagni' [107].

Fu quindi promossa la celebre analisi della «schizofrenia» del PCI che ccondizionava, in modo inevitabile, anche il nuovo percorso dell'eurocomunismo. I comunisti italiani – sosteneva «L'Avanti» – camminavano «sulle sabbie mobili» [108]. La strategia di Craxi – articolata nella denuncia della persistenza dei legami di Botteghe oscure con l'URSS e nella polemica nei confronti dell'eurocomunismo – aveva il duplice obiettivo di destabilizzare il PCI sul piano interno e di isolare i comunisti italiani a livello internazionale, incidendo sulle relazioni con le forze socialiste e socialdemocratiche, ed in particolare su quelle con la SPD [109]. L'attacco di Craxi provocò la durissima reazione nel PCI: Antonio Tatò lo definì un «avventuriero» per il quale «l'anticomunismo e l'antisovietismo» erano «antichi, organici, viscerali» [110]. Si confermò una dinamica che sarebbe divenuta tradizionale tra le Segreterie Craxi-Berlinguer: il PSI continuò a promuovere la polemica intorno al tema del Dissenso nei confronti del PCI al fine di ridimensionare la forza politica comunista; il PCI proseguì invece nell'opera di demonizzazione di Craxi, ritenuto responsabile della frattura insanabile in seno alla sinistra italiana [111].

In tale contesto si inserì la vicenda della Biennale del dissenso, il massimo momento di confronto in seno al movimento operaio italiano intorno al tema della violazione dei diritti umani nel blocco sovietico. Nel corso del 1977, il PSI ed il PCI presero parte ad una tavola rotonda organizzata da «Mondoperaio» sul tema dei rapporti tra la sinistra italiana e il Dissenso nei Paesi dell'Est [112]. Il confronto, ridotto ai suoi termini essenziali, ruotò intorno al rapporto con l'Unione Sovietica: mentre i socialisti contestavano la contraddizione insita nella strategia del PCI (mantenimento del legame con l'URSS e proposizione di un socialismo diverso da quello «reale») [113], i comunisti respingevano l'accusa di ambiguità, facendo risalire alla posizione sul 1968 praghese la primogenitura del loro distinguo dalla «patria del socialismo» [114].

Negli stessi mesi, all'inizio del 1977, l'organizzazione della Biennale del dissenso muoveva i primi passi. In continuità con le edizioni precedenti, dedicate all'opposizione nella Spagna franchista e nell'America Latina delle dittature militari, il presidente della Biennale, il socialista Ripa di Meana, decise di dedicare l'edizione corrente alla questione del Dissenso. Tale iniziativa, pienamente sostenuta da Craxi, Martelli[115], Rigo e De Michelis[116], nacque sia dalla nuova strategia politica del PSI, sia dall'esperienza dello stesso Ripa di Meana nella piccola corrente Impegno socialista, da sempre fortemente critica nei confronti dell'Unione Sovietica[117].

L'evento si configurò come l'occasione in cui più chiaramente emerse la trasposizione di un conflitto internazionale sul piano interno. In seguito al rifiuto del Ministro sovietico alla Cultura di collaborare all'iniziativa, Ripa di Meana iniziò ad organizzare l'evento culturale avvalendosi della collaborazione, tra gli altri, dei dissidenti fuoriusciti Pelikán, Antonín e Mira Liehm, Gustáv Herling. L'azione del Responsabile della Sezione Esteri del PSI non tardò a ricevere la scomunica sovietica[118]. I leader dell'URSS protestarono tramite diversi canali: fecero pressioni sul Ministero degli Esteri, condussero una campagna di stampa contro l'evento e, infine, avanzarono riservate ma insistenti richieste di intervento nei confronti del PCI perché tentasse di impedire lo svolgimento della manifestazione, considerata un'indebita ingerenza negli affari interni del blocco sovietico. I comunisti italiani opposero un netto rifiuto a tali pretese; diversamente da questi ultimi, l'ambasciatore italiano Manzini convocò Ripa di Meana per suggerirgli di modificare il programma dell'evento per non urtare gli umori sovietici.

Perseverare – lasciò intendere il diplomatico – avrebbe significato con tutta probabilità il taglio dei fondi pubblici alla Biennale. In seguito a tali pressioni, l'intellettuale socialista decise di rassegnare pubblicamente le proprie dimissioni, rendendo contestualmente note le attenzioni del Cremlino. La sua scelta si rivelò vincente per salvare la manifestazione. L'atto del Presidente dell'Ente nazionale provocò infatti la nascita di un fronte parlamentare ed intellettuale trasversale di solidarietà, e condusse ad una soluzione positiva della crisi[119]. La Biennale si fece, ed ebbe un rilievo internazionale. Ancora una volta, il sostegno pubblico di Craxi fu determinante, anche se il Segretario del PSI preferì avvallare l'idea che si trattasse di un'iniziativa puramente culturale. Il valore politico della Biennale era tuttavia innegabile: l'evento assumeva il significato di un banco di prova per i comunisti italiani, dai socialisti considerati il «freno» del movimento eurocomunista[120]. Al di là dell'ingerenza sovietica, già venuta alla luce all'epoca ed oggi analizzata dagli stessi protagonisti dell'evento, si vuole qui attirare l'attenzione sul carattere politico e culturale del dibattito in seno alla sinistra italiana, che costituì certamente il momento di massimo confronto tra le due anime del movimento operaio[121]. Poiché la vicenda della Biennale è già stata trattata da vari studiosi in modo sapiente, si tenterà qui di analizzare la questione focalizzandosi su alcuni aspetti ben precisi[122]. Innanzitutto, il giudizio negativo sulla Biennale fu condiviso da tutti i dirigenti di Botteghe oscure? In secondo luogo, quale fu l'impatto dell'evento culturale sulle dinamiche interne alla sinistra italiana? E, infine, quale fu il bilancio della Biennale, dal punto di vista dei contenuti?

Cominciando dal primo elemento, è opportuno sottolineare come i dirigenti del PCI, sin dal lancio dell'evento, avessero intuito i principali problemi che la Biennale avrebbe sollevato. La Direzione ne discusse già nel febbraio del 1977[123], sottoposta alle crescenti pressioni sovietiche[124]. In tale occasione non si giunse alla definizione di una strategia in merito ma si aprì un confronto interno rivelatore degli umori politici dei dirigenti. Da un lato, alcuni membri della Direzione denunciarono il carattere antisovietico[125] ed anticomunista[126] delle iniziative adottate in vista della Conferenza di Belgrado, sottolineando la necessità della «difesa di alcuni punti saldi»[127]. Dall'altro, era parere condiviso che il dialogo con il PCUS si fosse incrinato, anche – e soprattutto – a causa dell'organizzazione del vertice eurocomunista di Madrid[128]. Alla considerazione che fosse grave che «a sessanta anni dalla Rivoluzione d'Ottobre e a trenta dalla nascita dei Paesi socialisti» non fossero rispettati i diritti civili[129] nel blocco sovietico e che quindi fosse necessaria «un'analisi seria ed aggiornata»[130], si univa la necessità di «mantenere una linea di equilibrio»[131] perché «più in là non possiamo andare, né da una parte né dall'altra»[132]. Nel marzo 1977, subito dopo la richiesta di annullare il programma da parte dell'ambasciatore sovietico Rijov e le conseguenti dimissioni di Ripa di Meana[133], la Direzione del PCI si riunì nuovamente per affrontare tale questione[134]. In quell'occasione emerse chiaramente un irrigidimento: come ha rilevato Caccamo, la dirigenza berlingueriana rispose all'iniziativa del PSI «con uno sguardo rivolto al quadro politico italiano», considerandola un atto con una precisa valenza in politica interna[135]. Tortorella sostenne infatti che la Biennale nasceva da una «forzatura del PSI» che non era «solo di origine personale» ma che veniva dal centro del partito: in particolare Martelli, segretario particolare di Craxi, non nuovo a «spinte anticomuniste», aveva avuto un ruolo centrale nel lancio dell'iniziativa[136]. Se il PCI avesse dovuto arrivare ad un confronto duro con l'URSS – sentenziò Amendola – «il terreno» avrebbero dovuto sceglierlo i comunisti italiani e non i «transfughi, tipo Ripa di Meana». Mentre lo stesso Amendola si rammaricava del fatto che il PCI avrebbe dovuto «marcare meglio le distanze, pubblicamente», dall'iniziativa, Tortorella concluse ribadendo la necessità di lanciare un'iniziativa «seria e pacata sul Dissenso» [137].

La modulazione di posizioni all'interno del PCI rifletteva la complessa situazione in cui Botteghe oscure era venuta a trovarsi. I comunisti italiani erano, infatti, sottoposti a pressioni molteplici: da parte dei sovietici, che desideravano il fallimento dell'iniziativa e con i quali i rapporti si erano parzialmente irrigiditi anche a causa della questione eurocomunista [138]; da parte del PSI, che sollecitava la partecipazione dei comunisti e ne metteva in rilievo i tentennamenti; e, infine, dal fuoriuscito gruppo de «il manifesto», il quale aveva organizzato un'iniziativa complementare a quella della Biennale, focalizzata sul Dissenso di orientamento socialista, appena due giorni prima dell'inaugurazione dell'evento veneziano [139]. A tale precario equilibrio si aggiunse il già citato discorso di Berlinguer in occasione della celebrazione del sessantesimo anniversario della Rivoluzione di ottobre. A fronte della dichiarazione del Segretario generale italiano circa l'universalità del principio democratico [140], i sovietici non erano più disposti ad accettare di buon grado né ulteriori iniziative di stampo antisovietico in Italia né, tanto meno, la possibile partecipazione dei comunisti italiani alla Biennale [141]. In un contesto siffatto, l'evento veneziano venne a costituire, quindi, un duplice banco di prova per il partito di Berlinguer: esso mise in luce, da un lato, la trasformazione della *special relationship* coi sovietici e, dall'altro, lo stato dell'evoluzione ideologica di Botteghe oscure.

L'assenza di un documento ufficiale della Segreteria comunista indicava la difficoltà di districarsi tra tali ostacoli [142]. La partecipazione – a titolo personale – del giornalista e storico Giuseppe Boffa rese palese ciò che il PCI non era disposto ad ammettere: l'organizzazione della Biennale poneva in luce le contraddizioni insolute del comunismo italiano riguardo al rapporto con il Dissenso, e, in termini più generali, con il Cremlino [143]. Dalla lettura della documentazione archivistica, si desume che i dirigenti comunisti consideravano la Biennale una provocazione del PSI che, al pari di altre prese di posizione (come quella, già citata, sul caso Moro), aveva il solo scopo di mettere in difficoltà il PCI e portare la sua 'non opposizione' al Governo ad una fine prematura. La Biennale era considerata – in definitiva – un evento non solo antisovietico, ma anche anticomunista.

Questa considerazione ci induce ad analizzare con maggior attenzione i contenuti dell'evento veneziano riducendo, per necessità di sintesi, i numerosi interventi ad alcuni temi fondamentali. Innanzitutto, il ruolo fondamentale che gli intellettuali [144], la sinistra europea [145] e il blocco occidentale avevano nei confronti dei Paesi dell'Est e dei suoi oppositori interni. In questo ambito, il PCI, ufficialmente assente, fu comunque protagonista: l'attenzione di diversi relatori si concentrò infatti intorno al tema della comunanza ideologica tra eurocomunismo e Dissenso [146], sino a giungere ad individuare in Botteghe oscure l'erede principale del «nuovo corso» cecoslovacco [147]. Claudin si spinse a sostenere che le «burocrazie dell'Est» ritenevano gli eurocomunisti degli avversari da cui guardarsi, attori politici in grado di muovere critiche più efficaci di chiunque altro [148]. Il compito principale dei progressisti occidentali stava nello scoprire «la differenza fra socializzazione democratica e statizzazione burocratica totalitaria», formulando proposte concrete e realizzabili [149]. A fronte del riconoscimento di tale missione, alcuni ravvisarono un deficit nella comunicazione tra la sinistra del blocco atlantico (ed in particolare, quella comunista) e gli oppositori dell'Est: Pedro Vilanova pose in evidenza le difficoltà e le contraddizioni che esistevano «in seno ai Partiti eurocomunisti» [150]. Anche la rivendicazione della specificità socialista trovò uno spazio attraverso l'analisi del 1956, considerata data spartiacque all'interno del movimento operaio internazionale [151].

In definitiva, fu però lo studio del fenomeno del Dissenso a conferire l'apporto più innovativo alla manifestazione: il tentativo fu quello di offrire una panoramica non appiattita del fenomeno dell'opposizione dell'Est, sottolineando non solo le differenze e le convergenze [152] tra i diversi Paesi del blocco sovietico, ma entrando nello specifico dei vari contesti nazionali [153]. L'esistenza di *un* Dissenso, o *un* movimento [154] di opposizione venne definitivamente confutata: la contestazione nel blocco sovietico era il risultato di una molteplicità di voci che esprimevano diversi punti di vista [155]. L'analisi dell'Unione Sovietica come Paese totalitario [156] e non socialista [157] fu certamente il colpo più diretto alle autorità dei regimi del blocco orientale. Il risultato più importante dell'evento fu dunque quello di consentire una conoscenza più dettagliata di un fenomeno che appariva all'opinione pubblica occidentale informe e privo di un reale seguito.

Ritornando per un momento ai nostri quesiti iniziali ed in particolare a quello relativo all'impatto dell'evento sulle relazioni in seno alla sinistra italiana, si può senza dubbio affermare che la Biennale contribuì a raffreddare ulteriormente tali rapporti, concorrendo, al contempo, a ridefinire l'immagine del PSI agli occhi degli osservatori politici, come il 'partito dei dissidenti', baluardo della difesa della libertà e della democrazia. A poche settimane dal colpo di scena della partenza di Ripa di Meana per Belgrado, Craxi scriveva su «Mondoperaio»:

I socialisti pensano che i diritti civili debbano essere più salvaguardati e che una economia completamente collettivizzata e burocratizzata, senza alcun spazio per la libertà, conduce inevitabilmente al totalitarismo [158].

Il tentativo di Craxi di accreditarsi come principale volto democratico della sinistra italiana, grazie al dialogo privilegiato con i dissidenti del blocco sovietico, sembrò raggiunto. Berlinguer non aveva tuttavia alcuna intenzione di lasciare ai socialisti il ruolo di coscienza critica del movimento operaio nazionale.

L'album di famiglia? Il PCI e la politica della memoria

La Biennale dei socialisti ebbe come effetto indiretto un rilancio dell'azione del PCI nell'ambito della riflessione sullo stato del «socialismo reale». I dirigenti del Partito comunista italiano vivevano il dinamismo di Craxi intorno al tema del Dissenso come una sfida all'egemonia del PCI in seno alla sinistra nazionale. In termini di consenso, Botteghe oscure si trovava a confrontarsi con un duplice problema. Da un lato, i comunisti italiani avevano l'esigenza di consolidare il seguito dei ceti medi. Se la borghesia progressista aveva premiato il Partito di berlinguer alle elezioni della metà degli anni Settanta, la provocazione di Craxi sul piano della democraticità avrebbe potuto modificare l'orientamento di tale segmento dell'elettorato, ridimensionando considerevolmente il balzo del PCI. Dall'altro lato, si trattava di non perdere il seguito della «base», che poteva sentirsi disorientata dalla significativasvolta impressa dai dirigenti [159]. Tale duplice esigenza indusse Botteghe oscure a promuovere un rinnovamento culturale. Il partito cambiava e si rendeva imprescindibile riconquistare le masse alla nuova prospettiva indicata dai dirigenti, specie a fronte dei numerosi punti di divergenza emersi con la «patria del socialismo»: dal contrasto intorno alla gestione del caso cinese [160], alla condanna dell'invasione della Cecoslovacchia nel 1968, dall'affermazione del principio dell'autonomia alla Conferenza di Mosca nel 1969, sino a giungere alle dichiarazioni di Berlinguer in occasione del sessantesimo anniversario della Rivoluzione d'ottobre.

La sfida lanciata dal PSI imponeva, in definitiva, di rafforzare il tradizionale ruolo di avanguardia in seno al movimento operaio italiano [161]. Tale obiettivo fu perseguito in due direzioni. Da un lato, la spiegazione del nuovo internazionalismo e della via italiana al socialismo fu articolata in un'intensa attività editoriale e giornalistica [162]. Dall'altro, si sviluppò un processo di riflessione intorno all'esperienza passata e contemporanea del «socialismo reale». Fu così avviata una politica della memoria intorno al periodo più oscuro del passato dell'URSS (e del movimento comunista internazionale): lo stalinismo.

Il momento nel quale tale processo di riflessione venne alla luce non fu certo casuale: esso rispose a esigenze ben precise. Innanzitutto, come già accennato, di natura interna: nel corso degli anni Sessanta e Settanta, l'assenza di una seria riflessione in merito era stata ripetutamente utilizzata dagli avversari politici di Botteghe oscure per mettere in dubbio la credibilità del volto democratico del PCI. In secondo luogo, tale approfondimento poneva una base più solida per la prospettiva dello sviluppo eurocomunista. In terza battuta, la politica della memoria rientrava nell'ambito culturale prima che in quello politico: ciò consentiva di prendere le distanze dall'esperienza del «socialismo reale», guidando l'analisi senza però giungere al limite della rottura con Mosca.

Il processo di riflessione sul passato del PCI e dell'Unione Sovietica costituisce quindi uno strumento attraverso il quale valutare lo stato dell'analisi del PCI intorno al «socialismo reale» e, conseguentemente, alle relazioni con l'URSS, prendendo come punto focale l'elemento di maggiore divergenza tra comunismo occidentale ed orientale: il legame tra socialismo e democrazia.

Riguardo tale aspetto, il frangente storico di riferimento non poteva che essere quello del «Grande Terrore», scatenato da Stalin tra il 1933 ed il 1937, e causa della decimazione della classe dirigente sovietica [163]. Nella seconda metà degli anni Settanta, «Rinascita» svolse un ruolo di primo piano nell'analisi critica del periodo staliniano. Dal 1976, in particolare, il settimanale comunista divenne un punto di riferimento imprescindibile per gli aggiornamenti sugli studi in corso e sulla rielaborazione teorica dei dirigenti del PCI. Dal confronto pubblico emerse un primo dato d'interesse: la convergenza delle analisi comuniste sullo stalinismo era lontana dalla sua realizzazione. Per ragioni piuttosto ovvie, è qui impossibile riproporre le varie sfaccettature degli studi in merito, per quanto interessanti.

Una volta rilevato il dato della divergenza tra le diverse analisi, riteniamo più utile individuare alcuni elementi che possono ritrovarsi trasversalmente negli studi analizzati, nella consapevolezza del rischio che tale semplificazione comporta. Innanzitutto, emergeva una malcelata insofferenza nei confronti degli storici che muovevano da «un rifiuto di natura etica verso lo stalinismo», per cui «Stalin è presentato molto semplicemente per colui che ha messo in ordine e industrializzato un Paese arretrato, ma che però ha ucciso troppi intellettuali, e poi ha rovinato l'agricoltura»[164]. Riportare lo stalinismo alla categoria del dispotismo impediva la conoscenza reale del fenomeno[165]. Era necessario, al contrario, un approccio più critico e approfondito. «La storia sovietica dev'essere innanzitutto un laboratorio», scriveva Fabio Bettanin su «Rinascita»[166]: ogni analisi riduttiva – come quella del «culto della personalità» – andava respinta[167]. Affiorava quindi l'esigenza di un approfondimento non appiattito, che valutasse sia le cause dei crimini dello stalinismo sia i risultati raggiunti[168].

Il secondo elemento comune tra gli studi dei comunisti italiani sullo stalinismo è strettamente correlato al primo, e si può individuare nel rifiuto della predeterminazione della degenerazione stalinista. Il fatto che tale processo storico fosse «fondato su una catena così rigida di cause e effetti da impedire di scorgere in ogni momento la viva presenza di un'alternativa»[169] era confutato *in toto* dai dirigenti del PCI e dal gruppo di studiosi che, nei primi anni Settanta, si erano formati a Firenze attorno a Giuliano Procacci[170]. Il tentativo di accreditare presso il pubblico occidentale «l'immagine di un potere unicamente terroristico, degno continuatore delle nefandezze di Ivan il Terribile» andava respinto con decisione, così come le opere che contribuivano alla convalida di un'analisi storica miope dell'esperienza sovietica, tra le quali quella dello storico inglese Robert Conquest[171].

Fissati questi due punti fermi, vi era un terzo nodo da sciogliere. Trattare il tema del «Grande Terrore» significava anche fare i conti con il passato dello stesso PCI. Nel 1973, Giorgio Bocca aveva pubblicato una biografia di Togliatti, che lasciava alcuni interrogativi aperti intorno al ruolo del «Migliore» nei processi di Mosca degli anni Trenta[172]. Come una tetra eco proveniente dal passato, il tema del contegno da assumere nei confronti della repressione politica nel blocco orientale era tornato di stringente attualità a causa dei processi contro i dissidenti Orlov, Ginzburg e Ščaranskij. La storia sembrava ripetersi: in tale contesto, un'analisi storica e politica delle corresponsabilità dei comunisti italiani nelle purghe degli anni Trenta non era più eludibile. L'arduo compito di fare i conti con il passato spettò a Giorgio Amendola, che intervenne con parole sferzanti sulle pagine di «Rinascita»:

Noi siamo corresponsabili della repressione staliniana. E come potremmo non esserlo, considerato ciò che l'Unione Sovietica ha rappresentato per lunghi anni per il movimento operaio? Quando parlo di corresponsabilità non escludo i momenti dei grandi processi, fra il 1936 e il

1938, né quegli altri momenti assai gravi che hanno inizio nel 1948.
Quando accettammo il principio dell'inasprimento della lotte di classe
[...] praticamente accettammo [...] anche certe conseguenze [173].

Sostenere la necessità di una via autonoma al socialismo – proseguiva Amendola – non significava negare il «valore storico» dell'esperienza sovietica. In passato, ammetteva il dirigente, non pochi erano
stati persuasi dalla necessità della funzione svolta da Stalin. Tale convinzione non fu, semplicemente, «una camicia sporca da buttar via», ma
un vero e proprio «abito» dal quale i comunisti italiani riuscirono a li-
berarsi «a stento» [174]. In altri termini – puntualizzò Bufalini – i dirigenti
del PCI erano a conoscenza dei processi, che venivano considerati «du-
rezze della lotta politica». «Pensavamo che una rivoluzione va avanti anche attraverso drammi – aggiunse Bufalini – e che, comunque, l'Unione Sovietica rimaneva il grande punto di ancoraggio decisivo nella lotta contro il fascismo». In definitiva, in quel periodo storico, si era reso
necessario credere nella durezza della «logica della lotta»: dall'opposizione era facile cadere nel «tradimento». Ecco la ragione per la quale,
spiegava Lombardo Radice, «tanti esponenti dell'eurocomunismo di
oggi giustificarono i processi di Stalin» [175].

Il XX Congresso del PCUS, nel corso del quale Chruščëv aveva de-
nunciato i crimini del dittatore georgiano, non aveva certo cancellato né
le efferatezze degli anni Trenta, né il silenzio degli italiani in merito. Tuttavia, esso era stato un *turning point* decisivo nella storia del comunismo internazionale. Una svolta che, nella lettura di Spriano, mostrava la peculiarità del comunismo italiano: era stato infatti merito di Togliatti quello di
sollecitare «un chiarimento degli aspetti più superficiali e rozzi della denuncia chruščëviana» [176]. Il ruolo giocato dal «Migliore», in occasione del-
l'enunciazione del «rapporto segreto», era sintomo della peculiarità del
PCI e della diversità della sua base, «settaria, stalinista quanto vuoi» la quale, tuttavia, accettava «alcuni elementi pratici» che contraddicevano il suo
stesso stalinismo come, ad esempio, la politica unitaria coi socialisti [177].

Il *topos* della peculiarità di Botteghe oscure e, nello specifico, del ruolo di Togliatti nei processi di Mosca furono ripresi e sviluppati nei lavori
di Paolo Spriano e Giuseppe Boffa, due autori che si erano distinti per
un atteggiamento critico ed autonomo non solo rispetto alla linea sovietica, ma anche nei confronti di quella dello stesso PCI. In particolare, l'o-
pera di Spriano, *Storia del Partito comunista italiano*, edita da Einaudi in
cinque volumi nel corso degli anni Settanta, generò una certa attesa non
solo tra gli iscritti, ma anche tra i più giovani militanti e simpatizzanti di

Botteghe oscure. Rispetto ad Ernesto Ragionieri – l'altro storico del partito che aveva pubblicato nel 1976 un volume su Togliatti [178] – Spriano era visto come un intellettuale capace di una forte autonomia di analisi e di pensiero. Nell'analizzare l'immagine che Spriano diede del Togliatti degli anni Trenta, è necessario premettere che – sino a quel momento – la figura di Ercoli [179] era celebrata all'interno del partito come quella del leader per eccellenza: trattare delle sue responsabilità durante il «Grande Terrore» era considerato, in definitiva, un tabù.

Spriano fu abile al punto da infrangere tale implicito veto, mantenendo un livello di critica sufficiente per essere severo con Togliatti e, al contempo, celebrarne la figura storica. L'intellettuale comunista sottolineò le responsabilità del «Migliore» come protagonista della lotta contro i trozkisti; tuttavia, lo studio del contesto storico rendeva più lievi le responsabilità del leader italiano. Nella lettura di Spriano, la totale assenza di legalità aveva reso il processo di decisione collettiva dell'Internazionale comunista privo di ogni efficacia: le responsabilità di Togliatti non potevano quindi che essere ridimensionate in assenza di un processo decisionale collettivo. Quest'aspetto, associato all'azione di Togliatti all'interno dello stesso PCI, aveva impedito che i metodi del «Grande Terrore» venissero applicati anche in seno al Partito comunista italiano, come invece era accaduto per le altre forze del movimento comunista internazionale. Se la corresponsabilità di Togliatti non poteva certo essere negata – concludeva Spriano – «la sua partecipazione al meccanismo repressivo non è suffragata da prove concrete» [180]. Più incisivo nell'individuazione delle cause dello stalinismo, il volume di Spriano si mostrava cauto nello studio della figura di Togliatti. La ragione di tale accortezza va probabilmente ricercata nella percezione dell'azione di Ercoli nell'ambito della politica culturale del PCI. Agli occhi di Spriano e di ampi strati dell'*intelligencija* comunista, il «Migliore» aveva avuto il merito di promuovere l'autonomia dell'attività culturale del partito, una scelta senza precedenti e senza pari in seno al movimento comunista internazionale. Albertina Vittoria ha messo in rilievo come tra gli anni Cinquanta e Sessanta, la Commissione culturale del PCI fosse il migliore esempio di partecipazione in campo intellettuale senza ricadute ždanoviste. E Barbagallo ha ricordato il ruolo centrale giocato dall'eredità gramsciana in merito, un vero e proprio 'antidoto' a Stalin e Ždanov [181].

Negli scritti di Spriano, l'immagine del padre politico del PCI non era tuttavia acriticamente celebrata. Le difficoltà, i travagli e le contraddizioni di Togliatti come uomo e come politico affioravano in modo chiaro. Nel contesto complessivo, tuttavia, questi elementi non facevano altro che rendere Togliatti un uomo del suo tempo, partecipe dei successi e dei fallimenti di un progetto politico collocato in un contesto spazio-temporale ben preciso. Ciò che – nell'analisi di Spriano – aveva spinto Ercoli oltre la sua prospettiva contemporanea, era stata un'intuizione politica che sarebbe poi divenuta patrimonio di tutto il PCI, costituendosi a pietra fondante della peculiarità del comunista italiano. Lo storico mise in luce il grado di consapevolezza superiore del «Migliore» in merito allo stato del «socialismo reale». Nella ricostruzione di Spriano, il Togliatti degli anni Trenta era già consapevole delle storture del «socialismo reale». In una conversazione con Ernst Fischer, il Segretario del PCI ammise che il sistema sovietico non era comunismo:

[Togliatti] iniziò il nostro dialogo suggerendo di non considerare come comunismo la terribile caricatura che avevamo di fronte. In un tragico periodo di transizione, condizionato da circostanze concomitanti, dovevamo guardare oltre quella transitoria oscurità [182].

A prescindere dalle considerazioni in merito al ruolo di Togliatti ed alle sue corresponsabilità nella repressione staliniana, l'aspetto che qui ci preme mettere in rilievo è piuttosto quello dell'operazione politico-culturale costituita dai volumi di Spriano. Mettendo in rilievo questo aspetto inedito di Togliatti, Spriano contribuì a rafforzare la base ideologica del progetto eurocomunista di Berlinguer: il messaggio implicito era quello dell'indipendenza di Botteghe oscure. Il legame con Mosca era importante ma non al punto da impedire ai comunisti italiani di analizzare la realtà con spirito critico. Spriano concorse in definitiva a modellare quello che potremmo chiamare – mutuando una celebre espressione – il mito dei 'comunisti italiani brava gente': lo storico sostenne l'idea della peculiarità del percorso politico del PCI, consentendo così di distinguere l'immagine di quest'ultimo da quella dei Gulag di Stalin e della persecuzione politica di Brežnev [183].

Opera altrettanto conosciuta, la *Storia dell'Unione Sovietica* di Giuseppe Boffa era ampiamente diffusa anche tra i non addetti ai lavori, grazie allo stile stringato e scorrevole che la caratterizzava. Il volume ottenne il Premio Viareggio per la saggistica nel 1979, confermando il successo del libro, il primo di un autore straniero sulla storia dell'URSS a essere stampato in lingua russa a Mosca. La pubblicazione del volume di Boffa, in base a quanto è stato possibile desumere dalle carte della Fondazione Gramsci, non provocò ufficiali proteste dai sovietici che pure avversavano da tempo il giornalista italiano [184]. L'opera venne considerata «di impronta critica e originale» dal principale esponente dell'ala migliorista del PCI, Giorgio Napolitano: lo studio del giornalista si inseriva in effetti nel contesto di «uno sforzo di studio non convenzionale sui Paesi socialisti» [185]. Sebbene ben si collocasse nella politica della memoria promossa dal PCI, caratterizzata dall'intento di «cogliere il significato politico nell'evoluzione dell'Unione Sovietica» [186], il volume di Boffa costituì una novità rilevante nel panorama delle analisi storiche degli intellettuali comunisti. In primo luogo, Boffa affermava esplicitamente che la società sovietica all'epoca di Stalin «corrispondeva poco alle immagini che del socialismo avevano avuto i suoi precursori», «sebbene avesse non pochi tratti socialisti» [187]. L'idea che la «patria del socialismo» non fosse realmente socialista affiorava prepotentemente dalle pagine del volume. In secondo luogo, l'intellettuale metteva in rilievo la parzialità della svolta chruščёviana attorno alla politica di riabilitazione dei perseguitati del «Grande Terrore». Un limite – denunciava Boffa – che permaneva negli anni Settanta, e che era stato ulteriormente consolidato dalla produzione storica sovietica, i cui esponenti si erano mostrati «tutt'altro che malevoli nei confronti di Stalin» [188]. Nella lettura di Boffa, dunque, l'esame critico dell'esperienza del «socialismo reale» si saldava con l'attualità, traducendosi in denuncia del regime brežneviano.

Tale legame emerse con chiarezza anche nell'ambito di un'altra iniziativa promossa dal PCI, il seminario «Momenti e problemi della storia dell'URSS», organizzato alle Frattocchie a poche settimane dalla Biennale del dissenso. L'iniziativa aveva lo scopo di promuovere studi analitici che rifiutavano la logica della «scomunica dell'Unione Sovietica al posto del giudizio politico» [189]. Il dibattito – ricco di relazioni di rilievo e di spunti interessanti – si articolò intorno a varie questioni. Trattare nel particolare ogni intervento esula dallo scopo di questo studio: si è dunque preferito conferire maggior risalto all'analisi dello stato del «socialismo reale» nel blocco sovietico. Intorno a tale questione, l'elemento politico emergeva con nettezza: analizzare la storia della «patria del socialismo» significava, infatti, dare un giudizio sullo stato attuale della democrazia in URSS.

Era, in definitiva, il paradigma di riferimento del socialismo ad essere in gioco. Adriano Guerra poneva la questione in questi termini: non si trattava «tanto o soltanto di dire 'no' a un modello di socialismo», quanto piuttosto di «restaurare valori socialisti» che nell'esperienza sovietica non avevano potuto manifestarsi o erano andati perduti [190]. Proporre una via italiana – o europea – al socialismo, imponeva però anche di riflettere sul legame tra l'analisi storica e culturale del «socialismo reale» (dall'inizio del Novecento sino agli anni Settanta del XX secolo), e di trarre le dovute conseguenze politiche da questo ragionamento. Fu Procacci a portare tale questione alla ribalta: così come era palese la «sottovalutazione delle contraddizioni e dei problemi politici» dell'URSS nelle analisi della sinistra italiana, era impossibile soprassedere sui ritardi della «patria del socialismo», sia per quanto concerneva i «rapporti tra gli Stati socialisti», sia per quanto riguardava «i problemi della destalinizzazione e della democratizzazione della società sovietica»[191]. Il nesso tra la riflessione storica e la definizione della politica del partito si era tuttavia allentato. Inoltre, la tendenza predominante negli studi dei comunisti italiani era quella di distinguere in modo netto tra il passato staliniano ed il presente dell'URSS. Se Vittorio Strada associava l'URSS di Brežnev a quella di Stalin, arrivando ad affermare che in Unione Sovietica il «socialismo reale» si sarebbe avuto soltanto quando vi fosse stata una «democrazia reale»[192], intellettuali più vicini alla linea di partito consideravano improprio l'uso dei termini «stalinismo» e «neostalinismo» riferiti alla situazione di Mosca negli anni Settanta. Diverse caratteristiche del regime di Brežnev segnavano una netta discriminante col passato – prima fra tutte, la politica di distensione[193]. Anche il direttore del Centro di Studi e di Documentazione sui Paesi socialisti, Adriano Guerra, si faceva portavoce di un'analisi più prudente: Mosca stava affrontando la «crisi della linea del XX Congresso» ed avendo intrapreso una strada costellata da «aspetti involutivi», doveva affrontare le problematiche conseguenze di tale approccio, come l'emergere del movimento del Dissenso[194].

A fronte di un panorama tutt'altro che monolitico, il dibattito tra i dirigenti e gli intellettuali fu scosso dalle caustiche affermazioni di Pajetta: «Ognuno deve saper rivendicare insieme l'internazionalismo e l'autonomia nazionale». Nell'analisi dell'esperienza del «socialismo reale» si doveva necessariamente tener conto dell'esistenza della primogenitura rivoluzionaria dell'Unione Sovietica: un aspetto che poteva spiegare le «ingerenze» ed il «paternalismo» da parte di Mosca, «che talvolta può essere rappresentato dai carri armati» (sic!)[195].

La questione dell'analisi del «socialismo reale» nel blocco sovietico rimase aperta, anche a causa di due eventi di rilievo che videro, in quei mesi, Mosca protagonista. Il primo fu il XXV Congresso del PCUS: nonostante le opinioni in merito fossero diversificate nella Direzione, il commento di Guerra su «Rinascita» tese a conferire un'immagine positiva dell'URSS, pur non dimenticando le contraddizioni della realtà sovietica. I «risultati raggiunti col socialismo» dall'Unione Sovietica, non potevano infatti celare la persistenza delle «strutture del monolitismo» [196]. In linea con il suo intervento al seminario delle Frattocchie, Guerra spiegava le incoerenze della società sovietica con l'interruzione del processo inaugurato dal XX Congresso [197]. La contraddizione principale della «patria del socialismo» stava, in sostanza, nella «scarsa attività politica complessiva», non nel «numero limitato di intellettuali» alla ricerca di «un proprio spazio politico» [198]. Seppure in modo indiretto, Sulla stampa del PCI si sminuiva la rilevanza del Dissenso sovietico, confermando la linea che vedeva nelle «forze reali» gli unici potenziali agenti di rinnovamento [199].

In questo contesto si inseriva la seconda questione: la promulgazione della Nuova Costituzione sovietica. La revisione della legge fondamentale dell'URSS fu accolta positivamente da Botteghe oscure, sebbene – come rilevava Boffa nell'introduzione all'edizione italiana – i «problemi maggiori» della storia russa non erano nati dalla mancanza o dalla carenza imputata alle leggi, quanto dalla loro «applicazione». Gli aspetti positivi della Costituzione – il riconoscimento esplicito dell'esistenza e dell'influenza dell'opinione pubblica, la lotta contro il burocratismo, l'estensione dei diritti civili – incontravano tuttavia i limiti posti dalla tendenza «a riproporre le vecchie formulazioni del monolitismo» [200].

In conclusione, il PCI non smentiva la crisi del «socialismo reale» ma ne individuava la causa principale nella persistenza di strutture che erano state proprie del periodo stalinista e che la classe dirigente al potere non era in grado (o non aveva l'intenzione) di eliminare.

Tale elaborazione, oltre alla già ricordata esigenza di sostenere l'URSS come promotrice della distensione, affondava le proprie radici in una speranza mai abbandonata. Era la fiducia dei comunisti italiani nella possibilità di riformare il comunismo internazionale che giaceva assopita, sotto la cenere della critica al «socialismo reale». Dubček, Gierek, Kania e Gorbačev furono i leader che incarnarono l'illusione di una riforma delle società del blocco sovietico. Non casualmente, tali aspettative si concentrarono sui dirigenti dei partiti comunisti, e non sugli attori politici che sviluppavano la propria azione all'esterno del partito. Il dialogo con il Dissenso era quindi frenato dalla visione che i comunisti italiani avevano dei possibili fautori di una riforma del sistema. Fino all'esplosione di Solidarność (e forse anche in seguito ad essa), i comunisti italiani ritenevano che il loro appoggio dovesse indirizzarsi verso le reali forze del cambiamento, fossero esse in seno al partito (come nel caso di Dubček o di Gorbačev) o in ambienti vicini ad esso (come per l'*in-*

telligencija dell'Istituto di economia sovietica, ad esempio) [201]. Il Dissenso non rientrava in questa visione; ed il rapporto con gli oppositori politici dell'Est non poteva non essere influenzato da tale idea.

Repressione a Praga; una Guerra Fredda in Italia?
Il Convegno di Firenze del 1979

La fine degli anni Settanta, densa di avvenimenti internazionali, era destinata ad incidere profondamente sullo scenario politico italiano. La rivoluzione khomeinista in Iran ed il crescente interventismo sovietico contribuirono a riportare una forte tensione tra le due superpotenze: dopo aver toccato il proprio picco nell'agosto del 1975, il processo di distensione si ripiegava su se stesso, trascinando con sé l'immagine del proprio principale promotore, l'Unione Sovietica. Ogni focolaio di crisi internazionale pareva destinato a tradursi in un conflitto tra le due superpotenze: si pensi, ad esempio, all'intervento indiretto nelle crisi del Corno d'Africa, con la guerra civile angolana del 1975-1976 ed il conflitto somalo-etiope del 1977-1978. Anche all'interno del gruppo dei Paesi a guida comunista, la fine del decennio fu caratterizzata da dissidi che sfociarono in conflitti armati: prima, l'invasione vietnamita della Cambogia, nel dicembre 1978; poi, il primo confronto tra due Stati comunisti (la Cina ed il Vietnam), nel febbraio 1979. Gli eventi internazionali indicavano che la Guerra fredda era tornata d'attualità.

Il dialogo in merito agli armamenti fu il primo a subire contraccolpi. Nel corso dei negoziati per il SALT II, l'URSS aveva iniziato a modernizzare la propria forza di missili a raggio intermedio, sostituendo i vecchi modelli con gli innovativi SS20, in grado di raggiungere potenzialmente ogni Paese dell'Europa occidentale [202]. Quando la prima batteria di SS20 – nel 1976 – fu installata, i Governi del blocco atlantico comunicarono i propri timori a Washington sulle possibili conseguenze di uno sviluppo che sembrava implicare un grave squilibrio nel settore missilistico. Nel corso di un vertice tenutosi a Guadalupa nel 1978 tra Stati Uniti, Repubblica Federale Tedesca, Francia e Gran Bretagna, fu stabilito che le difese della NATO in Europa sarebbero state rafforzate con l'installazione di missili americani di nuova generazione, se i risultati dei negoziati tra la Casa Bianca ed il Cremlino non avessero dato risultati positivi. La decisione aprì un valzer di consultazioni tra la NATO e i Paesi europei: la possibilità che l'Italia fosse direttamente interessata dall'installazione dei cosiddetti «euromissili» determinò un dibattimento parlamentare nell'autunno 1979. Il «fragilissimo» governo Cossiga, caratterizzato da una «maggioranza evanescente»[203], otteneva dal Parlamento l'assenso sull'installazione dei missili Cruise e Pershing II sul territorio della penisola. Come sottolinea Barbagallo, Berlinguer «mantenne la sua opposizione, fondata sul pacifismo più che sul filosovietismo»: il suo intervento alla Camera sull'installazione degli euromissili fu la prova di tale posizione[204]. Tuttavia, ciò non fu sufficiente ad impedire che l'esperimento della «solidarietà nazionale» tramontasse definitivamente. Il disaccordo sulle questioni di politica estera – gli euromissili e, tra la fine del 1978 ed i primi mesi del 1979, il confronto sull'adesione dell'Italia al Sistema Monetario Europeo – furono nodi centrali di divergenza tra il PCI ed i partner dell'alleanza, fra i quali la DC. Ma ancor più determinante fu la generale insoddisfazione dei comunisti per gli esiti deludenti della collaborazione con i democristiani nel quadro della «solidarietà nazionale» che, oltretutto, pareva compromettere la tradizionale base di consenso del PCI[205].

Il fallimento dell'esperimento della «solidarietà nazionale» non indusse tuttavia Berlinguer ad abbandonare la strategia del «compromesso storico»: la mancanza di alternative plausibili rendeva in qualche modo la scelta obbligata[206]. Il panorama delle possibili alleanze era, per il PCI, desolante: i gruppi extraparlamentari di sinistra, più che possibili interlocutori costituivano un problema; d'altro canto, vane erano le speranze in un dialogo con il PSI che, dalla svolta del «Midas», conduceva una politica di differenziazione nei confronti del PCI dai tratti talvolta veementi. La sfida, lanciata da Craxi a Berlinguer sul piano ideologico e sul primato democratico in seno alla sinistra, aveva provocato infatti un forte irrigidimento dei rapporti tra i due partiti. Ciononostante, in occasione del Congresso di Torino nell'aprile 1978, Craxi aprì uno spiraglio al dialogo con i comunisti, sostenendo l'ipotesi dell'«alternativa». Né il leader socialista né Berlinguer erano però persuasi che essa potesse rivelarsi la soluzione vincente per il proprio partito. Da un lato, il Segretario del PSI poneva come precondizione il riequilibrio interno alla sinistra, sino a quel momento piuttosto lontano dalla sua realizzazione[207]; dall'altro, Berlinguer respingeva la prospettiva dell'«alternativa» in politica interna, ponendola in relazione ad un'eventuale evoluzione del PCI in senso socialdemocratico, proprio in un momento in cui la socialdemocrazia era in affanno in Europa. Come ha rilevato Craveri, già nei primissimi anni Ottanta, «la socialdemocrazia in Europa aveva esaurito il suo compito storico»[208].

La crisi della distensione imponeva al PCI di trovare quanto prima una nuova strategia anche in ambito internazionale. Fallito il tentativo eurocomunista a causa della defezione del PCF, riallineatosi alla politica del Cremlino nel corso del 1979 [209], Berlinguer si orientò verso la definizione di un PCI «autosufficiente», in grado di tessere legami ad Est come ad Ovest. Una visione, questa, che nasceva dalla sopravvalutazione delle possibilità di Botteghe oscure, i cui contatti con le socialdemocrazie – seppur articolati – non erano ancora stati sviluppati in modo ufficiale e approfondito [210]. Nel marzo 1979, Berlinguer presentò la bozza della propria relazione per il XV Congresso alla Direzione, centrata sulla necessità di «evitare scelte di campo», ma sostanzialmente più incline a sottolineare le responsabilità degli Stati Uniti nel deterioramento della distensione, piuttosto che quelle sovietiche. In particolare, l'Amministrazione Carter fu ritenuta responsabile dell'utilizzo strumentale della questione dei diritti umani. Veniva quindi a riproporsi come valida l'equazione sostegno al Dissenso = deterioramento della distensione che pareva esser stata – almeno parzialmente – rimossa dall'analisi dei comunisti italiani nel corso del biennio 1977-1978 [211].

Nonostante alcune posizioni di politica estera indicassero il contrario, va rilevato che il PCI non si rese protagonista di un ripiegamento repentino ed ortodosso come quello promosso, in Francia, da Marchais. Al contrario, Botteghe oscure mantenne un contegno critico nei confronti dell'URSS, a dispetto dell'opposizione all'installazione degli euromissili in Italia. Tale elemento fu particolarmente evidente nei colloqui bilaterali tra partiti fratelli. Tramite canali riservati, continuò la polemica nei confronti dell'Unione Sovietica intorno al legame tra socialismo e democrazia, anche se con toni decisamente più attenuati da parte italiana in confronto ai due anni precedenti. Le tesi pubblicate da «Rinascita» e da «l'Unità» in vista del XV Congresso del PCI irritarono fortemente i sovietici, che le ritennero un vero e proprio atto di intromissione nella politica interna dell'URSS. La reazione di Mosca fu inequivocabile: finché certe posizioni venivano assunte in contesti culturali, potevano essere tollerate; ma nel momento in cui fossero state pubblicamente tradotte sul piano politico, il Cremlino sarebbe dovuto intervenire [212]. La gravità delle posizioni del PCI fu considerata tale da indurre il PCUS ad inviare una lettera a Botteghe oscure, nella quale si chiedevano ai compagni italiani alcuni chiarimenti intorno ad elementi centrali nella loro politica. L'equiparazione del fallimento del modello socialdemocratico con quello sovietico, la negazione dell'esistenza della democrazia in URSS, la definizione della «terza via» in aperta contrapposizione all'esperienza del «socialismo reale», furono le tre questioni che generarono sconcerto a Mosca. Respingendo l'accusa di equiparazione tra socialdemocrazia e socialismo sovietico, il PCI rivendicò la propria «indipendenza», ribadendo il giudizio sui «limiti» della «democrazia» dei regimi dell'Est. Botteghe oscure non aggiungeva in realtà nulla di nuovo alle valutazioni già sviluppate in precedenza, riguardanti «le contraddizioni tra potenzialità di democrazia implicite nella rivoluzione socialista e gli ostacoli al pieno dispiegarsi di una vita democratica»[213]. L'accresciuta inquietudine internazionale rendeva però il Cremlino particolarmente sensibile a tali critiche.

In un contesto dominato da siffatte tensioni, Praga tornò ad essere al centro della *querelle*. Nel gennaio 1979, giunse a Botteghe oscure una lettera di Michal Reiman: il dissidente cecoslovacco, in viaggio nella Repubblica Federale Tedesca per motivi di studio, era stato privato della cittadinanza. Le motivazioni erano ufficialmente correlate alla sua attività di collaborazione al settimanale del PCI «Rinascita» ed alla sua partecipazione alla Biennale del Dissenso[214]. Era la prima volta che le autorità cecoslovacche decidevano l'espulsione di un proprio cittadino sulla base della collaborazione con un partito fratello: fu dunque subito evidente che la decisione era stata presa per colpire il partito di Berlinguer[215]. L'*affaire* Reiman riapriva così il caso – mai risolto – della precarietà delle relazioni tra PCI e PCCS[216]. Luciano Antonetti si impegnò presso i dirigenti italiani affinché venisse presa una posizione pubblica sul caso del dissidente cecoslovacco[217], una richiesta che trovò sostegno persino in Gian Carlo Pajetta, favorevole ad una «protesta ufficiale»[218]. Questa volta fu però Berlinguer a consigliare cautela: il Segretario giudicò che un corsivo su «Rinascita» sarebbe stato sufficiente[219]. Se le relazioni con i cecoslovacchi erano ormai sostanzialmente inesistenti, una protesta ufficiale avrebbe certamente accresciuto la collera dei sovietici[220].

L'azione del PCI a favore dei dissidenti ritornò a svilupparsi quindi su due assi principali: quello del confronto interno e riservato, tra partiti fratelli, e quello del discorso pubblico, ma più culturale che politico. Due ambiti nei quali la discussione era tollerata dai sovietici. Il temperamento dei toni fu evidente anche nel XV Congresso del PCI, nel 1979. In tale occasione, Berlinguer riaffermò l'esistenza di una «differenza qualitativa» tra la crisi dei Paesi socialisti e quella del capitalismo e dell'imperialismo. Tale posizione, oltre a ridimensionare fortemente il 'non allineamento' della posizione del PCI, poneva seri limiti anche alla denuncia delle «contraddizioni» ed «errori» del blocco dell'Est[221]. Il cambiamento di tono non fu certamente clamoroso come nel caso del PCF, ma fu ugualmente percettibile: pur non riallineandosi alla politica del Cremlino, Berlinguer esponeva il fianco alle accuse di ambiguità che venivano sia dalla sua destra (il PSI), sia dalla sua sinistra («il manifesto»).

La sensazione di assedio fu accresciuta dal peculiare dinamismo della vita politica italiana riguardo alla questione del Dissenso. Da Helsinki in poi, l'Italia sembrò diventare il faro occidentale dell'opposizione dei Paesi dell'Est. Oltre ai già citati eventi promossi dal PSI e dal PCI, infatti, «il manifesto» si fece promotore di alcuni incontri in merito. Persino il Tribunale internazionale Sacharov – inaugurato nel 1975 da un gruppo di esuli dell'Est a Copenhagen per mantenere alta l'attenzione sulle violazioni dei diritti umani nel blocco sovietico – tenne la sua seconda edizione nella penisola [222]. Le manifestazioni di rilievo a livello nazionale furono presto accostate ad un crescente interesse da parte delle autorità locali: Firenze, già forte dell'eredità dell'Amministrazione La Pira, si confermava una delle realtà locali più dinamiche d'Italia nell'ambito della cultura e della riflessione politica e sociale.

Nel corso degli anni Settanta, per una serie di circostanze di natura personale, Elena Bonner, attivista politica e moglie del Nobel Sacharov [223], ebbe l'occasione di recarsi più volte a Firenze. Nel 1975, la dissidente si rivolse all'Amministrazione comunale, guidata dal sindaco comunista Elio Gabbuggiani, per ottenere un incontro. Il rifiuto da parte del primo cittadino diede luogo ad una crisi in seno al Consiglio comunale: il PSI – alleato locale del PCI – votò assieme all'opposizione un documento di condanna riguardo a tale decisione, mettendo in minoranza i comunisti [224]. Anche a livello comunale, la questione del Dissenso divenne quindi ragione di una frattura nell'alleanza tra PCI e PSI: un'evoluzione che andava di pari passo con il declino dell'esperienza governativa della «unità nazionale», che stava vivendo i propri ultimi mesi. Gabbuggiani ritenne a quel punto opportuno mutare completamente strategia, promuovendo un'iniziativa culturale intorno al tema del Dissenso che raccolse il sostegno trasversale di tutte le forze politiche del Consiglio comunale. Per la prima volta, socialisti e comunisti appoggiavano congiuntamente un momento di riflessione su un tema che li aveva visti a lungo contrapposti. Nonostante i toni aspri che caratterizzarono da subito il dialogo tra i promotori [225], l'evento andò in porto.

Il 19 gennaio 1979, si aprì quindi il convegno «Dissenso e democrazia nei Paesi dell'Est europeo» [226]. La conferenza si trasformò in un'occasione di incontro e di confronto tra numerosi esponenti del mondo politico ed intellettuale italiano ed internazionale. Parteciparono numerosi intellettuali della sinistra tradizionale tra i quali Boffa, K.S. Karol,

Morra, Vasconi, Claudin, Guerra, Salvadori; alcuni liberali come Sergio Cotta e Enzo Bettiza; ed una significativa rappresentanza del mondo del Dissenso dell'Est. Šik, Amal'rik e Pliušč garantirono la loro presenza, mentre la partecipazione di Sacharov, Roy Medvedev, Slánský, Kriegel e Havemann rimase incerta fino all'ultimo. Alcuni, come Kriegel, avevano preferito partecipare al convegno organizzato da «il manifesto»; altri, tra i quali Sacharov, erano impossibilitati a raggiungere l'Italia perché le autorità avevano negato loro il visto d'uscita [227].

Nonostante l'ente promotore fosse un'amministrazione guidata da un comunista, i sovietici attaccarono pubblicamente l'iniziativa, ripetendo il copione messo in scena in occasione della Biennale. La «Literaturnaja Gazeta» definì il convegno una «interferenza negli affari altrui», il cui obiettivo altro non era che fare dell'«antisovietismo e dell'anticomunismo un principio» [228]. Poiché l'occasione si prestava ad un nuovo attacco da parte del Cremlino, i dirigenti nazionali del PCI decisero di mantenere un basso profilo, limitando la presenza comunista a quella degli esponenti locali [229]. Fu quindi lasciata a Gabbuggiani l'incombenza di rispondere alle critiche della stampa sovietica: il Sindaco di Firenze rivendicò il dovere dei comunisti italiani di evitare la strumentalizzazione del tema del Dissenso, contribuendo ad una «seria ed articolata conoscenza del problema» al fine di «rafforzare la distensione e la coesistenza pacifica» [230]. La speranza di Gabbuggiani di guidare l'iniziativa fallì in tempi rapidi: dopo alcuni interventi fortemente critici nei confronti dell'anima moderata del Dissenso sovietico, ai quali «l'Unità» riservò ampio spazio, già il secondo giorno del convegno la situazione assunse una piega inaspettata [231]. Alcuni dissidenti proposero la stesura di un documento di condanna della situazione in Cecoslovacchia, siglato dagli stessi oppositori congiuntamente al PSI ed al PCI. L'appoggio dei socialisti fiorentini fu totale: accogliendo l'interpretazione secondo la quale il Dissenso dell'Est era divenuto una vera forza di opposizione, il gruppo guidato da Valdo Spini si mostrò disponibile ad aderire all'iniziativa. I comunisti, che le critiche provenienti dal Cremlino avevano reso cauti e guardinghi, preferirono temporeggiare e rinviare la questione al Consiglio comunale [232]. Da Botteghe oscure, Bufalini consigliò a Gabbuggiani di aprire i lavori con un'introduzione «cauta, attenta» [233]. Fu poi «l'Unità» ad indicare indirettamente la via: dopo aver espresso dubbi sugli esiti del convegno [234], il quotidiano comunista denunciò infatti con forza i tentativi di strumentalizzazione del tema del Dissenso. A detta di Polito, il rapporto con l'opposizione non avrebbe avuto prospettive se si fosse sviluppato «a discapito del dialogo con l'insieme della società sovietica» [235].

I consiglieri comunisti dichiararono così la loro indisponibilità a sottoscrivere il documento presentato da PSI, DC, PSDI, PRI e PLI: il gruppo di Gabbuggiani sostenne che la dichiarazione, paragonando l'URSS al regime hitleriano, riecheggiava «i peggiori temi della Guerra Fredda» [236]. Il PCI di Firenze preferì formulare una propria dichiarazione autonoma, nella quale si denunciava l'uso strumentale della questione del Dissenso, e si avvallava l'ipotesi che il sostegno agli oppositori dell'Est avrebbe potuto compromettere la coesistenza pacifica [237]. La crisi tra socialisti e comunisti fiorentini si prestò ad essere utilizzata a livello nazionale. «L'Avanti» non perse l'occasione per denunciare la principale contraddizione di Berlinguer: riprendendo le parole del socialista francese Gilles Martinet, il quotidiano socialista denunciò l'incoerenza mostrata da Botteghe oscure, che offriva al tempo stesso «solidarietà alle vittime» e «fratellanza ai carcerieri» [238].

Il PCI era uscito isolato da questa prova: come commentò Cesari sulle colonne de «il manifesto», i comunisti italiani erano «più soli di tutti, così soli da risultare invisibili» [239]. I dirigenti non erano stati in grado di riformulare in modo convincente una strategia politica adeguata all'evolvere del contesto nazionale ed internazionale. Erano rimasti, secondo la celebre espressione, «in mezzo al guado»: non irrimediabilmente filosovietici, non socialdemocratici e non, certamente, socialisti secondo l'esempio italiano. Partecipavano alla vita del movimento comunista internazionale criticando la linea dell'URSS e attirandosi le ire del Cremlino; agivano nel contesto politico italiano ma senza interlocutori credibili dopo la morte di Moro e l'elezione di Craxi a segretario del PSI [240]. Una situazione di stallo dalla quale pareva difficile uscire. Il banco di prova costituito dai processi agli attivisti di Charta 77, tenutisi in Cecoslovacchia tra la fine degli anni Settanta e i primi anni Ottanta, mise in evidenza proprio questo aspetto. Il PCI condannava ormai in modo esplicito la politica di Husák rilanciando la prospettiva eurocomunista; ma la breve stagione del movimento promosso dai comunisti occidentali era già tramontata.

Tra il maggio 1979 ed i primi mesi del 1982, in linea con la tendenza generale nel blocco sovietico, in Cecoslovacchia venne inaugurata una dura campagna repressiva, i cui principali bersagli furono gli attivisti di Charta 77, Petr Uhl, Jaroslav Šabata, Václav Benda, Dana Němcová, Jiří Dienstbier, Otta Bednářová ed il celebre drammaturgo Václav Havel. Il 22 ottobre 1979 venne aperto un procedimento giudiziario nei loro confronti: le dure sentenze emesse arrecarono un grave danno all'opposizione cecoslovacca, pur non costringendola al completo silenzio [241]. «l'Unità» pubblicò una dura condanna del processo contro i dissidenti cecoslovacchi. I comunisti italiani sostennero che non esistevano «giustificazioni 'obiettive' o storiche» a tali misure: i provvedimenti giudiziari adottati nei confronti dei dissidenti confermavano la «necessità storico-politica dell'eurocomunismo»[242]. Era la prima volta che il PCI correlava in modo così evidente la carenza di democrazia all'Est con la necessità di seguire il progetto politico da esso ideato. La condanna di Botteghe oscure fu confermata all'indomani delle sentenze, definite «inammissibili»[243]. Anche Gian Carlo Pajetta – in un'intervista al quotidiano «La Repubblica» – giudicò la vicenda dannosa per l'*appeal* politico del socialismo[244]. La determinazione del PCI fu rilevata persino dal quotidiano «il manifesto», tradizionalmente molto critico nei confronti del processo di distacco dei comunisti italiani da Mosca[245].

Meno incline a cogliere il cambiamento di Botteghe oscure fu Bettino Craxi, persuaso della necessità di puntare sul tema del Dissenso per rilanciare l'immagine del PSI[246]. Il modesto risultato elettorale ottenuto in casa socialista nel 1979 indica pur sempre una tenuta, a fronte della brusca diminuzione dei consensi comunisti, che si ridussero del 4% rispetto al 1976. La strategia sul Dissenso – nel contesto generale dell'azione politica craxiana – aveva avuto quantomeno l'effetto di rendere l'identità del PSI meno indefinita e più lineare agli occhi degli elettori. La candidatura di Pelikán alle prime elezioni dirette del Parlamento europeo, su proposta di Finetti, fu solo l'ultima iniziativa che contribuì a plasmare l'immagine del PSI come difensore del socialismo democratico[247]. Da Bruxelles, Pelikán godette di una tribuna d'eccezione per denunciare la campagna contro Charta 77. Ponendo in rilievo le posizioni di netta condanna di Craxi e Nenni, il parlamentare europeo riconobbe al PSI il ruolo di principale interlocutore del Dissenso.

I processi di Praga del 1979 videro il chiaro rilancio dell'iniziativa del PSI in difesa dell'opposizione cecoslovacca: ancora una volta, il Dissenso di orientamento socialista veniva osservato con maggiore attenzione nel contesto del variegato mondo dell'opposizione dell'Est[248]. Craxi decise di inviare un osservatore al dibattimento in corso contro gli esponenti di Charta 77[249]. In seguito, il presidente Pertini intervenne pubblicamente per difendere il legame irrinunciabile tra l'applicazione delle disposizioni dell'Atto Finale di Helsinki e la «causa della distensione e di una crescente intesa e solidarietà fra i popoli»[250]. I socialisti italiani contribuirono così, nella direzione indicata da Craxi, a confutare la dottrina comunista dell'esistenza di un legame negativo tra l'appoggio alla distensione ed il sostegno ai dissidenti dell'Est. Nell'analisi craxiana, il Dissenso costituiva un interlocutore con quale dialogare su base paritaria, in quanto esso rappresentava la legittima opposizione in seno al blocco sovietico [251].

Infine, il Segretario del PSI promosse un'azione specifica in seno all'Internazionale socialista: Craxi propose un appello in favore di Rudolf Battěk [252], e – assieme al PSDI – lanciò l'idea di una nuova conferenza sulla tragica situazione cecoslovacca in Italia, con il *placet* dell'organizzazione mondiale [253].

Con questo dinamismo nello scenario mondiale, Craxi fece compiere alla strategia sul Dissenso un'ultima evoluzione: da tattica di natura interna al PSI divenuta poi mezzo di affermazione sul piano nazionale, essa era diventata strumento di definizione dell'identità del Partito socialista italiano a livello internazionale.

L'appuntamento mancato

Note

¹ L.V. Ferraris, *Testimonianze di un negoziato: Helsinki-Ginevra-Helsinki, 1972-1975*, Cedam, Padova, 1977; C. Meneguzzi Rostagni, *The Helsinki Process. A Historical Reappraisal*, Cedam, Padova, 2005; G. Barberini, *Dalla CSCE all'OSCE: testi e documenti*, Edizioni Scientifiche Italiane, Napoli, 1995; A. Romano, *From Détente...*, cit.

² Report «The Soviet view of the dissent problem since Helsinki», maggio 1977, CIAA.

³ J. Carter, *Keeping faith. Memoirs of a President*, The University of Arkansas Press, Fayetteville, 1995, p. 143; J. Dumbrell, *The Carter Presidency. A Re-evaluation*, Manchester University Press, Manchester-New York, 1993, pp. 115-120.

⁴ *Enrico Berlinguer, La politica internazionale dei comunisti italiani, 1975-1976*, a cura di A. Tatò, Editori Riuniti, Roma, 1976, pp. 194-199.

⁵ R. Gardner, *Mission: Italy. Gli anni di piombo raccontati dall'Ambasciatore americano a Roma. 1977-1981*, «Le Scie», Mondadori, Milano, 2005, pp. 197-204; O. Njolstad, *Come tenere I comunisti fuori dal governo senza ingerenza: l'Amministrazione Carter e l'Italia (1977-'78)*, in «Passato e Presente», XVI, n. 45 (settembre-dicembre 1998), pp. 57-84. Cfr. L. Barca, *Cronache dall'interno del PCI...*, cit., pp. 601-603. Conferma l'idea delle speranze riposte nella nomina di Carter, Sergio Segre; intervista dell'autrice, cit. Più scettico è stato invece Antonio Rubbi: il dirigente comunista ritiene che a prescindere dall'Amministrazione americana in carica, data la particolare posizione dell'Italia nella NATO, forse assai difficile per Washington vedere nel PCI un possibile alleato nel Governo italiano. Intervista dell'autrice a Rubbi, cit.

⁶ A. Varsori, *Puerto Rico (1976): le potenze occidentali e il problema comunista in Italia*, in «Ventunesimo secolo», n. 16 (giugno 2008), pp. 89-121. Riguardo alla Segreteria Schmidt, H. Potthoff – S. Miller, *The Social Democratic Party of Germany 1848-2005*, Dietz Verlag, Bonn, 2006, pp. 234-235.

⁷ Il testo integrale ed originale della Charta 77 è contenuto in appendice in P. Garimberti, *Il dissenso nei Paesi dell'Est...*, cit.; cfr. H.G. Skilling, *Chart 77 and Human Rights in Czechoslovakia*, George Allen & UNWIN, London, 1981, pp. 51-53; J. Bugajski, *Czechoslovakia. Charter 77's, Decade of Dissent*, The Center for International and Strategic Studies, New York-London, 1987; *L'opposizione all'Est...*, a cura di F. Leoncini, cit.; *Ecco la Charta 77 di Praga*, in «L'Europeo», n. 4, 24 gennaio 1977, APCI, MF 0288, p. 1433. Tra la documentazione archivistica, sono di particolare interesse: nota di Pavolini, 22 marzo 1977, APCI, MF 288, p. 1448; verbale della Segreteria, APCI, MF 288, pp. 0162-0163. Rispetto alla formazione di variegati gruppi di dissidenti: documento informativo, BRR, RIC faldone 019 pp. 172-173.

⁸ Il 'chartista' Dienstbier ricorda l'appoggio incondizionato di alcuni attori occidentali: tra essi non compaiono né il PSI né il PCI, ma i Sindacati del blocco atlantico e le ambasciate americana, francese e inglese. Un ruolo speciale, secondo Dienstbier, fu rivestito da Mitterrand. Intervista dell'autrice a Jiří Dienstbier, cit.

⁹ *Dichiarazione di intellettuali comunisti sulla Cecoslovacchia*, in «l'Unità», 13 gennaio 1977, p. 1. La dichiarazione venne firmata da Nicola Badaloni, Biagio De Giovanni, Lucio Lombardo Radice, Cesare Luporini, Carlo Smuraglia e Rosario Villari. Si noti la sottolineatura quasi ossessiva del carattere marxista del Dissenso.

¹⁰ *Una seria politica di austerità occasione per trasformare il Paese*, in «l'Unità», 18 gennaio 1977, pp. 1 e 3. Si ricordi anche la dichiarazione di Paolo Bufalini, in occasione dell'arresto di Ornest, Havel, Lederer, e Pavlicek, *Un'intervista di Bufalini*, in «l'Unità», 19 gennaio 1977, p. 12.

[11] Nota alla Segreteria, 1 marzo 1977, APCI, MF 296, pp. 884-887.

[12] Lettera di Antonetti a Rubbi, 23 gennaio 77, APCI, MF 309, pp. 0572-0573.

[13] Lettera di Kohout ai Partiti comunisti dell'Europa Occidentale, APCI, MF 0309, pp. 0569-0571. Cfr. F. LEONCINI, *L'opposizione all'Est...*, cit., p. 365.

[14] Lettera di Kohout ai Partiti comunisti dell'Europa Occidentale, cit.

[15] Lettera di Mlynář, 16 gennaio 1977. APCI, MF 0309, pp. 0565-0566; lettera di Slavík, 16 gennaio 1977, APCI, MF 309, p. 0560.

[16] Lettera di Hübl, 16 marzo 1977, APCI, MF 297, pp. 1243-1248.

[17] G. PAJETTA, *Le crisi che ho vissuto...*, cit., p. 133.

[18] A. GUERRA, *Comunismo...*, cit., pp. 282-283.

[19] Intervista dell'autrice ad Adriano Guerra, cit.

[20] Riunione, APCI, Direzione, 16 febbraio 1977, MF 288, fasc. 9.

[21] Riunione, 18 luglio 1977, APCI, Direzione, MF 299, pp. 111 ss.

[22] Lettera del PCCS al PCI, 4 febbraio 1977, APCI, MF 0288, pp. 0276-0307; dichiarazione di intellettuali comunisti cecoslovacchi, 25 gennaio 1977, APCI, MF 288, pp. 1436-1438. Si veda, riguardo alla polemica pubblica, le accuse di stalinismo rivolte a Pelikán ed alcuni articoli del quotidiano «Trybuna Ludu»: *Lettera di 'cecoslovacchi in esilio'*, 21 febbraio 1977, APCI, MF 288, pp. 1444-1445; *Quando due fanno la stessa cosa...*, 2 novembre 1977, APCI, MF 310, pp. 1006-1008. Rispetto all'attitudine conciliante si vedano: incontro tra De Lazzari e Janku, 5 settembre 1977, APCI, p. 1903; incontro tra Pajetta e l'Ambasciatore cecoslovacco, 15 febbraio 1977, APCI, MF 288, pp. 226-227.

[23] Nota del PCUS, marzo-aprile 1977, APCI, MF 0297, pp. 1507-1515.

[24] Lettera del CC del PCUS a Berlinguer, 7 marzo 1977, APCI, MF 297, pp. 1496-1497. Un attacco non meno duro provenne dalla classe dirigente ungherese: Hungarian Party officially discusses Eurocommunism, 14 febbraio 1977, OSA, RAD/background report 35, 36-2-19.

[25] A. RIZZO, *La frontiera dell'eurocomunismo*, Laterza, Bari, 1977, pp. 151-175; S. PONS, *Berlinguer...*, cit., pp. 106-107; relazione di J.A. ANDRADE BLANCO, *La conflictiva relación de un partido con su doctrina: el debate sobre el leninismo en el IX Congreso del PCE*, II Congreso de Historia del PCE, Madrid, 22-24 novembre 2007.

[26] F. COSSIGA, *La versione di K. Sessant'anni di contro storia*, Rizzoli, Milano, 2009, pp. 80-81.

[27] F. CACCAMO, *Jiří Pelikán...*, cit., p. 60; sull'esilio: *Zdeněk Mlynář, membro del Presidium nel 1968, costretto all'esilio*, in «il manifesto», 14 giugno 1977, p. 6.

[28] Si vedano le lettere di Pelikán a Segre: APCI, 5 giugno 1977, MF 298, fasc. 554; APCI, MF 0298, fasc. 162.

[29] Appunto di Boffa per Segre, APCI, 1977, MF 299, fasc.0149. Si veda anche APCI, Note a segreteria, MF 299, p. 0162.

[30] Intervista dell'autrice a Luciano Antonetti, cit.

[31] *Zdeněk Mlynář ricevuto a Rinascita*, in «l'Unità», 8 luglio 1977, p. 1.

[32] Intervista dell'autrice a Luciano Antonetti, Roma, 21 gennaio 2008.

[33] Appunti sul colloquio con Mlynář, 1977, (senza data ma presumibilmente riferibile al mese di luglio 1977), MF 309, pp. 0652-0653.

[34] Intervista dell'autrice a Luciano Antonetti, Roma, 12 giugno 2007; M. MLYNÁŘ, *Praga questione aperta*, De Donato, Bari, 1976; F. BERTONE, *Praga questione aperta*, in «Rinascita», n. 4, 28 gennaio 1977, pp. 11-12.

[35] Lettera di Serri, 21 febbraio 1978, APCI, MF 0316, fasc. 7802, pp. 0021/0022; intervento di Bil'ak, marzo-aprile 1978, APCI, MF 0322, pp. 2011-2013; nota di Rub-

bi, 31 maggio 1978, APCI, fasc. 7807/46; nota di De Lazzari, 25 settembre 1978, APCI, fasc. 7810/77-78.

[36] Si vedano in particolare gli interventi di Alberto Asor Rosa e di Luciano Gruppi, Istituto Gramsci, *Il '68 cecoslovacco e il socialismo*, Editori Riuniti, Roma, 1979, pp. 17-34 e 49-62.

[37] E. POLITO, *La novità si chiamò Dubček*, in «l'Unità», 29 gennaio 1978, p. 3; *Piena disapprovazione per le condanne di Praga*, in «l'Unità», 20 ottobre 1977, p. 14. Si veda anche *Posizioni inaccettabili sui fatti cecoslovacchi*, in «l'Unità», 10 agosto 1978, p. 12.

[38] *Polemiche sulla Cecoslovacchia*, in «l'Unità», 18 agosto 1978, p. 1.

[39] *Un'intervista di Gian Carlo Pajetta al TG1*, in «l'Unità», 18 agosto 1978, p. 11; *Polemica cecoslovacca con articolo di Pajetta*, in «l'Unità», 7 settembre 1978, p. 14.

[40] S. COLARIZI, *La rottura tra il PCI di Berlinguer e il PSI di Craxi*, in *Enrico Berlinguer, la politica italiana e la crisi mondiale*, a cura di F. Barbagallo e A. Vittoria, Carocci, Roma, 2007, p. 109.

[41] Lettera di Pelikán a Segre, 1 luglio 1977, APCI, MF 0298, fasc. 0162.

[42] A. SPIRI – V. ZASLAVSKY, *I socialisti italiani...*, cit., pp. 166-167.

[43] Enfasi aggiunta. Ndr.

[44] Enfasi aggiunta. Ndr.

[45] B. CRAXI, *Prefazione*, in AA.VV., *Nove lettere da Praga. L'opposizione socialista cecoslovacca*, Sugarco, Milano, 1974, pp. VII-XIV. Si veda anche *Nove lettere da Praga. Un messaggio dalla Cecoslovacchia occupata*, in «Mondoperaio», n. 12 (dicembre 1974), pp. 83-87.

[46] J. PELIKÁN, *Che cosa ci aspettiamo dalla sinistra occidentale*, in «Mondoperaio», n. 1 (gennaio 1975), pp. 17-23.

[47] F. COEN – P. BORIONI, *Le cassandre di Mondoperaio...*, cit., pp. 48-49.

[48] Al convegno presero parte come relatori Luciano Vasconi, Ota Šik, Ugo Ruffolo, Jean-Marie Chauvier, Kurt Seliger, Wolfgang Leonhard e Jiří Pelikán. Ad introdurre i lavori fu Federico Coen. Si veda *Il sistema sovietico tra Stalin e Brežnev*, Quaderni di «Mondoperaio», supplemento al n. 3 (marzo 1974).

[49] *Il sistema sovietico...*, cit., pp. 187-189.

[50] P. GARIMBERTI, *Il dissenso nei Paesi dell'Est. Prima e dopo Helsinki*, Vallecchi, Firenze, 1977, pp. 42-45. Alcune forme di coordinazione e di dialogo – in particolare tra cecoslovacchi e polacchi – furono tentate: P. WASIAK, *Strategies of Communication Used by the Underground Visual Artists from the Communist Bloc*, relazione nel corso della European Protest Movements Summer School, Praga, 18-25 agosto 2008; questa idea è sostenuta dalla testimonianza di Dienstbier, che ricorda uno scambio tra il Sindacato libero polacco ed i 'chartisti'. Intervista dell'autrice a Jiří Dienstbier, cit. Tuttavia, il Dissenso del blocco comunista non divenne mai un fronte unito. In particolare il Dissenso sovietico rimase sempre piuttosto isolato: S. SAVRANSKAJA, *Human Rights Movement in the USSR After the Signing of the Helsinki Final Act, and the Reation of Soviet Authorities*, in *The Crisis of Détente in Europe. From Helsinki to Gorbachev, 1975-1985*, Routledge, London, 2009, pp. 26-40.

[51] Lettera di Mlynář, 20 febbraio 1977, APCI, MF 296, pp. 888-889; lettera del gruppo di «Listy», 3 agosto 1978, BRR, Relazioni PCI-CSR: 1977-1980, anton_arch 1.att.PCI 4.PCI-CSR 002. Rispetto all'azione generale dell'opposizione del blocco sovietico rispetto alla Conferenza di Belgrado: telegramma di Dauge, 7 giugno 1977, CADN, Varsovie, Ambassade, carton 120, «Opposition», 1977. Per quanto concerne il Dissenso cecoslovacco, si veda: G.H. SKILLING, *Chart 77 and Human Rights...*, cit., pp. 158-162.

Il ritorno della Primavera? Limiti e potenzialità di un «nuovo corso» dell'Est (e dell'Ovest)

[52] L'intransigenza dei sovietici in merito è ricordata vividamente da Antonio Rubbi. Intervista dell'autrice a Antonio Rubbi, cit.

[53] Incontro con Boris Ponomarëv, Mosca, 24 febbraio 1978, APCI, Estero-URSS, fasc. 7803/213-221; cfr. appunto riservato di Luca Pavolini, 15 marzo 1978, APCI, fasc. 7803/222-223.

[54] Nota riservata pervenuta dall'Ambasciata dell'URSS sui colloqui Brežnev-Vance, APCI, MF 297, pp. 1528-1531.

[55] J.M. HANHIMÄKI, *Ironies and Turning Points: Détente in Perspective*, in *Reviewing the Cold War. Approaches, interpretations, theory*, a cura di O. A. Westad, Frank Cass, London-Portland, 2000, pp. 329-331; A.H. CAHN, *Killing Détente*, Pennsylvania State University Press, University Park, 1998, pp. 54-57. La diffusione di un documentario sul sistema dei campi di lavoro in URSS aveva contribuito a compromettere l'immagine del Cremlino nel mondo. Fonds Gilles Martinet, AHC, MR 13, Dossier 3. Relations parti socialiste-parti communiste, 1975-1981.

[56] A. GRAZIOSI, *L'Urss dal trionfo…*, cit., pp. 453-454.

[57] Nota riservata di Pieralli sull'incontro con Zagladin, 17 gennaio 1977, APCI, pp. 0550-0554.

[58] In senso opposto alla riconferma dell'unità tra i partiti comunisti andava la richiesta dei principali esponenti del Dissenso in Cecoslovacchia: in occasione della Conferenza di Belgrado, il gruppo di Charta 77 domandò al PCI di chiedere ufficialmente il ritiro delle truppe da Praga. Lettera del gruppo di «Listy», 3 agosto 1978, BRR, Relazioni PCI-CSR: 1977-1980, anton_arch 1.att.PCI 4.PCI-CSR 002.

[59] Nota di Antonio Rubbi, 8 febbraio 1977, APCI, MF 288, pp. 312-0321.

[60] Riunione, 18 luglio 1977, APCI, Direzione, MF 299, pp. 111 ss.

[61] E.C. HARGROVE, *Jimmy Carter as President. Leadership and the Politics of the Public Good*, Louisiana State University Press, Baton Rouge-London, 1988, p. 135.

[62] Riunione della Direzione, 18 luglio 1977, APCI, Direzione, MF 299, pp. 111 ss. Sulla posizione del Governo italiano nel processo di CSCE: A. ROMANO, *From Détente…*, cit., pp. 155-156.

[63] Intervista dell'autrice a Carlo Ripa di Meana, Roma, 18 giugno 2007. Si vedano anche C. RIPA DI MEANA, *Cane sciolto*, Kaos, Milano, 1999, pp. 158-159; C. RIPA DI MEANA – G. MECUCCI, *Mosca: fermate la biennale del dissenso. Una storia mai raccontata*, Liberal Editore, Roma, 2007.

[64] U. FINETTI, *Ripa di Meana a Belgrado per i visti ai dissidenti*, in «L'Avanti», 17 novembre 1977, p. 8.

[65] Conferenza stampa, 22 aprile 1977, FJJ, dossier sur les juifs en Union Soviétique, 1972-1977, Enveloppe Juifs d'URSS, 401 RI 18; comunicato stampa del PSF, 11 ottobre 1977; rapporto sulla delegazione a Belgrado, 13 ottobre 1977, mozione dei parlamentari a Belgrado; FJJ, Enveloppe Juifs d'URSS, 401 RI 13. Da tempo, infatti, il PSF – ed in particolare le personalità rocardiane all'interno di esso – si spendevano in favore del Dissenso. Si ricordi in particolare l'attività di Gilles Martinet, Fonds Gilles Martinet, AHC, MR 13, dossier 5. Interventions de Gilles Martinet: conférences et colloques, 1971-1990.

[66] G. BOFFA, *L'informazione dopo Helsinki*, in «l'Unità», 30 aprile 1977, p. 3.

[67] Appunti di Emanuele Macaluso sugli incontri con Suslov e Ponomarëv, settembre 1977, APCI, MF 299, pp. 235-240.

[68] F. BERTONE, *Il dissenso e la distensione*, in «Rinascita», 21 luglio 1978, pp. 5-6.

[69] Intervista dell'autrice a Sergio Segre, cit.

[70] M. Lazar, *Maisons rouges...*, cit., pp. 137-138; intorno al processo di distacco del PCE dal PCUS: J.A. Andrade Blanco, *La conflictiva relación de un partito con su doctrina...*, cit. Uno dei motivi principali di contrasto fu proprio il nodo del Dissenso nel blocco sovietico: lettera di Georges Marchais a Francois Mitterrand, IFM, 18 febbraio 1972, boite 96.

[71] Riunione, 13 ottobre 1977, APCI, Direzione, MF 304, pp. 248 ss.

[72] Riunione, 11 novembre 1977, APCI, Direzione, MF 309, pp. 46 ss.

[73] Relazione sul viaggio e le conferenze tenute da Sergej Andronov in occasione del 60° della Rivoluzione d'ottobre, 15-25 novembre 1977, APCI, MF 309, pp. 0302-0304.

[74] A. Guerra, *Dodici anni per un reato d'opinione*, in «Rinascita», 26 maggio 1978, p. 8.

[75] A. Ginzburg, *Aleksandr Ginzburg: da 'Sintaksis' al 'Gruppo Helsinki'*, in *Storie di uomini giusti nel Gulag*, a cura di G. Nissim, Bruno Mondadori, Milano, 2004, pp. 175-187.

[76] Cfr. R.C. Thornton, *The Carter Years. Toward a New Global Order*, Paragon House, New York, 1991, pp. 8-9; R.D. Johnson, *Congress and the Cold War*, Cambridge University Press, New York, 2006, pp. 243-246.

[77] *Occhi chiusi*, in «l'Unità», 14 luglio 1978, p. 1. Si veda anche la limitatezza del commento alla condanna a morte di Filatov. *Nuove durissime condanne in Urss*, in «l'Unità», 15 luglio 1978, p. 1. Va rilevato tuttavia che Andreotti, riguardo al commento del PCI, annotò nei suoi diari: «Ho detto [a Carter] che anche i comunisti italiani hanno espresso su questi processi un commento molto netto». G. Andreotti, *Diari...*, cit., p. 244.

[78] *Lettera di Ingrao sui processi*, in «l'Unità», 15 luglio 1978, p. 14.

[79] I contrasti tra italiani e sovietici non riguardarono solamente i più alti dirigenti dei due partiti fratelli. Nella seconda metà degli anni Settanta, il rappresentante italiano della rivista «Problemi della pace e del socialismo», Luciano Antonetti, fu oggetto di discriminazioni ripetute che indussero il PCI a ritirare la propria rappresentanza presso la sede centrale del foglio diffuso in varie edizioni nazionali. Materiali della conferenza dei rappresentanti dei partiti comunisti e operai dedicata all'attività della rivista «Problemi della pace e del socialismo», Praga, 27-29 aprile 1977. BRR, Anton_Arch 1.Att.PCI 3.NRI 002.

[80] Nota riservata di Antonio Rubbi, 5-10 ottobre 1978, APCI, Direzione, MF 0365, fasc. 7812, pp. 67-72.

[81] S. Pons, *Berlinguer...*, cit., pp. 135-140.

[82] Riunione della Direzione, 19 ottobre 1978, APCI, Direzione, MF 365, fasc. 7812, pp. 30-56.

[83] Si vedano: *Sugli scopi del viaggio intervista al TG2 del Segretario del PCI*, in «l'Unità», 10 ottobre 1978, p. 1; *Il documento sui colloqui tra PCI e PCUS*, in «l'Unità», 10 ottobre 1978, p. 1; *L'iniziativa internazionale del PCI*, in «l'Unità», 12 ottobre 1978, p. 1; A. Minucci, *Nuovo internazionalismo e interesse nazionale*, in «Rinascita», n. 40, 13 ottobre 1978, pp. 3-4.

[84] A. Guerra, *I processi in URSS*, in «Rinascita», n. 29, 21 luglio 1978, pp. 5-6.

[85] M. Pini, *Craxi...*, cit., pp. 36-37.

[86] C. Ripa di Meana, *Cane sciolto*, cit., pp. 124-125. G. Sabbatucci, *Il riformismo impossibile...*, cit., p. 106.

[87] Barca ipotizzava che dietro i fatti del Midas ci fosse stata l'indicazione di qualche «consigliere dell'Ambasciata americana», viste le posizioni fortemente critiche di Craxi sull'eurocomunismo. L. Barca, *Cronache dall'interno del PCI. Volume II, Con Berlinguer*, Rubbettino, Soneria Mannelli, 2005, pp. 644-645.

[88] S. Colarizi – M. Gervasoni, *La cruna dell'ago. Craxi, il Partito socialista e la crisi della Repubblica*, Laterza, Roma-Bari, 2005, pp. 25-26. Cfr. G. Orsina – G. Quagliariello, *L'UNURI e la formazione della classe politica italiana*, in *La formazione della classe*

Il ritorno della Primavera? Limiti e potenzialità di un «nuovo corso» dell'Est (e dell'Ovest)

politica in Europa (1945-1956), a cura di G. Orsina e G. Quagliariello, Piero Lacaita Editore, Manduria-Bari-Roma, 2000.

[89] M. DEGLI'INNOCENTI, *Storia del PSI...*, cit., pp. 227-229. Questa era anche l'impressione che ne aveva ricavato il PCI: nota riservata per Berlinguer e Chiaromonte, 16 settembre 1978, APCI, fasc. 7810/0020.

[90] Prospects for and consequences of increased communist influence in Italian politics, n. 379, 5 novembre 1975, CIAA; memorandum of conversation between Italian Ambassador Ortona, Kissinger, Scowcroft, Ford, 27 giugno 1975, CIAA; incontro tra Andreotti e Kissinger, 4 novembre 1975, NSA.

[91] G. SABBATUCCI, *I socialisti e la solidarietà nazionale*, in *L'Italia Repubblicana nella crisi degli anni '70. Sistema politico e istituzioni*, a cura di G. De Rosa e G. Monina, Rubbettino Editore, Soveria Mannelli 2003, pp. 131-137.

[92] A. GIOVAGNOLI, *Il caso Moro*, Il Mulino, Bologna, 2009; M. CLEMENTI, *La pazzia di Aldo Moro*, Rizzoli, Milano, 2006.

[93] Riunione, 27 aprile 1978, APCI, Direzione, MF 0322, fasc. 7805, 76/94; Cfr. AA.VV., *Le vene aperte del caso Moro. Terrorismo, PCI, trame e servizi segreti*, a cura di S. Sechi, Pagliai, Firenze, 2009. Sul confronto a sinistra intorno al caso Moro, si veda in particolare A. GIOVAGNOLI, *Il caso Moro...*, cit., pp. 219-223.

[94] Anche Simona Colarizi individua la svolta nella politica di Craxi nel 1978, sottolineando la continuità dell'azione del leader milanese con la politica di Nenni e di De Martino sino a quell'anno. S. COLARIZI, *La rottura tra il PCI di Berlinguer...*, cit., p. 109.

[95] S. COLARIZI – M. GERVASONI, *La cruna dell'ago...*, cit., pp. 33-38. Si vedano, a titolo di esempio, i seguenti articoli: B. CRAXI, *I valori del socialismo*, in «Mondoperaio», n. 3, marzo 1978, pp. 2-5; IDEM, *Leninismo e Socialismo*, in «Mondoperaio», n. 7/8, luglio/agosto 1978, pp. 61-66; N. BOBBIO, *Marxismo e socialismo*, in «Mondoperaio», n. 5, maggio 1978, pp. 61-70. Si consulti anche L. PELLICANI, *Discutiamo sul revisionismo craxiano*, in «Le ragioni del socialismo», n. 45, febbraio 2000, pp. 5-10. *Il marxismo e lo Stato. Il dibattito aperto nella sinistra italiana sulle tesi di Norberto Bobbio*, in «I Quaderni di Mondoperaio», 1976.

[96] I dissidenti emigrati che collaborarono con «Mondoperaio» furono numerosi. Tra loro, nominiamo, a titolo di esempio, Rudolf Bahro, e Leszek Kołakowski.

[97] F. COEN – P. BORIONI, *Le cassandre di Mondoperaio...*, cit., pp. 47-60.

[98] M.L. SALVADORI, *É socialista l'Unione Sovietica?*, in «Mondoperaio», n. 10, ottobre 1977, pp. 53-67.

[99] L. VASCONI, *Neo-stalinismo e politica di potenza*, in «Mondoperaio», n. 3, marzo 1978, pp. 113-116; P. GARIMBERTI, *La 'guerra tiepida' di Brežnev*, in «Mondoperaio», n. 7-8, luglio-agosto 1978, pp. 119-121; P. FLORES D'ARCAIS, *Il paradosso delle riabilitazioni*, in «Mondoperaio», n. 11, novembre 1978, pp. 81-88; V. ZASLAVSKY, *Regime e classe operaia in URSS*, in «Mondoperaio», n. 6, giugno 1978, pp. 74-83; IDEM, *La rinascita del culto di Stalin in URSS*, in «Mondoperaio», n. 11, novembre 1978, pp. 97-107; R. VILLETTI, *Bahro e il «socialismo reale»*, in «Mondoperaio», n. 6, giugno 1978, pp. 118-119.

[100] L. VASCONI, *Le oscillazioni dell'eurocomunismo*, in «Mondoperaio», n. 3, marzo 1977, pp. 97-99; *Ambigui gli eurocomunisti sul problema del dissenso*, in «L'Avanti», 3 marzo 1977, p. 2; *L'eurocomunismo resta nel generico*, in «L'Avanti», 4 marzo 1977, p. 2.

[101] «L'Avanti» si mantenne su questa linea critica anche rispetto al discorso di Berlinguer al sessantesimo anniversario della Rivoluzione di ottobre. *I sei minuti di Berlinguer all'assise di Mosca*, in «L'Avanti», 3 novembre 1977, p. 8.

L'appuntamento mancato

[102] Intervista dell'autrice a Antonio Landolfi e a Sergio Segre, cit.

[103] G. SABBATUCCI, *I socialisti e la solidarietà...*, cit.

[104] S. COLARIZI, *Storia politica della Repubblica...*, cit., pp. 131-132.

[105] J. PELIKÁN, *Perché il giro di vite all'Est*, in «L'Avanti», 6 luglio 1978, p. 1; IDEM, *Dal caso Bucharin ai processi in corso*, in «L'Avanti», 14 luglio 1978, p. 1.

[106] *Pertini a Brežnev: rispettate i diritti umani*, in «L'Avanti», 1 luglio 1978, p. 1. Cfr. G. ANDREOTTI, *Diari 1976-1979. Gli anni della solidarietà*, Rizzoli, Milano, 1981, p. 243.

[107] R. VILLETTI, *Socialismo e dispotismo*, in «L'Avanti», 15 luglio 1978, p. 1.

[108] F. COEN, *Difficile per il PCI sciogliere i nodi del «socialismo reale»*, in «L'Avanti», 15 luglio 1978, p. 1; A. G. RICCI, *La politica sovietica e le prospettive del socialismo nella libertà in Europa*, in «L'Avanti», 21 luglio 1978, pp. 8-9.

[109] Le relazioni tra PCI e SPD erano iniziate nel 1966, e si erano approfondite nel corso della segreteria Berlinguer; tuttavia, esse non si tramutarono mai in un legame ufficiale. F. LUSSANNA, *Il confronto con le socialdemocrazie e la ricerca di un nuovo socialismo nell'ultimo Berlinguer*, in *Dollari, petrolio e aiuti allo sviluppo. Il confronto Nord-Sud negli anni '60-'70*, a cura di D. Caviglia e A. Varsori, Franco Angeli, Milano, 2008, pp. 211-241. Si veda anche L. BARCA, *Cronache dall'interno...*, cit., p. 520.

[110] *Caro Berlinguer. Note e appunti riservati di Antonio Tatò a Enrico Berlinguer. 1969-1984*, Einaudi, Torino, 2003, pp. 74-75. Citato anche in S. COLARIZI – M. GERVASONI, *La cruna dell'ago...*, cit., pp. 79-80.

[111] S. COLARIZI – M. GERVASONI, *La cruna dell'ago...*, cit., pp. 76-82. Cfr. H. TIMMERMANN, *I comunisti italiani: considerazioni di un socialdemocratico tedesco sul Partito comunista italiano*, De Donato, Bari, 1974.

[112] *La sinistra italiana e il 'dissenso' nei Paesi dell'Est*, in «Mondoperaio», n. 2 (febbraio 1977), pp. 76-89.

[113] T. CODIGNOLA, *Lettera di Codignola su socialismo e libertà*, in «l'Unità», 21 gennaio 1977, p. 4; intervento di Riccardo Lombardi, *Tavola rotonda, La sinistra italiana...*, cit; L. LOMBARDO RADICE, *La replica di Lombardo Radice*, in «l'Unità», 21 gennaio 1977, p. 4.

[114] Intervento di Gian Carlo Pajetta, *Tavola Rotonda*, cit. L. LOMBARDO RADICE, *La replica...*, cit.

[115] Intervista dell'autrice a Carlo Ripa di Meana, cit.

[116] Intervista dell'autrice a Carlo Ripa di Meana, cit.; M. PINI, *Craxi. Una vita...*, cit., pp. 122-124.

[117] La corrente Impegno socialista era formata da Beniamino Finocchiaro, Loris Fortuna, Giuliano Amato, Paolo Babbini, Luciano Cafagna, Virgilio Dagnino. C. RIPA DI MEANA, *Cane sciolto*, cit., p. 253.

[118] Riguardo alla campagna sovietica contro l'informazione occidentale sulle violazioni dei diritti umani in URSS: directives to Soviet Ambassadors relative to Western propaganda about violation of human rights in USSR, 19 maggio 1977, VBA, P56/68.

[119] U. INTINI, *Chi ascolta i diktat contro la Biennale?*, in «L'Avanti», 12 febbraio 1977, p. 4; *Biennale: non c'é tempo da perdere*, in «L'Avanti», 25 febbraio 1977, p. 3; U.I., *Diktat alla Biennale: Meana si è dimesso*, in «L'Avanti», 4 marzo 1977, p. 1; *Battaglia democratica per la Biennale*, in «L'Avanti», 5 marzo 1977, p. 1; U. FINETTI, *Biennale: prima e dopo il 'diktat'*, in «L'Avanti», 5 marzo 1977, p. 3; U. INTINI, *I perché del veto sovietico*, in «L'Avanti», 5 marzo 1977, p. 3; *Biennale: consenso chiarimento*, in «L'Avanti», 8 marzo 1977, p. 10; *Solidarietà pre Ripa di Meana e condanna per l'interferenza dell'URSS*, in «L'Avanti», 9 marzo 1977, p. 3. Cfr. C. RIPA DI MEANA – G. MECUCCI, *Mosca: fermate la biennale...*, cit.

[120] Intervista dell'autrice a Antonio Landolfi, cit. *Craxi: la Biennale deve realizzare il suo programma*, in «L'Avanti», 16 marzo 1977, p. 1; *Craxi: il prestigio della Biennale è accresciuto dalla difesa della libertà*, in «L'Avanti», 25 novembre 1977, p. 9.

[121] C. RIPA DI MEANA , *Cane sciolto*, cit.; M. PINI, *Craxi...*, cit.

[122] Oltre ai volumi dei testimoni, si vedano gli interessanti lavori di: F. CACCAMO, *La Biennale del 1977 e il dibattito sul dissenso*, in «Nuova storia contemporanea», n. 4 (2008), pp. 119-132; A. SPIRI – V. ZASLAVSKY, *I socialisti italiani e il dissenso nell'Est europeo...*, cit.

[123] Cfr. C. RIPA DI MEANA – G. MECUCCI, *Mosca: fermate la biennale...*, cit., pp. 32-62; A. GUERRA, *Comunismi e comunisti...*, cit., pp. 288-289.

[124] Rino Serri, in una riunione della Direzione del PCI riferiva quanto segue: «I sovietici hanno premuto sul compagno Seroni, membro della Commissione della Biennale, e sui nostri compagni e pensano di intervenire anche sul Presidente Ripa di Meana, socialista». Riunione, APCI, Direzione, 16 febbraio 1977, MF 288, fasc. 9, pp. 125-138. Si vedano i documenti allegati in appendice al volume: C. RIPA DI MEANA – G. MECUCCI, *Mosca: fermate la biennale...*, cit., pp. 209-221.

[125] Intervento di Gian Carlo Pajetta, riunione, APCI, Direzione, 16 febbraio 1977, MF 288, fasc. 9, pp. 125-138. In tale direzione, ma con toni ancor più accentuati, si espresse anche l'esponente dell'ala filosovietica Ambrogio Donini, nella prefazione al volume *Chi sono i dissidenti sovietici? Articoli e documenti della stampa sovietica*, Napoleone, Roma, 1977, pp. 5-16.

[126] Intervento di Alfredo Reichlin, *ivi*.

[127] Intervento di Armando Cossutta, *ivi*.

[128] Intervento di Gian Carlo Pajetta, *ivi*. Si veda anche S. PONS, *Berlinguer...*, cit., p. 106.

[129] Intervento di Umberto Terracini, riunione, APCI, Direzione, 16 febbraio 1977, MF 288, fasc. 9, pp. 125-138.

[130] Intervento di Antonio Rubbi, *ivi*.

[131] Intervento di Enrico Berlinguer, *ivi*.

[132] Intervento di Gian Carlo Pajetta, *ivi*.

[133] C. RIPA DI MEANA – G. MECUCCI, *Mosca: fermate la biennale...*, cit., p. 34.

[134] Riunione APCI, Direzione, 5 marzo 1977, MF 296, fasc.0785.

[135] F. CACCAMO, *La Biennale del 1977...*, cit., p. 131.

[136] Relazione di Aldo Tortorella, riunione, APCI, Direzione, 16 febbraio 1977, MF 288, fasc. 9, pp. 125-138.

[137] Intervento di Giorgio Amendola; intervento finale di Aldo Tortorella, *ivi*.

[138] S. PONS, *Berlinguer...*, cit., 104-116.

[139] *Potere e opposizione nelle società post-rivoluzionarie. Una discussione nella sinistra*, Atti del Convegno del Manifesto sul dissenso, il manifesto, quaderno n. 8, Alfani Editore, Roma, 1978.

[140] F. BARBAGALLO, *Il PCI di Berlinguer nella crisi italiana e mondiale*, in *Gli anni Ottanta...*, a cura di S. Colarizi et al., cit., p. 106; S. PONS, *L'Italia e il PCI nella politica di Brežnev*, in *L'Italia Repubblicana nella crisi degli anni '70. Tra guerra fredda e distensione*, Rubbettino Editore, Soveria Mannelli 2003, pp. 63-89.

[141] Nota del CC del PCUS, 30 marzo 1977, APCI, MF 296, fasc. 988.

[142] Si vedano i documenti riportati in appendice, C. RIPA DI MEANA, *L'ordine di Mosca...*, cit., p. 62. Cfr. A. GUERRA, *Comunismi e comunisti...*, cit., pp. 288-289.

[143] Boffa sosteneva in sostanza che, in alcune occasioni, i «bravi dissenzienti» fossero divenute «pedine di un gioco più grande di loro, carte di una partita che passava al di sopra delle loro teste». Si vedano: G. BOFFA, *Memorie dal comunismo...*, cit., p. 202. IDEM,

Esorcismi o riflessione storica, in *Libertà e socialismo: momenti storici del dissenso*, a cura di E.M. Antunes, Sugarco, Milano 1978. L'intervento fu riportato anche in «l'Unità»,
17 novembre 1977, p. 1. Rosario Villari e Bruno Trentin presero parte invece alla conferenza organizzata dall'11 al 13 novembre 1977, a Venezia, dal gruppo de «il manifesto».
C. RIPA DI MEANA – G. MECUCCI, *Mosca: fermate la biennale...*, cit., p. 68.

[144] J. DANIEL, *Il diritto di dire no*, in *Libertà e socialismo...*, cit., p. 13.

[145] A. CILIGA, *Il fallimento delle opposizioni comuniste storiche e le prospettive del dissenso post-staliniano*, in *Libertà e socialismo...*, cit., p. 77.

[146] F. CLAUDIN, *Struttura del sistema sovietico*, *ivi*, p. 288.

[147] G.H. SKILLING, *Charta 77 e la Primavera di Praga*, *ivi*, pp. 182-184; A. LON-
DON, *ivi*, p. 242.

[148] F. CLAUDIN, *Struttura del sistema sovietico*, *ivi*, p. 290.

[149] Intervento di M.L. SALVADORI, *Struttura e sovrastruttura nei Paesi dell'Est*, *ivi*,
p. 278.

[150] P. VILANOVA, *Il nuovo dissenso e l'eurocomunismo*, *ivi*, p. 163.

[151] F. FEJTÖ, *Il ruolo politico-sociale degli intellettuali nel '56*, *ivi*, pp. 89-99; intervento di G. MARTINET, *La fine del mito staliniano*, *ivi*, p. 101.

[152] P. KENDE, *I problemi della democrazie nelle rivolte popolari del '56*, *ivi*, p. 110.

[153] N. GORBANEVSKAÏA, *Il movimento di resistenza per i diritti umani*, *ivi*, pp. 167-
179; W. BRUS, *Il 'nuovo dissenso' – problemi economici e prospettive politiche*, *ivi*, pp.
203-209; A. SMOLAR, *L'opposizione in Polonia: operai e intellettuali*, *ivi*, pp. 227-238;
J. SLING, *Gli anni '60 in Cecoslovacchia*, *ivi*, pp. 211-224.

[154] L. KOŁAKOWSKI, *Cultura e dissenso nel comunismo*, *ivi*, p. 24.

[155] I. YANNAKAKIS, *Differenze e analogie tra i movimenti del dissenso*, *ivi*, pp. 145-157.

[156] L. KOŁAKOWSKI, *Cultura e dissenso...*, cit., *ivi*, p. 20; M. L. SALVADORI, *Struttura e
sovrastruttura...*, cit., p. 274.

[157] E. MORIN, *Il rimosso non è ancora tornato*, *ivi*, p. 284; F. CLAUDIN, *Struttura del sistema sovietico*, *ivi*, cit. p. 293.

[158] B. CRAXI, *I valori del socialismo*, in «Mondoperaio» n. 3, marzo 1978, pp. 2-5.

[159] G. ARE, *Radiografia di un Partito. Il PCI negli anni '70: struttura ed evoluzione*,
Rizzoli, Milano, 1980, pp. 75-84.

[160] Si veda, a tal proposito, A. HÖBEL, *Il PCI nella crisi...*, cit.; cfr. IDEM, *Il PCI di Luigi Longo...*, cit.

[161] Si veda, a titolo di esempio, riunione, 8 gennaio 1971, APCI, Direzione, MF 017,
pp. 972-1010.

[162] S. SEGRE, *A chi fa paura l'eurocomunismo?*, Guaraldi, Firenze, 1977; IDEM, *Da Helsinki a Belgrado*, Editori Riuniti, Roma, 1977; P. INGRAO, *Crisi e terza via, Intervista di
Romano Ledda*, Editori Riuniti, Roma, 1978; G.C. PAJETTA, *La lunga marcia dell'internazionalismo. Intervista di Ottavio Cecchi*, Editori Riuniti, Roma, 1978; *Diversità e internazionalismo*, in «Rinascita», n. 26, 1 luglio 1977, pp. 4-5; E. BERLINGUER, *Le vie del-
l'Occidente*, in «Rinascita», n. 43, 4 novembre 1977, pp. 1-2; G. BOFFA, *L'URSS e i PC
europei ieri e oggi*, in «Rinascita», n. 48, 9 dicembre 1977, pp. 27-28; S. SEGRE, *L'esigenza di un nuovo internazionalismo*, in «Rinascita», n. 14, 7 aprile 1978, pp. 35-36;
IDEM, *L'eurocomunismo e il 7 novembre*, in «Rinascita», n. 244, 11 novembre 1977, p. 4;
A. TORTORELLA, *Come siamo approdati a un nuovo internazionalismo*, in «Rinascita»,
n. 27, 5 luglio 1978, pp. 1-2.

[163] A. GRAZIOSI, *L'URSS di Lenin e Stalin. Storia dell'Unione Sovietica, 1914-1945*, Il
Mulino, Bologna, 2007, pp. 410-444; V. ZASLAVSKY, *Storia del sistema...*, cit., pp. 119-124.

[164] I principali esponenti di tale approccio erano individuati in Althusser, Martinet, Kanapa per parte francese e Salvadori, Cafagna e Bocca per quella italiana. R. Di Leo, *Alcuni temi del dibattito sullo stalinismo*, in «Rinascita», n. 6, 11 febbraio 1977, pp. 24-25.

[165] P. Ingrao, *Democrazia borghese o stalinismo? No: democrazia di massa*, in «Rinascita», n. 6, 6 febbraio 1976, pp. 7-9.

[166] P. Spriano, *Lo stalinismo*, in «Rinascita», n. 2, 9 gennaio 1976, pp. 21-22.

[167] A. Minucci, *Stalin e noi*, in «Rinascita», n. 10, 10 marzo 1978, p. 32.

[168] *Per capire l'URSS*, in «Rinascita», n. 42, 27 ottobre 1978, pp. 24-25.

[169] A. Guerra, *Alle origini dello stalinismo*, in «Rinascita», n. 21, 26 maggio 1978, p. 28.

[170] A. Guerra, *Alle origini...*, cit.; F. Bettanin, *Un laboratorio di esperienze, di sconfitte e di successi*, in «Rinascita», n. 5, 2 febbraio 1979, pp. 20-21.

[171] Tra gli storici accusati di parzialità, Conquest, Ulam e Erickson. F. Bettanin – L. Sestan, *Bibliografia. Che cosa leggere per capire l'URSS*, in «Rinascita», n. 43, 4 novembre 1977, pp. 34-35. Cfr. R. Conquest, *The Great Terror: Stalin's Purge of the Thirties*, MacMillan, London-Melbourne, 1968.

[172] G. Bocca, *Palmiro Togliatti*, Laterza, Bari, 1973.

[173] Tavola rotonda con la partecipazione di Amendola, Bufalini, Cervetti, Ghini, *Non aspettammo il rapporto segreto di Krusciov*, in «Rinascita», n. 8, 24 febbraio 1978, pp. 16-18. Si vedano anche P. Spriano, *Discutendo su Amendola e la storia del PCI*, in «Rinascita», n. 37, 22 settembre 1978, pp. 24-25; A. Minucci, *Stalin e noi*, in «Rinascita», n. 10, 10 marzo 1978, p. 32.

[174] *Non aspettammo il rapporto segreto...*, cit.

[175] L. Radice Lucio, *Comunisti degli anni '30*, in «Rinascita», n. 18, 11 maggio 1979, p. 32; cfr. A. Natta, *Una testimonianza*, in R. Caccavale, *Comunisti italiani in Unione Sovietica. proscritti da Mussolini, soppressi da Stalin*, Mursia, Milano, 1995, pp. 5-6.

[176] Sulla peculiarità del comunismo italiano in comparazione a quello francese, ed in particolare sulla visione di Spriano, si veda: G. Quagliariello, *La fortuna di Togliatti, la sfortuna di Thorez*, in *L'influenza del comunismo nella storia d'Italia. Il PCI tra via parlamentare e lotta armata*, a cura di F. Cicchitto, Rubbettino, Soveria Mannelli, 2008, pp. 70-71.

[177] Intervento di Celso Ghini alla tavola rotonda, *Non aspettammo il rapporto segreto...*, cit.

[178] E. Ragionieri, *Palmiro Togliatti. Per una biografia politica e intellettuale*, Editori Riuniti, Roma, 1976.

[179] Togliatti aveva adottato lo pseudonimo di Ercoli durante gli anni della clandestinità.

[180] P. Spriano, *Storia del PCI...*, cit., pp. 179-180.

[181] F. Barbagallo, *Introduzione*, in A. Vittoria, *Togliatti e gli intellettuali. Storia dell'Istituto Gramsci negli anni Cinquanta e Sessanta*, Editori Riuniti, Roma, 1992, p. XI. Si veda inoltre *Paolo Spriano. Intervista sulla storia del PCI*, a cura di S. Colarizi, Laterza, Bari, 1978.

[182] P. Spriano, *Storia del PCI...*, cit., p. 179.

[183] Riguardo al 'mito dei comunisti italiani brava gente' mi permetto di citare: V. Lomellini, *Il grande terrore, 40 anni dopo: la memoria del PCI tra nuovi e vecchi processi*, in *Stalinismo e Grande Terrore*, a cura di M. Clementi, Odradek, Roma, 2008, pp. 167-183.

[184] Appunti di Macaluso, APCI, 1 settembre 1977, MF 0299, pp. 0235-0240. Si veda anche l'appunto di Imbeni, APCI, 3 giugno 1981, MF 0504, fasc. 8108, 56/57. Si noti che, a distanza di un decennio, Gorbačëv ravvisò nel pensiero politico dei comunisti italiani, ed in particolare negli scritti storici di Boffa, il punto di riferimento per aprire una

riflessione sullo stato di cosa fosse il socialismo alla fine degli anni Ottanta. S. Pons, *L'invenzione del «post-comunismo»*. *Gorbačëv e il Partito comunista italiano*, in «Ricerche di storia politica», n. 1 (2008), p. 32.

[185] Si veda G. Napolitano, *Dal Pci al socialismo europeo...*, cit., p. 113.

[186] *Ibidem*, p. 247.

[187] G. Boffa, *Storia dell'Unione Sovietica*, 1928-1941, l'Unità, Roma, 1995, p. 208.

[188] *Ibidem*, p. 269.

[189] A. Guerra, *Come abbiamo affrontato i problemi dell'URSS*, in «Rinascita», n. 4, 27 gennaio 1978, p. 25; M. Boffa, *Storia e modello dell'Unione Sovietica. Il seminario all'Istituto Gramsci*, in «Rinascita», n. 3, 20 gennaio 1978, pp. 27-29. La riflessione non riguardò solamente la storia dell'URSS, ma anche la situazione cecoslovacca: G. Boffa, *Il '68 cecoslovacco*, in «Rinascita», n. 3, 20 gennaio 1978, pp. 27-28; M. Hübl, *Da Praga dieci anni dopo*, in «Rinascita», n. 3, 20 gennaio 1978, p. 28.

[190] A. Guerra, *Lo stato degli studi e dei dibattiti sull'Unione Sovietica. Proposte per un programma di ricerche*, in *Momenti e problemi della storia dell'URSS*, a cura dell'Istituto Gramsci, Editori Riuniti, Roma, 1978, p. 137.

[191] G. Procacci, *Conclusioni*, in *Momenti...*, cit., pp. 378-379.

[192] V. Strada, *Politica e cultura dell'URSS*, ivi, p. 156.

[193] S. Bertolissi – F. Bettanin – L. Sestan, *Stalinismo e continuità nello sviluppo storico sovietico*, ivi, p. 174.

[194] A. Guerra, *Conclusioni*, ivi, p. 391.

[195] G. C. Pajetta, *Una ricerca che continua*, ivi, p. 194.

[196] A. Guerra, *Il ruolo nell'URSS dell'opinione pubblica*, in «Rinascita», n. 12, 19 marzo 1976, pp. 14-15; Idem, *Sulla società sovietica. La realtà al di fuori di formule preconcette*, in «Rinascita – Il Contemporaneo», n. 43, 4 novembre 1977, pp. 29-30.

[197] P. Franchi, *Il dissenso di oggi e la storia di ieri*, in «Rinascita», n. 2, 14 gennaio 1977, p. 7.

[198] R. Di Leo, *Alcuni temi del dibattito sullo stalinismo*, in «Rinascita», n. 6, 11 febbraio 1977, pp. 24-25. Alcuni comunisti italiani rilevavano la presenza di tratti dello stalinismo nella Cecoslovacchia normalizzata: a titolo esemplificativo, A. Guerra, *Una lezione sullo stalinismo. 'La confessione' e il dibattito sul film*, in «Rinascita», n. 9, 3 marzo 1978, p. 29.

[199] A. Guerra, *Comunismo e comunisti...*, cit., pp. 282-283.

[200] G. Boffa, *Introduzione*, in *La nuova Costituzione*, Editori Riuniti, Roma, 1977, pp. 18-19; A. Guerra, *Pregi e limiti della nuova Costituzione sovietica*, in «Rinascita», n. 23, 10 giugno 1977, p. 18. Cfr. S. Bertolissi, *Il dibattito sulla nuova Costituzione sovietica*, in «Rinascita», n. 43, 4 novembre 1977, p. 26.

[201] Intervista dell'autrice a Antonio Rubbi, cit.

[202] A. Graziosi, *L'Urss dal trionfo al degrado...*, cit., pp. 456-457.

[203] L'espressione è di Gennaro Acquaviva. *La politica estera negli anni Ottanta...*, cit., p. 79.

[204] F. Barbagallo, *Enrico Berlinguer...*, cit., pp. 354-355.

[205] Sulla questione dell'adesione allo SME e dell'installazione dei missili, si vedano rispettivamente A. Varsori, *L'Italia e l'integrazione europea: l'occasione perduta?*; L. Nuti, *L'Italia e lo schieramento dei missili da crociera BGM-109 G 'Gryphon'*; R. Gualtieri, *L'impatto di Reagan. Politica ed economia nella crisi della prima repubblica (1978-1992)*; in *Gli anni Ottanta come storia*, a cura di S. Colarizi et al., Rubbettino, Soveria Mannelli, 2004, pp. 155-184; pp. 119-154; pp. 190-191.

[206] S. Colarizi, *I duellanti. La rottura tra il PCI di Berlinguer e il PSI di Craxi alla svol-*

ta degli anni Ottanta, in *Enrico Berlinguer e la politica italiana...*, cit., p. 113.

[207] Rapporto conclusivo di Bettino Craxi, Congresso del Partito socialista italiano, Torino, 2 aprile 1978.

[208] P. CRAVERI, *Le ragioni della politica estera nell'azione politica di Bettino Craxi*, in *Bettino Craxi, il socialismo europeo...*, cit., p. 102; S. PONS, *Berlinguer...*, cit., pp. 156-157. In generale, sulla storia delle socialdemocrazie nel Novecento: D. SASSOON, *Cento anni di socialismo. La sinistra nell'Europa occidentale del XX secolo*, Editori Riuniti, Roma, 1997, pp. 541-617. In particolare, sulla situazione delle socialdemocrazia nei primi anni Ottanta: A. GLYN, *Aspirations, Constraints, and Outcomes*, in *Socialdemocracy in Neoliberal Times: the Left and Economic Policy since 1980*, a cura di A. Glyn, Oxford University Press, Oxford, 2001, pp. 1-20.

[209] Riunione del Comitato centrale del PCF a Fabien (Parigi), 29 e 30 gennaio 1979, APCF, cd n. 1, 4AV/2647.

[210] F. LUSSANNA, *Il confronto con le socialdemocrazie e la ricerca di un nuovo socialismo nell'ultimo Berlinguer*, in *Enrico Berlinguer...*, a cura di F. Barbagallo e A. Vittoria, cit., pp. 147-171; S. PONS, *Berlinguer...*, cit., p. 155.

[211] Riunione, 12 e 13 marzo 1979, APCI, Direzione, MF 7911, pp. 32 ss.

[212] Nota di Valori, 6 gennaio 1979, APCI, 1979, fasc. 7901, pp. 107-109.

[213] Nota del CC del PCUS al CC del PCI, gennaio 1979, APCI, fasc. 7901, pp. 83-91; risposta della Direzione del PCI al CC del PCUS, 3 febbraio 1979, APCI, 1979, fasc. 7901, pp. 93-106.

[214] Lettera di Reiman, 27 gennaio 1979, APCI, MF 0400, pp. 1253-1255.

[215] Documento del Ministero degli Interni cecoslovacco, 11 dicembre 1978, APCI, MF 0400, p. 1256.

[216] Lettera di Antonetti, 6 febbraio 1979, APCI, MF 0400, p. 1258.

[217] Lettera di Antonetti a Minucci, 10 febbraio 1979. APCI, MF 0400, p. 1259.

[218] Lettera di Pajetta, 13 febbraio 1979. APCI, MF 0400, p. 1261.

[219] Appunto di Berlinguer, senza data. APCI, MF 0400, p. 1262.

[220] Intervista dell'autrice a Luciano Antonetti, cit.

[221] *Da Gramsci a Berlinguer. La via italiana al socialismo attraverso i Congressi del Partito comunista italiano*, a cura di D. Pugliese e O. Pugliese, Marsilio Editore, Venezia, 1985. Cfr. riunione, 16 ottobre 1979, APCI, Direzione, fasc. 7911, pp. 198-240.

[222] A. VIOLA, *L'impegno per la democrazia nei paesi dell'Est test del dibattito ideologico della sinistra*, in «L'Avanti», 27 luglio 1978, p. 7; *Le udienze internazionali Sacharov*, in «L'Avanti», 27 novembre 1977, p. 6; I.F., *Duemila dissidenti in manicomio*, in «L'Avanti», 27 novembre 1977, p. 6; cfr. *Le testimonianze del Tribunale Sacharov sulla violazione dei diritti dell'uomo nell'Unione Sovietica*, a cura di M. Corti, La Casa di Matriona, Milano, 1976.

[223] V. ZUBOK, *The Zhivago's children...*, cit., pp. 266-267.

[224] Intervista dell'autrice a Valdo Spini, cit.

[225] Solo a titolo esemplificativo, si vedano ACF, Atti del Consiglio Comunale, interpellanza di Abboni, Anno 1977, 18 gennaio 1977; ACF, Atti del Consiglio Comunale, mozione di Foti, Anno 1977, 18 ottobre 1977, pp. 696-709. L'idea, quindi, da cui, secondo Guerra, era nata l'iniziativa, cioè «porre fine alle polemiche e alle incomprensioni di due anni prima» tra comunisti e socialisti, non funzionò. A. GUERRA, *Comunismi e comunisti...*, cit., pp. 292-294.

[226] *Dissenso e democrazia nei Paesi dell'Est: dagli atti del Convegno internazionale di Firenze*, a cura di P. Nadin, Vallecchi, Firenze, 1980.

227 *Dissenso e democrazia. Convegno a Firenze*, in «l'Unità», 13 gennaio 1979, p. 13.

228 *Rivista sovietica attacca il Convegno di Firenze*, in «l'Unità», 18 gennaio 1979, p. 4.

229 Riunione della Segreteria, 12 luglio 1978, APCI, MF 0331, fasc. 7807, pp. 3-4.

230 *Si apre oggi a Firenze il convegno sul dissenso*, in «l'Unità», 19 gennaio 1979, p. 15.

231 E. POLITO, *Impegnato dibattito a Firenze sui caratteri del dissenso*, in «l'Unità», 20 gennaio 1979, p. 4.

232 Un osservatore della SPD presente all'evento considerò la decisione del PCI come eloquente esempio di come il maggiore partito comunista dell'Europa Occidentale si fosse «ritirato dalla discussione sui diritti umani». L'analista osservò che la questione dei diritti umani fosse utilizzata a fini di politica interna come elemento di contrasto tra PCI e PSI, mentre la DC godeva dei frutti di tale contrapposizione. Resoconto dalla Ebert-Stiftung di Roma, Archiv der Sozialen Demokratie, NBF, 23 gennaio 1979, 449. Cfr. G. BERNARDINI, *'Unser Freund Craxi': la socialdemocrazia tedesca e i mutamenti del sistema politico italiano, 1974-1978*, in «Annali della Fondazione Ugo La Malfa», Roma, 2006, pp. 151-180.

233 Riunione, 11 gennaio 1979, APCI, Direzione, MF 7906, p. 29.

234 E. POLITO, *Ancora ambiguità e forzature al convegno sul dissenso*, in «l'Unità», 22 gennaio 1979, p. 2. Si veda anche il *Documento del Gruppo Comunista del Consiglio comunale di Firenze*, in *Dissenso e democrazia...*, cit., pp. 268-269.

235 E. POLITO, *Tentativi di strumentalizzare il dissenso*, in «l'Unità», 21 gennaio 1979, p. 4.

236 IDEM, *Ancora ambiguità e forzature al convegno sul «dissenso»*, in «l'Unità», 22 gennaio 1979, p. 4.

237 *Documento del Gruppo Comunista nel Consiglio comunale di Firenze*, in P. NADIN, *Dissenso...*, cit., pp. 268-269; cfr. G. BOFFA, *I due volti del convegno di Firenze*, in «l'Unità», 23 gennaio 1979, p. 3.

238 C. ZANCHI, *Il PCI non è riuscito a superare le contraddizioni*, in «L'Avanti», 23 gennaio 1979, p. 3.

239 S. CESARI, *Sul dissenso il PCI è solo e muto*, in «il manifesto», 21 gennaio 1979, p. 1.

240 Tale idea era confermata anche dall'analisi di alcuni osservatori internazionali: in particolare i francesi ritenevano questa ipotesi plausibile. Rapporto dell'Ambasciatore francese a Roma François Puaux, 18 luglio 1979, CADN, Italie, Politique Intérieure, n. 2, Parti Communiste Italien, 1975-1979.

241 J. BUGAJSKI, *Czechoslovakia: Charter 77's decade of dissent*, Praeger, New York, 1987, p. 42. Cfr. *Superprocesso a Praga*, in «il manifesto», 14 ottobre 1979, p. 1; *Domani il processo ai sei di Praga*, in «il manifesto», 21 ottobre 1979, p. 1.

242 *Il processo a Praga*, in «l'Unità», 21 ottobre 1979, p. 1.

243 *Praga: 6 condanne al processo contro i dissidenti*, in «l'Unità», 24 ottobre 1979, p. 1. Cfr. *Praga aspetta una condanna già pronunciata*, in «il manifesto», 24 ottobre 1979, p. 1.

244 *Dichiarazioni di Pajetta*, in «l'Unità», 24 ottobre 1979, p. 14. Cfr. *Perché protestiamo contro le condanne*, in «l'Unità», 31 ottobre 1979, p. 3. I firmatari dell'appello erano Alberto Asor Rosa, Luigi Berlinguer, Massimo Brutti, Carlo Cardia, Tiziano Treu e Giuseppe Vacca.

245 *La sinistra europea contro il processo di Praga*, in «il manifesto», 23 ottobre 1979, p. 6.

246 L. CAFAGNA, *I punti deboli della strategia di Berlinguer*, in «Mondoperaio», n. 9, settembre 1979, pp. 5-11.

[247] FBC, Direzione, 16 gennaio 1979, scatola 15, fascicolo 25. Pelikán definì la sua designazione «un grande onore e anche un gesto di autentica solidarietà internazionalista». J. PELIKÁN – A. CARIOTI, *Io, esule...*, cit., pp. 82-84. Cfr. J. PELIKÁN, *Essere un deputato europeo scomodo*, dattiloscritto poi pubblicato in «Le Soir Bruxelles», 29 giugno 1979, ACD, sottoserie 004, ritagli di stampa, busta 20.

[248] Bukovskij ha raccontato che, nel 1979, De Michelis gli organizzò un incontro con Craxi. Dopo varie ore di attesa, il dissidente sovietico ebbe appena il tempo di presentarsi prima che il Segretario del PSI se ne andasse. Bukovskij sottolinea quindi l'indifferenza mostrata da Craxi nei suoi confronti. È tuttavia da rilevare che non è stato possibile verificare lo svolgimento dei fatti. Intervista dell'autrice a Vladimir Bukovskij, cit.

[249] J. PELIKÁN, *Perché Praga mette il dissenso alla sbarra*, in «L'Avanti», 21-22 ottobre 1979, p. 1.

[250] *Intervento di Pertini su Praga per 'Charta 77'*, in «L'Avanti», 23 ottobre 1979, p. 7; cfr. *Incidenti al processo di Praga. Pertini scrive a Husák*, in «l'Unità», 23 ottobre 1979, p. 1.

[251] J. PELIKÁN, *Con Šabata entrano in carcere i diritti dell'uomo*, in «L'Avanti», 12 gennaio 1979, p. 1; C. ZANCHI, *All'Est il dissenso è diventato ormai una vera forza di opposizione*, in «L'Avanti», 22 gennaio 1979, p. 4.

[252] Resolution on Czechoslovakia, Bureau Meeting, Parigi, 24-25 settembre 1981, IISGH, ISF, Czechoslovakia 1981, scatola 1078. Cfr. AA.VV., *Internazionale socialista*, a cura di M.F. Abita, Direzione PSI: Ufficio centrale stampa e propaganda, Roma, 1991.

[253] Lettera di Bernt Carlsson a Pietro Longo e Bettino Craxi, 3 settembre 1981; IISGH, ISF, busta Czechoslovakia 1981, scatola 1078. lettera di Bernt Carlsson per Margherita Boniver, 12 marzo 1982, IISGH, ISF, busta Czechoslovakia 1982, scatola 1078.

5
'Solidarność, Solidarité'?
La crisi polacca: assestamento
di equilibri radicati

> *Siamo nati dalla protesta contro il male,*
> *l'umiliazione e l'ingiustizia. Siamo un*
> *sindacato indipendente ed autogestito*
> *dalla gente del lavoro di tutte le regioni*
> *e professioni. [...] Difenderemo dunque*
> *i diritti dell'uomo, del cittadino e del la-*
> *voratore [e] non ci sottraiamo dalla re-*
> *sponsabilità per le sorti della nostra na-*
> *zione e del nostro Stato.*
>
> Solidarność, Tesi politiche

Ante 1981: la nascita di un'opposizione

La nascita di Solidarność rappresentò un punto di svolta nella storia del Dissenso: per la prima volta, un'organizzazione si sviluppava in un Paese a regime socialista acquisendo sempre più la fisionomia di una vera e propria opposizione. La sostanziale evoluzione del fenomeno del Dissenso in Polonia consente di mettere in rilievo un elemento chiave nella percezione dei movimenti di protesta dell'Est, da parte della sinistra italiana ed in particolare, del PCI. Agli occhi dei comunisti italiani, il consenso ottenuto da Solidarność elevava tale movimento al rango di interlocutore politico. Esso venne da subito considerato, diversamente dagli altri gruppi di opposizione, una «forza reale», capace di incidere sulle dinamiche della società polacca. Questa differente percezione determinò un cambiamento sostanziale nella politica del PCI, che aveva – sino a quel momento – sottostimato il peso ed il potenziale ruolo del Dissenso. Come abbiamo già avuto modo di sottolineare, Botteghe oscure si mostrò particolarmente interessata all'emergere di tale fenomeno in Cecoslovacchia, nel biennio 1976-1977. In quel frangente, l'attenzione dei comunisti italiani si rese manifesta anche nei confronti dei nuovi movimenti polacchi; essa tuttavia scontò il tradizionale limite della diffidenza del PCI, che emergeva in modo particolare nei confronti di gruppi dall'identità poco definita e dal seguito circoscritto. La nascente opposizione in Polonia scontava poi un altro deficit: essa non solo si poneva al di fuori del partito, ma era persino in contrapposizione ad esso.

Nell'estate del 1976, la repressione delle proteste operaie a Radom e Ursus aveva, infatti, generato una nuova ondata di proteste nel Paese. Si era quindi imposta l'esigenza di una tutela dagli abusi delle autorità e la necessità, per i detenuti e per le loro famiglie, di ottenere un'assistenza concreta in sede giudiziaria. Videro così la luce vari gruppi di opposizione: nel marzo del 1977, fu fondato il ROPCiO, movimento in difesa dei diritti umani e civili, ed esattamente ad un anno distanza venne creato il Sindacato libero di Danzica[1]. Sulla scia dell'approvazione del Terzo Cesto dell'Atto Finale di Helsinki, nacque poi il KOR, il Comitato di difesa degli operai: l'organizzazione, formata da gruppi liberali, di sinistra e da cattolici, promuoveva più atti di disobbedienza civile che di resistenza nel senso proprio del termine[2]. Così come gli altri movimenti, il Comitato – fondato da Michnik, Kołakowski e Brus – poteva ancora essere considerato un fenomeno di dissenso più che di opposizione, dato il suo limitato seguito, circoscritto in particolare a studenti ed intellettuali delle aree urbane. Ciononostante, il KOR attirò in tempi rapidi l'attenzione degli osservatori internazionali, che videro in esso il primo seme dello sviluppo di un movimento di protesta più vasto[3]. Tale interesse fu poi alimentato dall'attività di alcuni emigrati polacchi in Occidente: la rivista «Kultura» a Parigi, la casa editrice Institut Literacki di Giedroyc ed il foglio «Aneks» di Smolar costituirono la cassa di risonanza del Dissenso polacco nel «mondo libero»[4].

Anche in Italia, l'attenzione prestata al fermento culturale e politico polacco fu maggiore rispetto, ad esempio, al caso sovietico: il Partito comunista ed il Partito socialista sin da subito osservarono con crescente interesse i cambiamenti in atto a Varsavia. In particolare, il PCI, che aveva accolto all'inizio del decennio la nomina di Gierek con grandi aspettative, iniziava a nutrire seri dubbi sui risultati conseguiti dal leader slesiano nella politica interna. E anche in merito alla strategia internazionale, erano emerse forti perplessità a causa dell'adesione di Gierek alla crociata antieurocomunista a metà degli anni Settanta. La censura del discorso del delegato del PCI all'VIII Congresso del Partito operaio unificato polacco, nel dicembre 1975, fu solo l'ultimo segno di un rilevante deterioramento dei rapporti tra partiti fratelli.

I colloqui bilaterali confermarono questa svolta negativa: di ritorno da Varsavia, Pecchioli riferì dell'intransigenza di Gierek intorno ai temi del pluralismo e delle libertà democratiche [5]. Quando le manifestazioni di Radom e Ursus furono represse con la violenza dal Governo polacco, il PCI non ebbe quindi esitazioni a condannare l'uso di metodi amministrativi per la risoluzione di problemi politici. L'imminenza delle elezioni politiche italiane del giugno 1976 imponeva a Botteghe oscure di assumere una posizione chiara intorno a tali gravi avvenimenti, in linea con la svolta eurocomunista promossa da Berlinguer. Ma la risolutezza della condanna fu dovuta anche alla diversa percezione che il PCI aveva del Dissenso polacco. Sulle pagine di «Rinascita», Franco Bertone sostenne la legittimità dei problemi posti dal KOR [6]; per vie private, Botteghe oscure intervenne presso le autorità polacche per invocare «moderazione» e «clemenza», e richiamare il POUP ad una gestione più trasparente dei processi giudiziari [7]. Il pregiudiziale rifiuto a tali richieste confermò le impressioni negative sulla *leadership* polacca. La richiesta di un appoggio incondizionato, avanzata da Gierek [8], fu respinta da Berlinguer ed indusse quest'ultimo ad aprire la porta al dialogo con il movimento di contestazione polacco.

In esso, Botteghe oscure trovò un interlocutore attento e disponibile: sulla falsariga della campagna di sensibilizzazione di Charta 77, anche il Dissenso polacco cercava in quel frangente un contatto con la sinistra italiana [9]. Questa volta il PCI non fu sordo alle richieste dei dissidenti di Varsavia, che vedevano in Berlinguer un punto di riferimento di rilievo nel blocco occidentale [10]. Nel biennio 1976-1977, si stabilirono delle relazioni informali tra i dissidenti polacchi ed il PCI. Quest'ultimo osservava il fermento polacco con interesse, non riuscendo però a farsi un'opinione definitiva su di esso. I dirigenti ed i quadri italiani che stabilirono i primi contatti al di fuori dell'*establishment* di Varsavia riportarono impressioni diverse, talvolta contraddittorie.

L'inviato a Varsavia per il PCI, Barbaro, ad esempio, riferì in termini positivi dell'incontro con alcuni esponenti del KOR. Il Comitato – le cui attività di natura sociale divenivano rapidamente sempre più politiche [11] – svolgeva un'azione «molto coraggiosa» e di grande rilievo, consolidata dalla sua nascente collaborazione con strati significativi del movimento operaio [12].

Diversa fu l'impressione di Rubbi, viceresponsabile della Sezione Esteri del PCI, che ricevette Adam Michnik a Botteghe oscure, su suggerimento del giornalista Giuseppe Boffa [13]. Rubbi informò Berlinguer delle sue impressioni: i discorsi di Michnik erano un insieme di «intellettualismo, radicalismo-piccolo borghese e trozkismo». Il primo impatto fu quindi quello di «un'accozzaglia» di elementi, che poco erano affini al «reale malcontento operaio». E poi – commentava Rubbi – Michnik sembrava uno di Lotta continua. Il Viceresponsabile Esteri del PCI non aveva gradito il tono di «presunzione» con cui il leader del KOR si era espresso: pur riponendo le proprie speranze nel PCI, il polacco criticava la «posizione di comodo» di Botteghe oscure, basata sul principio della «non ingerenza negli affari interni di un altro partito». Alla luce di tali dichiarazioni, Rubbi respingeva la possibilità di instaurare un canale di dialogo permanente con il KOR: «La cosa – riteneva il dirigente – oltre che imbarazzante, può prestarsi a cattive e nocive strumentalizzazioni»[14].

Le considerazioni di Rubbi e le lamentele provenienti dall'Ambasciata di Varsavia in Italia[15] indussero Berlinguer a riconsiderare l'apertura al Dissenso polacco. Certo non estraneo a tale scelta fu la lettura che il PCI dava della situazione del «socialismo reale». Botteghe oscure difettava, infatti, nella comprensione del fenomeno del Dissenso: nella convinzione che il cambiamento nei Paesi dell'Est potesse maturare esclusivamente grazie alle «forze reali» – vale a dire quelle che potevano avere un'influenza concreta sulla realtà, come gli Stati ed i grandi partiti – i comunisti italiani non consideravano adeguatamente l'emergere di elementi di opposizione in seno alla società[16]. Era, quindi, la stessa *forma mentis* dei dirigenti ad impedire loro di comprendere che lo schema della Primavera di Praga – il partito come avanguardia, fonte e guardiano del rinnovamento – non era più adeguato alla realtà del blocco sovietico. Leggendo la realtà polacca mediante una lente italiana, essi ridimensionavano la valenza del Dissenso nell'Est che – per quanto effettivamente circoscritto – costituiva il sintomo dei limiti sistemici del «socialismo reale».

L'inasprimento delle tensioni internazionali ed il dinamismo dei socialisti italiani riguardo alla questione dei diritti umani fornirono un elemento in più a quei dirigenti del PCI che erano già scettici sullo sviluppo delle relazioni di Botteghe oscure con il Dissenso nei regimi orientali[17]. Dopo la breve parentesi del 1976-1977, la strategia del PCI in questo ambito ritornò ai due tradizionali binari: l'enfatizzazione del legame tra socialismo e democrazia (elemento centrale nell'analisi dei comunisti italiani e, nelle loro intenzioni, indiretto sostegno alle forze riformiste dell'Est); e l'azione nei confronti dei partiti fratelli, considerati interlocutori privilegiati. Questo secondo aspetto fu accolto con particolare interesse da Gierek, che cercò un sostegno in Berlinguer per far fronte alle crescenti difficoltà di natura interna. Tra il 1977 ed il 1979, i dirigenti polacchi invitarono ripetutamente il leader sardo a Varsavia. Nella loro ottica, l'appoggio del Segretario italiano avrebbe aiutato Gierek a far fronte alle «pressioni interne ed esterne» esercitate sul partito in seguito all'ondata di proteste del 1976, evitando così al leader polacco di ricorrere a processi [18]. Il leader del POUP, cosciente che il prestigio dell'Unione Sovietica era in netto ribasso, sembrava cercare una sponda nel PCI [19]. Le insistenze di Gierek affinché Berlinguer si recasse a Varsavia trovarono un'accoglienza parziale: fu Gian Carlo Pajetta ad andare nella capitale polacca, nel gennaio del 1979. In quell'occasione, Pajetta si trovò inaspettatamente a fronteggiare un netto cambiamento nei toni dei dirigenti polacchi. Probabilmente sottoposto alle pressioni di Mosca, Gierek criticò poco velatamente l'azione politica di apertura del PCI verso la Cina [20] e respinse l'ipotesi di un confronto intorno alle evoluzioni della società polacca. Rispolverando un *leit motiv* propagandistico, egli sottolineò il consolidamento del «ruolo guida» del POUP e la «piena libertà religiosa» di cui godevano i suoi concittadini [21]. La chiusura nei confronti dei compagni italiani fu confermata dal colloquio con Babiuch, nel corso del quale quest'ultimo sostenne che la «formulazione della terza via» era «incomprensibile» [22].

I rapporti tra i due partiti si deteriorarono ulteriormente nel corso dei primi mesi del 1980, a causa del forte disaccordo sull'organizzazione di una Conferenza internazionale dei partiti comunisti europei, proposta dal POUP e dal PCF su suggerimento di Mosca. Con una presa di posizione inedita, Botteghe oscure ritenne di non prendere parte all'evento, non volendo «rinunciare alla propria autonomia» [23]. La questione fu anche al centro di uno scambio di lettere tra il PCUS ed il PCI: quest'ultimo respinse risolutamente l'idea che il proprio atteggiamento critico nell'ambito del movimento comunista internazionale fosse segnato da opportunismo, e rispondesse a fini di politica interna. I comunisti italiani non mancarono di ricordare che il loro voto sulla questione degli euromissili, gravido di conseguenze negative in termini di equilibri interni, ne era stata la prova [24]. L'isolamento politico del PCI iniziava a delinearsi con maggiore chiarezza. A livello internazionale, la situazione si era fatta, d'un tratto, difficile: la vicenda eurocomunista poteva ormai dirsi conclusa, vista la defezione del PCF, ritornato su posizioni ortodosse [25]. Al contempo, i rapporti in seno al movimento comunista internazionale erano influenzati dal nuovo spirito della Guerra Fredda: con la condanna dell'invasione dell'Afghanistan, i comunisti italiani si erano guadagnati l'irritazione di Mosca. E con il voto negativo sull'installazione degli euromissili, avevano risvegliato la diffidenza di Washington e degli attori politici italiani [26]. Da un lato, quindi, il peggioramento delle relazioni internazionaliste preoccupava i dirigenti comunisti, anche perché – come ha rilevato Pons – nel periodo eurocomunista il PCI era riuscito ad ottenere una maggiore credibilità internazionale, ma non aveva instaurato delle «autentiche alleanze politiche» alternative a quelle con i partiti fratelli [27]. Contestualmente, nell'arena politica interna, la fine del «governo di solidarietà nazionale» aveva riportato i comunisti italiani all'opposizione, privi di una credibile alternativa a quella del «compromesso storico».

Se la via del dialogo con la DC sembrava ormai impraticabile, quella con il PSI pareva sbarrata. Fortissima era, infatti, la diffidenza tra i due partiti della sinistra, così come quella tra i due Segretari. Bastano un paio di battute per spiegare tale intrinseca diffidenza, che passava per un sospetto di natura personale. Alla domanda del giornalista Minoli a cosa pensassero l'uno dell'altro, Craxi – riferendosi a Berlinguer – disse: «È un comunista accademico»; e Berlinguer di Craxi: «È un buon giocatore di poker» [28]. La dinamica azione di Bettino Craxi in campo politico-culturale era vista dal PCI come una strumentalizzazione ai propri danni. È innegabile (e piuttosto ovvio) che la questione del Dissenso si prestasse ad esser piegata ai giochi della politica interna. Dando per assodato questo aspetto, è più interessante concentrarsi su un elemento di diversità sostanziale tra le principali componenti del movimento operaio italiano, che rivelava la loro costitutiva diversità in termini di rielaborazione politica: l'analisi della realtà del «socialismo reale».

Dopo il distacco del 1956 e la concretizzazione della «Bad Godesberg» italiana – con l'operazione politico-culturale del *Vangelo Socialista*, l'articolo con il quale Craxi prese le distanze dall'universo valoriale marxista, pubblicato sull'«Espresso» nel 1978 [29] – il dirigente milanese compì un ulteriore passo in direzione del definitivo distacco dall'eredità della Rivoluzione d'ottobre. I socialisti italiani erano convinti che il sistema sovietico fosse fallimentare, e che non scontasse solamente il peso delle proprie contraddizioni e limiti. Nella lettura del PSI, l'idea di una possibile implosione dei regimi socialisti era strettamente correlata alla nascita dei movimenti di protesta in seno al blocco sovietico. Craxi ereditò la visione dell'ineluttabile implosione del sistema sovietico da Nenni, facendone un perno della propria analisi sul «socialismo reale». Nel 1977, Pietro Nenni era infatti convinto che la situazione all'Est fosse esplosiva: la nascita di un Dissenso a cavallo tra URSS, Cecoslovacchia e Polonia, pur con le dovute distinzioni, indicava l'aumento della possibilità concreta di uno scontro frontale in seno ai Paesi socialisti, tra le classi dirigenti e le forze democratiche. Ad attirare l'attenzione dell'anziano politico era soprattutto la Polonia, l'unico Paese ove era concretamente percepibile il dilagare del Dissenso [30].

L'intuizione di Nenni, fatta propria e sviluppata da Craxi, divenne patrimonio di tutto il partito proprio grazie all'azione del leader milanese. Anche il sindacato vicino al PSI – la UIL, guidata dal socialista Giorgio Benvenuto – condivideva tale lettura della realtà, e contribuì a generare un vivace dibattito sul rispetto delle libertà nel blocco sovietico [31]. Era, in definitiva, l'emergere dell'era craxiana: il sostegno al Dissenso diventava il simbolo di una precisa identità del PSI e un'arma per mettere in dubbio la credibilità democratica del PCI in vista di un futuro riequilibrio interno alla sinistra. Contrariamente a Botteghe oscure, il PSI considerava gli oppositori dell'Est non solo interlocutori possibili, ma privilegiati. La stessa sede del Partito socialista italiano divenne quindi un punto di accoglienza politica dei dissidenti polacchi di orientamento socialista. Nel febbraio 1977, «L'Avanti» diede notizia dell'incontro di Craxi con gli oppositori Michnik e Kołakowski [32]: il PSI si candidava ad essere la principale (anche se non unica) forza realmente democratica della sinistra italiana.

La vicenda dei contatti con il KOR ci offre l'occasione di mettere a fuoco un elemento centrale nella definizione del rapporto tra sinistra italiana e Dissenso. Da un lato, il PSI aspirava ad essere il primo punto di riferimento in Italia (e forse, nell'Occidente) del Dissenso di orientamento socialista nel blocco sovietico. Dall'altro, tale nascente opposizione, pur raccogliendo e valorizzando la collaborazione con il PSI, identificava nel PCI il proprio principale interlocutore nel mondo occidentale. Tale aspetto, già evidente nelle prime fasi della vicenda Pelikán, trova conferma nel caso di Michnik. Nelle sue memorie, il leader del KOR ricorda, infatti, in poche righe l'incontro con Craxi, focalizzando la propria attenzione sulla maggiore apertura dei socialisti italiani rispetto a quelli francesi. Ma il risalto maggiore è conferito al ruolo svolto dal Partito comunista italiano, che rappresentava per i comunisti di orientamento «socialdemocratico» della Polonia, «une perspective de libéralisation du monde soviétique» [33]. A fronte delle speranze riposte nell'azione dei comunisti italiani, le ambiguità e le reticenze della linea ufficiale del PCI, determinate in parte dai legami internazionali dai quali era ovviamente libero il PSI, risultano quindi ancor più significative.

Craxi era probabilmente consapevole della forza di attrazione che la prospettiva eurocomunista esercitava nei confronti dei dissidenti. Non rinunciando, tuttavia, a proporsi come principali ed unici interlocutori italiani dell'opposizione del blocco sovietico, i socialisti italiani intendevano mettere in rilievo proprio la discrepanza tra le speranze riposte dai dissidenti nell'eurocomunismo e la parzialità della risposta dei comunisti occidentali [34]. I leader socialisti coltivarono così il legame con le forze di rinnovamento dell'Est, partendo dal presupposto di una comunanza di valori e di ideali con essi [35]. Furono quindi le riserve e le esitazioni del PCI ad indurre i dissidenti ad accettare il dialogo con il socialismo italiano.

Intervento senza ingerenza: la tentazione del PCI

Il condizionamento internazionale del PCI – il suo legame con l'Unione Sovietica – rimane la chiave principale per leggere la politica di Botteghe oscure nei confronti dell'opposizione nei Paesi del blocco orientale. Con un processo inverso, dalle testimonianze raccolte e dall'analisi della documentazione archivistica, si può tentare – tramite lo studio delle relazioni tra i comunisti italiani ed il Dissenso del blocco sovietico – di gettare una nuova luce sul rapporto tra il PCI ed il «socialismo reale». Alla fine degli anni Settanta, il condizionamento internazionalista non consisteva più nel dogma, nella fede aprioristica ed acritica nella «patria del socialismo». Dai documenti conservati presso l'Archivio Centrale del PCI, questo elemento – certamente presente in alcuni esponenti filosovietici e, probabilmente, in alcuni settori della «base» – appare superato nell'analisi della classe dirigente berlingueriana. Nel corso della rielaborazione politica iniziata con il Sessantotto cecoslovacco, esso era stato sostituito da due miti. Da un lato, il mito del «socialismo reale» era stato soppiantato da quello della riformabilità dei regimi dell'Est. Tale convinzione nasceva dall'idea che l'esperienza del socialismo nel blocco sovietico fosse viziato da una serie di contraddizioni e limiti ma che, al contempo, esso potesse essere riformato da una classe dirigente comunista, capace e non burocratizzata. Nonostante i comunisti italiani non considerassero più il «socialismo reale» un ideale, essi non lo ritenevano certo un sistema fallimentare: i dirigenti di Botteghe oscure erano convinti che le contraddizioni emerse nelle esperienze del blocco sovietico si sarebbero potute superare. Questa era, in definitiva, l'idea di riprendere il processo iniziato con il XX Congresso ed interrotto bruscamente dall'ascesa di Brežnev. In tale ambito si inseriva l'azione del PCI, fautore di una nuova prospettiva di portata mondiale, quella dell'eurocomunismo.

Dall'altro lato, il nuovo assioma era quello della distensione, nella quale i comunisti italiani avevano riposto grandi aspettative: essa avrebbe consentito una maggiore autonomia del PCI in seno al movimento comunista internazionale, e permesso la ridefinizione del ruolo internazionale del PCI, rendendolo il punto di riferimento di un comunismo diverso da quello sovietico.

L'appoggio all'URSS era quindi dovuto sia dalla divisione del mondo in blocchi, che imponeva la solidarietà internazionalista, sia dall'azione svolta dall'Unione Sovietica come protagonista della distensione. Il fatto che il Cremlino avesse una visione della *détente* assai diversa da quella del PCI fu ampiamente sottostimato dai dirigenti di Botteghe oscure. Il sostegno all'Unione Sovietica era poi condizionato dal legame finanziario che legava il PCI a Mosca. Un'indipendenza che potesse effettivamente dirsi tale passava necessariamente per la ridefinizione di tale relazione materiale con l'URSS: veniva considerata con serietà l'ipotesi di fare a meno del sostegno economico del Cremlino[36].

Il deterioramento della situazione internazionale e di quella interna andavano, tuttavia, in senso contrario a tali aspirazioni. In ambito nazionale, la fine anticipata del governo Andreotti e le elezioni del 1979 avevano lasciato trasparire il forte riflusso dell'elettorato che, nel 1976, aveva guardato con interesse al Partito comunista italiano. I voti del PCI diminuirono drasticamente del 4%: l'ipotesi del superamento della Democrazia cristiana sfumava definitivamente[37]. La possibilità di trovare un interlocutore politico nel Partito socialista era un'ipotesi non realizzabile e non certo favorita dall'aggravarsi delle tensioni internazionali[38]. Nel dicembre 1979, l'Unione Sovietica intervenne militarmente in Afghanistan: Kabul era solo l'ultima manifestazione della politica di potenza dell'URSS, elemento che aveva contribuito non poco all'affossamento della distensione. Aggressiva sul piano internazionale, Mosca appariva in difficoltà nella gestione delle dinamiche interne al blocco comunista: in particolare la Polonia si era rivelata l'anello più debole del «socialismo reale», come avevano dimostrato le ripetute crisi che avevano scosso il Paese sin dal 1970. L'elezione di un papa polacco – Karol Woijtyła – suscitò non pochi timori tra i dirigenti del blocco sovietico. Sebbene l'azione di Giovanni Paolo II proseguisse idealmente sulla strada dell'*Ostpolitik* promossa dal suo predecessore[39], la sua prima visita in Polonia, nel giugno 1979, contribuì ad esacerbare gli umori di Mosca[40]. Il nervosismo sovietico divenne aperta insofferenza quando, per l'ennesima volta, nel giugno 1980, l'annuncio di un aumento dei prezzi diede luogo a nuovi scioperi a Varsavia. In quel periodo, Francesco Cataluccio – collaboratore del Centro di Studi e Documentazione sui Paesi Socialisti del PCI – riferì a Botteghe oscure della significativa diffusione del fenomeno del Dissenso[41]. Il confronto con esso era divenuto ineludibile per le classi dirigenti dell'Est.

Assorbiti dalle vicende interne al blocco comunista, i sovietici mostravano crescenti segni di impazienza anche nei confronti delle velleità di protagonismo dei compagni italiani, i quali – ai loro occhi ed a quelli di alcuni osservatori internazionali[42] – non facevano che mettere Mosca in difficoltà. Nel corso di un incontro con Pajetta e Bufalini, il sovietico Kirilenko elencò tutti gli elementi della politica del PCI che stavano portando ad un'insanabile frattura tra i due partiti fratelli: il giudizio sull'intervento sovietico in Afghanistan, la mancata partecipazione all'assise dei partiti comunisti di Parigi, l'equiparazione tra patto di Varsavia e NATO, la ripresa dei rapporti con la Cina e, non da ultimo, il giudizio critico intorno all'esperienza del «socialismo reale». Gian Carlo Pajetta respinse le accuse sovietiche, riprendendo la tradizione formula dell'«unità nella diversità»[43]. Botteghe oscure temeva l'isolamento internazionale e, nel clima di un aggravamento delle tensioni mondiali, l'appartenenza al campo sovietico significava la sopravvivenza della stessa proposta politica del PCI. Nelle azioni dei dirigenti di Botteghe oscure, era di nuovo il mito della distensione che chiedeva prudenza. Così, Bufalini ammise, in una riunione della Direzione nel settembre 1980, che i toni della delegazione italiana erano stati «dignitosi» ma «un po' diplomatici». Approvando la linea dei compagni che si erano recati a Mosca, Berlinguer convenne sulla necessità di procedere con circospezione: Varsavia era ancora una questione aperta.

Il processo iniziato in Polonia veniva osservato dal PCI con una certa speranza. Come all'inizio del decennio, alla fine degli anni Settanta i comunisti italiani vedevano nei fatti polacchi il germe di un reale rinnovamento. Il Segretario tuttavia ammoniva: «Non mettiamoci il timbro, né parliamo di eurocomunismo»[44]. I sovietici non avrebbero avuto troppe remore ad utilizzare la 'deviazione eurocomunista' per giustificare un'ingerenza ai danni della classe dirigente polacca. A Varsavia la situazione era particolarmente effervescente ed i dirigenti del PCI faticavano a trovare un accordo sulla valutazione del ruolo dei vari attori politici. Il POUP era certamente il primo al quale sarebbe andato il sostegno del PCI.

Nell'autunno 1980, la sostituzione di Gierek con il riformista Kania venne letta, infatti, da Botteghe oscure come il sintomo di una positiva evoluzione[45]. Ma il carattere multiforme del rinnovamento complicava la situazione rispetto alle paradigmatiche vicende di Praga. La spinta al rinnovamento non proveniva più, come nel Sessantotto cecoslovacco, dall'interno del POUP: il ruolo di avanguardia del partito stava definitivamente tramontando. Nell'individuazione di eventuali interlocutori politici, i dirigenti del PCI nutrivano opinioni differenti. Gian Carlo Pajetta propendeva per la tradizionale lettura delle «forze reali», concentrando la propria attenzione sul ruolo del POUP e della Chiesa [46]. L'anziano leader accoglieva nella sostanza le opinioni di Werblan, dirigente del Partito operaio unificato, che denunciava il «disimpegno» del movimento di opposizione, nel quale avevano trovato spazio degli «avventurieri» [47]. Opposta era la testimonianza del fratello di Pajetta, Giuliano, che riferiva della partecipazione di parte della «base» del POUP agli scioperi, e che respingeva l'idea che l'opposizione si nutrisse di sentimenti antisocialisti [48].

I comunisti italiani prendevano coscienza di un mondo che si sviluppava fuori dalla vita del partito, ma che non conoscevano approfonditamente e sul quale le opinioni dei dirigenti erano talvolta divergenti. La *leadership* berlingueriana propendeva per promuovere una maggiore comprensione di tale fenomeno, pur mantenendo la consueta prudenza. Così, Duccio Trombadori fu incaricato di incontrare in via riservata il leader di Solidarność, Lech Wałesa. Trombadori ne aveva ricavato un'impressione positiva: Wałesa gli era parso una persona «responsabile» e «moderata» e Solidarność una «forza nazionale», quasi un «partito». L'inviato concludeva la sua nota suggerendo a Berlinguer di prendere un'iniziativa, in quanto era «in gioco la riformabilità del socialismo» [49]. Che il PCI fosse destinato a giocare un ruolo centrale nella vicenda polacca era riconosciuto anche dai dirigenti di quel Paese: in un colloquio con Rubbi, l'Ambasciatore di Varsavia chiese a Botteghe oscure di svolgere «un'azione responsabilizzatrice» nei confronti degli operai, e di intercedere con il Governo di Roma sulle questioni economiche [50]. I compagni italiani si sentivano investiti di una missione che esulava le frontiere nazionali: la possibilità di un nuovo intervento militare – disastroso non solo per la Polonia, ma anche per la sorte del comunismo internazionale – echeggiava nelle loro parole.

Sollecitato su più fronti, il PCI ritenne quindi opportuno inviare una missiva al POUP ed ai leader del blocco sovietico, per puntualizzare la propria posizione in merito alle vicende polacche. Botteghe oscure articolò il suo intervento in alcuni punti specifici. Innanzitutto, il riconoscimento che la situazione polacca aveva avuto dei «riflessi diretti sulla politica di distensione»; in secondo luogo, l'appoggio del PCI al processo di rinnovamento intrapreso dai dirigenti del Partito operaio uni ficato; in terza battuta, l'ammissione dell'esistenza di «forze ostili» in seno al movimento di opposizione, ma il contestuale rifiuto a condannarlo nel suo complesso. Infine, il PCI, rivendicando la propria «solida ed indiscutibile tradizione internazionalista», si poneva in netta contrapposizione all'ipotesi di un'ingerenza sovietica: i comunisti italiani anticiparono la propria opposizione a «qualsiasi intervento esterno», le cui conseguenze sarebbero state certamente «catastrofiche»[51].

La missiva fu dunque consegnata al rappresentante del PCUS Černjaev ed all'Ambasciata polacca: il diplomatico di Varsavia espresse un parere positivo intorno alla risoluzione, giudicandola «equilibrata» e ringraziando per il «sostegno» del PCI[52]. Sotto la pressione di Mosca, la reazione dei polacchi fu tuttavia suscettibile di un forte cambiamento. Il Cremlino non intendeva tollerare altre novità: i sovietici avevano accettato a stento la legalizzazione di Solidarność, affrettandosi a chiarire di considerarla un «compromesso temporaneo»[53]. A fronte di tale evoluzione della situazione, ogni intervento dei partiti fratelli avrebbe trovato scarsa comprensione a Mosca. Intimando al PCI di mantenere riservata la propria missiva, il PCUS accusò Botteghe oscure di aver arrecato un «danno al movimento operaio internazionale»[54]. Ancor più dura fu la reazione degli stessi polacchi: il PCI aveva compiuto un atto grave, del quale avrebbe dovuto assumersi tutte le responsabilità, avendo gestito «in modo inammissibile» i rapporti tra i partiti fratelli[55].

Berlinguer non si lasciò intimorire. Contravvenendo alla direttiva di Mosca e non attendendo l'incontro con il sovietico Zagladin, previsto di lì a qualche settimana, il PCI rese noto un comunicato nel quale preannunciò che le conseguenze di un intervento in Polonia sarebbero state «gravissime»[56].

Nonostante la dura posizione della *leadership* berlingueriana, il timore di una rottura con il Cremlino era troppo radicato per poter scomparire all'improvviso. Nei colloqui con il PCI, dopo la vicenda del comunicato, Zagladin fece ripetutamente riferimento ai «buoni rapporti» tra Botteghe oscure ed il PCUS. Il rilievo conferito a tale informazione da Pajetta (che ne dedusse: i sovietici «ci tengono») rivelava che il PCI era alla ricerca di conferme riguardo alla solidità del legame fraterno. Erano gli sviluppi della situazione internazionale ad imporre di serrare i ranghi. Lo stesso delegato sovietico era stato chiaro al riguardo: «Nel periodo di insediamento di Reagan e di preparazione del congresso del PCUS non può succedere niente di importante. Dopo sì»[57]. Una frase che sembrava anticipare una svolta drammatica della già difficile situazione polacca.

Una nuova opposizione: evoluzioni e limiti nell'analisi dei comunisti italiani

Le elezioni a Washington influirono in modo determinante sulle dinamiche internazionali: la vittoria di Reagan – da lungo tempo assertore di una politica dura nei confronti di Brežnev – portò in effetti ad una ridefinizione dei rapporti con il Cremlino. Reagan riprese la campagna di denuncia sui diritti umani caratteristica dei primi anni della Presidenza Carter, conferendole una nuova valenza. Il Presidente repubblicano fornì il proprio appoggio alle forze anticomuniste al di fuori degli Stati Uniti, mantenendo una posizione rigida nei confronti della *leadership* sovietica. La definizione dell'URSS come «impero del male» fu solo l'ultimo passo in questa direzione[58].

Il brusco aggravarsi della tensione internazionale metteva il PCI in una condizione difficile. Pur appartenendo alla comunità comunista, Botteghe oscure si trovava isolata a livello internazionale. Alla base di tale stato, vi era un errore politico che la dirigenza berlingueriana aveva compiuto negli anni più vivaci dell'eurocomunismo: quello, cioè, di aver gradualmente preso le distanze dai propri interlocutori tradizionali, le classi dirigenti dei Paesi dell'Est, senza tuttavia essersi creato una rete solida ed alternativa di contatti. In particolare, le relazioni con le socialdemocrazie europee – che pur essendo state sviluppate sin dagli anni Sessanta erano sempre rimaste nei limiti di un dialogo ufficioso e intermittente – vivevano una fase di stasi, dato il mutato clima mondiale[59].

Stretto tra l'isolamento internazionalista e l'assenza di una solida rete alternativa di alleanze, il PCI perseguì una linea politica perdente. Seguendo la strategia eurocomunista quando l'eurocomunismo si era ormai dissolto, Botteghe oscure mantenne un atteggiamento di forte critica nei confronti dei dirigenti del blocco sovietico. Isolati tra i PC, i comunisti italiani pagarono le conseguenze del parziale sviluppo della propria *Westpolitik* e del mantenimento di un antiamericanismo dai toni accesi, a tratti violento. Come ha osservato Pons, l'analisi e gli obiettivi dei comunisti italiani non tenevano conto del mutato quadro internazionale[60]. Si confermava la politica del doppio binario, caratteristica del periodo eurocomunista. Da un lato, i dirigenti italiani individuavano nel sostegno alla politica di distensione e nella ricerca di un dialogo con le socialdemocrazie i due elementi per uscire dall'isolamento internazionale; in particolare, Berlinguer era convinto che a dispetto dei pessimi rapporti in ambito interno con il PSI, dovuti alla svolta di quest'ultimo verso destra, la strada di un approfondimento del dialogo con i socialdemocratici fosse ancora percorribile. Dall'altro, il rapporto con il Cremlino si sviluppava nell'ormai tradizionale direzione della critica nell'unità internazionalista, ove però le divergenze sembravano svuotare l'unità del suo significato.

Il contrasto con il Cremlino seguitava a non rientrare: la decisione di Berlinguer di non recarsi di persona al XXVI Congresso del PCUS fu il sintomo più visibile di tale tensione. Il dibattito in seno al PCI intorno alla partecipazione all'assise di Mosca fece affiorare i primi segni di forti divergenze tra i dirigenti e l'esistenza di una fronda filosovietica, che diveniva sempre più dinamica [61]. Anche al ritorno dall'assise di Mosca – che aveva visto i comunisti italiani, secondo Bufalini, assertori di una «linea ferma, dignitosa, ma non di rottura» – le polemiche ripresero. Armando Cossutta, appoggiato da Barca e Reichlin, poneva in risalto l'esistenza di una «seconda anima» del PCI, la quale metteva «in guardia» da una «rottura» con l'URSS. L'attività sotterranea di Mosca faceva assumere forma concreta allo spettro della frantumazione del partito, paventato da Cossutta. I sovietici intervenivano infatti apertamente nella vita del PCI con la diffusione di stampa ed opuscoli a carattere manifestamente prosovietico [62].

Le ragioni che spingevano il Cremlino ad una politica di intromissione erano lampanti agli occhi di Berlinguer. Nell'azione intimidatrice di Brežnev, il Segretario italiano vedeva la diffidenza dei sovietici per l'eurocomunismo, divenuto «punto di oggettivo riferimento» per le «attese» e «speranze» dei progressisti anche fuori dall'Italia [63]. Convinto che l'eurocomunismo fosse «andato avanti», il leader sardo non teneva conto del fatto che – dopo la defezione del PCF – la dimensione internazionale del movimento lanciato dai tre partiti comunisti occidentali era andata perdendosi, e che l'eurocomunismo era divenuto 'italocomunismo'. Berlinguer, in altri termini, applicava uno schema di lettura della realtà ormai superato dall'evoluzione delle relazioni internazionali. Il giudizio sull'invasione sovietica dell'Afghanistan aveva, infatti, diviso definitivamente i due partiti fratelli, frantumando l'ipotesi non solo della creazione di un movimento, ma anche di una pur vaga sinergia.

La diversità di opinioni intorno alla situazione di Varsavia aveva consolidato tale divisione. Marchais aveva adottato *in toto* la linea sovietica, giungendo ad apporre al movimento di rinnovamento polacco l'infamante marchio di «controrivoluzione» [64]. Profondamente diversa era la valutazione del PCI, che si era espresso positivamente sui gruppi riformisti extrapartitici. Ciononostante, con l'evolvere degli eventi e la sempre più concreta minaccia sovietica, Botteghe oscure ritenne opportuno rivedere – in parte – il proprio appoggio agli attori politici in gioco. Come era stato per le crisi precedenti a Varsavia ed a Praga, il PCI identificò, *in primis*, nel Partito comunista al potere e, in secondo luogo, nel Sindacato libero, le forze sulle quali fare affidamento [65]. La strategia di Botteghe oscure era dettata dalla *forma mentis* dei comunisti italiani, consolidata dalla lettura fornita dallo stesso Partito operaio unificato [66]. Il sostegno fornito ai compagni polacchi era poi dettato da due elementi concreti. Innanzitutto, tale scelta andava intesa come un tentativo indiretto di contrastare la strategia perseguita dai sovietici. Sostenere il Partito operaio unificato significava infatti allontanare lo spettro di un intervento esterno. Paradossalmente, essa fu anche dettata dal desiderio di attenuare i toni del dissidio con il PCUS, al fine di stemperare la tensione nel movimento comunista internazionale.

Il contegno del PCI nei confronti dell'opposizione polacca non poteva quindi non risentire dell'impostazione preferenziale accordata al POUP. Il legame con il Partito operaio unificato influenzò in modo determinante l'immagine che Botteghe oscure aveva dei gruppi dissidenti, concorrendo a plasmarla.

Nel giudizio sull'opposizione, affiorava nelle parole dei dirigenti comunisti italiani una sostanziale identità di opinioni con Varsavia. La stima positiva dell'azione di Solidarność e la valutazione negativa del KOR da parte del PCI nascevano anche dalla necessità di sostenere l'azione del POUP e di sposare, quindi, la sua lettura della realtà [67]. In definitiva, sia Botteghe oscure, sia la sua stampa diedero credito all'analisi del POUP che individuava in Solidarność un movimento responsabile, con cui il dialogo era possibile, e nel KOR una forza incontrollabile. È bene precisare, però, che l'evoluzione della fisionomia di Solidarność – sempre più rappresentativa di larghi strati del mondo operaio – non fu certo estranea a tale valutazione [68].

Nel corso della primavera 1981, sia il sindacato guidato da Wałesa, sia il POUP conobbero tuttavia una crisi di consensi. Una nuova riduzione delle forniture di derrate alimentari e l'aumento dei prezzi, associate alla destabilizzazione delle figure di riferimento spirituali, causarono un significativo crollo di fiducia nelle concrete possibilità di incidenza di Solidarność sulla situazione del Paese. Contestualmente, mutarono gli equilibri interni al Partito operaio unificato. Le pressioni di Mosca, a sostegno di gruppi filosovietici in seno al POUP, controbilanciarono le voci riformiste all'interno del partito. Nel giugno 1981, il Cremlino inviò una lettera al POUP, autorizzando sostanzialmente la sostituzione del segretario generale, il riformista Stanisław Kania. A soli quattro giorni di distanza, in occasione del Comitato centrale del POUP, Kania non ottenne la fiducia: l'intervento dei sovietici era ormai innegabile[69].

La pesante intromissione del Cremlino venne osservata con apprensione de Botteghe oscure. Nonostante i fronti di contrasti si facessero sempre più numerosi, la *leadership* berlingueriana tentava di evitare la rottura con l'URSS, e cercava segnali di conforto in questo senso nell'atteggiamento dei sovietici. La politica intrapresa dagli italiani nei confronti del Cremlino nel corso del 1981 risentì quindi di una duplice – e contrastante – esigenza: mantenere unito il fronte internazionalista di fronte alle nuove tensioni mondiali e prendere le distanze dalla politica estera sovietica, sempre meno giustificabile e comprensibile. Solo così si può spiegare il clima di ritrovata (ma fittizia) cordialità tra i due partiti fratelli, commentato in termini positivi da ambo le parti. Nel corso dei colloqui del maggio di quell'anno, Pajetta e Bufalini accolsero infatti con interesse le dichiarazioni di Černjaev, che riscontrava «un'atmosfera di tradizionale amicizia tra i nostri due partiti»[70]. La crisi polacca costituiva tuttavia un elemento di tensione tale da poter essere accantonato ma non cancellato. Certo, la sostituzione di Kania non poteva essere equiparata ad un intervento militare. Ma l'evolvere degli eventi lasciava intendere che tale soluzione non era stata definitivamente esclusa[71].

Il PCI non poteva certo mantenersi ai margini della discussione: i fatti polacchi avrebbero inciso in modo determinante sull'immagine del socialismo nel mondo. In occasione dell'estromissione di Kania – leader appoggiato dal PCI – fu presa la decisione di pubblicare un corsivo non firmato su «l'Unità», frutto di un compromesso tra i dirigenti di Botteghe oscure. Se alcuni, infatti, ritenevano l'ingerenza sovietica nell'*affaire* Kania «intollerabile» (Ingrao, Barca), altri consigliavano prudenza, per non adottare posizioni che avrebbero potuto danneggiare il leader riformista polacco (Bufalini, Reichlin)[72]. La cauta posizione espressa nel fondo del quotidiano comunista venne comunque duramente criticata dal PCUS e contribuì a riaccendere il confronto tra i due partiti fratelli. Mosca inviò a Botteghe oscure una severa reprimenda nella quale denunciava la posizione di alcuni esponenti del PCI e della sua stampa, i quali, dando per probabile l'intervento sovietico, offrivano la sponda a coloro che intervenivano «per far saltare l'ordinamento socialista»[73]. L'ammonimento contenuto in tale missiva fu in parte mitigato da una seconda lettera, destinata a tutti i partiti comunisti occidentali. I sovietici – alla ricerca di un appoggio nel blocco atlantico – sembravano intenzionati ad aprire al dialogo, mettendo in secondo piano le divergenze di carattere «ideologico» e le «differenze nell'approccio e nel giudizio sui problemi internazionali concreti»[74]. La risposta del PCI diede credito a tale apertura: i comunisti italiani ammorbidirono i toni, pur ribadendo nella sostanza la loro posizione intorno alla crisi polacca[75].

I colloqui tra Cervetti e Bufalini, da una parte, e Ponomarëv, Zimjanin e Černjaev, dall'altra, nell'estate 1981, confermarono questa linea. Nel tentativo di mitigare le tensioni, Cervetti e Bufalini esortarono i sovietici a superare la polemica inerente alla politica editoriale de «l'Unità», assicurando che, in futuro, essa sarebbe stata «divers[a]» e «positiv[a]». Le divergenze intorno al giudizio del movimento di rinnovamento polacco si rivelarono, al contrario, irrisolvibili: i sovietici insistettero sulla presenza di elementi anticomunisti in seno a Solidarność, ma Bufalini e Cervetti respinsero nuovamente l'idea di condannare *in toto* la forza di rinnovamento della Polonia[76]. Se il contesto politico in cui operava il PCI gli consentiva una certa libertà d'azione, lo stesso non poteva dirsi per i polacchi. Il POUP – sotto la pressione dei sovietici – iniziò a prendere le distanze dal Sindacato libero[77], sottolineandone il carattere anticomunista[78]. Analoghi commenti di condanna giunsero da Mosca in occasione del primo Congresso di Solidarność, nell'autunno 1981, che fu definito dai sovietici «un'orgia antisocialista». La situazione polacca era ad una svolta. La crescente intolleranza del PCUS – manifesta anche nei confronti della teorizzazione politica di Berlinguer – ne era la prova[79].

La legge marziale in Polonia, uno spartiacque per la sinistra italiana?

Il 13 dicembre 1981, alle ore 6, il generale Jaruzelski comparve alla televisione di Stato per comunicare la proclamazione dello stato di guerra: da quel momento in poi, la legge marziale sarebbe stata applicata in Polonia. Anche se l'invasione sovietica era, per il momento, scongiurata, il discorso di Jaruzelski decretava la morte della 'primavera polacca'[80]. Luciano Barca, che era stato in Unione Sovietica fino a tre giorni prima, riportò in Direzione la sua incredulità: nemmeno a Mosca nessuno si immaginava quanto stava per succedere a Varsavia. I colloqui con i sovietici erano proceduti senza intoppi: anzi, era sembrato chiaro che il Cremlino voleva riconciliarsi con i compagni italiani[81]. Tra i dirigenti del PCI dominò quindi la sorpresa di fronte alle dichiarazioni di Jaruzelski: la Direzione si riunì d'urgenza e, successivamente, a dieci giorni di distanza.

Il rapido deteriorarsi della situazione polacca mise in luce, in modo inequivocabile, le forti divergenze tra i dirigenti italiani che, sino a quel momento, erano solamente affiorate nelle riunioni del massimo organo dirigente. Il nodo era, ancora una volta, quello della valutazione dello stato del «socialismo reale». Le parole di Macaluso parvero imporre una svolta di rilievo nella concezione dell'opposizione dell'Est, da parte dei comunisti italiani. Il dirigente «migliorista» riconobbe, infatti, che il processo di rinnovamento non nasceva più dal partito ma da un elemento esterno ad esso, il Sindacato libero Solidarność: Petruccioli raccolse l'invito alla riflessione e la sviluppò, giungendo a sostenere che c'era più socialismo nel movimento di Wałesa che nel Partito operaio unificato. Fu poi Pietro Ingrao il primo ad infrangere il grande tabù. L'esponente della sinistra comunista riteneva giunto il momento di affrontare il nodo centrale del problema: il «socialismo reale» era davvero socialismo? Tra i dirigenti calò il gelo. Pajetta, Bufalini e Reichlin intervennero manifestando la propria disapprovazione: la tragica evoluzione della crisi polacca non inficiava la funzione positiva svolta dall'URSS. Le responsabilità maggiori della scelta di Jaruzelski andavano, al contrario, individuate proprio nell'atteggiamento di alcuni estremisti di Solidarność. Nonostante la strenua difesa di alcuni dirigenti, le fondamenta del mito della riformabilità del comunismo erano scosse. A fronte dei pensieri di alcuni leader che consideravano ormai maturo il momento per una discussione sull'essenza socialista dei regimi dell'Est, certi dirigenti consideravano tale questione un vero e proprio tabù. Gli eventi polacchi imponevano una scelta chiara ed impedivano di proseguire sulla linea tradizionale, cioè quella della posticipazione di un'analisi scevra da ogni ambiguità. I dirigenti di Botteghe oscure tentarono di prendere tempo, adottando una posizione che era il frutto del compromesso tra le diverse sensibilità interne: la responsabilità dell'URSS era considerata innegabile; e il PCI aveva il dovere di rilanciare il comunismo internazionale. L'immagine del socialismo – deteriorata a causa delle crisi dei regimi dell'Est (e delle socialdemocrazie) – avrebbe potuto essere rilanciata grazie all'azione di Botteghe oscure, collegamento tra i due blocchi e latore di un messaggio alternativo, quello della «terza via»[82].

Era nuovamente la visione di un Partito comunista italiano al centro delle relazioni internazionali, investito della missione di riformare il comunismo dal proprio interno, l'ottica che ispirava le decisioni dei dirigenti del PCI. Una visione che certo pagava lo scotto di un'eccessiva fiducia nel proprio ruolo: la *leadership* berlingueriana sottostimava evidentemente la scarsa influenza che la sua azione aveva avuto nella definizione della strategia politica del PCUS, nel corso degli anni Settanta.

I fatti di Varsavia sarebbero stati il primo (e l'ennesimo, al contempo) banco di prova per tale ambizione mondiale: il rilancio del ruolo internazionale del PCI sarebbe passato per la netta condanna di quanto era accaduto in Polonia. I comunisti italiani richiesero quindi alle autorità polacche il ripristino di tutte «le libertà civili e sindacali», il rilascio dei cittadini arrestati e la ripresa della «via difficile, ma ineludibile» per avviare una soluzione della crisi [83]. L'adozione della legge marziale era, in definitiva, considerata «incompatibil[e] con gli ideali democratici e socialisti» [84]. A tali comunicazioni ufficiali si aggiunse poi la decisiva dichiarazione di Berlinguer che – nel corso di un'intervista televisiva – dichiarò «esaurita» la «spinta propulsiva» della Rivoluzione d'ottobre [85]. Era quello che Cossutta avrebbe definito lo «strappo» da Mosca [86]. Un'affermazione che scavò un fossato incolmabile tra PCI e PCF, decretando l'inequivocabile fine del già defunto eurocomunismo [87].

La conferma del giudizio positivo sull'opera di Solidarność, sollecitata a svolgere una «azione responsabile e lungimirante», poneva il sigillo ad una svolta che era stata preparata sin dal 1968 [88]. La crisi polacca del 1981 costituì, in definitiva, un nuovo *turning point* nella storia delle relazioni del movimento comunista internazionale. Tale vicenda ci consente di osservare da vicino due caratteristiche del Partito comunista italiano, che erano rimaste sino a quel momento in ombra: le divergenze tra i dirigenti di Botteghe oscure, ed il *gap* tra l'elaborazione politica dei dirigenti e l'interiorizzazione di questa da parte della «base».

La prima questione, quella dell'esistenza di un dissenso interno, era già affiorata in occasione della discussione sulla partecipazione italiana al XXVI Congresso del PCUS. Essa emerse in modo ancor più chiaro proprio in seguito ai fatti polacchi [89]. Il 6 gennaio 1982, Cossutta scrisse un articolo per «l'Unità», intitolato *In che cosa dissento dal documento sulla Polonia*. Il dirigente, criticando lo «strappo» operato da Berlinguer, contestava la *leadership* del Segretario, il quale era intenzionato – secondo Cossutta – a rompere con la «patria del socialismo» [90]. Fu compito di Alessandro Natta, come ai tempi della questione de «il manifesto», rispondere a Cossutta sulle pagine de «l'Unità». Come nel 1969, la Direzione si trovava costretta da un contestatore interno a dibattere pubblicamente su temi particolarmente delicati, le linee d'azione principali e tradizionali del partito. L'intervento di Natta mise in rilievo l'aspetto di continuità nell'identità comunista italiana: ponendosi nel solco della riflessione berlingueriana, Natta ricorse alla formula utilizzata nel XV Congresso del PCI. Riferendosi ai «limiti» e alle «contraddizioni» delle società socialiste, egli respinse quindi espressamente l'ipotesi di una «rottura»[91]. Era uno «strappo» sì, ma pur sempre uno «strappo» attuato con riluttanza.

Com'era prevedibile, l'attacco in seno al partito trovò una sponda nel PCUS. Il Cremlino accusò i comunisti italiani di ingerire grossolanamente nelle relazioni tra partiti fratelli, associandosi così alla propaganda borghese[92]. Mosca mise così in atto una tattica atta a screditare la classe dirigente del PCI, asserendo che essa fosse troppo «vecchia» per capire i mutamenti repentini del mondo. Una critica, questa, che suscita una certa ilarità visto che a muoverla era stati i dirigenti sovietici, che certo non brillavano per la loro giovane età[93]. E mentre il generale Jaruzelski rincarava la dose accusando Botteghe oscure di dar credito a «notizie false», l'attacco interno crebbe di intensità[94]. Cossutta intervenne nuovamente in occasione del comizio per il sessantunesimo anniversario della fondazione del PCI, contestando apertamente la linea stabilita all'ultimo Comitato centrale[95]. Fu la consacrazione di Cossutta a leader della frangia prosovietica, e la testimonianza che il principio del «centralismo democratico» – che aveva garantito, sino a quel momento, la coesione del partito – tornava ad essere messo in discussione. Nel corso di una riunione della Direzione nel febbraio 1982, Cossutta rivendicò la propria libertà di giudizio: se sulla valutazione negativa del colpo di Stato in Polonia vi era «un vincolo politico per tutti», il «giudizio storico sull'URSS e sulla capacità propulsiva del socialismo» non poteva «essere messo ai voti e divenire vincolante per tutti i compagni»[96]. Le parole di Cossutta sembravano riportare alla vita il mito della «patria del socialismo». Facendo leva sui timori della *leadership* berlingueriana in merito a un probabile disorientamento ed a una possibile frantumazione della «base», il gruppo filosovietico utilizzò l'aspetto identitario per tentare di spostare a sinistra la linea del partito.

I dirigenti comunisti ritrovarono coesione contro il tentativo di Cossutta di influire sugli equilibri interni. Malgrado ciò, l'azione dei filosovietici indusse Botteghe oscure a riformulare – almeno in parte – la strategia nei confronti dell'opposizione dell'Est. L'elaborazione politica dei dirigenti comunisti nel loro insieme tornò a mostrare gli stessi limiti che l'avevano caratterizzata in precedenza. Nei confronti dei movimenti di contestazione polacchi, non fu raccolta la sollecitazione di Macaluso, che riconosceva ad essi il ruolo di interlocutori politici e di principali forze di rinnovamento nel blocco sovietico. Sebbene Solidarność fosse diventata una forza politica con un seguito di grande rilievo, alcuni dirigenti – come Vecchietti – premevano affinché si prendessero le distanze dalla linea del Sindacato libero, senza far venire meno la solidarietà con i dirigenti e militanti «incarcerati e perseguitati». La linea della cautela nello stabilire un dialogo diretto con gli oppositori interni rimaneva un'eredità pesante del Partito comunista italiano e costituiva un freno alla definizione di una linea politica chiara. Questa posizione «in mezzo al guado» consentiva, infatti, anche la sopravvivenza di ampie zone d'ombra, che potevano essere sfruttate dall'ala filosovietica. La necessità di ridurre tali spazi fu al centro dell'intervento del Segretario, che tracciò una connessione diretta tra l'unità del partito ed il ruolo internazionalista del PCI:

> Se avessimo preso un'altra posizione sulla Polonia, il partito si sarebbe spaccato, e avremmo avuto marasma e crisi [...].
> Il partito deve sviluppare un'azione internazionale per evitare che prevalgano posizioni del PCUS contro di noi. Possiamo avere una funzione di responsabilità verso i Paesi socialisti per spingerli ad una maggiore apertura, a riforme, a minori rigidità [...].
> Il nostro ruolo dipende anche dalla nostra unità. Bisogna evitare uno svilupparsi di un'attività frazionistica e lo svilupparsi di diversivi... come quelli posti da Cossutta[97].

Berlinguer, in sostanza, riprendeva e sviluppava il concetto secondo il quale, venuta meno la forza di attrazione dell'Unione Sovietica, la possibilità di successo del PCI dipendeva direttamente dalla propria formulazione politica più che da quella proposta dai Paesi dell'Est. Se a metà degli anni Settanta, questa idea aveva generato la prospettiva eurocomunista, all'inizio del decennio successivo, essa si rivelava inadeguata: le recenti evoluzioni internazionali la rendevano obsoleta. In particolare, rimaneva insoluta la contraddizione principe della proposta politica del PCI – quella cioè di porre al centro dell'elaborazione politica il nesso libertà-socialismo, sostenendo al contempo regimi autoritari e liberticidi, e negando il proprio sostegno al Dissenso interno al blocco sovietico.

Come anticipato, la crisi polacca contribuì a mettere in rilievo una seconda incoerenza, ereditata dalla politica perseguita a partire dal 1968. A dispetto del percorso conoscitivo intrapreso dai dirigenti di Botteghe oscure sin dai primi anni Settanta, la «base» coltivava una rappresentazione ancora edulcorata dei regimi dell'Est. Permaneva, in altri termini, un *gap* tra la rielaborazione politica dei dirigenti del PCI e l'immagine presentata alla «base» del partito. La prospettiva palingenetica e rivoluzionaria, che aveva conferito «alla milizia individuale» «una dimensione escatologica trascendente»[98], infondendo in ogni militante la certezza di una fede assoluta nella bontà delle proprie scelte politiche e nell'inattaccabilità del modello di riferimento, era dura a scomparire. E i dirigenti ne erano coscienti, così come erano consapevoli di avere delle responsabilità in merito.

In occasione della crisi polacca, tale questione emerse in modo palese. Ingrao e Cervetti posero in rilievo la necessità di promuovere nuove riflessioni sulla realtà dei Paesi socialisti, fornendo informazioni «con un linguaggio semplice», in modo da rendere il ragionamento alla portata dei militanti. Con la consueta, pungente, sagacia, Pajetta controbatté:

Ma non andremo adesso a pescare tutti i dati negativi... che tu, ad esempio, che leggi il russo, conoscevi anche prima e non hai detto...[99].

La battuta di Pajetta suscitò una certa ilarità tra i membri della Direzione, ma rispondeva invero ad una realtà: la classe dirigente aveva consentito il mantenimento di un'immagine, se non edulcorata, quantomeno parziale della realtà sovietica, interpretando la questione della limitazione della libertà e delle crisi del sistema come elementi contraddittori dovuti all'irresponsabilità della classe dirigente al potere, e all'abbandono della prospettiva del XX Congresso. I leader del PCI berlingueriano – pur criticando alcuni tratti della realizzazione del socialismo nei Paesi dell'Est – avevano infatti promosso (e condiviso) la creazione ed il consolidamento del mito della riformabilità del comunismo. Tale fideistica aspettativa aveva trovato una traduzione diretta nella politica editoriale della stampa del PCI. Se l'Istituto Gramsci ed il Centro di Studi e di Documentazione sui Paesi socialisti si erano resi promotori di iniziative di riflessione più indipendenti, l'informazione promossa dalla stampa di partito diretta ai militanti comuni, pur non essendo acritica, era pur sempre caratterizzata da maggiori cautele e reticenze[100].

La consapevolezza dell'esistenza di un filtro tra la realtà del «socialismo reale» e l'immagine che ne veniva data dai mezzi di comunicazione di Botteghe oscure era piuttosto diffusa tra gli addetti ai lavori. Un esempio di quanto sostenuto è riscontrabile nello scambio di lettere tra il giornalista Francesco Cataluccio e Lombardo Radice. Riguardo agli articoli di corrispondenza pubblicati sulla crisi polacca dalla stampa di partito, il primo si lamentò del fatto che essi fossero stati «dimezzat[i]» e «stravolt[i]» prima della loro diffusione. Cataluccio rilevava così il forte ritardo che la stampa del PCI aveva nella rappresentazione realistica della situazione dei Paesi socialisti. Riferendosi ad un articolo del suo interlocutore intorno ai problemi del socialismo, comparso alla fine del 1981, Cataluccio commentò:

> Se lo scorso anno avessimo aperto una discussione sulle pagine di «Rinascita» su quel tuo articolo che allora uscì, come ci troveremmo meno in difficoltà oggi.
> Certe volte mi sembra di lottare contro i mulini a vento [101].

La linea editoriale della stampa di partito, la presenza di elementi nostalgici tra i dirigenti, e la necessità di giustificare il mantenimento della *special relationship* con i sovietici – anche a dispetto delle crescenti critiche nei confronti dell'esperienza del «socialismo reale» – furono le ragioni per le quali il PCI si trovò, all'inizio degli anni Ottanta, ancora stretto nell'*impasse* di dover spiegare alla propria «base» la dura posizione adottata nei riguardi dell'Unione Sovietica in merito alla crisi polacca.

'Questione morale' *vs* 'questione morale'

I primi mesi del nuovo decennio confermarono il deterioramento delle relazioni in seno alla sinistra italiana, iniziato nella seconda metà degli anni Settanta. La strategia adottata da Craxi – l'apertura di un dialogo privilegiato con la Democrazia cristiana – alimentò ulteriormente la diffidenza dei comunisti, e provocò una certa apprensione tra le stesse file socialiste. In particolare, per gli intellettuali legati a «Mondoperaio», la scelta del centro-sinistra fece cadere il velo sulla reale natura della *leadership* craxiana. I dissensi interni al partito vennero però messi a tacere dall'inaspettato successo elettorale, alle amministrative del giugno 1980. Oltreoceano, la CIA aveva previsto tale risultato: gli analisti statunitensi consideravano l'azione di Craxi il nuovo elemento di dinamismo nel paralizzato sistema politico italiano [102]. Il PSI si affermava in effetti come «partito piglia-tutto», catturando quell'elettorato d'opinione che si veniva formando nella società italiana, e attirando – al contempo – i voti della classe operaia e dei ceti medi. La strategia craxiana di destabilizzazione del PCI e del «compromesso storico» aveva dato i suoi frutti: Craxi si accingeva quindi ad un ritorno all'alleanza di centro-sinistra, ma con un ruolo diverso rispetto al passato. Il PSI diveniva «l'ago della bilancia» della politica italiana, a fronte di un seguito elettorale certo non paragonabile a quello dei due principali partiti di massa [103].

La scelta di ritornare al centro-sinistra (sebbene con un nuovo equilibrio tra DC e PSI) era stata, al contempo, causa e conseguenza dell'impraticabilità della strategia dell'alternativa. Il progressivo deterioramento della distensione e dei rapporti tra socialisti e comunisti a livello europeo avevano contribuito ad allargare il fossato tra Craxi e Berlinguer. La competizione e l'ostilità tra i due leader si erano infatti consolidate ed approfondite. Oltre al non secondario fattore personale, ed al di là della già citata scelta in merito alle alleanze interne, le strategie dei due partiti erano conflittuali per definizione. Esse, infatti, perseguivano lo stesso obiettivo: la *leadership* della sinistra italiana. Le strade individuate per ottenerla erano tanto diverse, quanto chiaramente confliggenti: da un lato, l'uso della «questione morale» per voce dei comunisti, che si presentavano come gli unici 'onesti' del sistema politico italiano; dall'altro, la valorizzazione da parte del PSI di quegli elementi che inficiavano la credibilità democratica del PCI, primo fra tutti, il rapporto controverso con il Dissenso.

In questa fase, forte della sua posizione in politica interna, Craxi riuscì a traslare la questione della difesa degli oppositori del blocco comunista anche a livello internazionale. La sua azione in seno all'Internazionale socialista si rese efficace, oltre che per l'opposizione cecoslovacca, anche per il più delicato caso sovietico [104]. Nel febbraio 1980, nella dichiarazione conclusiva della Conferenza dei leader dei partiti dell'Internazionale socialista, a Vienna, fu inserito un esplicito riferimento «alla vessazione di Andrej Sacharov» come un «chiaro esempio della costante persecuzione di coloro che esprimono opinioni di dissenso» nei Paesi dell'Est [105]. L'*affaire* Sacharov era in effetti divenuto il simbolo del volto arcigno dell'Unione Sovietica, dopo che lo scienziato – assieme alla moglie, Elena Bonner – era stato costretto all'esilio a Gorkij, a causa delle sue posizioni sull'invasione dell'Afghanistan [106]. Oltre al caso del celebre dissidente sovietico, l'opposizione polacca era, in quel frangente, al centro dell'attenzione internazionale. Suscitò, quindi, grande interesse l'incontro tra Craxi ed il leader di Solidarność Wałesa, durante un viaggio a Roma di quest'ultimo, nel 1980. In quell'occasione, Wałesa riconobbe il grande valore dell'appoggio incondizionato fornito da alcuni attori politici occidentali, primo fra i quali il Partito socialista italiano. L'immagine del PSI come difensore dei diritti degli oppositori dell'Est (e di un socialismo realmente democratico) si consolidò ulteriormente;

l'azione del segretario socialista della UIL, Giorgio Benvenuto, contribuì a sancirla in modo definitivo [107].

La strategia di Craxi, nel suo insieme, divenne motivo di duri contrasti anche in seno al PCI: venne così a determinarsi una forte divergenza tra Berlinguer e Napolitano intorno al rapporto con il PSI, in particolare, e a quello con le socialdemocrazie europee, in termini generali. Napolitano si fece portavoce di una tendenza che vedeva nell'apertura al dialogo con le socialdemocrazie la via d'uscita dall'*impasse* con i socialisti in politica interna. Berlinguer non condivideva questo punto di vista: ai suoi occhi, la definizione del contegno nei confronti delle socialdemocrazie era correlato a quello verso Craxi. E l'atteggiamento verso il leader del PSI era viziato da una forte diffidenza [108]. Lo scetticismo di Berlinguer era destinato a rafforzarsi, nonostante l'apparente tentativo del PSI di ricercare un'intesa con i compagni comunisti.

In seguito al consolidarsi della sua posizione nello scenario politico italiano, Craxi sembrò mostrarsi favorevole a definire con maggiore precisione la prospettiva dell'alternativa. Da quanto si desume da un appunto di uno dei più influenti consiglieri di Berlinguer, Tonino Tatò, nel marzo 1981, Craxi sarebbe stato sul punto di aprire al PCI. Tatò aveva avuto tale informazione da Eugenio Scalfari. Secondo quanto riferito del colloquio con il Direttore di «Repubblica», il leader socialista pensava alla formazione di una sinistra rinnovata, le cui anime principali sarebbero state quella socialista e quella comunista. Le condizioni per la concretizzazione di tale prospettiva poste da Craxi ai comunisti erano essenzialmente due: innanzitutto, la rottura del legame con l'URSS; in secondo luogo (o forse in prima istanza), l'appoggio ad un governo a guida socialista. Scalfari riferì, inoltre, che il cambiamento tattico di Craxi era dovuto al consolidamento della posizione del PSI nello scenario politico italiano. Le elezioni del 1979-1980 avevano mostrato l'*incipit* di una sostanziale evoluzione della situazione in seno alla sinistra. Dato che il PSI era riuscito nell'intento di costruirsi una nuova identità, non avrebbe più avuto la necessità di attaccare il PCI su temi sensibili, come quello del legame con l'URSS e delle contraddizioni di Botteghe oscure intorno al Dissenso [109].

Sebbene la storiografia italiana sia divisa sulle reali intenzioni di Craxi in merito, le prime dichiarazioni del leader socialista intorno alla crisi polacca andarono esattamente in questa direzione: Craxi sembrava, su questo tema, voler seguire la strategia perseguita da François Mitterrand, nei primi anni Settanta [110]. L'opzione dell'*union de la gauche* pareva percorribile: i socialisti avrebbero potuto giocare così un ruolo da protagonisti, evitando di soccombere alla forza comunista come durante l'esperienza frontista. Craxi, tuttavia, aveva sottovalutato la profonda diversità degli attori politici in gioco. L'esperimento francese era funzionato grazie alla formula della *union froide*[111], vale a dire quella di un'alleanza che prevedesse una rielaborazione ideologica limitata dell'eredità teorico-politica dei due partiti. Tale prospettiva era assolutamente inattuabile in Italia: i comunisti italiani nutrivano un forte sentimento di appartenenza al marxismo-leninismo, e – a differenza del PCF – erano fieri della propria capacità di rielaborazione, tanto da fare di questo aspetto uno dei pilastri della tradizione comunista italiana. Ma le difficoltà giungevano anche da parte socialista. Craxi – con la revisione ideologica del *Vangelo socialista* – aveva infatti recuperato le radici del socialismo liberale, enfatizzando così l'antitesi tra socialdemocrazia e comunismo. Date le premesse, non sorprende la linea di chiusura pregiudiziale all'ipotesi di un'alleanza, adottata da Berlinguer[112].

La distanza tra i due partiti divenne ancor più profonda in seguito al definitivo consolidamento della *leadership* craxiana. Dopo il fallito tentativo di destabilizzare il Segretario da parte del socialista Signorile, manovra di cui Botteghe oscure aveva avuto notizia in anticipo[113], il Congresso di Palermo sancì definitivamente il dominio del dirigente milanese. A fronte dell'indisponibilità del PCI a stabilire una duratura collaborazione, Craxi tornò a fare ricorso a quella che ormai era diventata la tradizionale linea d'azione della sua Segreteria. Nel corso dell'assise del PSI, tenutasi nell'aprile 1981, il Segretario socialista riportò difatti all'attenzione dell'opinione pubblica le contraddizioni del PCI riguardo alla questione del «socialismo reale». Craxi richiamò i comunisti italiani ad un'analisi più puntuale della realtà dei regimi dell'Est, denunciando – al contempo – la politica espansionistica dell'URSS e l'aperta interferenza nella crisi polacca[114]. Facendo della difesa dei dissidenti la propria bandiera, il leader socialista consolidò definitivamente l'immagine del PSI come l'interlocutore principale dell'opposizione dell'Est: sulla linea dell'Internazionale socialista, il PSI avrebbe lottato con «intransigenza» «in difesa dei diritti dei popoli e dei diritti dell'uomo ovunque nel mondo», scandì Craxi durante il Comitato centrale, sancendo in modo risolutivo il ruolo del suo partito come unico difensore del socialismo democratico[115].

Berlinguer osservava gli sviluppi del Congresso socialista con distacco e diffidenza: ai suoi occhi, il PSI aveva abbandonato posizioni autenticamente socialiste[116]. Nella riunione della Direzione di inizio maggio 1981, la maggioranza dei dirigenti conveniva su tale analisi. L'intervento di Napolitano, che mise in rilievo la necessità di indagare sulle ragioni del successo (anche interno al partito) di Craxi, cadde nel vuoto [117]. A distanza di qualche mese, tale posizione venne riproposta da Gerardo Chiaromonte che, respingendo l'idea di un rifiuto aprioristico del dialogo con i socialisti, pose in rilievo le «affermazioni positive» sulle quali valeva la pena di aprire un discorso con il PSI. Ma Berlinguer non modificò la propria posizione: il PSI aveva abbandonato la «sfida riformatrice». Venne così avanzata l'ipotesi di sollevare la «questione morale», sapendo che avrebbe colpito soprattutto i compagni socialisti [118].

La «questione morale» – la denuncia della corruzione del sistema e della collusione dei partiti – divenne in effetti uno dei tratti distintivi della politica dei comunisti italiani. In un certo senso, si può sostenere che alla «questione morale» denunciata dal PCI, si contrappose una «questione morale» posta dai socialisti: quella, in altre parole, della credibilità democratica di Botteghe oscure, ulteriormente compromessa dalla crisi dell'immagine del proprio principale alleato, l'URSS. Il Cremlino era in effetti già sotto accusa per aver condotto una politica espansionistica nei Paesi del Sud del mondo, giustificandola con la necessità di sostenere i popoli oppressi. Le tentazioni di ingerenza nella crisi polacca, la terza in un decennio, non potevano non avere conseguenze anche sull'immagine del PCI che, nonostante i numerosi distinguo, restava il principale alleato occidentale di Mosca. In ambito interno, tale situazione si traduceva in un *deficit* per Botteghe oscure, che veniva appunto reso ancor più evidente dall'azione di Craxi in sostegno dell'opposizione dell'Est. Il PSI sposava in modo convinto e convincente le tesi di Solidarność, ponendosi nella condizione di denunciare in modo persuasivo la persistente ambiguità del PCI [119].

La condanna dei fatti polacchi da parte dei socialisti italiani fu la diretta conseguenza della scelta di appoggiare il movimento di Wałesa. A fronte della proclamazione della legge marziale in Polonia, il PSI reagì come un fronte unito: timori per il pericolo della repressione, solidarietà all'opposizione polacca, riconoscimento a Solidarność di essere la prima forza democratica della Polonia e denuncia del comportamento irresponsabile sia del POUP sia del Governo polacco furono i cardini intorno ai quali si sviluppò la posizione dei socialisti italiani. La riflessione del PSI muoveva dalla constatazione del fallimento dei tentativi riformisti nei Paesi dell'Est e dell'azione del Partito operaio unificato. Si imponeva dunque una «solidarietà» «senza riserve» nei confronti del

Sindacato libero ed una «chiara denuncia» delle responsabilità dell'URSS [120]. Tali dichiarazioni – seguite e confermate da quella del vicesegretario Valdo Spini – avvalorarono l'analisi proposta dai socialisti autonomisti sin dalla fine degli anni Sessanta: la crisi del «socialismo reale» era sistemica. Nella visione di Craxi, la conferma di tale ipotesi non poteva che indurre i comunisti italiani ad intraprendere definitivamente la strada che portava alla rottura del legame con l'URSS.

Lo «strappo» trovò in Craxi un osservatore attento. Il Segretario socialista non aveva ancora abbandonato definitivamente l'idea che il PSI avrebbe potuto ricostruire l'unità della sinistra italiana, ricoprendo in essa un ruolo da protagonista. Il leader milanese vide nella crisi polacca l'occasione propizia per proporre ai 'cugini' comunisti una nuova sinergia. Dato che la dinamica in seno alla sinistra italiana volgeva verso un riequilibrio, Craxi ritenne giunto il momento di aprire al PCI, anche se alle proprie condizioni. Si spiega così il doppio binario utilizzato da Craxi nelle dichiarazioni pubbliche intorno alla crisi polacca. Da un lato, il Segretario socialista sostenne che il contrasto tra PCI e PCUS aveva assunto il significato di «un'aspra rottura polemica», generata dalla «chiara e radicale manifestazione di autonomia critica» da parte del PCI. Botteghe oscure aveva insomma assunto una posizione di «condanna» e di «critica» «simile» a quella che da tempo caratterizzava l'analisi dei socialisti italiani. Tale rielaborazione doveva quindi essere «apprezzata» e «incoraggiata» da parte del PSI: l'accelerazione di tale processo era destinata ad aprire prospettive «profondamente rinnovate» per la sinistra italiana [121]. L'auspicio di una sinergia trovò così la prima concretizzazione nell'organizzazione di un dibattito culturale e politico intorno alla crisi polacca, una tavola rotonda organizzata dal club socialista Rosselli al quale parteciparono Gianni Baget Bozzo, Lucio Colletti, Aldo Tortorella, Valentino Parlato e Claudio Martelli [122].

Dall'altro, Craxi tenne a mantenere ben saldo il timone della peculiarità del socialismo italiano e del suo volto democratico, rivendicando la primogenitura del distacco dal mito della riformabilità del «socialismo reale». Tale strategia fu perseguita in due direzioni. Innanzitutto, essa riguardò l'attacco indiretto rivolto tramite il caso Cossutta. L'esistenza di una corrente filosovietica in seno al PCI fu presentata come la prova che Botteghe oscure non era in grado di portare a compimento una autocritica convincente intorno al tema del «socialismo reale» e che, al contempo, la struttura del PCI era ancora intrinsecamente leninista. In secondo luogo, Craxi consolidò l'immagine del PSI come principale sostenitore del Dissenso [123].

Alla conferenza di Rimini, nell'aprile del 1982, il Segretario socialista presentò il PSI come un partito che forniva «solidarietà attiva ai gruppi sociali che combattevano per i propri diritti, alla gente ingiustamente attaccata o perseguitata»[124]. Riferendosi direttamente alla situazione polacca, Craxi specificò che l'azione del PSI era diretta a sostenere gli oppressi e esercitare pressioni sugli oppressori. Se l'avvicinamento al mondo del Dissenso, intrapreso da Craxi già alla fine degli anni Sessanta, trovava in questa sede la propria massima esplicazione, la crisi polacca segnò contestualmente il punto di non ritorno delle relazioni tra PSI e PCI.

L'inimicizia ed il clima di scontro tra le due principali componenti del movimento operaio costituirono un paradosso della vita politica italiana: a livello di elaborazione politica, la crisi polacca del 1981 aveva infatti registrato il massimo punto di convergenza tra PCI e PSI. Anche l'*intelligence* americana riteneva che lo «strappo» avrebbe aperto la possibilità ad un dialogo tra Craxi e Berlinguer. Dato lo stato di isolamento del PCI, la CIA preconizzava, difatti, un avvicinamento tra le due anime della sinistra italiana[125]. Ciononostante, nel momento in cui i due partiti progressisti avrebbero potuto trovare elementi di contatto nell'analisi della realtà del blocco sovietico, la possibilità di un incontro svanì per l'ennesima volta. La reciproca diffidenza, le profonde divergenze di natura teorico-politica e strategica, e soprattutto le medesime aspirazioni (l'egemonia della sinistra e la centralità nel sistema politico italiano, esplicatosi nella ricerca di un dialogo privilegiato con la DC) crearono un baratro incolmabile tra i due 'cugini'. Un abisso che caratterizzò in modo determinante (e ancora, in parte, caratterizza) la storia d'Italia.

Note

[1] Lo sviluppo di tali gruppi fu tutt'altro che lineare: il Governo polacco prese provvedimenti atti a controllare l'associazionismo. Nota dell'Ambasciatore di Francia in Polonia Louis Dauge per il Ministro degli Affari esteri, 17 maggio 1976, CADN, Ambassade, cartone 120, Fédération Socialiste de la jeunesse polonaise 1976-1978.

[2] R. ZUZOWSKI, *Political Dissent and Opposition in Poland. The Workers' Defense Committee 'KOR'*, Praeger Publishers, Santa Barbara, 1992, pp. 81-118.

[3] Nota di Serge Boidevaix, 6 novembre 1978, CADN, Varsovie, Ambassade, cartone 120, «Opposition».

[4] A. PACZKOWSKI, *The Spring Will Be Ours...*, cit., pp. 380-387.

[5] Nota sul Congresso del POUP, 8-12 dicembre 1975, APCI, MF 0210, pp. 0811-0818.

[6] F. BERTONE, *Ma basta un intervento giudiziario?*, in «Rinascita», n. 21, 27 maggio 1977, pp. 17-18.

[7] Lettera della Segreteria del PCI al CC del POUP, 20 luglio 1976, APCI, MF 241, p. 1189.

[8] Nota di Rubbi, 23 luglio 1976, APCI, MF 241, p. 1195.

[9] Lettera di Kuroń a Berlinguer, 18 luglio 1976, APCI, MF 0241, pp. 1182-1186. Cfr. C. BOUYEURE, *L'invention du politique. Une biographie d'Adam Michnik*, Les éditions noir sur blanc, Lausanne, 2007, pp. 146-147.

[10] Lettera di Lipiński a Berlinguer, 7 giugno 1977, APCI, MF 0298, fasc. 2306; comunicato del KOR, 23 maggio 1977, APCI, MF 298, fasc. 2308.

[11] Nota di Serge Boidevaix, 22 dicembre 1977, CADN, Varsovie, Ambassade, cartone 120, 'Opposition', 1977. Cfr R. ZUZOWSKI, *Political Dissent and Opposition in Poland...*, cit., p. 84.

[12] Nota di Barbaro, 1977, APCI, MF 288, fasc. 1549.

[13] Michnik si era inoltre recato a Parigi, su invito di Jean-Paul Sartre. Nota di Marcel Guillemant, 19 agosto 1976, CADN, Varsovie, Ambassade, cartone 120, 'Opposition', 1976.

[14] Nota di Rubbi per Berlinguer, Pajetta e la Segreteria, 16 novembre 1976, APCI, MF 281, pp. 0303-0307.

[15] Nota di Rubbi sull'incontro all'Ambasciata polacca, 23 luglio 1976, APCI, MF 241, p. 1195. Intervista dell'autrice a Antonio Rubbi, cit.,

[16] A. GUERRA, *Comunismo e comunisti...*, cit., pp. 282-283.

[17] Intervento di Pajetta, riunione, 16 febbraio 1977, APCI, Direzione MF 288, pp. 125-138. Cfr. L. BARCA, *Cronache...*, cit., pp. 670-671.

[18] Nota di Rubbi per Berlinguer, 24 luglio 1978, APCI, MF 0331, fasc. 7809, p. 0013; si veda anche la lettera di Gierek a Berlinguer, 11 dicembre 1978, APCI, MF 0398, fasc. 2130.

[19] Nota riservata di Segre per Berlinguer, Pajetta e Segreteria, 1 febbraio 1978, APCI, MF 0317, fasc. 7802/ 065-067.

[20] S. PONS, *Berlinguer...*, cit., p. 180.

[21] Nota di Di Felice, 9-11 gennaio 1979, APCI, fasc. 7904/18-26.

[22] Incontro di Pajetta e Babiuch, 9-11 gennaio 1979, APCI, fasc. 7904/25.

[23] Nota di Rubbi per Berlinguer, 3 gennaio 1980, APCI, MF 0440, fasc. 8001, p. 0008; verbale dell'incontro tra Werblan, Ostrowski, Gremetz, Berlinguer, Pajetta, Bufalini, Mechini e Orilia, a Roma, 16 marzo 1980, APCI, MF 0466, fasc. 8003, pp. 0362-0372.

[24] Nota del CC del PCUS al CC del PCI, 8 aprile 1980, APCI, MF 0440, fasc. 8004, pp. 181-195; risposta del CC del PCI alla nota del CC del PCUS, 10 aprile 1980, APCI, MF 0440, fasc. 8004, pp. 196-199. Intorno al rapporto tra Italia e Stati Uniti su tale questione, si veda E. Di Nolfo, *Considerazioni generali. I rapporti con gli Stati Uniti: la questione degli 'euromissili'*, in *La politica estera italiana negli anni Ottanta*, a cura di E. Di Nolfo, Lacaita Editore, Bari, 2003, pp. 3-18.

[25] Nota di Mechini, 23 gennaio 1980, APCI, MF 0440, fasc. 8002, pp. 0052-0063; riunione, 4 gennaio 1980, APCI, Direzione, MF 0440, fasc. 8003, pp. 0054/0097; nota di Rubbi per Berlinguer, 28 gennaio 1980, APCI, MF 0440, fasc. 8002, pp. 0052-0063; nota di Segre, 15 febbraio 1980, APCI, MF 0440, fasc. 8002, pp. 0075-0078. Va tuttavia ricordato che anche in seno al PCF erano emerse posizioni di dissenso rispetto al ripiegamento filosovietico: Comitato centrale a Ivry-sur-Seine, 22 dicembre 1970, APCF, Comité Centrale.

[26] F. Barbagallo, *Enrico Berlinguer...*, cit., pp. 354-355.

[27] S. Pons, *Berlinguer...*, cit., pp. 181-183.

[28] Estratti della trasmissione televisiva *Mixer*, ripresi in *La Storia siamo noi*, Raidue, 11 gennaio 2010.

[29] B. Craxi, *Il Vangelo socialista*, in «L'Espresso», 27 agosto 1978, pp. 5-7.

[30] Appunti di Pietro Nenni, FPN, 1977, b. 135, f. 2547.

[31] Intervista a Giorgio Benvenuto in «Umanità», 24 marzo 1977, FPN, p. 37.

[32] *Ospiti del PSI esponenti del dissenso in Polonia*, in «L'Avanti», 27 febbraio 1977, p. 2.

[33] C. Bouyeure, *L'invention du politique...*, cit., pp. 152-153.

[34] F. Soglian, *La riforma costituzionale in Polonia*, in «Mondoperaio», n. 4, aprile 1976, pp. 106-109; A. Michnik, *L'opposizione democratica in Polonia*, in «Mondoperaio», n. 12, dicembre 1976, pp. 98-103.

[35] P. Flores D'Arcais, *Dal revisionismo all'opposizione: il caso della Polonia*, in «Mondoperaio», n. 5, maggio 1979, pp. 117-123.

[36] G. Cervetti, *L'oro...*, cit., pp. 57-59.

[37] È interessante rilevare che, nonostante tali elezioni avessero segnato un forte arretramento del PCI, nel 1980, la Democrazia cristiana considerava ancora possibile l'eventualità di una partecipazione comunista al Governo italiano. Proprio la rottura con Mosca avrebbe riproposto con forza la questione della legittimità di un accesso del PCI al Governo. Memorandum sulla situazione italiana, 12 febbraio 1980, CIAA.

[38] Rapporto dell'Ambasciatore francese a Roma François Puaux, 18 luglio 1979, CADN, Italie, Politique Intérieure, n. 2, Parti Communiste Italien, 1975-1979.

[39] A. Ricciardi, *Il Vaticano e Mosca, 1940-1990*, Laterza, Roma-Bari, 1992, p. 357; A. Roccucci, *Il Concilio Vaticano II e l'elezione di Giovanni Paolo II: Mosca di fronte a due svolte dell'Ostpolitik*, in *Il filo sottile. L'Ostpolitik vaticana di Agostino Casaroli*, a cura di A. Melloni, Il Mulino, Bologna, 2006, pp. 263-291. Per una visione complessiva dei rapporti tra la Polonia comunista e la Chiesa cattolica: A. Macchia, *Chiesa e Stato in Polonia durante il periodo comunista (1945-1989)*, Agrilavoro, Roma, 2006.

[40] Il Dissenso polacco aveva vissuto la visita del Papa come un impulso ad un nuovo slancio per l'affermazione del ruolo del popolo. B. Lewandowski, *Rapporti tra Stato e Chiesa in Polonia: note e discussioni*, in «Rassegna di teologia», anno 21, n. 3 (maggio-giugno 1980), pp. 233-242, BRR, RIC faldone 020, pp. 350-355.

[41] Nota di M.F. Cataluccio, 4 luglio 1980, APCI, MF 0485, fasc. 0988.

[42] Nota di Mme Morel, 7 settembre 1979, CADN, Moscou, Ambassade, Serie B, cartone 620.

[43] Incontri tra la delegazione del PCUS (Kirilenko, Ponomarëv, Zimjanin, Zagladin) e quella del PCI (Pajetta, Bufalini e Giannotti), 8-9 luglio 1980, APCI, MF 0485, fasc. 8011, pp. 103-168.

[44] Riunione, 9 settembre 1980, APCI, Direzione, MF 0487, fasc. 8106, pp. 1-37.

[45] Sul ruolo di Kania, A. KEMP-WELCH, *Poland under Communism...*, cit., pp. 276-301.

[46] Riunione, 9 settembre 1980, APCI, Direzione, MF 0487, fasc. 8106, pp. 1-37.

[47] Informazione riservata di Pajetta per Berlinguer, 23 ottobre 1980, APCI, MF 0486, fasc. 8010, pp. 33-46.

[48] Nota di Giuliano Pajetta, 9 settembre 1980, APCI, MF 0486, fasc. 8009, 0058/0071.

[49] Nota di Trombadori, 5 novembre 1980, APCI, MF 0486, fasc. 8011, pp. 41-62.

[50] Nota di Rubbi, 19 novembre 1980, APCI, MF 487, fasc. 8105, pp. 32-35.

[51] Risoluzione della Direzione del PCI, 20 novembre 1980, APCI, Direzione, MF 487, fasc. 8012, pp. 0001-0003.

[52] Nota di Rubbi, 28 novembre 1980, APCI, MF 487, fasc. 8011, pp. 97-98; nota riservata di Rubbi, 30 novembre 1980, MF 487, fasc. 8011, p. 102/-.

[53] A. PACZKOWSKI – M. BYRNE, *From Solidarity to Martial Law: the Polish Crisis of 1980-1981: a Documentary History*, Central European University Press, Budapest-New York, 2007, pp. 83-86.

[54] Lettera del CC del PCUS, 5 dicembre 1980, APCI, MF 487, fasc. 8012, pp. 119-126.

[55] Lettera della Segreteria del POUP, 16 dicembre 1980, APCI, MF 487, fasc. 8011, pp. 106-109; lettera del PC bulgaro, 17 dicembre 1980, APCI MF 487, fasc. 8012, pp. 81-94.

[56] Cfr. A. RUBBI, *Il mondo di Berlinguer*, cit., p. 199.

[57] Riunione, 11 dicembre 1980, APCI, Direzione, MF 0487, fasc. 8106, pp. 157-177.

[58] O. NJOLSTAD, *The Carter Legacy: Entering the Second Era of the Cold War*, in *The Last Decade of the Cold War. From Conflict Escalation to Conflict Transformation*, a cura di O. Njolstad, Frank Cass, London, 1998, p. 218.

[59] I risvolti positivi del dialogo con la socialdemocrazia tedesca sono valorizzati in A. GUERRA, *La solitudine di Berlinguer...*, cit., pp. 157-159.

[60] S. PONS, *Berlinguer...*, cit., pp. 156-161.

[61] Riunione, 28 gennaio 1981, APCI, Direzione, MF 0488, fasc. 8107, pp. 33-74.

[62] Riunione, 5 marzo 1981, APCI, Direzione, MF 0497, fasc. 8107, pp. 131-159.

[63] Con quest'ipotesi concordava anche Alessandro Natta. Riunione, 5 marzo 1981, APCI, Direzione, MF 0497, fasc. 8107, pp. 131-159.

[64] A titolo di esempio: Y. MOREAU, *Far West Story*, in «L'Humanité», 31 dicembre 1981, p. 1.

[65] Nota di La Torre, 23 aprile 1981, APCI, MF 0497, fasc. 8107, pp. 324-334.

[66] Nota di Cocchi, 11 maggio 1981, APCI, MF 0504, fasc. 8105, pp. 36-40.

[67] Riunione, 11 dicembre 1980, APCI, Direzione, MF 0487, fasc. 8106, pp. 157-177.

[68] Nota di Rubbi, 12 febbraio 1981, APCI, MF 0488, fasc. 8102, pp. 150-153; resoconto riservato del colloquio di Bufalini e Rubbi con l'Ambasciatore polacco, 27 marzo 1981, APCI, MF 0497, fasc. 8104, pp. 175-177. Si vedano, a titolo esemplificativo, i seguenti articoli: F. CATALUCCIO, *La necessità di riforme economiche e politiche*, in «Rinascita», 22 agosto 1980, n. 33, pp. 3-4; R. LEDDA, *L'Occidente, la Polonia e le condizioni del rinnovamento*, in «Rinascita», 29 agosto 1980, n. 34, pp. 4-5; *Intervista ad Adalberto Minucci, Un messaggio positivo da Danzica e da Varsavia*, in «Rinascita», 5 settembre 1980, n. 35, pp. 3-6; A. GUERRA, *Alla ricerca di un nuovo patto tra paese e po-*

tere, in «Rinascita», 12 settembre 1980, n. 36, pp. 5-8; Idem, *Come si discute di Wałesa nei Paesi dell'Est*, in «Rinascita», 7 novembre 1980, n. 44, pp. 23-25; F. Cataluccio, *Quella nuova atmosfera a Varsavia*, in «Rinascita», 6 febbraio 1981, n. 6, pp. 20-21.

[69] A. Paczkowski – M. Byrne, *From Solidarity to Martial Law...*, cit., pp. 430-431.

[70] Incontro tra la delegazione del PCUS (Černjaev, Zuev, Smirnov) e quella del PCI (Pajetta, Bufalini, Mechini), APCI, MF 0504, fasc. 8107, pp. 358-365.

[71] Riunione, 11 giugno 1981, APCI, Direzione, MF 0504, fasc. 8108, pp. 1-10.

[72] Riunione, 11 giugno 1981, APCI, Direzione, MF 0504, fasc. 8108, pp. 1-10.

[73] Lettera del CC del PCUS, 23 giugno 1981, APCI, MF 0504, fasc. 8108, pp. 58-71; nota di Chiesa, 24 giugno 1981, APCI, MF 0504, fasc. 8107, pp. 389-393.

[74] Lettera riservata del CC del PCUS, 27 giugno 1981, APCI, MF 0504, fasc. 8108, pp. 72-107.

[75] Si noti che le discrepanze tra la bozza e la versione finale della lettera indicano un addolcimento dei toni. Lettera del CC del PCI al CC del PCUS, 28 luglio 1981, APCI, MF 0505, fasc. 8109, pp. 481-488.

[76] Incontro tra Bufalini e Cervetti, e Ponomarëv, Zimjanin e Černjaev, 30-31 luglio 1981, APCI, MF 0505, fasc. 8109, pp. 488-531.

[77] Incontro tra La Torre e Mechini con Bek e Zaremba, 16 settembre 1981, APCI, MF 0506, fasc. 8110, pp. 137-141; riunione, 10 settembre 1981, APCI, Direzione, MF 0506, fasc. 8205, pp. 1-59.

[78] Un carattere che effettivamente rende il Sindacato libero stava assumendo. A. Paczkowski, *The Spring Will Be Ours...*, cit., pp. 436-437.

[79] Riunione, 28 settembre 1981, APCI, Direzione, MF 0506, fasc. 8205, pp. 60-87.

[80] Implications of a Soviet invasion of Poland, senza data, CIAA. Cfr. A. Paczkowski, *The Spring Will Be Ours...*, cit., pp. 446-448. L'idea che la proclamazione dello stato di guerra fosse una prospettiva migliore di quella dell'invasione è condivisa da diversi protagonisti del periodo. Intervista dell'autrice a Jiři Dienstbier, cit.

[81] Nota riservata di Barca, 23 dicembre 1981, APCI, MF 0507, fasc. 8201, pp. 59-66.

[82] Riunione, 21-22 dicembre 1981, APCI, Direzione, fasc. 8209, pp. 22-74.

[83] *Il PCI ribadisce: ripristinare tutte le libertà*, in «l'Unità», 23 dicembre 1981, p. 1. Si notino le dure reazioni delle classi dirigenti dell'Est a tale presa di posizione. Una su tutte, quella del PCCS, che accusò i comunisti italiani di aver assunto una posizione di condanna che li accomuna agli «imperialisti». BRR, Attacchi del PCC al PCI. – [1976-1989], anton_arch 1.att.PCI 4.PCI-CSR 011.

[84] Cfr. S. Pons, *Berlinguer...*, cit., pp. 231-232.

[85] La dichiarazione venne rilasciata nel corso della trasmissione televisiva *Tribuna politica*. P. Folena, *I ragazzi di Berlinguer: viaggio nella cultura politica di una generazione*, Baldini & Castoldi, Milano, 1997, p. 119. Cfr. L. Barca, *Cronache dall'interno del PCI...*, cit., p. 867. *Conversazioni con Berlinguer*, a cura di A. Tatò, Editori Riuniti, Roma, p. 271. Questa dichiarazione fu vista con favore dal Dissenso cecoslovacco legato a Charta 77: intervista dell'autrice a Jaroslav Šabata, European Protest Movement Summer School, Praga, 18-25 agosto 2008.

[86] A. Cossutta, *Lo strappo – USA, URSS, movimento operaio di fronte alla crisi internazionale*, Mondadori, Milano, 1982.

[87] M. Lazar, *Maisons...*, cit., pp. 148-151.

[88] *Aprire una nuova fase della lotta per il socialismo*, in «l'Unità», 30 dicembre 1981, p. 1.

[89] Cfr. *Moscow and the Global Left...*, cit., pp. 46-52.

[90] A. Cossutta, *In che cosa dissento dal documento sulla Polonia*, in «l'Unità», 6 gennaio 1982, p. 2; riunione, 21-22 dicembre 1981, APCI, Direzione, fasc. 507, pp. 219-227.

[91] A. Natta, *Risposta al Compagno Cossutta*, in «l'Unità», 7 gennaio 1982, p. 3; riunione, APCI, Direzione, fasc. 507, pp. 228-229.

[92] Lettera del PCUS al CC del PCI, 6 gennaio 1982, APCI, MF 0507, fasc. 8201, pp. 67-80.

[93] Conversazione tra Chiesa e Foa, 2 febbraio 1982, APCI, MF 0507, fasc. 8201, pp. 85-99; telegramma di Chiesa da Mosca a «l'Unità», APCI, MF 0507, fasc. 8201, pp. 81-84.

[94] Incontro tra Rubbi sull'incontro e Rosalic, 8 gennaio 1982, APCI, MF 0512, fasc. 8203, pp. 57-58; nota di Caccavale, 9 marzo 1982, APCI, MF 0512, fasc. 1653.

[95] *Socialismo reale e terza via. Il dibattito sui fatti di Polonia nel Comitato Centrale del PCI. I documenti sulla polemica col PCUS*, Editori Riuniti, Roma, 1982.

[96] Intervento di Cossutta, riunione, 9 febbraio 1982, APCI, Direzione, MF 0508, fasc. 8207, p. 141.

[97] Riunione, 9 febbraio 1982, APCI, Direzione, MF 0508, fasc. 8207, pp. 119-163. Il comportamento di Armando Cossutta fu poi ufficialmente «deplorato» in un documento della Direzione, in «l'Unità», 9 febbraio 1982. Documento della Direzione, 9 febbraio 1982, APCI, Direzione, MF 0508, fasc. 1928/1931.

[98] M. Degl'Innocenti, *Il mito di Stalin. Comunisti e socialisti nell'Italia del dopoguerra*, Lacaita, Manduria-Bari-Roma, 2005, p. 101.

[99] Intervento di Pajetta, 28 gennaio 1982, APCI, Direzione, MF 0508, fasc. 8208, pp. 55-77.

[100] A solo titolo di esempio si vedano: R. Ledda, *Un segnale da Mosca*, in «Rinascita», n. 26, 27 giugno 1980, pp. 4-5; A. Guerra, *La nostra immagine negli occhi dei polacchi*, in «Rinascita», n. 4, 23 gennaio 1981, pp. 39-40; F. D'Agostini, *Il laboratorio dell'economia sovietica*, in «Rinascita», n. 6, 6 febbraio 1981, pp. 6-7; Idem, *La partecipazione e i limiti della democrazia*, in «Rinascita», n. 7, 13 febbraio 1981, pp. 19-20.

[101] Lettera di Cataluccio a Lombardo Radice, 28 dicembre 1981, APCI, Fondo Lombardo Radice, Paesi Socialisti, Cartella Polonia.

[102] Report «The Italian Communist Party: its role in the election and after», 31 maggio 1979, CIAA.

[103] La CIA osservava con un certo interesse l'evolvere del ruolo del Partito socialista italiano. In una nota del marzo 1981, gli analisti dell'*intelligence* americana consideravano il controllo di Craxi sul PSI e l'ottenimento del ruolo di «ago della bilancia» nella politica italiana, i principali frutti della strategia politica craxiana. Pur valutando positivamente tali elementi, si poneva in risalto la loro estemporaneità: essi potevano evaporare così come erano apparsi, inducendo ad un ulteriore confronto con la questione della partecipazione del PCI al governo del Paese. «Italy: prospects for Bettino Craxi's socialists», 1 marzo 1981, CIAA. Cfr. S. Colarizi – M. Gervasoni, *La cruna dell'ago...*, cit., pp. 97-99.

[104] È necessario ricordare che l'Internazionale socialista aveva istituito un gruppo di ricerca sull'Europa dell'Est sin dall'inizio degli anni Settanta; in tale contesto, era stata promossa un'azione di sostegno al Dissenso nel blocco orientale. A titolo di esempio: Minutes of the Study group on East European questions, 7 dicembre 1973, IISG, sottoserie C: Internazionale socialista (1968-1976), b. 29: s. 1 ss. C f. 16, cc. 416, 1974, pp. 256-257.

[105] Dichiarazione conclusiva della conferenza dei leader dei Partiti socialisti dell'Internazionale socialista, Vienna, 5-6 febbraio 1980, FBC, Sottoserie 4: Conferenza dei leader della Serie 10, Internazionale socialista.

[106] V. Zubok, *The Zhivago's...*, cit., p. 331.

[107] Si vedano, in particolare, G. Benvenuto, *Assistenza politica e sindacale a Solidarność da parte della UIL*; A. Chodakowski, *L'ufficio di Solidarność a Roma e Berlinguer*; B. Cywiński, *Gennaio 1981: Wałesa in Italia*; in *Solidarnosc 20 anni dopo*, a cura di E. Jogalla e G. Leardi, Rubbettino Editore, Soveria Mannelli, 2002, pp. 103-106; 123-126; 141-144.

[108] Riunione, 5 febbraio 1981, APCI, Direzione, fasc. 8107, pp. 33-74.

[109] Resoconto di Tatò sull'incontro con Scalfari, 19 marzo 1981, APCI, MF 0497, fasc. 8104, pp. 1-8.

[110] Intorno al dibattito storiografico sulle reali intenzioni di Craxi si vedano: P. Craveri, *L'ultimo Berlinguer e la 'questione socialista'*, in «Ventunesimo secolo», I, n. 1 (2002), pp. 143-192; R. Gualtieri, *Il Pci tra solidarietà nazionale e 'alternativa democratica' nelle lettere e nelle note di Antonio Tatò e Enrico Berlinguer*, in *L'Italia repubblicana nella crisi degli anni settanta*, vol. IV, a cura di G. De Rosa e G. Monina, Rubbettino, Soveria Mannelli, 2003, pp. 277-300.

[111] A. Bergounioux – G. Grunberg, *Le long remords du pouvoir: Le Parti Socialiste Français 1905-1992*, Fayard, Paris, 2006, pp. 413-429.

[112] S. Pons, *Berlinguer...*, cit., p. 199.

[113] Appunti sull'incontro Minucci-Signorile, 28 marzo 1980, APCI, MF 0466, fasc. 87, pp. 87-88.

[114] L'azione di Craxi aveva suscitato un forte malumore al Cremlino: si era dunque proceduto alla pubblicazione di alcuni articoli che denunciavano l'azione antisovietica del PSI. Publication of article related to anti-soviet actions of Italian Socialist Party, 22 ottobre 1980, VBA, CT233/67.

[115] *Relazione di Craxi al CC, Per un socialismo che non ha conti da regolare con la libertà dei popoli*, in *Il socialismo di Craxi...*, cit., p. 191.

[116] Riunione, 28 gennaio 1981, APCI, Direzione, MF 0488, fasc. 8107, pp. 33-74.

[117] Riunione, 5 maggio 1981, APCI, Direzione, fasc. 8107, pp. 218-243. Cfr. riunione, APCI, Direzione, fasc. 8205, pp. 1-59. Opinioni affini a quelle di Napolitano furono espresse da Chiaromonte ed Ingrao, mentre nel febbraio 1981, in una nota per Berlinguer, anche Barca aveva sottolineato la necessità di una riflessione più approfondita delle dinamiche del PSI. Nota riservata di Barca per Berlinguer, 9 febbraio 1981, APCI, MF 0488, fasc. 8102, pp. 7-10.

[118] Riunione, 10 settembre 1981, APCI, Direzione, MF 0506, fasc. 8205, pp. 50-51.

[119] Relazione di Bettino Craxi al CC del PSI, Roma, 28 novembre 1981, www.fondazionecraxi.org.

[120] Si vedano il testo dell'intervento di Bettino Craxi alla Camera dei Deputati, il 17 dicembre 1981, ed il discorso dello stesso Craxi al Teatro Odeon di Milano, 20 dicembre 1981. *Tre anni*, Sugarco, Milano, 1983, pp. 114-119.

[121] *Il giudizio sulla posizione del PCI*, in «L'Avanti», 30 gennaio 1982, p. 1.

[122] *La sinistra e la crisi polacca*, in «L'Avanti», 16 gennaio 1982, p. 1.

[123] Riunione, 28 gennaio 1982, APCI, Direzione, MF 0508, fasc. 8208, pp. 55-77; riunione, 9 febbraio 1982, APCI, Direzione, MF 0508, fasc. 8207, pp. 119-163; L. Vasconi, *La lunghissima marcia del PCI*, in «Mondoperaio», n. 2, 1982, pp. 2-7; G. Mughini, *Il lessico dello strappo*, in «Mondoperaio», n. 3, 1982, pp. 37-38; M. Fraioli, *Le peripezie di Berlinguer*, in «Mondoperaio», n. 4, 1982, pp. 105-114; F. Coen, *Polonia chiama Europa*, in «Mondoperaio», n. 10, 1982, pp. 2-6; L. Pellicani, *Congresso PCI: l'intramontabile centralismo democratico*, in «Mondoperaio», n. 12, 1982, pp. 15-19.

[124] *Si può e si deve fare, discorso di Craxi al CC*, in *Il socialismo di Craxi...*, cit., pp. 193-227.

[125] Italian communist political strategy, 15 luglio 1980; the PCI and the italian political game: the impact of Poland, 13 aprile 1982, CIAA.

6
Verso il crollo del sistema sovietico: PCI e PSI nei residuali anni Ottanta

> *Varrebbe la pena di compiere una riflessione più generale sui nostri rapporti con il PCUS e gli altri PC dell'Est. Perché l'URSS, che oggi ha una politica estera nuova e aperta, preme oggi per una conferenza mondiale dei Partiti comunisti?*
> Massimo D'Alema, riunione della Direzione del PCI

Dopo i quattordici anni di immobilismo dell'era brežneviana, l'URSS conobbe un rapido ricambio ai vertici: nel novembre 1982, in seguito ad una lunga e degenerativa malattia, Brežnev morì. La successione avvenne nel segno della continuità: Juri Andropov ricoprì la carica di segretario fino al 1984 e in seguito al suo decesso, Konstantin Černenko fu a capo del partito per il breve periodo tra il febbraio 1984 ed il marzo 1985. Entrambi erano uomini che erano già al vertice dell'*establishment* durante l'era brežneviana: il primo dirigeva il KGB, mentre il secondo era uno stretto collaboratore del leader ucraino e fu a lungo responsabile dell'ideologia del PCUS. Solo nel 1985, la classe dirigente sovietica, una delle più anziane del mondo, sembrò cedere il passo: l'elezione di Gorbačëv, delfino di Andropov ed esponente di spicco della «generazione dei cinquantenni», sembrò porre fine a queste segreterie di transizione, aprendo prospettive nuove per l'URSS e per il blocco comunista [1].

Anche il sistema politico italiano conobbe alcune novità: dopo quasi quarant'anni di indiscussa *leadership*, la Democrazia cristiana, guidata da Ciriaco De Mita, dovette confrontarsi con un calo dei consensi e una forte crisi d'immagine. La centralità politica della DC venne, per la prima volta, messa in dubbio [2]. Contestualmente, il PCI, dopo lo «strappo» con la «patria del socialismo», fu soggetto ad una diminuzione del seguito elettorale ed all'emergere del dissenso interno di orientamento filosovietico, capeggiato da Armando Cossutta [3]. Alle elezioni politiche del 1983, i comunisti italiani ottennero il 29,9%: un risultato non entusiasmante di per sé, che confermava il *trend* negativo registrato alle urne nel 1979. Il «sorpasso» della DC – sfiorato a metà anni Settanta – sembrava ormai un lontano miraggio. Mentre le due «Chiese» entravano in una crisi lenta ma irreversibile, i partiti laici divennero un elemento di dinamismo nel sistema politico italiano. Il PSI – pur raccogliendo un seguito certo non paragonabile a quello degli altri due partiti di massa – riuscì a sfruttare a proprio favore la situazione di debolezza nella quale questi ultimi si trovavano. Nel 1983, a fronte di un magro risultato alle urne – l'11,4% – Craxi si impose come interlocutore privilegiato della DC. Il leader socialista aveva fatto recuperare al proprio partito una posizione centrale nello scenario politico italiano. Dopo la parentesi del governo Spadolini – il primo a guida non democristiana del secondo dopoguerra – Craxi fu nominato presidente del Consiglio, formando, nell'agosto del 1983, un governo pentapartito. Mutavano, così, le dinamiche in seno alla sinistra italiana: a fronte del permanere di un divario elettorale tra PCI e PSI, il secondo si affermava come protagonista della maggioranza. Tale mutamento di rilievo influì – ovviamente – anche sul confronto tra i due cugini progressisti intorno al tema del «socialismo reale»: l'addolcimento dei toni fu la prima conseguenza di questo cambiamento. Ciononostante, il divario tra le posizioni dei socialisti e quelle dei comunisti sembrava incolmabile: come era avvenuto nella seconda metà degli anni Settanta, le questioni dell'Est europeo rivelarono la totale incomunicabilità in seno alla sinistra italiana. In questo senso – come ha scritto Craveri riferendosi al PCI – gli anni Ottanta furono «residuali», e si articolarono seguendo una linea coerente con il decennio precedente [4].

L'analisi degli anni Ottanta come storia – parafrasando il titolo di un noto volume – è ancora ai primi stadi. L'impossibilità di esaminare estensivamente le fonti prime, in parte non ancora consultabili, ha ovviamente inciso sulla ricostruzione e sull'analisi dei fatti. Scopo di tale breve capitolo sarà quindi quello di offrire alcuni spunti per riflettere intorno agli elementi di continuità e di discontinuità tra gli anni Settanta e Ottanta, senza alcuna pretesa di completezza e lasciando a studi futuri il compito di approfondire con maggiore precisione tali aspetti.

Il caso polacco: consolidamento di equilibri preesistenti nel movimento operaio italiano

Sebbene lo «strappo» intorno al caso polacco avesse lasciato un segno nelle relazioni tra il PCI ed i partiti fratelli, il peggioramento della situazione internazionale indusse Botteghe oscure a riconfermare i propri rapporti internazionalisti, secondo la ormai tradizionale chiave della partecipazione critica al movimento comunista mondiale. Si riproponeva, in definitiva, il paradigma del post-Sessantotto: conferma delle posizioni di condanna e contestuale congelamento delle relazioni con alcuni partiti fratelli, senza che ciò significasse mettere in discussione la partecipazione alla comunità comunista internazionale. I rapporti tra PCI e POUP costituirono un'ulteriore conferma della diplomazia adottata dai comunisti italiani nel periodo della normalizzazione cecoslovacca. Nel marzo 1984, a pochi mesi dai processi che avrebbero colpito i leader dell'opposizione polacca, una delegazione del Partito comunista italiano si recò a Varsavia. In quell'occasione, i dirigenti del POUP non mancarono di sottolineare il «rancore» che il proprio partito nutriva nei confronti del PCI: in seguito alla crisi del dicembre 1981, i polacchi si erano sentiti «abbandonati e traditi» dal più potente partito comunista d'Occidente. Seguendo uno schema prevedibile, tali rimostranze furono mitigate dalla contestuale ricerca di una riappacificazione: in fin dei conti – commentavano i leader polacchi – la visita degli italiani sanciva il «pieno ritorno alla normalità» nelle relazioni tra partiti fratelli. La delegazione italiana – guidata da Chiarante – respinse tale interpretazione, sottolineando che i contrasti tra i due partiti non si potevano considerare «carta bianca». Il PCI pose quindi il problema dei «prigionieri politici», ottenendo vaghe rassicurazioni in merito [5]. Nonostante l'infruttuosità dei colloqui, Botteghe oscure mantenne un atteggiamento non aprioristicamente negativo intorno alle evoluzioni di Varsavia. I comunisti italiani sottolinearono le forti contraddizioni dell'azione del POUP nei confronti della società polacca [6], ma misero in chiaro che la fiducia nella possibilità di una riforma del «socialismo reale» non era completamente perduta [7]. La continuità con la strategia politica perseguita negli anni Settanta era dunque evidente sotto diversi aspetti: la partecipazione critica nel movimento comunista internazionale, anche se in un contesto di forte tensione tra partiti fratelli; la persistenza del mito della riformabilità del «socialismo reale»; la presentazione di un'immagine critica ma mitigata della situazione dei Paesi dell'Est.

Un quarto fattore – la percezione dell'opposizione polacca – segnava una parziale discontinuità con il decennio precedente. Nel luglio 1984, i leader dell'opposizione Michnik, Kuroń, Wukec e Romaszewski furono sottoposti a processo: il Comitato di Solidarność lanciò una campagna di sensibilizzazione, chiedendo alle forze della sinistra occidentale di intercedere in loro favore. Andrzej Chodakowski, il responsabile del Comitato, chiese al «più grande Partito di sinistra dell'Europa» di muovere «i passi opportuni presso le autorità polacche in difesa degli accusati»[8]. La situazione era di particolare delicatezza, anche per il frangente in cui si trovava lo stesso PCI: solamente un mese prima, infatti, era morto Enrico Berlinguer, colpito da un ictus nel corso di un comizio a Padova. La sua prematura ed inaspettata scomparsa apriva la questione della successione: l'*establishment* del partito trovò una coesione sul nome di Alessandro Natta, membro della Direzione dal 1963, e strenuo assertore della «via italiana al socialismo»[9].

Si poneva, dunque, la necessità di dare un'impronta chiara alla politica nei confronti dell'opposizione polacca, una decisione che avrebbe inevitabilmente influito sui rapporti con le classi dirigenti dell'Est. La nota stilata da Rubbi in merito metteva in rilievo le consuete reticenze del PCI nei confronti del Dissenso, anche se con un elemento di novità. Il Responsabile della Sezione Esteri di Botteghe oscure suggeriva prudenza: non respingendo a priori la possibilità di intercedere presso le autorità polacche, Rubbi consigliava però un passo cauto, come quello di sottolineare la «eco negativa» che i «provvedimenti repressivi» avrebbero potuto avere in Italia. Fin qui, l'opinione del dirigente confermava la linea che era stata propria del PCI sin dalla fine degli anni Sessanta. La distinzione tra le diverse anime dell'opposizione polacca fu invece l'elemento di novità: a Botteghe oscure era maturata una maggiore conoscenza del fenomeno del Dissenso. Conseguentemente, i dirigenti del PCI decisero di sostenere il movimento che, unitamente al POUP, era più rappresentativo della società polacca, e propendeva per una trasformazione graduale di essa. Rubbi riferiva infatti di essersi ripetutamente confrontato in merito con il leader della CGIL, Luciano Lama[10]: riguardo al sostegno offerto dal Sindacato italiano al movimento di opposizione polacco, Rubbi consigliava di non vedere la «solidarietà a Solidarność» «tutt'uno» con quella per il KOR. Il PCI voleva evitare che il proprio atteggiamento venisse inteso dai compagni di Varsavia come un atto contro il sistema: l'intenzione di Botteghe oscure era quella di fornire il proprio appoggio esclusivo ad un «autentico movimento popolare», che aveva la «sua massima espressione» in Solidarność, e non a «gruppi eversivi»[11].

L'idea che la fonte del rinnovamento del «socialismo reale» polacco fosse il Sindacato libero, congiuntamente al POUP, si faceva prepotentemente strada nell'analisi dei dirigenti comunisti italiani: nella testimonianza di Rubbi, Solidarność costituiva qualcosa di totalmente differente se comparato al movimento del Dissenso. Il Sindacato libero aveva infatti raggiunto un livello di consenso che non aveva precedenti in nessun movimento di opposizione nato in seno al blocco sovietico [12]. Contestualmente, si rafforzava in Rubbi l'idea che il KOR fosse, al contrario, una forza disgregatrice, rappresentata da «tipi come Scalzone, Piperno, Pace o giù di lì». Il suo corrispondente in Italia sarebbe stato, secondo il dirigente comunista, «l'area di 'autonomia'» [13]. Si confermavano e si approfondivano, in definitiva, le convinzioni già maturate nella seconda metà degli anni Settanta: era, ancora una volta, l'idea che il PCI dovesse appoggiare le «forze reali» del cambiamento, quelle cioè che potessero incidere effettivamente sull'evoluzione della situazione, in una direzione che non andasse in senso contrario a quella indicata dal POUP. L'aspetto di novità risiedeva, invece, nel riconoscimento della rilevanza di un altro attore politico esterno alla dirigenza comunista, il Sindacato libero Solidarność, appunto.

Tale lettura rimase inalterata sino alla fine degli anni Ottanta: nel 1988, la stampa del Partito comunista italiano promuoveva l'idea che solo una sinergia degli attori del cambiamento avrebbe potuto determinare una svolta in Polonia. Pur rifiutando ogni demonizzazione delle forze di opposizione definite «anticomuniste» dai dirigenti polacchi – quelle che facevano capo, in altri termini, a Michnik e Kuroń [14] – il PCI riconosceva al POUP ed a Solidarność un ruolo politico preminente: questi ultimi erano ritenuti gli attori sui quali fare affidamento per favorire un reale cambiamento [15].

Su questo punto, il contrasto con il PSI non si era certo risolto rispetto al decennio precedente. Nel corso dei primi anni Ottanta, Craxi aveva consolidato la propria posizione politica, riuscendo sia a divenire leader indiscusso del proprio partito, sia a gestire il dialogo con la Democrazia cristiana su un piano di sostanziale parità. Nel corso del 1983 – anno della nomina del Segretario milanese a Presidente del Consiglio [16] – Craxi e Berlinguer si incontrarono un paio di volte: prima nel corso di un colloquio bilaterale, poi al XVI Congresso del PCI [17]. Il clima cordiale che caratterizzò il primo *meeting* fu presto abbandonato da ambo le parti: lo scontro sulla «scala mobile» divenne sempre più duro, emblema di un confronto mai sopito tra i due leader della sinistra italiana [18]. L'ospitalità offerta sulle colonne di «Mondoperaio» a scritti di esponenti di spicco dell'opposizione polacca, in particolare, e del Dissenso, in generale, si confermò uno dei tratti distintivi del mensile socialista [19]. La rivista del PSI si fece portavoce in Italia delle voci di opposizione della Polonia, dando spazio e rilievo non soltanto ai leader storici di Solidarność, ma anche a quegli esponenti del Dissenso che avevano conosciuto forme di opposizione diverse e che si erano uniti in seguito al Sindacato libero polacco. Era questo, ad esempio, il caso del fondatore del KOR, Adam Michnik [20]. Sotto questo aspetto, la politica del PSI nei confronti dell'opposizione di Varsavia non avrebbe potuto essere più diversa da quella del PCI. L'analisi del «socialismo reale» si confermava un elemento di profonda divisione tra comunisti e socialisti italiani, consolidando una frattura già scavata nel 1956. In questo ambito, il caso polacco era rappresentativo: «Mondoperaio» individuò così tratti chiaramente autoritari nel regime militare imposto da Jaruzelski, confutando in maniera decisa l'idea che esso fosse caratterizzato da elementi socialisti [21]. Tale riflessione ben s'inseriva nell'analisi politica promossa dal direttore Federico Coen, già nel corso degli anni Settanta: il ragionamento intorno all'assenza di caratteri socialisti (e democratici) nei Paesi del «socialismo reale» fu, in definitiva, un fattore di forte continuità a cavallo tra i due decenni, divenendo uno dei principali tratti del socialismo craxiano.

Parallelamente, l'immagine del PSI come difensore degli oppositori dell'Est conobbe un'ulteriore affermazione tramite l'approfondimento di un processo di differenziazione politico-culturale dal PCI. La credibilità di Botteghe oscure, ormai priva della forte *leadership* berlingueriana, venne messa in dubbio sulla base dell'analisi delle lacune presenti nella sua riflessione sullo stato del «socialismo reale». In tal modo, il PSI contestava indirettamente la plausibilità della proposta comunista della creazione di una «terza via»: i socialisti italiani mettevano in luce l'inconsistenza di tale proposta, destinata a naufragare così come era accaduto per l'eurocomunismo.

I punti deboli dell'analisi del PCI erano parte del retaggio del periodo berlingueriano, eredità della quale Natta non era stato in grado di sbarazzarsi: la convinzione che i regimi dell'Est fossero socialisti, l'idea della riformabilità del «socialismo reale» e la missione internazionale della quale si riteneva investito il PCI rimanevano i nodi irrisolti di una rielaborazione culturale e politica iniziata con l'espressione della dura critica sui fatti del Sessantotto in Cecoslovacchia. Il PSI denunciava la persistenza di un ulteriore fattore di contraddittorietà: il limitato appoggio del PCI all'opposizione nel blocco sovietico. Botteghe oscure, sotto la Segreteria Natta, pagava l'eredità irrisolta di Berlinguer: i comunisti italiani non avevano trovato un equilibrio efficace tra la presa di distanza nei confronti dei Paesi dell'Est e la necessità di mantenere il legame con essi[22].

In realtà, qualcosa era mutato nell'analisi del PCI: la fine della *leadership* berlingueriana aveva consentito l'emergere di opinioni contrastanti in seno alla Direzione. Non era solamente l'*affaire* Cossutta a far trapelare la diversità di sensibilità tra i dirigenti: l'attenzione già manifestata da alcuni ambienti comunisti – come quello del Centro di Studi e di Documentazione sui Paesi Socialisti – nel corso degli anni Settanta, divenne più visibile. Il dibattito sullo stato del «socialismo reale» iniziò ad animare le pagine di «Rinascita», inducendo i dirigenti del partito ad affrontare un nodo rimasto irrisolto, soprattutto di fronte alla «base»: la questione della riformabilità del «socialismo reale».

La sinistra italiana allo specchio. Gorbačëv e il mito della riformabilità del «socialismo reale»

Nel corso degli anni Ottanta, il contrasto tra PCI e PSI intorno alle questioni dell'Est si concentrò su due temi: da un lato, la valutazione sullo stato del «socialismo reale» e sul lascito dello stalinismo; dall'altro, l'atteggiamento nei confronti della nuova *leadership* al Cremlino, quella di Michail Sergeevič Gorbačëv. Entrambi gli elementi erano eredità del dibattito del decennio precedente e ruotavano intorno al complesso rapporto tra il movimento operaio e la classe dirigente della «patria del socialismo».

Il giudizio storico e politico sul «socialismo reale» era stato e rimaneva un elemento centrale nella definizione delle relazioni tra le due principali anime della sinistra italiana: a partire dal Congresso socialista di Venezia, il diverso rapporto con l'*establishment* dei Paesi dell'Est aveva costituito un elemento di forte tensione in seno al movimento operaio. La valutazione sullo stato del «socialismo reale» era divenuta, in definitiva, una questione tutta italiana: la convergenza intorno a tale *topos* costituiva la precondizione necessaria alla costituzione di una credibile alternativa di sinistra. L'esempio francese aveva mostrato la fattibilità di una sinergia tra comunisti e socialisti: nel maggio 1981, François Mitterrand – leader del Partito socialista francese – era stato eletto presidente della Repubblica e, sotto la sua egida, si era formato un governo socialista con la partecipazione di alcuni ministri comunisti, anche se in posizioni secondarie. Oltralpe, i rapporti in seno alla sinistra non erano certo stati facili: dopo la rottura della *union de la gauche*, anche la coabitazione governativa PCF-PSF era rapidamente sfumata quando, nel luglio 1984, il PCF aveva ritirato il proprio sostegno all'esecutivo Mauroy, causandone la caduta[23]. Il caso francese era emblema delle difficoltà esistenti tra socialisti e comunisti ma costituiva, al contempo, un esempio concreto della realizzabilità di un'alternativa di sinistra secondo la formula della *union froide*, ossia una sinergia che non affondasse le proprie radici in una comune e profonda ridefinizione delle fondamenta ideologiche dei due partiti.

La collaborazione tra i due cugini progressisti sarebbe stata possibile anche in Italia? La situazione a Roma era ancora più complessa che a Parigi. Vi era, innanzitutto, un vincolo di carattere internazionale. Se gli Stati Uniti avevano osservato con iniziale diffidenza la costituzione di un governo socialista-comunista in Francia[24], l'Amministrazione Reagan avrebbe visto con maggiori preoccupazioni la realizzazione di un esperimento analogo in un Paese quale l'Italia. Oltre a questo aspetto internazionale, ve ne era un altro di natura interna. Le culture politiche delle due componenti della sinistra italiana e le loro strategie nazionali e mondiali erano state e rimanevano in rotta di collisione. Innumerevoli erano i punti di frizione: la creazione di un governo pentapartito, la «questione morale» e il nodo della scala mobile, il rapporto con gli Stati Uniti e la questione degli euromissili erano solamente alcuni degli elementi di contrasto tra PCI e PSI[25].

La totale divergenza tra le due principali anime del movimento operaio emerse in modo chiaro anche dalla diversa percezione dell'ascesa di Gorbacëv al Cremlino: la questione della riformabilità del «socialismo reale» era ancora aperta e tornava ad essere di stretta attualità, portandosi come inevitabile corollario quello della credibilità democratica del PCI. Il deterioramento del legame con la «patria del socialismo» non aveva infatti generato un cambiamento nelle dinamiche tradizionali del sistema politico italiano. Isolato sul piano interno, il PCI pagava sul piano internazionale il forte raffreddamento dei rapporti con Mosca, che non si era risolto con la morte di Brežnev. Tra il 1983 ed il 1984, gli incontri tra i dirigenti erano destinati a rivelarsi infruttuosi[26]. Alle ormai evidenti divergenze intorno a questioni centrali, si erano aggiunti i contrasti riguardo alla valutazione della situazione internazionale (ed in particolare sulle responsabilità sovietiche nel deterioramento della distensione)[27], ed alle continue interferenze del PCUS nella vita interna di Botteghe oscure[28].

L'accentuato antiamericanismo nei toni di Berlinguer[29], e l'affiorare di sensibilità filosovietiche in seno al PCI fornirono al PSI una ragione in più per mettere in dubbio la credibilità democratica di Botteghe oscure. Se vi era, infatti, un accordo di massima tra i dirigenti comunisti sulla necessità di un'autonomia dal Cremlino e sulla condanna di alcuni aspetti dell'esperienza sovietica[30], i socialisti ritenevano che la strada per una reale indipendenza fosse ancora lunga.

«Mondoperaio» mise così Botteghe oscure di fronte allo «specchio»: i comunisti italiani venivano pubblicamente chiamati a rispondere del proprio rapporto con la «patria del socialismo» dopo lo «strappo». Intorno a tale tema, l'ex direttore de «l'Unità» Renato Mieli – tra gli intellettuali che abbandonarono il PCI in seguito alle vicende ungheresi – affermò chiaramente che «il processo di revisione dei comunisti italiani non è ancora giunto al punto da far interamente propria la causa della democrazia in modo rigoroso e coerente»[31]. La posizione di Mieli divenne il punto di riferimento intorno al quale si articolarono le tesi degli intellettuali che presero parte al dibattito. L'esistenza di un *deficit* di credibilità democratica del PCI era evidente se si osservavano due elementi intrinseci all'azione dei comunisti italiani: la regolamentazione della vita interna[32], ancora basata sul «centralismo democratico»; e l'irrisolto nodo del giudizio sul «socialismo reale». Questo secondo aspetto – centrale nell'analisi qui condotta – affondava le proprie radici nella critica che i socialisti italiani muovevano ai compagni comunisti sin dalla cesura costituita dai fatti ungheresi.

Nonostante lo «strappo», la convergenza tra la politica estera del PCUS e quella del PCI era già ritenuta un elemento sufficiente per rilevare la scarsa credibilità di Botteghe oscure[33]. Ancor più pregnante era poi considerata l'ambiguità dei comunisti italiani attorno alle passate esperienze del «socialismo reale», ed in particolare, alla riflessione sullo stalinismo ed alla crisi di Budapest. Il vicedirettore di «Mondoperaio», Luciano Vasconi, riteneva che il PCI non avesse realmente preso le distanze dal Cremlino, che restava il referente principale dei comunisti italiani nonostante le condanne pronunciate intorno a determinati avvenimenti. L'impianto teorico di riferimento riguardo a tale aspetto era caratterizzato da una chiara continuità con la tesi degli «elementi degenerativi» del sistema, postulata da Togliatti[34]. La critica di Vasconi affondava le proprie radici nell'effettiva persistenza del mito della riformabilità del «socialismo reale», che non era stato abbandonato dai dirigenti nonostante la crescente sfiducia nei regimi dell'Est. Nel corso degli anni Settanta, i leader di Botteghe oscure avevano riposto la loro fiducia nel cambiamento che una nuova classe dirigente al potere nel blocco sovietico avrebbe potuto apportare: come abbiamo mostrato in precedenza, prima Dubček, poi Gierek, in seguito Kania [35] erano stati attori politici che avevano suscitato grandi speranze a Botteghe oscure, ma che si erano poi dimostrati inappropriati ad avviare quel cambiamento nel quale confidava il PCI.

Alla fine del 1982, la scomparsa di Brežnev pareva aprire nuove prospettive: le prime azioni della Segreteria Andropov vennero commentate con moderato ottimismo sulla stampa di Botteghe oscure. Il riconoscimento delle gravissime «contraddizioni» del sistema sovietico nel campo economico non offuscarono, infatti, completamente, le speranze suscitate dalle azioni del neoleader riguardo al ruolo del PCUS ed alla lotta alla corruzione [36]. Tale linea editoriale corrispondeva ad una chiara indicazione della Direzione: dopo l'impatto dello «strappo» sulla «base», Berlinguer riteneva necessario dissipare «certi equivoci» sorti riguardo alla sfiducia che i dirigenti italiani nutrivano in merito al possibile rinnovamento delle società dell'Est. Questo non significava offrire una sponda alle posizioni filosovietiche di Cossutta [37], quanto piuttosto mettere in evidenza che tali società soffrivano una carenza di socialismo e non necessitavano di riforme in senso capitalistico per migliorare le proprie condizioni [38]. La battaglia tra comunismo e capitalismo non poteva ancora considerarsi persa. Attestandosi su una posizione ormai divenuta tradizionale nel corso degli anni Settanta, il PCI rivendicava la propria centralità in campo internazionale come ponte tra Est e Ovest. Anche in questa fase, come ha rilevato Silvio Pons, «l'idea di una peculiare identità e missione del PCI» restava centrale [39].

In seguito alla tragica scomparsa di Berlinguer, la Segreteria Natta proseguì su una linea di azione critica e dinamica all'interno del movimento comunista internazionale. Tale continuità fu palese in particolare in due occasioni: il dibattito in merito alla partecipazione ad una nuova Conferenza mondiale dei partiti comunisti e l'azione del PCI nella rivista «Problemi della pace e del socialismo».

Riguardo alla prima questione – simbolo del tentativo di Mosca di rafforzare l'unità internazionalista – fu Pajetta ad indicare con chiarezza la direzione da seguire. Nel corso di una riunione nel dicembre 1984, affermò: «Noi alla conferenza mondiale non andiamo». La sorprendente posizione di Pajetta – tradizionalmente orientato in senso prosovietico – fu appoggiata dal Segretario: di fronte alle perplessità di Cossutta, Natta menzionò la posizione sfavorevole dell'ortodosso Marchais, confidando così di chiudere la questione senza ulteriori dibattiti. Il nuovo Segretario non era disposto ad assecondare il Cremlino nel tentativo di recuperare un'unità fittizia del movimento comunista internazionale, tanto più se tale scelta avrebbe potuto fornire ulteriore spazio alla fronda interna filosovietica[40]. Le ingerenze di Mosca durante i lavori preparatori del XVI Congresso del PCI non fecero che rafforzare la decisione presa: Botteghe oscure non avrebbe tollerato ulteriori indebite interferenze nella propria vita interna[41]. Se già nel corso degli anni Settanta, i comunisti italiani si erano trovati ad operare in una situazione di forte disagio nell'ambito della cooperazione con i partiti fratelli[42], dopo lo «strappo», le discriminazioni ai loro danni erano divenute insostenibili. Questo aspetto emerse in modo chiaro dalla partecipazione alla rivista «Problemi della pace e del socialismo», curata da una redazione internazionale a Praga, sin dal 1958. Lo spirito che animava il lavoro della pubblicazione non era più condiviso dal PCI, che aveva assunto significative posizioni critiche nei confronti di alcuni aspetti della politica sovietica[43]. La rivista – sottolineava Pajetta – era, infatti, un «centro di organizzazione e di orientamento politico a senso unico», spesso «in polemica» proprio con i compagni italiani. L'unica soluzione era dunque quella di ritirare la propria rappresentanza dalla rivista, spezzando un ulteriore anello del legame con gli *establishments* dell'Est[44]. La questione in gioco era, ovviamente, più ampia di quella legata all'attività del foglio comunista: si trattava di dare una nuova dimensione allo «strappo», compiendo un ulteriore passo in quella direzione. Fu il giovane Massimo D'Alema a richiamare l'attenzione dei membri della Direzione su tale aspetto:

> Varrebbe la pena di compiere una riflessione più generale sui nostri rapporti con il PCUS e gli altri PC dell'Est. Perché l'URSS, che oggi ha una politica estera nuova e aperta, preme oggi per una Conferenza mondiale dei Partiti comunisti?[45]

La domanda era più che legittima, e ineriva la questione centrale alla base dei rapporti tra i due partiti, in un contesto caratterizzato, al contempo, da rapide successioni alla testa del PCUS e da un tradizionale immobilismo. Tale questione, come ricordato, era centrale nella definizione delle relazioni con gli *establishment* del blocco sovietico: lo «strappo» aveva rafforzato le basi per una riflessione pubblica che corrispondesse alle ormai forti perplessità dei dirigenti nei confronti dell'esperimento del «socialismo reale». Le consuete reticenze dettate dalla *Realpolitik* costituirono, tuttavia, il perno della risposta di Pajetta a D'Alema:

> Se parlo coi sovietici del Nicaragua posso dimenticare l'Afghanistan? E allora non si parla di nulla e si dice... che siamo tutti per la pace... e per la non interferenza negli affari degli altri Paesi [46].

Ancora una volta, fu l'uso di un doppio registro a caratterizzare le relazioni tra partiti fratelli. Se Pajetta respingeva l'ipotesi di uno sganciamento definitivo e pubblico dalla «patria del socialismo», nei colloqui con i sovietici era stato lo stesso dirigente a invitarli ad intraprendere la strada delle riforme, scelta che sarebbe andava a rafforzare «le basi del socialismo» [47].

Il mito della riformabilità del «socialismo reale» iniziava a sgretolarsi sotto i colpi delle periodiche crisi dei regimi socialisti, quando comparve Gorbačëv a fornire nuova linfa a tale prospettiva [48]. L'avvento di una nuova *leadership* in grado di attuare quelle riforme di cui necessitavano i Paesi del «socialismo reale» era infatti ciò in cui il PCI confidava. La tragica circostanza dei funerali di Berlinguer portò i comunisti italiani ad incontrare un uomo nel quale riporre le proprie speranze. Era il delfino di Andropov, Mikhail Gorbačëv, dirigente della «generazione dei cinquantenni». Nei colloqui privati con Rubbi, il futuro Segretario del PCUS affermò di conoscere bene il «pensiero» e l'«azione politica» di Berlinguer. Il Responsabile della Sezione Esteri del PCI ricavò quindi l'impressione che le «idee di Berlinguer» facessero ormai parte del «bagaglio politico e culturale della generazione più giovane e più colta dei dirigenti sovietici», che si stava avvicinando al potere [49].

Questa riflessione ci induce a sottolineare un aspetto centrale del rapporto triangolare tra il PCI, le classi dirigenti dell'Est ed il Dissenso. Come era avvenuto in occasione degli eventi polacchi, Botteghe oscure fornì il proprio sostegno alle forze riformatrici dell'Est che si ponevano 'dentro' il sistema socialista, non in contrapposizione ad esso, e che erano rappresentative di un significativo segmento di popolazione. Ciò spiega l'attenzione del PCI verso Solidarność e la diffidenza mostrata, nel corso degli anni Settanta, nei confronti del KOR: agli occhi dei comunisti italiani, il Sindacato libero non solo aveva ricercato il dialogo con le istituzioni, il POUP e la Chiesa, mostrando la volontà di mutare il sistema dall'interno e non di volerlo rovesciare, ma era anche alla testa di un movimento che contava milioni di aderenti e di simpatizzanti.

La stessa logica induceva i comunisti italiani ad accordare fiducia alla generazione dei cinquantenni dell'*establishment* sovietico, concedendo loro un credito a lungo negato ai principali esponenti del Dissenso sovietico come Sacharov, con i quali i rapporti erano pressoché inesistenti. Era ai riformisti comunisti sovietici, non ai dissidenti, che Botteghe oscure guardava con attenzione, confidando in un'evoluzione del «socialismo reale» [50]. Tale fiducia nasceva, da un lato, dalla valorizzazione delle «forze reali» operanti nella società; e, dall'altro, dalla comunanza di vedute intorno ad alcuni punti fondamentali, quali la riformabilità del «socialismo reale», spesso non condivisa da alcune frange dell'opposizione in seno all'URSS. Non fu un caso che, proprio in quegli anni, tra il 1983 ed il 1985, il PCI adottò una politica culturale di pubblica rivalutazione di quella parte di Dissenso sovietico che non denigrava i risultati di settant'anni di «socialismo reale». Nella visione di Botteghe oscure, tale frazione dell'embrionale opposizione avrebbe potuto costituire, assieme ad alcuni settori dell'apparato del PCUS ed agli intellettuali, un fronte credibile in grado di riformare il comunismo sovietico [51].

La rivalutazione e valorizzazione del Dissenso passò per la collaborazione con alcuni esponenti dell'opposizione di orientamento socialista. Se già negli anni Settanta, Editori Riuniti – la casa editrice del PCI – aveva pubblicato alcune opere di dissidenti sovietici di orientamento socialista, come Roy Medvedev [52], nel decennio successivo tale scelta editoriale si estese anche alla stampa di partito [53]. Questa decisione costituì una svolta di rilievo nella strategia dei comunisti italiani ed andava nel senso di colmare quel *gap* tra la posizione critica dei dirigenti di Botteghe oscure nei confronti del «socialismo reale», e la visione in parte edulcorata che si offriva di esso alle masse. Con una politica editoriale senza precedenti, «Rinascita» aprì quindi le proprie pagine ai contributi dei diversi esponenti del Dissenso. Non solo: nel caso, ad esempio, della riflessione sullo stalinismo, il settimanale comunista stampò una lunga serie di editoriali firmati da Ždenek Mlynař, il principale referente dell'ala eurocomunista di Charta 77 [54]. Contestualmente, durante gli anni della Segreteria Natta, si aprirono spazi nuovi anche per quegli esponenti del PCI che avevano mostrato maggiore attenzione al tema delle libertà politiche dell'Est e alla riflessione intorno al «socialismo reale». Fu questo il caso di Adriano Guerra, inviato a Mosca nel corso degli anni Settanta e direttore del Centro di

Studi e di Documentazione sui Paesi Socialisti, che affrontò in modo diretto il tema della riformabilità del sistema sovietico in un volume pubblicato nel 1983 da Editori Riuniti [55].

L'analisi di Guerra apportava un elemento di novità alla tradizionale linea politico-culturale del partito. Quest'ultima era, in termini sintetici e forse semplicistici, sostanzialmente la seguente: i regimi dei Paesi dell'Est erano socialisti ma erano anche caratterizzati da significative contraddizioni. Tali incoerenze erano dovute all'inadeguatezza della classe dirigente al potere, che aveva deciso di abbandonare la via indicata dal XX Congresso del PCUS: una nuova *leadership* avrebbe quindi potuto modificare questo stato di cose, facendo uscire le società del blocco sovietico dalla crisi che le attanagliava, e consentendo la realizzazione di un socialismo democratico.

Il volume di Guerra prendeva le distanze in modo significativo da alcune di queste idee chiave, condivise in precedenza dallo stesso giornalista. Guerra riconosceva il fallimento del XX Congresso, sottolineando la linea di continuità negativa tra il periodo staliniano e la realtà sovietica brežneviana. Pur non rispondendo in modo chiaro al quesito posto dal titolo del suo libro – è riformabile l'Unione Sovietica? – si poteva dedurre un'implicita risposta negativa. L'elemento di rottura che aveva portato ad un ripensamento intorno al futuro del «socialismo reale» affondava le proprie radici nei fatti nel 1981: la gestione della crisi polacca aveva posto una seria ipoteca sulla questione della riformabilità del «socialismo reale». Guerra avrebbe poi puntualizzato il suo giudizio negativo sull'era brežneviana in una serie di articoli a metà degli anni Ottanta, ponendo in rilievo due elementi centrali, di carattere interno ed internazionale. In merito al primo, la «stabilità» del sistema del «socialismo reale» durante gli anni Settanta non era un «risultato» ottenuto dalla *leadership* sovietica, quanto piuttosto il segnale di un processo involutivo. In secondo luogo, Brežnev aveva avuto delle responsabilità nel deterioramento del processo di distensione internazionale, iniziato nella seconda metà del decennio [56]. Era un giudizio che rispecchiava in alcuni elementi – si pensi al discorso sulle responsabilità internazionali dell'URSS – l'evoluzione del pensiero dell'ultimo Berlinguer e che, al contempo, costituiva un importante punto di svolta nell'analisi comunista del «socialismo reale» [57].

Il mito della riformabilità dei sistemi dell'Est non era tuttavia scomparso. Esso riemerse nella seconda metà degli anni Ottanta, quando la *leadership* del PCI e quella sovietica stabilirono un rapporto particolarmente stretto, che portò ad un'«identificazione emotiva e politica» tra Botteghe oscure e Gorbačëv [58]. Il periodo di transizione iniziato con la morte di Brežnev aprì ad un processo di rinnovamento che riguardò non solo i Paesi dell'Est ma anche il movimento comunista internazionale: il comunismo si sarebbe presto trovato dinnanzi ad una «crisi storica», che offriva però contestualmente nuove possibilità alla realizzazione di un socialismo realmente democratico [59].

Il PSI avvertì immediatamente l'*appeal* che la *perestrojka* esercitava sui comunisti italiani, e la ricaduta positiva che essa aveva sulla loro immagine. Nonostante la nuova classe dirigente del Cremlino avesse suscitato un entusiasmo diffuso nel blocco occidentale [60], in particolare in seguito alla nuova distensione tra le due superpotenze [61], il giudizio del PSI era condizionato da una forte diffidenza. Si riteneva, infatti, che i regimi totalitari non potessero cambiare; ciò che mutava era il loro ruolo esterno e la loro potenza, i quali inducevano cambiamenti nell'atteggiamento degli altri attori politici nei loro confronti. In un dibattito intorno alla nuova *leadership* gorbačëviana aperto sulle pagine di «Mondoperaio», Hassner avanzava tale tesi fornendo come esempio principe il fallimento della politica di distensione internazionale, la cui responsabilità andava ricercata nel carattere autoritario dell'URSS [62]. Se il sistema era quindi fallace nelle proprie fondamenta, agli occhi dei socialisti italiani la nuova classe dirigente non avrebbe potuto migliorare lo stato delle cose. Il tentativo di Gorbačëv di rivitalizzare il comunismo dell'Est inseguendo un «ritorno al leninismo» era destinato a fallire: i socialisti ritenevano infatti che vi fosse una «crisi generale del socialismo», una decadenza troppo profonda ed estesa per poter essere sanata da una riforma del sistema [63]. I margini di ottimismo erano poi ulteriormente ridotti dal fatto che – secondo i socialisti italiani – la «generazione dei cinquantenni» di cui faceva parte Gorbačëv era segnata dal «trasformismo», dal «carrierismo» e dall'«interesse personale». Era, insomma, considerata una generazione di «uomini senza qualità» [64].

Attestandosi su una linea già inaugurata nei primi anni della Segreteria Craxi, l'attacco sferrato dal settimanale socialista era duplice: da un lato, nei confronti di Gorbačëv; dall'altro, verso il PCI. In quest'ultimo, infatti, si riteneva persistessero le ambiguità tipiche dell'eurocomunismo, come emergeva dalla riflessione sui giudizi espressi in occasione della crisi ungherese del 1956. Nonostante la presenza di una delegazione del PCI alla commemorazione per la fucilazione di Imre Nägy, a Parigi nel 1988 [65], il PSI accusava i compagni comunisti di non aver preso una posizione chiara in merito, continuando a definire «controrivoluzionari» i fatti ungheresi, e professandosi – al contempo – difensori dei diritti umani[66].

La stessa contraddizione – secondo i socialisti italiani – era insita nella politica gorbačёviana: in seno all'URSS, il delfino di Andropov non aveva improntato un sistema chiaro di riforme, adottando alcuni provvedimenti che si erano rivelati semplici palliativi[67]. Tale approccio – sosteneva Vasconi – avrebbe dovuto mettere in guardia le potenze occidentali sui reali obiettivi di Gorbačёv, primo fra i quali quello di rafforzare l'URSS[68]. Al contempo, le reticenze mostrate dal Segretario del PCUS in merito alla riabilitazione di Dubček, presentata come un dato di fatto dalla stampa comunista italiana ma secondo i socialisti mai avvenuta, scoprivano il reale volto del riformatore sovietico.

1988, Dubček a Bologna. La contesa eredità della Primavera

In Occidente, il nome di Alexander Dubček era indissolubilmente collegato alla stagione della Primavera di Praga. In seguito alla sua destituzione da segretario del PCCS nel 1969 e alla sua estromissione dal partito, un anno dopo, Dubček si era ritirato a vita privata, trascorrendo una esistenza di umili lavori, costantemente sorvegliato dalla polizia segreta cecoslovacca. Nel corso degli anni Settanta, mentre fioriva – per poi venir rapidamente represso – il movimento di Charta 77, l'ex Segretario del PCCS si era mantenuto in disparte. Solo in due occasioni ruppe il suo silenzio: nell'ottobre 1974, con una lettera destinata al Parlamento federale ed al Consiglio nazionale slovacco, e alla vigilia della Conferenza di Berlino del 1976, con una missiva alla SED, al POUP ed al PCI. In entrambi i casi, l'ex dirigente era intervenuto per ricordare l'attualità della drammatica situazione della Cecoslovacchia normalizzata[69].

La questione Dubček tornò alla ribalta in Italia nel corso degli anni Ottanta, in particolare in seguito all'elezione di Gorbačёv alla Segreteria del PCUS. Nel 1985, il direttore de «l'Unità», Renzo Foa, con l'ausilio dell'esperto di affari cecoslovacchi per il PCI, Luciano Antonetti, aveva richiamato l'attenzione dell'opinione pubblica sulla vicenda del leader del «nuovo corso», pubblicando una sua inedita dichiarazione. Dubček concesse, infatti, in esclusiva mondiale al quotidiano comunista italiano la sua prima comunicazione dopo sedici anni di silenzio, per smentire la tendenziosa ricostruzione dei fatti del Sessantotto presentata da Vasil Bil'ak, segretario del Comitato centrale del PCCS, a «Der Spiegel»[70].

Il rilievo conferito alla vicenda ci fornisce qualche elemento in più per comprendere il cambiamento nel contegno assunto da Botteghe oscure nei riguardi del Dissenso cecoslovacco tra gli anni Settanta ed Ottanta. Come abbiamo avuto modo di ricordare, la stampa del PCI, ed in particolar modo «l'Unità», si era sempre mostrata più restia nello sposare le cause del Dissenso rispetto all'ambiente intellettuale comunista. L'era gorbačëviana costituì uno spartiacque in questo senso: le posizioni più coraggiose dell'*intelligencija* comunista vennero fatte proprie anche dalla stampa di partito, segnando un vero e proprio *turning point* nella definizione della politica del PCI nei confronti degli ex dirigenti del «nuovo corso» e di Dubček, in particolare.

Antonio Rubbi ha sostenuto che i contatti tra il PCI e Dubček si erano mantenuti costanti nel corso di tutti gli anni Settanta, nonostante le ovvie difficoltà imposte dallo stato di isolamento in cui era costretto l'ex leader cecoslovacco[71]. Tale circostanza non trova riscontro nelle carte di archivio, almeno non nel senso dell'istituzione di un canale di dialogo privilegiato con i dirigenti del «nuovo corso», sulla falsariga di quello proposto da Smrkovský nel 1973. Botteghe oscure – da quanto risulta dalla documentazione archivistica disponibile – respinse sempre l'ipotesi di stabilire un rapporto diretto e stabile con il Dissenso cecoslovacco, pur condannandone la repressione e consentendo ad alcuni propri esponenti di coltivare contatti con i protagonisti di tale movimento, anche se in via personale. Questa situazione rimase pressoché invariata sino alla metà degli anni Ottanta. In quel periodo, come ha rilevato Rubbi, «le maglie» dei regimi dell'Est si allentarono e le «comunicazioni» diventarono più «frequenti». A partire dalla seconda metà del decennio, in vista del ventesimo anniversario dell'invasione sovietica del 1968, l'attenzione nei confronti del caso cecoslovacco divenne maggiore: una nuova *leadership* – quella di Achille Occhetto – si stava facendo strada a Botteghe oscure, in un clima di distensione internazionale. Nell'ottobre 1987, infatti, Gorbačëv si era recato a Washington per firmare il trattato *Intermediate-range Nuclear Forces Treaty*, che rappresentò una tappa fondamentale nella storia delle trattative sul disarmo: per la prima volta, la Casa Bianca ed il Cremlino decidevano congiuntamente di distruggere parte del proprio arsenale missilistico[72].

Alla luce di tali mutamenti di rilievo del contesto internazionale, Botteghe oscure rispolverava l'idea della piena continuità tra la propria azione politica e l'eredità della Primavera di Praga, un concetto che era stato elaborato già nel corso del periodo eurocomunista. Il primo indizio in questo senso venne dalla pubblicazione sul quotidiano comunista «l'Unità» di una lunga intervista al leader cecoslovacco, nella quale egli difendeva l'eredità della Primavera da coloro – tra i quali anche alcuni dissidenti come Havel – che su di essa formulavano un giudizio critico [73]. Il richiamo all'inscindibilità tra socialismo e democrazia si confermò il principale elemento di continuità tra il «nuovo corso» cecoslovacco e l'impronta berlingueriana [74].

La visita di Dubček in Italia, nel novembre 1988, per ritirare la laurea *honoris causa* conferitagli dall'Università di Bologna, concorse a consolidare questa immagine di consequenzialità. Il viaggio dell'ex leader della Primavera – su invito di Guido Gambetta, preside della facoltà di Scienze politiche dell'Ateneo emiliano – fu preparato da Luciano Antonetti, uno dei quadri del PCI più sensibili al tema del Dissenso, tanto da esser stato dichiarato «persona non grata» dalle autorità di Praga [75]. In quell'occasione, fu il giovane Pietro Folena, segretario della FGCI, ad intervenire sulle colonne di «Rinascita» per valorizzare il legame inscindibile tra l'azione politica del PCI, primo assertore delle vie nazionali, ed il «nuovo corso» praghese [76].

Lasciando sullo sfondo la *querelle* aperta dal quotidiano «La Repubblica» sul presunto giallo della censura del discorso di Dubček durante il conferimento dell'onorificenza all'Università di Bologna [77], la visita di quest'ultimo ci consente di sottolineare due elementi di rilievo nell'evoluzione del rapporto tra la sinistra italiana ed il Dissenso. Innanzitutto, la creazione di un ideale legame tra gli attori che avevano tentato o stavano tentando di riformare il comunismo nel mondo: l'ex Segretario del PCCS con la Primavera di Praga, Gorbačëv con la *perestrojka* e il Partito comunista italiano con la prospettiva della «terza via». Tale immagine era funzionale non solo ai compagni italiani per recuperare quella credibilità perduta nel corso dell'ultimo periodo brežneviano grazie all'impatto positivo della nuova *leadership* riformatrice sovietica [78], ma anche allo stesso Dubček [79]. In Cecoslovacchia si stava preparando una transizione di potere, ed era evidente ai più che i candidati che si sarebbero contesi il ruolo di nuovo leader sarebbero stati proprio Dubček e il celebre dissidente Havel [80]. Con il suo viaggio in Italia, l'ex Segretario del PCCS ottenne il sostegno del PCI di fronte all'opinione pubblica internazionale: il leader cecoslovacco incontrò infatti il segretario di Botteghe oscure, Achille Occhetto [81], il responsabile della Sezione Internazionale, Giorgio Napolitano, il dirigente della Sezione Esteri, Antonio Rubbi, ed il membro della Direzione, Paolo Bufalini. A riprova del sostegno offerto a Dubček, Occhetto e Napolitano acconsentirono di farsi portavoce della richiesta di rivedere il giudizio sugli eventi del Sessantotto, nei colloqui con i sovietici[82].

Il secondo elemento di interesse è il ridimensionamento del contrasto pubblico in seno alla sinistra italiana intorno alla questione dei fatti del Sessantotto cecoslovacco. Le pubblicazioni dedicate all'anniversario da parte dei singoli attori politici del movimento operaio furono numerose, e in alcune occasioni il tema divenne oggetto di una riflessione comune[83]. Come era avvenuto per il Convegno di Firenze nel 1979, fu un'iniziativa locale a favorire la collaborazione tra le componenti della sinistra.

Le Fondazioni Nenni e Gramsci organizzarono a Bologna un convegno intorno all'esperienza della Primavera, nel luglio 1988. Il vicesegretario socialista Martelli ed il dirigente comunista Napolitano presero parte ai lavori, e la loro congiunta partecipazione parve aprire una nuova stagione di dialogo intorno a tali temi[84]. I partecipanti all'evento firmarono, infatti, un appello al Cremlino nel quale chiedevano alla nuova *leadership* sovietica di prendere le distanze dalle valutazioni dei propri predecessori sulla Primavera di Praga[85]. Anche le dichiarazioni dell'esule cecoslovacco Pelikán, divenuto dai primi anni Settanta l'esponente di riferimento per le questioni del Dissenso in casa socialista, andavano nel senso di un appianamento dei contrasti. Ricordando le responsabilità dell'Occidente nel sostenere i movimenti di riforma dell'Est, Pelikán fece riferimento alla sinistra italiana nella sua globalità, senza tracciare i tradizionali distinguo tra PCI e PSI[86]. Antonetti riferisce inoltre che lo stesso Pelikán, in una dichiarazione al quotidiano spagnolo «El Pais», mise in rilievo il sostegno di Botteghe oscure al Dissenso cecoslovacco, mai venuto meno nel corso del periodo della normalizzazione[87].

Le diffidenze dei socialisti italiani nei confronti dell'azione politica del PCI non erano tuttavia venute meno. In occasione della visita di Dubček, «Mondoperaio» commentò sarcasticamente la riconciliazione tra quest'ultimo e Occhetto: il quotidiano socialista celebrava la 'conversione' del leader della Primavera, divenuto, a pieno titolo, un nuovo esponente dell'eurocomunismo[88].

Nel corso degli anni Ottanta, il confronto tra PCI e PSI intorno al «socialismo reale» proseguì con un andamento altalenante, tra temporanee e limitate convergenze e momenti di aggravamento di divergenze già esistenti. Il cieco duello in seno alla sinistra italiana proseguì fino all'implosione del sistema sovietico ed al crollo della «Prima

Repubblica», giungendo sino alla contrapposizione attuale tra post-comunisti ed ex dirigenti socialisti.

Un'eredità difficile e problematica, che contribuì ad ostacolare la costituzione di una convincente alternativa di sinistra in Italia.

Note

[1] Va a questo proposito messo in evidenza che già nel corso del 1982, i rapporti dell'URSS con alcune potenze occidentali si erano nella sostanza ristabiliti, nonostante il forte impatto che la crisi polacca aveva avuto su esse. Si pensi, a questo proposito, alle relazioni tra il Cremlino e Parigi: APF, Archives de la cellule diplomatique, 5 AG4 / CD 414 Dossier 1, Entretien avec M. Ponomarëv.

[2] A. GIOVAGNOLI, *Il Partito Italiano: la Democrazia Cristiana dal 1942 al 1994*, Laterza, Bari-Roma, 1996, pp. 239-244.

[3] Relazione di Cossutta, *XVI Congresso del PCI. Atti, risoluzioni, documenti*, Editori Riuniti, Roma, 1983, pp. 366-370.

[4] P. CRAVERI, *La Repubblica...*, cit., p. 909.

[5] Nota riservata di Chiarante e De Brasi, 10 aprile 1984, APCI, fasc. 8404, pp. 127-148.

[6] F. BERTONE, *Che cosa cambia nel potere polacco*, in «Rinascita», 9 dicembre 1983, pp. 20-21.

[7] A. GUERRA, *Quel che si muove a Est*, in «Rinascita», 28 ottobre 1982, p. 29.

[8] Lettera di Chodakowski a Natta, 6 luglio 1984, APCI, MF 567, p. 820.

[9] Si veda: D. LA CORTE, *Alessandro Natta*, Privitera, Genova, 2001.

[10] L'azione dei sindacati in sostegno di Solidarność fu senza precedenti. Si pensi, a questo proposito, al sostegno offerto dalla socialista CFDT, la Confédération française démocratique du travail, che organizzò persino corsi di formazione sui diritti sindacali destinati ai responsabili regionali del movimento polacco. Resoconto dello stage Solidarnosc/CFDT, 24 maggio-8 giugno 1981, ACFDT, Relations CFDT-Solidarnosc, janvier-juillet 1981, 8N H 1919.

[11] Nota di Rubbi per Natta, 11 luglio 1984, APCI, MF 567, p. 821. Il sostegno offerto dalla CGIL al Sindacato libero polacco «non era piaciuto a qualche settore del partito». *Luciano Lama. Intervista sul mio partito*, a cura di G. Pansa, Laterza, Roma-Bari, 1987, pp. 114-115.

[12] Intervista dell'autrice a Antonio Rubbi, cit.

[13] Nota di Rubbi per Natta, cit.

[14] A. GUERRA, *Che cosa penso del dialogo, delle riforme, di Solidarność. Intervista a Mieczyslaw Rakowski*, in «Rinascita», 19 novembre 1988, pp. 8-9.

[15] A.G., *Immagine di un premier*, in «Rinascita», 19 novembre 1988, p. 9.

[16] U. FINETTI, *Storia di Craxi...*, cit., pp. 143-150.

[17] *XVI Congresso del PCI...*, cit., pp. 104-109.

[18] P. CRAVERI, *La Repubblica...*, cit., pp. 914-915.

[19] E. LIPINSKI, *Risposta a Jaruzelski*, in «Mondoperaio», n. 8-9, luglio-agosto 1983, pp. 59-64; W. GOLDKORN, *Polonia: la clandestinità diffusa*, in «Mondoperaio», n. 8-9, luglio-agosto 1984, pp. 60 ss.

[20] A. MICHNIK, *Lettera dal carcere di un patriota polacco*, in «Mondoperaio», n. 9, settembre 1983, pp. 68-76.

[21] W. GOLDKORN, *Dal comunismo al nazionalismo*, in «Mondoperaio», n. 11, novembre 1982, pp. 40-43.

[22] I. BALBO, *Perché nel PCI non è esplosa una 'questione polacca'*, in «Mondoperaio», n. 5, maggio 1988, pp. 115-122.

[23] H. VÉDRINE, *Les mondes de François Mitterrand*, Fayard, Paris, 1998, pp. 84-87. Sulle impressioni dei comunisti italiani, cfr. L. BARCA, *Cronache dall'interno del PCI*, cit., p. 851.

[24] «The Soviet Union and non-ruling Communist Parties», agosto 1981, CIAA.

[25] S. COLARIZI – M. GERVASONI, *La cruna...*, cit., pp. 135-141; L. NUTI, *L'Italia e lo schieramento dei missili da crociera BGM-109 G 'Gryphon'*, in AA.VV., *Gli anni Ottanta come storia*, Rubbettino, Soveria Mannelli, 2004, pp. 119-154; *Dichiarazione di Natta dopo l'incontro con il Presidente incaricato Craxi*, in *Documenti politici dal XVII al XVIII Congresso*, Editori Riuniti, Roma, 1989, p. 95.

[26] Incontri con Ponomarëv e Zagladin, 15 dicembre 1983, APCI, MF 8403, p. 59; APCI, Fondo Berlinguer, Serie MOI, fasc. 182.

[27] E. BERLINGUER, *Discorsi parlamentari. 1968-1984*, a cura di M.L. Righi, Camera dei deputati, Roma, 2001, pp. 298-304.

[28] Si vedano i diari di Černjaev, citati in S. PONS, *Berlinguer...*, cit., p. 240.

[29] Riunione, APCI, Direzione, 2 novembre 1983, MF 8311, p. 16; cfr. S. PONS, *Berlinguer...*, cit., pp. 241-242.

[30] P. CRAVERI, *La Repubblica...*, cit., p. 913.

[31] *Il PCI allo specchio*, a cura di R. Mieli, Rizzoli, Milano, 1983, p. V. Si noti che il PCI, già nel 1979, aveva organizzato un convegno di due giorni sull'esperienza ungherese giudicato «an impressive step forward in the Party's oft-repeated pledge to subject the regimes of 'real socialism' to dispassionate, critical analysis». K. DEVLIN, *Italian Communist and the Hungarian Experience*, 2 marzo 1979, OSA, RED Background report/52, 36-4-44.

[32] L. PELLICANI, *Congresso PCI: l'intramontabile centralismo democratico*, in «Rinascita», n. 12, dicembre 1982, pp. 15 ss.

[33] A. LOMBARDO, *PCI: quando la rivoluzione diventa reazionaria*, in «Mondoperaio», n. 11, novembre 1984, pp. 133-138.

[34] L. VASCONI, *Congresso PCI: se il socialismo si chiama Andropov*, in «Mondoperaio», n. 12, dicembre 1982, pp. 10-14; G. MUGHINI, *Quando cacciarono Stalin dal mausoleo*, in «Mondoperaio», n. 3, marzo 1983, p. 58; L. VASCONI, *L'eredità di Berlinguer*, in «Mondoperaio», n. 6-7, giugno-luglio 1984, pp. 4-9.

[35] Intervista dell'autrice a Antonio Rubbi, cit.

[36] A. GUERRA, *Una doppia eredità segna i passi di Cernenko*, in «Rinascita», 16 marzo 1984, pp. 7-8; cfr. IDEM, *Andropov e le riforme difficili*, in «Rinascita», 18 novembre 1983, pp. 7 ss.

[37] Riunione, 23 febbraio 1983, APCI, Direzione, MF 555, fasc. 8305, pp. 0005.

[38] Relazione di Berlinguer, *XVI Congresso del PCI*, cit., pp. 28-33.

[39] S. PONS, *Berlinguer...*, cit., p. 245.

[40] Cfr. *Rubbi: inopportuna e inadeguata per il PCI una conferenza internazionale dei Partiti comunisti*, in *Documenti politici dal XVII...*, cit., p. 251.

[41] Nota di Rubbi sulla visita di Smirnov, 11 febbraio 1983, APCI, MF 559, fasc. 8302, pp. 70-110.

[42] A titolo esemplificativo: materiali della Conferenza dei rappresentanti dei Partiti comunisti e operai dedicata all'attività della rivista «Problemi della pace e del socialismo», Praga, 27-29 aprile 1977. BRR, Anton_Arch 1.Att.PCI 3.NRI 002.

[43] Lettera del PCUS al PCI, 23 gennaio 1984, APCI, fasc. 8401, pp. 157-167.

[44] *Il PCI e la rivista «Problemi della pace e del socialismo»*, in *Documenti politici dal XVII...*, cit., p. 475.

[45] Riunione, 20 dicembre 1984, APCI, Direzione, fasc. 8501, p. 64.

[46] Riunione, 20 dicembre 1984, APCI, Direzione, fasc. 8501, pp. 44-92.

[47] Nota di Rubbi sulla visita di Smirnov, 11 febbraio 1983, APCI, MF 559, fasc. 8302, pp. 70-110.

[48] Si veda la testimonianza di D'Alema, M. D'ALEMA – P. GINSBORG, *Dialogo su Berlinguer*, Giunti, Firenze, 1984, pp. 37-42; *Messaggio del PCI al PCUS per il 7 novembre*, in *Documenti politici dal XVI al XVII Congresso*, ITER, Roma, p. 452.

[49] A. RUBBI, *Incontri con Gorbačëv...*, cit., p. 26. Va tuttavia rilevato che il rapporto tra PCI e PCUS, giunto ad un punto critico nel momento della scomparsa di Berlinguer, si evolse in termini positivi in modo lento e graduale. S. PONS, *L'invenzione del «post-comunismo». Gorbačëv e il Partito Comunista Italiano...*, cit., p. 24.

[50] Intervista dell'autrice ad Antonio Rubbi, cit.

[51] G. BOFFA, *Si può riformare il modello sovietico*, in «Rinascita», 4 novembre 1983, pp. 30-31.

[52] Il PCI aveva sviluppato i rapporti con Roy Medvedev da lungo tempo: diverse opere del dissidente sovietico erano state pubblicate da Editori Riuniti. Si faccia riferimento, ad esempio, ai seguenti testi: R. MEDVEDEV, *Dopo la rivoluzione: primavera 1918*, Editori Riuniti, Roma, 1978; IDEM, *Stalin sconosciuto*, Editori Riuniti, Roma, 1980; IDEM, *Tutti gli uomini di Stalin*, Editori Riuniti, Roma, 1985. Intervista dell'autrice ad Adriano Guerra, cit. Va tuttavia rilevato che i documenti conservati presso la Fondazione Gramsci non offrono spunti per ricostruire tale relazione. Pellicani puntualizza che l'apertura di Editori Riuniti al Dissenso nell'Est dipendeva dall'orientamento marxista dei dissidenti stessi. Intervista dell'autrice a Luciano Pellicani, Lucca, 23 gennaio 2007.

[53] Va rilevato che nel corso del 1987, Giulietto Chiesa – inviato per «l'Unità» a Mosca – iniziò a lavorare ad un volume sull'azione politica di Gorbačëv, con Roy Medvedev, all'epoca dissidente sovietico. Cfr. G. CHIESA – R. MEDVEDEV, *La rivoluzione di Gorbačëv. Cronaca della perestrojka*, Garzanti, Milano, 1989, p. 7.

[54] *L'ottobre e lo stalinismo*, in «Rinascita», 14 ottobre 1983, pp. 27 ss.; Ž. MLYNAŘ, *Il crocevia della riforma politica*, in «Rinascita», 8 novembre 1986, pp. 3-5. Come ha riconosciuto Šabata, il Dissenso cecoslovacco era diviso al proprio interno; intervista dell'autrice a Jaroslav Šabata, cit.

[55] A. GUERRA, *Dopo Brežnev. È riformabile l'Unione Sovietica?*, Editori Riuniti, Roma, 1983.

[56] A. GUERRA, *Eppur si muove*, in «Rinascita», 23 marzo 1985, pp. 10-11.

[57] Relazione di Berlinguer, *XVI Congresso del PCI...*, cit., pp. 21-68.

[58] S. PONS, *L'invenzione del «post-comunismo»...*, cit., p. 33.

[59] A. GUERRA, *Nel giardino di Gorbačëv*, in «Rinascita», 13 aprile 1985, p. 35; Sui colloqui tra le Segreteria Natta ed Occhetto e il nuovo *establishment* sovietico, si veda: A. RUBBI, *Incontri con Gorbačëv...*, cit.

[60] F. FEJTÖ, *La fine delle democrazie popolari. L'Europa Orientale dopo la rivoluzione del 1989*, Mondadori, Milano, 1992, pp. 197-200.

[61] R.L. GARTHOFF, *The Great Transition. American-Soviet Relations and the End of the Cold War*, The Brookings Institution, Washington, 1994, pp. 252-374.

[62] P. HASSNER, *Il totalitarismo sovietico visto da Occidente*, in «Mondoperaio», n. 12, dicembre 1984, pp. 97-103.

[63] M.L. SALVADORI, *L'utopia caduta. Storia del pensiero comunista da Lenin a Gorbačëv*, Laterza, Roma-Bari, 1991, pp. 709-710.

[64] M. MARTINI, *URSS: i cinquantenni allo specchio*, in «Mondoperaio», n. 1, gennaio 1984, pp. 55 ss.

[65] *Delegazione del PCI a Parigi per commemorare Nägy*, 15 giugno 1988, in *Documenti politici dal XVII...*, cit., p. 494. La delegazione era composta da Piero Fassino, Adriano Guerra e Federigo Argentieri.

[66] F. FEJTÖ, *Dire la verità sul caso Nägy*, in «Mondoperaio», n. 8-9, agosto-settembre 1988, pp. 8-9.

[67] L. VASCONI, *Gorbačёv: il despota (per ora) illuminato*, in «Mondoperaio», n. 10, ottobre 1988, pp. 28-30.

[68] L. VASCONI, *Aiutare Gorbačёv?*, in «Mondoperaio», n. 8-9, agosto-settembre 1988, pp. 2-3. Cfr. U. DE GIOVANNANGELI, *Le nuove frontiere del dialogo. Intervista a Antonio Rubbi*, in «Rinascita», 5 novembre 1988, pp. 22-23.

[69] A. DUBČEK, *Perché avete tradito*, in «L'Espresso», n. 16, 20 aprile 1975, pp. 46-47; cfr. L. ANTONETTI, *Verità e manipolazioni: Alexander Dubček dal 1969 al 1992*, in *Alexander Dubček...*, cit., pp. 210-212.

[70] *Dubček rompe un silenzio di 16 anni*, in «l'Unità», 21 novembre 1985, pp. 1 e 22.

[71] A. RUBBI, *Incontri con Gorbačёv. I colloqui di Natta e Occhetto con il leader sovietico, giugno 1984-novembre 1989*, Editori Riuniti, Roma, 1990, pp. 152-154.

[72] R.L. GARTHOFF, *The Great Transition...*, cit., pp. 300-337.

[73] *Intervista a Dubček. «Noi stiamo con Gorbačёv*, in «l'Unità», 10 gennaio 1988, p. 1.

[74] *Dichiarazione di Achille Occhetto dopo l'incontro con Alexander Dubček*, 17 novembre 1988, in *Documenti politici dal XVII...*, cit., p. 541; M. D'ALEMA, *Da Praga '68 a Gorbačёv*, in «l'Unità», 11 settembre 1988, p. 1.

[75] L. ANTONETTI, *Alexander Dubček in Italia. 1988: l'anno degli anniversari*, in «Studi Storici», n. 4 (2007), pp. 993-1008.

[76] P. FOLENA, *Dove le idee godono di libertà*, in «Rinascita», 26 novembre 1988, p. 11.

[77] Cfr. L. ANTONETTI, *Alexander Dubček in Italia...*, cit.

[78] Si ricordi il viaggio di De Mita, nell'ottobre 1988; cfr. P. CRAVERI, *La Repubblica...*, cit., pp. 840-842.

[79] Intorno al legame tra il riformismo di Dubček e quello di Gorbačёv: J. PELIKÁN, *Introduzione*, in *La Primavera di Praga*, Franco Angeli, Milano, pp. 11-14.

[80] M. REIMAN, *Le speranze dell'altra Praga*, in «Rinascita», 10 dicembre 1988, p. 31; *L'Ambasciatore di Mosca: Dubček precursore della perestrojka*, in «l'Unità», 11 settembre 1988, p. 1,

[81] *Dubček e Natta ricordano insieme quei giorni di Primavera*, in «l'Unità», 14 novembre 1988, p. 3

[82] G. CHIESA – S. SERGI, *Gorby e Occhetto discutono un riformismo per il 2000*, in «l'Unità», 1 marzo 1989, p. 1; cfr. L. ANTONETTI, *Alexander Dubček...*, cit; A. RUBBI, *Incontri...*, cit., pp. 246-248.

[83] A titolo esemplificativo: *La Primavera indimenticata*, l'Unità, Roma, 1988; *Agosto 1968: a Praga la primavera finisce ad agosto*, Il manifesto edizioni, Roma, 1988. Anche a Cortona, la Fondazione Feltrinelli, con l'appoggio della Provincia e della Regione, entrambe a maggioranza comunista, organizzarono un incontro sui temi dell'eredità della Primavera, nel quale vennero coinvolti studiosi italiani ed esuli cecoslovacchi. Sul ruolo del PCI, si veda in particolare: G. MIGLIARDI, *Cecoslovacchia '68: le conseguenze per la Sinistra italiana*, a cura di Fondazione Feltrinelli, *La Primavera...*, cit., pp. 223-233.

[84] L'incontro che avvenne tra le delegazioni dei due partiti (per il PSI: Martelli, Boniver, Achilli e Didò; per il PCI: Occhetto, Napolitano, Cervetti, Rubbi e Bona) fu descritto come «cordiale e proficuo». *Sui temi internazionali, incontro PCI-PSI*, 18 febbraio 1988, in *Documenti politici dal XVII...*, cit., p. 391.

[85] Gli atti del convegno sono contenuti in: *La Primavera di Praga vent'anni dopo*, in «Transizione», numero speciale 11-12 (1988).

[86] J. PELIKÁN, *Introduzione...*, cit., p. 14.

[87] L. ANTONETTI, *Dubček, l'attenzione e i silenzi dell'Est*, in «Rinascita», 10 dicembre 1988, pp. 30-31.

[88] W. GOLDKORN, *La santa ingenuità di Dubček*, in «Mondoperaio», n. 12, dicembre 1988, p. 36.

Conclusioni
L'appuntamento mancato

*L'esperienza fatta nella mia lunga e tra-
vagliata vita politica mi ha dimostrato
che non esistono le autocrazie illumina-
te, le dittature dei giusti, dei buoni e dei
puri. Perché chi nega la libertà ai propri
concittadini è un tiranno, quale che sia
la giustificazione – anche la più nobile –
che egli offra per il proprio operato.*
Sandro Pertini,
Combattente per la libertà

La storiografia è solita indicare il contesto politico italiano come
uno di quelli maggiormente caratterizzati da una forte interdipendenza
tra l'aspetto interno e quello internazionale. La centralità del tema del
Dissenso nel dibattito politico e culturale in Italia conferma tale interpretazione. L'impatto della crisi cecoslovacca sull'immagine delle forze
progressiste del blocco atlantico e l'internazionalizzazione del tema dei
diritti umani, avviata con il processo di Helsinki, fecero prepotentemente entrare il tema del Dissenso – un elemento di natura interna al
blocco sovietico – nel contesto politico italiano.

Tuttavia, in tempi piuttosto rapidi, il confronto assunse vita propria
e divenne sempre più il simbolo dell'inconciliabilità di analisi e strategie politiche. Il dibattito intorno al significato dell'esistenza di un'opposizione nell'Est divenne infatti un territorio neutro nel quale traslare
la controversia latente tra due culture politiche. Questo fu il caso sia del
dibattito in seno al movimento comunista internazionale, tra PCI e
PCUS, sia di quello interno alla sinistra italiana, tra Botteghe oscure ed
il PSI. Nel primo caso, a partire dalla metà degli anni Settanta, la *querelle* intorno ai temi della libertà e della democraticità del «socialismo
reale» raccontò sempre più la storia del contrasto tra due possibili modelli. Come risultò evidente in occasione dei processi politici di Mosca
nel 1978, il nodo della repressione metteva a nudo la fallacia del «socialismo reale» e confermava l'idea del PCI che il comunismo internazionale necessitava di un nuovo slancio per recuperare il perduto *ap-*

peal, un impulso il cui principale interprete sarebbe stato proprio il più grande partito comunista d'Occidente.

Nel secondo caso, mentre il PCI si avocava il ruolo di motore riformatore del comunismo, la sua credibilità democratica veniva messa in dubbio dal Partito socialista italiano. Botteghe oscure sollecitava Mosca ad una completa attuazione della democrazia nel socialismo ma, come in un gioco di specchi, a livello interno era il PSI ad incalzare i comunisti italiani affinché compissero ulteriori passi nell'ambito della riflessione sul «socialismo reale». Il PCI era chiamato a prendere una posizione «senza se e senza ma» sul tema della repressione nel blocco sovietico e, conseguentemente, sulla validità dell'esperienza dei regimi dell'Est.

Da un punto di vista storiografico, questo dualismo ha indotto a formulare due interpretazioni divenute paradigmatiche: l'una vede il PSI come il principale (e unico) interlocutore italiano dell'opposizione del blocco sovietico [1]; l'altra mette in evidenza il sostegno ininterrotto che, a partire dal 1968, il PCI offrì alla prospettiva di un socialismo realmente democratico e quindi, indirettamente, alle forze riformatrici dei Paesi dell'Est [2]. Tali visioni – fondate su elementi concreti e di rilievo – vanno in parte ridefinite. Come dimostrano le vicende di Pelikán e di Smrkovský, il Dissenso (ed in particolare quello di orientamento socialista) vide inizialmente nel Partito comunista italiano un punto di riferimento [3].

Il PCI disattese tuttavia le aspettative dei dissidenti dell'Est, adottando un atteggiamento altalenante, il cui *fil rouge* era l'assenza di una chiara politica di partito nei confronti dei movimenti di protesta del blocco sovietico. I comunisti italiani si sentivano investiti della missione universale di riformare il comunismo, ma rifiutarono il dialogo proprio con quegli attori politici che, per primi, riconoscevano loro la legittimità di questa aspirazione. La relazione del Dissenso con Botteghe oscure fu dunque a senso unico [4]. Il PCI mantenne un contegno ambiguo intorno a tale questione: da un lato, vi era la sorprendente assenza di una politica chiara ed identificabile nei confronti di un fenomeno di rilievo del blocco sovietico; dall'altro, la Direzione consentiva il permanere di legami (purché personali) tra dirigenti ed intellettuali del partito con i dissidenti.

Per una valutazione ragionata ed equilibrata della politica del PCI nei confronti del Dissenso, entrambi gli elementi vanno tenuti in considerazione. Fu, infatti, senz'altro vero che i dirigenti del partito mostrarono diverse sensibilità in merito, e che alcuni avevano fatto del sostegno al Dissenso un punto centrale della propria azione politica. Tuttavia, gli organi dirigenti respinsero sempre la possibilità che l'apertura di un dialogo con il Dissenso dell'Est divenisse linea del partito, anche nel periodo del più convinto eurocomunismo [5]. Sulla definizione di tale posizione politica pesarono in modo importante diversi fattori. Innanzitutto, ebbero un'influenza determinante la forte resistenza mentale a comprendere il fenomeno del Dissenso e la tendenza a sottovalutare quelle che non erano considerate «forze reali». In secondo luogo, il fattore identitario e finanziario del legame con l'URSS, e la convinzione di dover perseguire senza ulteriori intralci la propria 'missione universale' di riforma del comunismo, svolsero certamente un ruolo di rilievo. Infine, fu centrale il timore di spezzare il vincolo con la «patria del socialismo», cadendo in una condizione di isolamento senza uscite, data l'assenza di alleati ed interlocutori privilegiati alternativi a livello internazionale. Il contegno di alcuni attori politici sullo scenario internazionale, primo fra i quali la socialdemocrazia tedesca, fortemente incline alla cautela attorno alla questione del Dissenso, costituì inoltre un punto di riferimento imprescindibile per Botteghe oscure e condizionò non poco la strategia del PCI nei confronti degli oppositori dell'Est [6].

Nello spazio franco lasciato dall'indefinita posizione del PCI si inserì l'azione del Partito socialista che, reclamando la primogenitura dell'abbandono del mito del «socialismo reale», si attribuì il ruolo di principale interlocutore del Dissenso e – conseguentemente – di unica anima realmente democratica del movimento operaio italiano. Adempiere a tale ruolo significava assumere idealmente la difesa di tutti gli ingiustamente perseguitati del blocco sovietico: un compito del quale Craxi si fece carico sin dalla difesa del premio Nobel Solženicyn. Va tuttavia rilevato che, come i comunisti italiani, anche i socialisti privilegiarono il dialogo diretto con i dissidenti di orientamento socialista [7]: la differenza sostanziale risiedeva nella diversa valutazione dell'opera degli oppositori non socialisti. Entrambi i partiti difesero, infatti, pubblicamente la libertà di espressione a prescindere dall'orientamento politico dell'oppositore: il diverso giudizio sul «socialismo reale» condizionò, tuttavia, in modo determinante il contegno assunto nei confronti del Dissenso conservatore. Il PSI, pur non condividendo l'approccio religioso e panslavista di Solženicyn, si rispecchiava nel bilancio negativo dell'esperienza sovietica. I comunisti italiani – al contrario – ritenevano che non esistessero margini di dialogo con coloro che condannavano l'esperienza concretizzatasi all'Est dopo la Rivoluzione d'ottobre [8].

La fiducia nella riformabilità del «socialismo reale» costituì senz'altro uno dei *topoi* dell'identità e della politica del PCI fino al crollo del

Muro di Berlino. Esso emerse in modo più o meno evidente nel corso degli anni Settanta e Ottanta, ed influì in modo determinante nelle relazioni con l'opposizione dell'Est. All'indomani della crisi dell'agosto 1968, l'azione del PCI fu caratterizzata dalla ricerca di una normalizzazione dei rapporti con l'Unione Sovietica e dal rifiuto di stabilire un canale di dialogo privilegiato con i dissidenti cecoslovacchi, pur mantenendo nella sostanza congelate le relazioni con il PCCS. L'assenza di un ripiegamento 'alla francese' fu il seme che consentì all'eurocomunismo di sbocciare a metà del decennio: in quel frangente, il PCI mostrò una grande attenzione nei confronti della nascita dei movimenti di protesta nel blocco sovietico. La sua azione fu tuttavia caratterizzata da una diversa modulazione di toni tra sfera pubblica e privata: le critiche mosse per via riservata, nei confronti degli *establishment* dell'Est, conobbero toni molto più accesi in confronto a quanto i dirigenti italiani facessero trapelare apertamente. In questo senso, il Sessantotto costituì un paradigma: la condanna dell'invasione della Cecoslovacchia aveva stabilito il limite di critica entro il quale il PCI poteva muoversi, senza spezzare il legame con l'URSS. Lo «strappo» del 1981 sembrò travolgere tale archetipo, sancendo il picco negativo delle relazioni tra Botteghe oscure e il PCUS: anche in questo caso, tuttavia, la dinamica inaugurata dalla crisi cecoslovacca non si modificò nella sostanza [9].

Se è vero che vi fu una cesura sostanziale nelle relazioni internazionaliste – e la fine dei finanziamenti diretti lo testimoniò – l'appartenenza del PCI al movimento comunista internazionale non venne messa in dubbio [10]. Viktor Zaslavsky ha affermato che «il marxismo-leninismo fu il fattore costitutivo dell'identità comunista» determinando, secondo la riflessione di Marc Lazar, la «perseveranza nella fedeltà all'Unione Sovietica» del Partito comunista italiano [11]. Se è indubbio che la *leadership* berlingueriana abbia segnato un punto di cesura nelle relazioni del PCI con il Cremlino, la volontà di conservare il legame con Mosca prevalse nella logica dei dirigenti di Botteghe oscure. La divisione del mondo in blocchi impose tale scelta, così come determinanti furono la volontà di riforma del comunismo internazionale – realizzato solo dall'interno della comunità dei PC – e l'elemento finanziario. Ma l'aspetto che incise più di tutti fu quello identitario.

La generazione dei dirigenti comunisti italiani degli anni Settanta non condivideva la visione fideistica della «patria del socialismo» che era stata propria dei suoi predecessori. Essa venne tuttavia sostituita da due miti, che costituirono il *fil rouge* della rielaborazione politica del PCI tra la fine degli anni Sessanta e gli anni Ottanta: il mito della riformabilità del «socialismo reale» ed il mito della distensione. Riguardo al primo aspetto, esso affiorò in modo evidente nel sostegno che il PCI fornì all'*establishment* riformatore del blocco comunista. Le speranze riposte in Dubček nel 1968, in Gierek nel 1970, nel gruppo di Novosibirsk nel corso degli anni Settanta, in Kania nel 1980, così come, cinque anni dopo, in Gorbačëv, rivelavano la fiducia incrollabile nelle capacità di riforma dei regimi socialisti. I dirigenti italiani erano ben consapevoli dei limiti dei sistemi dell'Est: ciononostante, essi erano tentati di vedere in essi delle contraddizioni risolvibili grazie all'azione di una classe dirigente sinceramente riformatrice e non burocratizzata. Il momento in cui questa fiducia vacillò fu in occasione del colpo di Stato in Polonia; tuttavia, il rapido succedersi di nuovi leader al Cremlino e l'ascesa del riformatore Gorbačëv riaccese rapidamente le speranze.

Gli avvenimenti polacchi e – precedentemente – l'invasione dell'Afghanistan costituirono uno spartiacque anche per la valutazione della politica estera di Mosca. In seguito a tali eventi, infatti, il PCI giunse ad attribuire pubblicamente la corresponsabilità del deterioramento della distensione internazionale all'azione dell'URSS [12]. Sino alla fine degli anni Settanta, tuttavia, il sostegno di Botteghe oscure al Cremlino fu tutt'uno con l'appoggio alla politica di distensione. I comunisti italiani non compresero che il significato da loro attribuito alla *détente* (il superamento dei blocchi) era diametralmente opposto a quello della classe dirigente sovietica (il consolidamento dei blocchi) [13]. Mitizzando la distensione, essi videro nell'espressione del Dissenso una possibile minaccia allo sviluppo del dialogo tra le due superpotenze. L'equazione sostegno al Dissenso = danno alla distensione, individuata dal Cremlino, fu così accettata nella sostanza [14]. Il miglioramento delle relazioni tra le due superpotenze era non solo necessaria per la realizzazione della pace e del socialismo, ma essa era anche essenziale all'azione politica del PCI per due ragioni. Innanzitutto, per ottenere quella credibilità nazionale ed internazionale indispensabile a rendere nullo il vincolo della *conventio ad excludendum*; in secondo luogo, per ricavare lo spazio internazionale utile ad ampliare la propria autonomia e divenire così un punto di riferimento mondiale del comunismo.

Nella visione del PCI, la distensione avrebbe poi avuto il grande merito di stimolare l'evoluzione in senso democratico dei Paesi dell'Est: era in tale frangente che Botteghe oscure riteneva di poter meglio adempiere al proprio ruolo internazionale. L'obiettivo principale dei comunisti italiani era, infatti, quello di proseguire sulla strada della definizione di una «via italiana» (o europea) al socialismo: uno degli elementi principe di tale rielaborazione politica era l'inscindibilità del legame tra socialismo e democrazia, i cui ovvi corollari sarebbero stati la presa di distanza dall'esperienza del «socialismo reale» ed il riconoscimento (ed il sostegno) alle forze di opposizione dell'Est.

Qui risiedeva la principale contraddizione del PCI: poiché l'eurocomunismo suscitava già sufficienti contrasti con la «patria del socialismo», ed il progetto di riforma del comunismo non poteva che avvenire all'interno del movimento comunista internazionale, il sostegno al Dissenso doveva necessariamente passare in secondo piano ed essere inserito nella più generale difesa del legame tra socialismo e democrazia. Tale aspetto è particolarmente evidente in alcuni elementi chiave della strategia del PCI. Innanzitutto, la diversità di atteggiamento nei confronti delle classi dirigenti dell'Est (in particolare tra PCUS e PCCS) rivela le cautele utilizzate dai comunisti italiani per evitare una rottura del legame con l'URSS, nella contestuale ricerca di una posizione coerente e critica intorno alla normalizzazione cecoslovacca. In secondo luogo, una diversa modulazione di toni tra l'ambito pubblico e quello privato. In altri termini, il PCI preservava – nei termini essenziali – l'immagine della «patria del socialismo» di fronte alla «base» e circoscriveva il contrasto – per quanto duro – ai colloqui privati, evitando ulteriori rimostranze da parte dei sovietici. E, infine, il tentativo di trovare un equilibrio tra critica e mantenimento del legame fu evidente nella politica culturale del PCI: Botteghe oscure promosse una riflessione approfondita sul «socialismo reale», evitando tuttavia di tradurla in una compiuta azione politica.

L'effetto di disorientamento causato da questa intrinseca e consapevole ambiguità nella rielaborazione politica del PCI fu accentuato dall'esistenza di un *gap* tra la riflessione dei dirigenti e la condivisione di essa con la «base». A partire dalla crisi cecoslovacca, il processo di rielaborazione politico-teorica dei comunisti italiani fu rilanciato sotto l'impulso di alcuni dirigenti – come Napolitano e Ingrao – che si impegnarono per lo sviluppo di una rielaborazione intorno ai temi del «socialismo reale» che coinvolgesse anche i militanti. La creazione del Centro di Studi e di Documentazione sui Paesi Socialisti e l'approfondimento condotto su «Rinascita» furono gli elementi portanti di tale strategia: tuttavia, come ha rilevato lo stesso direttore di tale centro, Adriano Guerra, lo sforzo di rielaborazione rimase confinato ai 'piani alti', giungendo solo in parte alla massa del partito [15].

Tale ambiguità fu percepita in modo chiaro dal Partito socialista italiano: sotto la *leadership* di Bettino Craxi, il PSI fu abile nel far leva su tale incoerenza, e rapido nell'acquisire il ruolo di partito difensore della libertà. Contestando la legittimità democratica del PCI, i socialisti italiani tentarono di ottenere un riequilibrio in proprio favore in seno al movimento operaio.

Scendendo nello specifico della strategia craxiana nei confronti del Dissenso, una premessa è doverosa. Mentre le ultime pagine di questo volume prendono vita, il decimo anniversario della morte del leader socialista offre l'occasione di celebrazioni e riflessioni storico-politiche in tutt'Italia. Esponenti politici e alcune delle firme più prestigiose dei principali quotidiani italiani hanno sollecitato, in alcuni casi, una valutazione storica e politica dell'operato di Craxi, a prescindere dalle sue vicende giudiziarie; in altri casi, al contrario, una riflessione che non trascurasse le responsabilità del politico milanese nella gestione dello Stato italiano e nell'istituzionalizzazione della corruzione [16]. Nel frattempo, il Presidente della Repubblica ha reso nota una lettera rivolta alla vedova Craxi: ricordando egualmente i meriti e gli errori del leader socialista, Napolitano ha sollecitato una valutazione più serena del suo operato nel contesto della riflessione storiografica [17].

Pur non essendo la questione più spinosa legata al nome del Segretario del PSI, il confronto intorno al tema del Dissenso è tutt'oggi piuttosto acceso. Gli ex socialisti rivendicano, infatti, la sincerità del sostegno politico di Craxi ai movimenti di opposizione dell'Est, mentre alcuni ex comunisti e l'area dell'attuale sinistra ne sottolineano l'intento puramente strumentale e fortemente anticomunista [18].

La ricerca condotta sul Partito socialista italiano è stata inevitabilmente condizionata dalla carenza di fonti prime del PSI intorno a tali temi; ciononostante, si è tentato di sfuggire ad entrambi gli orientamenti, cercando di offrire un'analisi non appiattita. Perseguendo tale obiettivo, si è quindi cercato di sgombrare il campo di analisi sia da una lettura *naïve* del sostegno al Dissenso, sia da una visione che riduca tale relazione ad una volontà puramente strumentale. L'esperienza biografica dello stesso Craxi – i contatti con Carlo Ripa di Meana e con Pelikán sin dalla metà degli anni Cinquanta, così come il trauma del 1956 [19] – impongono di non svalutare l'elemento di genuino sostegno al molteplice movimento dei 'diversamente pensanti', iniziato ben prima della svolta del Midas.

D'altro canto, sostenere che il Dissenso dell'Est costituì uno strumento di affermazione dell'identità socialista rispetto a quella comunista è dire l'ovvio: il PSI ed il PCI – ed i loro Segretari – erano attori politici, e come tali si comportavano. Un certo grado di strumentalizzazione va quindi considerato come parte della strategia delle forze in azione e va valutato non secondo criteri morali, ma politici, sulla base dei risultati conseguiti.

Riguardo al tema del Dissenso, il merito di Craxi fu quello di raccogliere l'eredità autonomista e di plasmarla sulla base di un'intuizione politica, tentando di far recuperare al PSI un ruolo centrale nello scenario italiano [20]. Se non voleva rimanere soffocato nell'abbraccio mortale del «compromesso storico», il Partito socialista doveva recuperare un'identità distinta rispetto a quella del PCI, muovendo proprio dal principale punto debole di quest'ultimo, cioè la contraddizione tra il sostenere l'inscindibilità tra socialismo e democrazia ed il permanere del legame con l'URSS. L'ambiguità della politica nei confronti del Dissenso altro non era che la concretizzazione di tale incoerenza. Se è vero che Craxi utilizzò questo aspetto a proprio favore, va tuttavia rilevato che tale contraddizione esisteva già, e che non fu il leader socialista a crearla.

Non solo. Anche l'idea che la Segreteria Craxi abbia decretato la nascita dell'azione socialista a sostegno del Dissenso, va ripensata. Già alla fine degli anni Sessanta (ma potremmo dire dal 1956), l'attenzione nei confronti degli oppositori del blocco sovietico costituì un elemento fondamentale della strategia nenniana [21]. Il leader storico del socialismo italiano intendeva l'appoggio al Dissenso come fattore fondante dell'azione di coscienza critica che il PSI avrebbe dovuto esercitare nei confronti dei comunisti italiani. Il Partito socialista aveva, in definitiva, il dovere di ricordare a Botteghe oscure la strada verso l'autonomia dalla «patria del socialismo», un percorso da esso compiuto in precedenza. In questo senso, una forte continuità segna gli anni tra l'ultima Segreteria Nenni e quella di Craxi. Essa fu evidente in alcuni aspetti centrali dell'analisi socialista.

Innanzitutto, era già presente l'idea che le crisi dei sistemi socialisti non potessero essere considerate come eventi estemporanei: forte era la consapevolezza che esse costituivano solamente il sintomo più evidente della decadenza sistemica del «socialismo reale». In secondo luogo, fu conferita una dignità inedita al fenomeno del Dissenso che, già nel periodo della *leadership* di Nenni, veniva assurto a interlocutore e considerato germoglio di una nascente opposizione ai regimi dell'Est.

La *pax* demartiniana fece dimenticare che le radici dell'attenzione al Dissenso si erano già insinuate nella riflessione politica del PSI del periodo nenniano: sotto la Segreteria dell'avvocato napoletano la questione del sostegno all'opposizione non venne rimossa, ma la rivendicazione della primogenitura del distacco dal mito del «socialismo reale» conobbe una sostanziale diplomatizzazione. Il ruolo di coscienza critica della sinistra italiana venne sempre meno rivendicato, in favore di una più positiva considerazione delle evoluzioni del PCI in direzione dell'allentamento del legame con Mosca.

La strategia di Craxi intorno al Dissenso mosse i primi passi proprio in questo contesto mitigato, negli anni della Segreteria De Martino: in seguito all'elaborazione del «compromesso storico», l'allora Vicesegretario autonomista vide nel sostegno al Dissenso un elemento distintivo non solo nei confronti dei comunisti, ma in primo luogo rispetto alle altre correnti del proprio partito, ed in particolare alla potente ala demartiniana. Questo aspetto fu evidente già nelle prese di posizione intorno al caso Solženicyn, e nel contegno assunto nei confronti del Dissenso cecoslovacco dei primi anni Settanta, i cui principali protagonisti erano gli ex leader del «nuovo corso».

Tale intuizione fu dunque precedente alla «congiura del Midas»: nei primi anni Settanta essa fu patrimonio peculiare della corrente autonomista socialista. La questione del Dissenso passò ad essere da elemento di confronto interno al partito a fattore di discussione a livello nazionale nel 1976, con l'elezione – appunto – di Craxi come segretario. La svolta della metà degli anni Settanta non fu dunque quella dell'individuazione del Dissenso come elemento di distinzione in seno alla sinistra, effettuata già all'inizio del decennio, quanto piuttosto quella della costruzione del consenso delle varie correnti socialiste intorno a questo tema. A fronte della forte carenza di fonti prime, è piuttosto difficile ricostruire se e quando fu raggiunta la concordanza delle varie anime del PSI intorno alla valorizzazione del Dissenso come elemento destabilizzatore del PCI. Dalla documentazione raccolta non vi è tuttavia indicazione alcuna che vi fossero correnti apertamente in contrasto con tale scelta politica: certamente non tutti condividevano i toni accesi utilizzati dai dirigenti craxiani, ma la strategia sembrava funzionare, e questo aspetto costituiva un collante di grande rilievo in un partito attanagliato dalla logica correntizia [22].

Lascito della strategia autonomista, la gestione della questione del Dissenso subì un'evoluzione sotto la *leadership* di Craxi. Innanzitutto, la pretesa di essere la coscienza critica della sinistra italiana e del PCI in particolare, spingendolo dunque verso un'evoluzione in senso democratico, venne – almeno in parte – accantonata. Craxi mirava innanzitutto a rafforzare il Partito socialista: un PCI messo in difficoltà a causa dei suoi legami con l'Est europeo non poteva che accrescere la possibilità di uno spostamento dei voti di orientamento progressista verso la casa socialista. Precondizione essenziale alla definizione di un'alternativa di sinistra era infatti un riequilibrio in seno al movimento operaio: in assenza di tale premessa, la ricaduta in un tipo di dialettica frontista – con un PSI inevitabilmente conquistato e succube della forza e della persuasività comunista – era non solo possibile, ma altamente probabile. Attribuendosi il ruolo di unica forza realmente democratica della sinistra italiana, il PSI di Craxi ricercava una nuova identità per ottenere maggiori consensi. Il definitivo allontanamento di Botteghe oscure dall'immagine compromessa del «socialismo reale» avrebbe arrecato un danno a tale primogenitura.

La peculiarità della rielaborazione craxiana passava poi per la riflessione sulla distensione. Pietro Nenni possedeva un'idea della *détente* simile a quella di altri leader europei, come Brandt: la distensione era un processo dinamico, che avrebbe consentito ai valori occidentali (democrazia, rispetto delle libertà politiche, liberalismo) di passare quasi per osmosi attraverso la Cortina di ferro, contagiando i Paesi dell'Est e rendendo quindi inevitabile la loro evoluzione in senso democratico. Una visione – quest'ultima – che presentava diverse analogie con quella della socialdemocrazia tedesca, ma anche del PCI: il mito della distensione costituì un elemento di contatto in seno al movimento operaio italiano negli ultimi anni Sessanta. Su questo punto, l'azione di Craxi segnò una forte discontinuità rispetto alla tradizione socialista: il leader milanese fu il primo ad affermare che sostenere i dissidenti non comprometteva la distensione, o quantomeno non pregiudicava un miglioramento delle relazioni internazionali che si basasse sul superamento dei blocchi, e non sul loro consolidamento. Va ovviamente rilevato che – a differenza del PSI della fine degli anni Sessanta e in parte anche del PCI – il partito craxiano degli anni Settanta, per collocazione politica e per seguito elettorale, poteva ritenersi più libero di prendere posizioni anche di rottura rispetto al tradizionale orientamento della politica estera italiana. Studi futuri potranno approfondire questo aspetto, valutando con maggiore attenzione se Craxi, come presidente del Consiglio, proseguì su questa linea o se fu condizionato dalla concezione della distensione propria della maggior parte delle classi dirigenti dell'Europa occidentale [23].

A Craxi va quindi il merito di aver contestato i due miti dei quali si nutriva il PCI nel corso degli anni Settanta e Ottanta: quello della distensione e quello della riformabilità del «socialismo reale». L'azione politica di Craxi fu poi efficace nel presentare il PSI come difensore dei dissidenti dell'Est, distinguendo in modo netto e inequivocabile l'identità del Partito socialista da quella del PCI.

Diverso è però il discorso sulla ricaduta positiva di tale processo in termini di seguito elettorale: il consenso raccolto dal PSI non solo non superò mai quello di Botteghe oscure, ma non vi si avvicinò nemmeno. Ovviamente, altri fattori concorsero a determinare i risultati delle urne, così come elementi legati alla «democrazia bloccata» italiana consentirono a Craxi di ottenere la presidenza del Consiglio pur essendo segretario di un partito che rappresentava poco più del 10% dell'elettorato. Come ha rilevato Sabbatucci, Craxi confidava di «poter fare grandi cose disponendo di una piccola forza, e di poter poi aumentare la propria forza grazie alle grandi cose realizzate». Un calcolo certo azzardato, e in contrasto «a una sana logica democratica e riformista»[24].

Il crollo dei regimi dell'Est sancì l'inizio della lenta ma inesorabile decadenza del comunismo internazionale; quasi contestualmente, l'implosione del sistema della «Prima Repubblica» vide poi la scomparsa dei partiti tradizionali, primo fra i quali il PSI. La crisi della sinistra italiana – emersa con prepotenza nei primi anni Novanta – affondava però le proprie radici nelle scelte politiche dei due decenni precedenti, e nell'incapacità di trovare un'unità in seno al movimento operaio nazionale. La questione del Dissenso fu, in questo senso, paradigmatica: all'appuntamento con l'opposizione del blocco sovietico, la sinistra italiana si era presentò frantumata, lasciandosi sfuggire forse l'ultima occasione di ritrovare un'unità perduta tra le sue diverse componenti.

La collocazione politica attuale dei protagonisti di quella stagione su fronti opposti indica l'incapacità di superare contrapposizioni, retaggio di incomprensioni e scontri che affondano le proprie radici nei decenni passati. Speriamo, con questo volume, di aver concorso a chiarire alcuni aspetti della storia italiana, affinché l'eco dei contrasti di un passato non troppo lontano lasci spazio ad un dialogo più costruttivo negli anni a venire.

Note

¹ Si vedano *Bettino Craxi, il socialismo europeo...*, cit.; C. RIPA DI MEANA, *Cane sciolto...*, cit; C. RIPA DI MEANA – G. MECUCCI, *Mosca: fermate...*, cit.; gli interventi di Molaioli, Ripa di Meana e Tognoli, in S. ROLANDO, *Una voce poco fa. Politica, comunicazione e media nella vicenda del Partito socialista italiano dal 1976 al 1994*, Marsilio, Venezia, 2009, pp. 60-64.

² A. GUERRA, *Comunismo e comunisti...*, cit.; IDEM, *La solitudine...*, cit.; F. BARBAGALLO, *Enrico Berlinguer...*, cit.; A. HÖBEL, *Il PCI di Longo...*, cit.,

³ I documenti a sostegno di questa tesi sono stati ampiamente utilizzati nella stesura del volume. A solo titolo di esempio, citiamo qui C. BOUYEURE, *L'invention du politique...*, cit; convegno «Tchécoslovaquie et liberté», ed in particolare la posizione di Smrkovský e Pelikán, FJJ, boite 403 RI 1, Tchécoslovaquie: «Tchécoslovaquie, Socialisme et Démocratie». Si consulti infine, l'autointervista di Hajek, Kadlec, Slavík, BRR, Anton_Arch 2.att.edit. 2.traduzioni 026.

⁴ Un'interpretazione opposta si trova in A. GUERRA, *Comunismo e comunisti...*, cit., p. 283.

⁵ A. OCCHETTO, *Potere e antipotere*, Fazi, Roma, 2007, pp. 44-46.

⁶ Secondo Luciano Barca, la «prudenza» di Berlinguer fu dettata non solo dalle resistenze interne al PCI rispetto ad una rottura con l'URSS, ma anche dalla «contrarietà» di una soluzione in questo senso da parte della SPD, ed in particolare di Willy Brandt. Il leader dell'Internazionale socialista era infatti favorevole a una «azione di critica» da svolgere in seno al blocco comunista, ma non ad una sua rottura. L. BARCA, *Cronache...*, cit., pp. 670-671. Conviene su questo punto anche Segre. Intervista dell'autrice a Sergio Segre, cit.

⁷ Non concorda con questa prospettiva Pellicani, che nega vi fosse alcuna «distinzione di matrice ideologica». Intervista dell'autrice a Luciano Pellicani, cit.

⁸ Si vedano, ad esempio, le memorie di Boffa, da sempre attento ai dissidenti e inviso alle autorità sovietiche. G. BOFFA, *Memorie dal comunismo...*, cit., pp. 200-201.

⁹ Sugli aspetti di continuità tra il Sessantotto cecoslovacco e la crisi polacca del 1981, mi si consenta di citare: V. LOMELLINI, *The Two Europes: Continuity and Breaks.1968 and 1981, Eastern Crises, Italian Outcomes*, in *Les deux Europes*, PIE/Peter Lang, Berna-Bruxelles, 2009, pp. 59-93.

¹⁰ M. FLORES – N. GALLERANO, *Sul PCI. Un'interpretazione storica*, Il Mulino, Bologna, 1992, p. 82.

¹¹ V. ZASLAVSKY, *Lo stalinismo...*, cit., pp. 212-213; M. LAZAR, *Le communisme...*, cit., p. 45.

¹² Relazione di Berlinguer, *XVI Congresso del PCI*, cit., pp. 21-68.

¹³ A. ROMANO, *From Détente...*, cit., pp. 99-102.

¹⁴ Anche la visione kissingeriana convergeva su questo aspetto: cfr M. DEL PERO, *Kissinger...*, p. 93.

¹⁵ A. GUERRA, *La solitudine...*, cit., pp. 106-108.

¹⁶ A titolo di esempio, si vedano: S. ROMANO, *Il ritratto (controverso) di un leader*, in «Corriere della Sera», 18 gennaio 2010, p. 1; I. DIAMANTI, *Prigionieri del passato*, in «La Repubblica», 14 settembre 2008, p. 1; I. DOMINIJANNI, *Craxi, i conti che non tornano*, in «il manifesto», 6 gennaio 2010, pp. 2-3; F. FACCI, *Minoli, Amato, Mancini. Così lusingavano Craxi*, in «Libero», 5 gennaio 2010, p. 9.

¹⁷ *Napolitano: «Su Craxi è giunta l'ora di un giudizio non acritico ma sereno»*, in «Corriere della Sera», 18 gennaio 2010, p. 2; G. BATTISTINI, *Napolitano: Craxi, luci e om-*

bre pagò con durezza senza eguali, in «La Repubblica», 19 gennaio 2010, p. 2; U. Rosso, *La soddisfazione di Anna Craxi: «Ho apprezzato Napolitano»*, in «La Repubblica», 17 gennaio 2010, p. 15.

[18] A. CAZZULLO, *«Contro Bettino un network dell'odio. Ora vuole colpire Berlusconi e Bersani»*, in «Corriere della Sera», 17 gennaio 2010, p. 1; *Decennale Craxi, Tricolore sulla tomba Presenti Frattini, Sacconi e Brunetta*, in «Corriere della Sera», 17 gennaio 2010, p. 3; G. FREGONARA, *«Craxi vittima sacrificale di Tangentopoli»*, in «Corriere della Sera», 20 gennaio 2010, pp. 8-9. Pellicani sottolinea in modo chiaro l'assenza di strumentalità nell'azione di Craxi in sostegno al Dissenso. Intervista dell'autrice a Luciano Pellicani, cit.

[19] M. PINI, *Craxi...*, cit.; C. RIPA DI MEANA, *Cane sciolto...*, cit.

[20] Sull'eredità tra Craxi e Nenni: S. ROLANDO, *Una voce poco fa...*, cit., pp. 72-74; S. COLARIZI, *I duellanti. La rottura tra il PCI di Berlinguer e il PSI di Craxi alla svolta degli anni Ottanta*, in *Enrico Berlinguer e la politica italiana...*, cit., p. 109.

[21] Conviene su questo punto Antonio Landolfi. Intervista dell'autrice, cit.

[22] Questa idea è stata confermata da Pellicani. Intervista dell'autrice a Luciano Pellicani, cit.

[23] Tra i primi studi in merito, si segnala P. CRAVERI, *Le ragioni della politica estera nell'azione politica di Bettino Craxi*, in *Bettino Craxi, il socialismo europeo...*, cit., pp. 95-107.

[24] G. SABBATUCCI, *Il riformismo impossibile...*, cit., p. 111.

Fonti

Fonti prime italiane

Archivio Centrale del PCI, Fondazione Antonio Gramsci
Archivio del Comune di Firenze
Archivio del PSI, Fondazione Bettino Craxi
Archivio del PSI, Fondazione di Studi Storici Filippo Turati
Archivio del PSI, Fondazione Pietro Nenni
Archivio della Camera dei Deputati
Biblioteca Roberto Ruffilli

Fonti prime estere

Archive de la Confédération Française Démocratique du Travail
Archive d'Histoire Contemporaine
Archivio del PCF, Seine-Saint Denis
Archivi Presidenziali Francesi
Bibliothèque Documentation Internationale Contemporaine
Centre des Archives Diplomatiques de France
CIA Archives
Fondation Jean Jaurès
Institut François Mitterrand
International Instituut voor Sociale Geschiedenis
National Archives of United Kingdom
National Security Archives
Office Universitaire de Recherche Socialiste
Open Society Archives
Vladimir Bukovskij Archive

Fonti orali – Interviste

Partito comunista italiano
Luciano Antonetti, Adriano Guerra, Antonio Rubbi, Renato Sandri, Sergio Segre

Partito socialista italiano
Antonio Landolfi, Luciano Pellicani, Carlo Ripa di Meana, Valdo Spini

Dissidenti
Vladimir Bukovskij, Jiří Dienstbier, Jiří Kosta, Jaroslav Šabata

Fonti secondarie

Stampa
«l'Unità», «Rinascita», «L'Avanti», «Mondoperaio», «Corriere della Sera», «La Repubblica», «L'Espresso», «L'Humanité», «L'Unitè», «Le poing et la rose», «Le Nouvel Observateur», «Esprit», «Faire», «il manifesto», «Le Monde», «Times».

Bibliografia essenziale

Storia dell'Italia repubblicana

AA.VV., *L'Italia repubblicana nella crisi degli anni '70*, 4 voll., Rubbettino, Soveria Mannelli, 2003.

AA.VV., *L'antiamericanismo in Italia e in Europa nel secondo dopoguerra*, a cura di P. Craveri e G. Quagliariello, Rubbettino, Soveria Mannelli, 2004.

AA.VV., *Le istituzioni repubblicane dal centrismo al centro-sinistra (1953-1968)*, a cura di P.L. Ballini, S. Guerrieri e A. Varsori, Carocci, Roma, 2006.

AA.VV., *I partiti politici nell'Italia Repubblicana. Atti del convegno di Siena, 5-6 dicembre 2002*, a cura di G. Nicolosi, Rubbettino Editore, Soveria Mannelli, 2006.

AA.VV., *Il '68 diffuso Contestazione, linguaggi e memorie in movimento. Un approccio pluridisciplinare*, a cura di S. Casilio e L. Guerrieri, CLUEB, Bologna, 2009.

N. AJELLO, *Il lungo addio. Intellettuali e PCI dal 1958 al 1991*, Laterza, Roma-Bari, 1997.

C. ANDREW – V. MITROKHIN, *L'archivio Mitrokhin. Le attività segrete del KGB in Occidente*, Rizzoli, Milano, 1999.

S. COLARIZI, *Storia politica della Repubblica, 1943-2006*, Laterza, Roma-Bari, 2007.

G. CRAINZ, *Il paese mancato. Dal miracolo economico degli anni ottanta*, Donzelli, Roma, 2005.

P. CRAVERI, *La democrazia incompiuta. Figure del '900 italiano*, Marsilio, Venezia, 2002.

P. CRAVERI, *La Repubblica dal 1958 al 1992*, Utet, Torino, 1995.

R. GARDNER, *Mission: Italy. Gli anni di piombo raccontati dall'Ambasciatore americano a Roma. 1977-1981*, Mondadori, Milano, 2005.

U. GENTILONI SILVERI, *L'Italia sospesa: la crisi degli anni Settanta vista da Washington*, Einaudi, Torino, 2009.

A. GIOVAGNOLI, *Il caso Moro. Una tragedia repubblicana*, Il Mulino, Bologna, 1995.

A. GIOVAGNOLI, *Il Partito Italiano: la Democrazia Cristiana dal 1942 al 1994*, Laterza, Roma-Bari, 1996.

S. LANARO, *Storia dell'Italia repubblicana. Dalla fine della guerra agli anni Novanta*, Marsilio, Venezia, 1992.

P. MASTROLILLI – M. MOLINARI, *L'Italia vista dalla CIA. 1948-2004*, Laterza, Roma-Bari, 2005.

La Sinistra italiana ed europea

AA.VV., *Il comunismo in Italia e in Francia*, a cura di D. Blackmer e S. Tarrow, Etas-Kompass, Milano, 1976.

AA.VV., *Eurocommunism: Its Roots and Future in Italy and Elsewhere*, Universe Books, New York, 1978.

AA.VV., *Eurocommunism Between East and West*, a cura di V. Aspaturian, J. Valenta e D. Burke, Indiana University Press, Bloomington, 1980.

AA.VV., *Stalinismo e Grande Terrore*, a cura di M. Clementi, Odradek, Roma, 2008.

G. AMATO – L. CAFAGNA, *Duello a sinistra. Socialisti e comunisti nei lunghi anni '70*, Il Mulino, Bologna, 1982.

A. BERGOUNIOUX – G. GRUNBERG, *Le long remords du pouvoir: le Parti Socialiste Français 1905-1992*, Fayard, Paris, 2006.

P. BORIONI, *Revisionismo socialista e rinnovamento liberale. Il riformismo nell'Europa degli anni '80*, Carocci, Roma, 2001.

M. BRACKE, *Which Socialism, Whose Détente? West European Communism and the 1968 Czechoslovakian Crisis*, Central European University Press, Budapest-New York, 2007.

F. CLAUDIN, *Eurocommunism and Socialism*, Knopf, Bonn-Bad Godesberg, 1979.

M. DEGL'INNOCENTI, *Il mito di Stalin. Comunisti e socialisti nell'Italia del dopoguerra*, Lacaita, Bari, 2005.

F. DE MARTINO, *Socialisti e comunisti nell'Italia Repubblicana*, La Nuova Italia Edizioni, Milano, 2000.

M. GERVASONI, *Mitterrand. Una biografia politica e intellettuale*, Einaudi, Torino, 2007.

T. HOFNUNG, *George Marchais. L'inconnu du Parti Communiste Français*, L'Archipel, Paris, 2001.

P. GRÉMION, *Paris/Prague. La gauche face au renouveau et à la régression tchécoslovaque, 1968-1978*, Julliard, Paris, 1985.

M. LAZAR, *Maisons rouges. Les Partis communistes français et italien de la Libération à nos jours*, Aubier, Paris, 1992.

M. LAZAR, *La gauche en Europe depuis 1945. Invariants e mutations du socialisme européen*, PUF, Paris, 1996.

M. LAZAR, *Le communisme une passion français*, Perrin, Paris, 2005.

A. RIZZO, *La frontiera dell'eurocomunismo*, Laterza, Bari, 1977.

P. ROBRIEUX, *Histoire intérieure du Parti Communiste*, 2 voll., Fayard, Paris, 1981.

D. SASSOON, *Cento anni di socialismo. La sinistra nell'Europa occidentale del XX secolo*, Editori Riuniti, Roma, 1997.

M. SALVADORI, *La sinistra nella storia italiana*, Laterza, Roma-Bari, 2001.

R. SERVICE, *Compagni. Storia globale del comunismo nel XX secolo*, Laterza, Roma-Bari, 2008.

W. THOMPSON, *The Communist Movement since 1945*, Blackwell, Oxford, 1998.

A.B. ULAM, *The Communists. The story of power and lost illusions, 1948-1991*, MacMillan, New York, 1992.

Partito comunista italiano

AA.VV., *Praga e la Sinistra*, Longanesi, Milano, 1970.

AA.VV., *Il PCI nell'Italia repubblicana, 1943-1991*, a cura di R. Gualtieri, Carocci, Roma, 2001.

AA.VV., *Enrico Berlinguer, la politica italiana e la crisi mondiale*, a cura di F. Barbagallo e A. Vittoria, Carocci, Roma, 2007.

AA.VV., *L'influenza del comunismo nella storia d'Italia. Il PCI tra via parlamentare e lotta armata*, a cura di F. Cicchitto, Rubbettino, Soveria Mannelli, 2008.

A. ACCORNERO – R. MANNHEIMER – C. SEBASTIANI, *L'identità comunista. I militanti, le strutture, la cultura del PCI*, Editori Riuniti, Roma, 1983.

A. AGOSTI, *Bandiere Rosse. Un profilo storico dei comunismi europei*, Editori Riuniti, Roma, 1999.

F. BARBAGALLO, *Enrico Berlinguer*, Carocci, Roma, 2006.

U. FINETTI, *Togliatti & Amendola: la lotta politica nel PCI: dalla Resistenza al terrorismo*, Ares, Milano, 2008.

M. FLORES – N. GALLERANO, *Sul PCI. Un'interpretazione storica*, Il Mulino, Bologna, 1992.

C. GATTI, *Rimanga tra noi. L'America, l'Italia, la «questione comunista»: i segreti di 50 anni di storia*, Leonardo, Milano, 1991.

A. GUERRA, *Comunismo e comunisti. Dalle 'svolte' di Togliatti e Stalin del 1944 al crollo del comunismo democratico*, Dedalo, Bari, 2005.

A. GUERRA, *La solitudine di Berlinguer. Governo, etica e politica. Dal «no» a Mosca alla questione morale*, Ediesse, Roma, 2009.

S. GUNDLE, *I comunisti italiani tra Hollywood e Mosca. La sfida della cultura di massa (1943-1991)*, Giunti, Firenze, 1995.

A. HÖBEL, *Il Pci di Luigi Longo, 1964-1968*, ESI, Napoli, 2010.

M. MARGIOCCO, *Stati Uniti e PCI. 1943-1990*, Laterza, Bari, 1981.

S. PONS, *Berlinguer e la fine del comunismo*, Einaudi, Torino, 2006.

A. POSSIERI, *Il peso della storia. Memoria, identità, rimozione dal PCI al PDS (1970-1991)*, Il Mulino, Bologna, 2007.

V. RIVA, *Oro da Mosca. I finanziamenti sovietici al PCI dalla Rivoluzione d'ottobre al crollo dell'URSS*, Mondadori, Milano, 1999.

S. Sechi *Compagno cittadino. Il PCI tra via parlamentare e lotta armata*, Rubbettino Editore, Soveria Mannelli, 2006.

J.B. Urban., *Moscow and the Italian Communist Party. From Togliatti to Berlinguer*, Tauris, London, 1986.

V. Zaslavsky, *Lo stalinismo e la sinistra italiana*, Mondadori, Milano, 2004.

Documenti – PCI

AA.VV., *Momenti e problemi della storia dell'URSS*, Editori Riuniti, Roma, 1978.

AA.VV., *Il '68 cecoslovacco e il socialismo*, a cura dell'Istituto Gramsci, Editori Riuniti, Roma, 1979.

E. Berlinguer, *La politica internazionale dei comunisti italiani*, a cura di Antonio Tatò, Editori Riuniti, Roma, 1976.

E. Berlinguer, *Enrico Berlinguer. I discorsi parlamentari (1968-1984)*, a cura di M.L. Righi, Camera dei Deputati, Roma, 2001.

G. Boffa, *Storia dell'Unione Sovietica*, 3 voll., Edizioni L'Unità, Roma, 1990.

G. Boffa – G. Martinet, *Dialogo sullo stalinismo*, Laterza, Bari, 1976.

L. Lombardo Radice, *Socialismo e libertà*, Editori Riuniti, Roma, 1968.

L. Longo, *È l'ora di cambiare*, Visigalli-Pasetti, Roma, 1968.

L. Longo, *Sui fatti di Cecoslovacchia*, Editori Riuniti, Roma, 1968.

L. Longo, *PCI '70: i comunisti in cinquanta anni di storia*, Spada, Roma, 1970.

L. Longo, *La nostra parte. Scritti scelti, 1921-1980*, a cura di R. Martinelli, Editori Riuniti, Roma, 1984.

G.C. Pajetta, *La lunga marcia dell'internazionalismo. Intervista di Ottavio Cecchi*, Editori Riuniti, Roma, 1978.

A. Rubbi, *I partiti comunisti dell'Europa occidentale*, Teti, Milano, 1978.

S. Segre, *A chi fa paura l'eurocomunismo?*, Guaraldi, Firenze, 1977.

S. Segre, *Da Helsinki a Belgrado*, Editori Riuniti, Roma, 1977.

P. Spriano, *Storia del Partito comunista italiano, I fronti popolari, Stalin, la guerra*, vol. 3, Einaudi, Torino, 1970.

P. Spriano, *I comunisti Europei e Stalin*, Einaudi, Torino, 1983.

A. Tatò, *La questione comunista, 1969-1975*, Editori Riuniti, Roma, 1975.

A. Tatò, *Caro Berlinguer*, Einaudi, Torino, 2003.

G. Vacca, *Tra compromesso e solidarietà. La politica del PCI negli anni '70*, Editori Riuniti, Roma, 1987.

Bibliografia essenziale

Congressi e Comitati centrali del PCI

AA.VV., *Da Gramsci a Berlinguer. La via italiana al socialismo attraverso i Congressi del Partito comunista italiano*, a cura di D. Pugliese e O. Pugliese, Marsilio, Venezia, 1985.

XII Congresso del Partito comunista italiano. Atti e risoluzioni, Editori Riuniti, Roma, 1969.

La questione del 'Manifesto'. Democrazia e unità nel PCI. Il testo integrale del dibattito al Comitato Centrale ed alla Commissione Centrale di Controllo del PCI del 15, 16, 17 ottobre 1969, Editori Riuniti, Roma, 1969.

XIII Congresso del Partito comunista italiano. Atti e risoluzioni, Editori Riuniti, Roma, 1972.

XIV Congresso del Partito comunista italiano. Atti e Risoluzioni, Editori Riuniti, Roma, 1975.

XV Congresso del Partito comunista italiano. Atti e Risoluzioni, Editori Riuniti, Roma, 1979.

Socialismo reale e terza via. Il dibattito sui fatti di Polonia nel Comitato Centrale del PCI. I documenti sulla polemica col PCUS, Editori Riuniti, Roma, 1982.

XVI Congresso del PCI. Atti, risoluzioni, documenti, Editori Riuniti, Roma, 1983.

Documenti politici dal XVII al XVIII Congresso, Editori Riuniti, Roma, 1989.

Biografie e memorie – PCI

AA.VV., *Luigi Longo: la politica e l'azione*, Editori Riuniti, Roma, 1992.

G. AMENDOLA, *Tra passione e ragione. Discorsi a Milano dal 1957 al 1977*, Rizzoli, Milano, 1982.

L. BARCA, *Cronache dall'interno del PCI*, 3 voll., Rubbettino, Soveria Mannelli, 2005.

G. BOFFA, *Memorie dal comunismo: storia confidenziale di quarant'anni che hanno cambiato volto all'Europa*, Ponte alle Grazie, Milano, 1998.

P. BUFALINI, *Uomini e momenti della vita del PCI*, Editori Riuniti, Roma, 1982.

G. CERVETTI, *L'oro di Mosca*, Baldini & Castoldi, Milano, 1999.

G. CHIARANTE, *Con Togliatti e con Berlinguer: dal tramonto del centrismo al compromesso storico, 1958-1975*, Carocci, Roma, 2007.

G. CHIAROMONTE, *Col senno di poi. Autocritica e no di un uomo politico*, Editori Riuniti, Roma, 1990.

A. COSSUTTA, *Lo strappo. USA, URSS e movimento operaio di fronte alla crisi internazionale*, Mondadori, Milano, 1982.

M. D'ALEMA – P. GINSBORG, *Dialogo su Berlinguer*, Giunti, Firenze, 1984.

G. FIORI, *Vita di Enrico Berlinguer*, Laterza, Roma-Bari, 2004.

V. FOA – M. MAFAI – A. REICHLIN, *Il silenzio dei comunisti*, Einaudi, Torino, 2002.

P. FOLENA, *I ragazzi di Berlinguer: viaggio nella cultura politica di una generazione*, Baldini & Castoldi, Milano, 1997.

C. GALLUZZI, *Togliatti, Longo, Berlinguer. Il mito e la realtà*, Editori Riuniti, Roma, 1989.

L. GIANOTTI, *Umberto Terracini. La passione civile di un padre della Repubblica*, Editori Riuniti, Roma, 2005.

P. INGRAO, *Volevo la luna*, Einaudi, Torino, 2006.

D. LA CORTE, *Alessandro Natta*, Privitera, Genova, 2001.

D. LAJOLO, *Finestre aperte a Botteghe Oscure. Da Togliatti a Longo a Berlinguer, dieci anni vissuti all'interno del PCI*, Rizzoli, Milano, 1975.

L. LAMA, *Luciano Lama. Intervista sul mio partito*, a cura di G. Pansa, Laterza, Roma-Bari, 1987.

E. MACALUSO, *50 anni nel PCI*, Rubbettino, Soveria Mannelli, 2003.

G. NAPOLITANO, *Dal PCI al socialismo europeo. Un'autobiografia politica*, Laterza, Roma-Bari, 2005.

A. OCCHETTO, *Potere e antipotere*, Fazi, Roma, 2007.

G. PAJETTA, *Le crisi che ho vissuto. Budapest, Praga, Varsavia*, Editori Riuniti, Roma, 1982.

R. ROSSANDA, *La ragazza del secolo scorso*, Einaudi, Torino, 2005.

A. RUBBI, *Il mondo di Berlinguer*, Napoleone, Milano, 1994.

A. RUBBI, *Incontri con Gorbačëv: i colloqui di Natta e Occhetto con il leader sovietico*, Editori Riuniti, Roma, 1990.

P. SANSONETTI, *Ti ricordi Berlinguer*, Nuova Iniziativa Editoriale, Roma, 2004.

V. STRADA, *Autoritratto autocritico. Archeologia della rivoluzione di ottobre*, Edizioni Liberal, Roma, 2004.

P. TURI, *L'ultimo segretario. Vita e carriera di Alessandro Natta*, Cedam, Padova, 1996.

C. VALENTINI, *Il compagno Berlinguer*, Mondadori, Milano, 1997.

W. VELTRONI, *La sfida interrotta. Le idee di Enrico Berlinguer*, Baldini & Castaldi, Milano, 1994.

Partito socialista italiano

AA.VV., *Storia del socialismo italiano. Dalle origini alla svolta di fine secolo*, Il Poligono, Roma, 1982.

AA.VV., *Il socialismo di Craxi*, a cura di U. Intini, M&B, Milano, 2003.

AA.VV., *Bettino Craxi, il socialismo europeo e il sistema internazionale*, a cura di A. Spiri, Marsilio, Venezia, 2006.

G. ARFÉ, *Intellettuali e società di massa: i socialisti italiani dal 1945 ad oggi*, Ecig, Genova, 1984.

L. CAFAGNA, *Una strana disfatta. La parabola dell'autonomismo a sinistra*, Marsilio, Venezia, 1996.

F. CICCHITTO, *Il PSI e la lotta politica in Italia dal 1976 al 1994*, Spirali, Milano, 1995.

F. CICCHITTO, *Il paradosso socialista. Da Turati, a Craxi, a Berlusconi*, Liberal Edizioni, Roma, 2003.

P. CIOFI – F. OTTAVIANO, *Il PSI di Craxi. Partito e organizzazione dal Midas alle elezioni del 1988*, Rinascita Edizioni, Roma, 1988.

F. COEN – P. BORIONI, *Le cassandre di Mondoperaio. Una stagione creativa della cultura socialista*, Marsilio, Venezia, 1999.

S. COLARIZI – M. GERVASONI, *La cruna dell'ago. Craxi, il Partito socialista e la crisi della Repubblica*, Laterza, Roma-Bari, 2005.

M. DEGL'INNOCENTI, *Storia del PSI. Dal dopoguerra a oggi*, Laterza, Roma-Bari, 1993.

S. DI SCALA, *Da Nenni a Craxi: il socialismo italiano visto dagli USA*, Sugarco, Milano, 1991.

I. FAVRETTO, *Alle radici della svolta autonomista. PSI e Labour Party, due vicende parallele, 1956-1970*, Carocci, Roma, 2003.

U. INTINI, *I socialisti*, GEA, Milano, 1996.

U. INTINI, *Craxi. Una storia socialista*, Nuova editrice Mondo Operaio, Roma, 2000.

A. LANDOLFI, *Storia del PSI*, Sugarco, Milano, 1990.

P. MATTERA, *Il partito inquieto. Organizzazione, passioni e politica dei socialisti italiani dalla resistenza al miracolo economico*, Carocci Editore, Roma, 2004.

P. MATTERA, *Storia del PSI: 1892-1994*, Carocci, Roma, 2010.

W. MERKEL, *Prima e dopo Craxi. Le trasformazioni del PSI*, Liviana, Padova, 1987.

G. SABBATUCCI, *Il riformismo impossibile. Storia del Socialismo italiano*, Laterza, Roma-Bari, 1991.

S. ROLANDO, *Una voce poco fa. Politica, comunicazione e media nella vicenda del Partito socialista italiano dal 1976 al 1994*, Marsilio, Venezia, 2009.

Documenti – PSI

AA.VV., *Nove lettere da Praga. L'opposizione socialista cecoslovacca*, introduzione di B. Craxi, Sugarco, Milano, 1974.

AA.VV., *Il sistema sovietico tra Stalin e Brežnev*, Quaderni di «Mondope-raio», Roma, 1974.

AA.VV., *Trent'anni di politica socialista, 1946-1976, Atti del convegno di Parma, gennaio 1977*, Mondoperaio-Avanti, Roma, 1977.

AA.VV., *L'alternativa dei socialisti: il progetto di programma del PSI*, a cu-ra del PSI, Edizioni Avanti, Roma, 1978.

AA.VV., *I socialisti – Articoli e discorsi*, a cura di C. Accardi, Sugarco, Mi-lano, 1978.

AA.VV., *L'Internazionale socialista*, a cura di C. Accardi, Sugarco, Milano, 1979.

AA.VV., *Il socialismo di Craxi. Interventi e documenti dei congressi sociali-sti, 1978-1991*, a cura di U. Finetti, M&B Publishing, Milano, 2003.

B. CRAXI, *Costruire il futuro. Come uscire dalla crisi italiana?*, Rizzoli, Mi-lano, 1977.

B. CRAXI, *Discorsi parlamentari 1969-1993*, a cura di G. Acquaviva, Later-za, Roma-Bari, 2007.

B. CRAXI, *Un impegno di lotta*, Edizioni Avanti, Roma, 1979.

P. NENNI, *Discorsi parlamentari, 1946-1979*, Nuova Serie, Roma, 1983.

P. NENNI, *Intervista sul socialismo italiano*, a cura di G. Tamburrano, Later-za, Bari, 1977.

R. LOMBARDI, *L'alternativa socialista*, Ediesse, Roma, 2009

V. SPINI, *Il socialismo delle libertà*, Edizioni Meynier, Torino, 1990.

Congressi e Comitati centrali del PSI

Tesi per il XXXIV Congresso nazionale del PSI, Seti, Roma, 1972.

Uscire dalla crisi, costruire il futuro. XXXXI Congresso, relazione di Bettino Craxi, Partito socialista italiano, Roma, 1978.

Tesi per il XXXXII Congresso del PSI, CIPES, Torino, 1981.

Il PSI verso il XXXXIII Congresso: sintesi dei lavori del Comitato centrale, Il compagno, Roma, 1983.

L'Italia che cambia e i compiti del riformismo: le norme e i regolamenti per il XXXXIV Congresso del PSI, L'Avanti Edizioni, Roma, 1987.

Per il socialismo e per il progresso dell'Italia. XXXXIV Congresso del PSI, re-lazione di Bettino Craxi, Edizioni Avanti, Roma, 1987.

C. MARTELLI, *Socialisti a confronto. Saggio sul 40° Congresso del PSI: con una sintesi degli interventi principali*, Sugarco, Milano, 1979.

Biografie e memorie – PSI

P. BAGNOLI, *Il socialismo di Tristano Codignola*, Biblion, Milano, 2009.

S. Caretti – M. Degl'Innocenti, *Sandro Pertini. Combattente per la libertà*, Lacaita Editore, Bari, 2005.

G. De Michelis, *La lunga ombra di Yalta: la specificità della politica italiana. Conversazione con Francesco Kostner*, Marsilio, Venezia, 2003.

A. Giolitti, *Lettere a Marta: ricordi e riflessioni*, Il Mulino, Bologna, 1992.

R. Lombardi, *Scritti politici, 1963-1978*, Marsilio, Venezia, 1998.

M. Mafai, *Lombardi. Una biografia politica*, Ediesse, Roma, 2009.

L. Musella, *Craxi*, Editore Salerno, Salerno, 2007.

P. Nenni, *Caro Compagno. Lettere a Franco Jacono*, Marsilio, Venezia, 2005.

P. Nenni, *I conti con la storia, Diari dal 1967 al 1971*, vol. 3, Sugarco, Milano, 1983.

P. Nenni, *Una vita per la democrazia e per il socialismo*, Piero Lacaita Editore, Manduria-Bari-Roma, 2000.

P. Nenni, *Carteggio Nenni-Saragat 1927-1978*, prefazione di G. Arfé, Piero Lacaita Editore, Manduria-Bari-Roma, 2002.

M. Pini, *Craxi. Una vita, un'era politica*, Mondadori, Milano, 2006.

C. Ripa Di Meana, *Cane sciolto*, Kaos, Milano, 1999.

C. Ripa Di Meana – G. Mecucci, *Mosca: fermate la biennale del dissenso. Una storia mai raccontata*, Liberal Editore, Roma, 2007.

G. Spadolini, *Nenni sul filo della memoria, 1949-1980*, La Monnier, Firenze, 1982.

G. Tamburrano, *Pietro Nenni*, Laterza, Roma-Bari, 1976.

Contesto internazionale. Tra Guerra Fredda e distensione

AA.VV., *I diritti dell'uomo da Helsinki a Belgrado: risultati e prospettive*, a cura di E. Fanara, Giuffré Editore, Milano, 1979.

AA.VV., *1968. The World Transformed*, a cura di C. Fink, P. Gassert e D. Junker, Cambridge University Press, Cambridge, 1998.

AA.VV., *Reviewing the Cold War. Approaches, Interpretations, Theory*, a cura di O.A. Westad, Frank Cass, London-Portland, 2000.

AA.VV., *Atlantismo ed europeismo*, a cura di P. Craveri e G. Quagliariello, Rubbettino, Soveria Mannelli, 2003.

AA.VV., *La politica estera italiana negli anni Ottanta*, a cura di E. Di Nolfo, Lacaita Editore, Bari, 2003.

AA.VV., *Un ponte sull'Atlantico. L'alleanza occidentale 1949-1999*, a cura di L. Tosi e A. Giovagnoli, Guerini e Associati, Milano, 2003.

AA.VV., *Gli anni Ottanta come storia*, Rubbettino Editore, Soveria Mannelli, 2004.

AA.VV., *Il filo sottile. L'Ostpolitik vaticana di Agostino Casaroli*, a cura di A. Melloni, Il Mulino, Bologna, 2006.

AA.VV., *Nazione, interdipendenza, integrazione. Le relazioni internazionali dell'Italia (1917-1989)*, a cura di F. Romero e A. Varsori, 2 voll., Carocci, Roma, 2006.

AA.VV., *Alle origini del presente. L'Europa occidentale nella crisi degli anni Settanta*, a cura di A. Varsori, Franco Angeli, Milano, 2007.

AA.VV., *1968 in Europe: A History of Protest and Activism, 1956-77*, a cura di M. Klimke e J. Scharloth, Palgrave Macmillan, New York-London, 2008.

AA.VV., *The Crisis of Détente in Europe. From Helsinki to Gorbachev, 1975-1985*, a cura di L. Nuti, Routledge, New York, 2009.

AA.VV., *Ostpolitik, 1969-1974: European and Global Responses*, a cura di C. Fink e B. Schaefer, Cambridge University Press, Cambridge, 2009.

A.H. Cahn, *Killing détente*, Pennsylvania State University Press, University Park, 1998.

D. Caviglia – A. Varsori, *Dollari, petrolio e aiuti allo sviluppo. Il confronto Nord-Sud negli anni '60-'70*, Franco Angeli, Milano, 2008.

M. Del Pero, *Kissinger e l'ascesa dei neo conservatori*, Laterza, Roma-Bari, 2006.

J. Dumbrell, *The Carter Presidency. A Re-evaluation*, Manchester University Press, Manchester-New York, 1993.

L.V. Ferraris, *Testimonianze di un negoziato: Helsinki – Ginevra – Helsinki, 1972-1975*, Cedam, Padova, 1977.

M. Flores, *Il secolo mondo. Storia del Novecento, 1945-2000*, vol. 2, Il Mulino, Bologna, 2002.

J.L. Gaddis, *La guerra fredda. Cinquant'anni di paura e speranza*, Mondadori, Milano, 2005.

A. Gleason, *Totalitarianism. The Inner History of the Cold War*, Oxford University Press, New York, 1995.

J.M. Hanhimaki, *The flawed architect: Henry Kissinger and American foreign policy*, Oxford University Press, Oxford, 2004.

H. Kissinger, *Years of Renewal*, Simon & Schuster, New York, 1999.

T. Judt, *Postwar. History of Europe after 1945*, Penguin, London, 2005.

W. Lafeber, *America, Russia and the Cold War 1945-1992*, McGraw-Hill, New York, 1993.

W. Loth, *Overcoming the Cold War. A history of Détente, 1950-1991*, Palgrave, London, 2002.

D. Lowell, *Sino-Soviet normalization and Its International Implications, 1945-1990*, University of Washington Press, Seattle-London, 1992.

C. Maier, *The Cold War in Europe. Era of Divided Content*, Markus Wiener Publishers, Princeton, 1991.

M. MARTINI, *La cultura all'ombra del muro: relazioni culturali tra Italia e DDR (1949-1989)*, Il Mulino, Bologna, 2007.

C. MENEGUZZI ROSTAGNI, *The Helsinki Process. A Historical Reappraisal*, Cedam, Padova, 2005.

O. NJOLSTAD, *The Last Decade of the Cold War. From Conflict Escalation to Conflict Transformation*, Frank Cass, London-New York, 1998.

S. PONS – F. ROMERO, *Reinterpreting the End of the Cold War*, Frank Cass, London-New York, 2004.

S. PONS – R. SERVICE, *Dizionario del comunismo nel XX secolo*, Einaudi, Torino, 2006.

M.P. REY, *La tentation du rapprochement: France et URSS à l'heure de la détente (1964-1974)*, Publications de la Sorbonne, Paris, 1991.

A. RICCARDI, *Il Vaticano e Mosca, 1940-1995*, Laterza, Roma-Bari, 1992.

A. ROMANO, *From Détente in Europe to a European Détente*, PIE/Peter Lang, Bruxelles, 2009.

F. ROMERO, *Storia della Guerra Fredda. L'ultimo conflitto per l'Europa*, Einaudi, Torino, 2009.

J. SURI, *Power and Protest: Global revolution and the rise of détente*, Harvard University Press, Harvard, 2005.

J. SURI, *Henry Kissinger and the American Century*, Belknap Press, Cambridge, 2007.

O.A. WESTAD, *The Global Cold War*, Cambridge University Press, Cambridge, 2005.

O.A. WESTAD, *The Fall of Détente. Soviet-American Relations During the Carter Years*, Scandinavian University Press, Oslo, 1997.

Storia dell'Europa Orientale

Unione Sovietica

AA.VV., *The Structure of Soviet History*, a cura di R.G. Suny, Oxford University Press, New York-Oxford, 2003.

V. BUKOVSKIJ, *Gli archivi segreti di Mosca*, Spirali, Milano, 1999.

S. FAGIOLO, *La Russia di Gorbačëv. Il nuovo corso della politica russa settanta anni dopo l'Ottobre*, Franco Angeli, Milano, 1988.

A. GRAZIOSI, *L'URSS di Lenin e Stalin. Storia dell'Unione Sovietica, 1914-1945*, Il Mulino, Bologna, 2008.

A. GRAZIOSI, *L'Urss dal trionfo al degrado. Storia dell'Unione Sovietica, 1945-1991*, Il Mulino, Bologna, 2008.

M. HELLER – A. NEKRIČ, *Storia dell'URSS. Dal 1917 a Eltsin*, Bompiani, Milano, 2001.

M.J. Ouimet, *The Rise and Fall of the Brežnev Doctrine in Soviet Foreign Po-licy*, University North Carolina Press, Chapel Hill-London, 2003.

G. Soros, *A perspective on the collapse of the Soviet system*, The Paul H. Nit-ze School Press, Washington, 1990.

V. Zaslavsky, *Il consenso organizzato: la società sovietica negli anni di Brežnev*, Il Mulino, Bologna, 1981.

V. Zaslavsky, *Storia del sistema sovietico. L'ascesa, la stabilità, il crollo*, La nuova Italia scientifica, Roma, 1995.

V. Zubok, *A Failed Empire. The Soviet Union in the Cold War from Stalin to Gor-bachev*, The University of North Carolina Press, Chapel Hill-London, 2007.

Cecoslovacchia

AA.VV., *Winter in Prague. Documents on Czechoslovak Communism in Crisis*, a cura di A.R. Remington, MIT Press, Cambridge (MA)-London, 1969.

AA.VV., *Der Prager Fruehling: das internationale Krisenjahr 1968*, a cura di S. Karner – N. Tomilina – A. Tschubarjan, Kriegsfalgen-Forschung, Köln-Böhlau-Graz, 2008.

A. Cassuti, *Il socialismo in Cecoslovacchia*, La Nuova Italia Editrice, Firen-ze, 1978.

F. Fejtö – J. Rupnik, *Le printemps tchécoslovaque 1968*, Editions Complexe, Paris, 2008.

W.E. Griffit, *Winter in Prague: Documents on Czechoslovakian Communi-sm in crisis*, MIT Press, Cambridge (MA)-London, 1969.

W. Kieran, *The Prague Spring and Its Aftermath: Czechoslovakian Politics: 1968-1970*, Cambridge University Press, Cambridge, 1997.

J. Musil, *The End of Czechoslovakia*, Central European University, Budapest, 1995.

J. Navratíl, *The Prague spring, 1968: a National Security Archive Documents Reader*, Central University Press, Budapest, 1998.

G.H. Skilling, *Chart 77 and Human Rights in Czechoslovakia*, George Al-len & UNWIN, London, 1981.

Polonia

AA.VV., *Polish Paradoxes*, a cura di S. Gomułka e A. Polonsky, Routledge, London-New York, 1990.

AA.VV., *Dentro il triangolo di Visengrad. Società civile, politica e assetti isti-tuzionali dell'Europa Centrale*, a cura di G. Delli Zotti, E. Fabretti, A. Po-cecco e O. Tonzar, Istituto Sociale Internazionale di Gorizia Edizioni, Gorizia, 1994.

AA.VV., *Dissidences*, a cura di C. Delsol, M. Mosłowski e J. Nowicki, PUF, Paris, 2005.

J. Eisler, *The Polish Year of 1968*, The Institute of National Memory, Warsaw, 2006.

C. Firmir, *Pologne: rapport PC-PS du mai 1981 à l'état de siege du 13 décembre 1981*, Tesi di dottorato non pubblicata, 1983-1984.

A.T. Garton, *The Polish Revolution*, Jonathan Cape, London, 1983.

A. Kemp-Welch, *Poland Under Communism*, Cambridge University Press, Cambridge, 2008.

A. Macchia, *Chiesa e Stato in Polonia durante il periodo comunista (1945-1989)*, Agrilavoro, Roma, 2006.

A. Paczkowski, *The Spring Will Be Ours. Poland and Poles from Occupation to Freedom*, University Park, Pennsylvania, 2003.

A. Paczkowski – M. Byrne, *From Solidarity to Martial Law: the Polich crisis of 1980-1981: a Documentary History*, Central European University Press, Budapest-New York, 2007.

K.Z. Poznanski, *Poland's Protracted Transition: Institutional Change and Economic Growth 1970-1994*, Cambridge University Press, Cambridge, 1996.

Dissenso nel blocco orientale

AA.VV., *East European Dissent*, a cura di V. Mastny, Interim History, New York, 1972.

AA.VV., *Le testimonianze del Tribunale Sacharov sulla violazione dei diritti dell'uomo nell'Unione Sovietica*, a cura di M. Corti, Cooperativa Editoriale La Casa di Matriona, Milano, 1976.

AA.VV., *Nous, dissidents. La dissidence en URSS, Pologne, Allemagne de l'Est, Tchécoslovaquie*, Recherche n. 34, 1978.

AA.VV., *Primavera di Praga e dintorni. Alle origini dell'89*, a cura di F. Leoncini e C. Tonini, Edizioni Cultura della Pace, Firenze, 2000.

H.S. Hughes, *Sophisticated Rebels: the Political Culture of European Dissent: 1968-1987*, Harvard University Press, Cambridge (MA), 1988.

M. Dell'Asta, *Una via per incominciare: il dissenso in URSS dal 1917 al 1990*, La Casa di Matriona, Milano, 2003.

P. Garimberti, *Il dissenso nei Paesi dell'Est. Prima e dopo Helsinki*, Vallecchi, Firenze, 1977.

F. Leoncini, *L'opposizione all'Est 1956-1981*, Lacaita, Manduria-Bari-Roma, 1989.

F. Leoncini, *L'Europa centrale. Conflittualità e progetto. Passato e presente tra Praga, Budapest e Varsavia*, Cà Foscarina, Venezia, 2003.

Dissenso in Unione Sovietica

AA.VV., *Russian Jews on Three Continents. Emigration and Resettlement*, a cura di N. Lewin-Epstein, Y. Ro'i e P. Ritterband, Frank Cass, London, 1997.

AA.VV., *Storie di uomini giusti nel Gulag*, a cura di G. Nissim, Mondadori, Milano, 2004.

L. ALEKSEEVA, *Soviet Dissent*, Wesleyan University Press, Middletown, 1985.

E. BONNER, *Soli insieme*, Garzanti, Milano, 1986.

V. BUKOVSKIJ, *Il vento va, e poi ritorna*, Feltrinelli, Milano 1978.

M. CLEMENTI, *Storia del dissenso sovietico*, Odradek, Roma, 2007.

A. FLORIDI, *Mosca e il Vaticano: i dissidenti sovietici di fronte al «dialogo»*, Cooperativa Editoriale la Casa di Matriona, Milano, 1976.

R. MEDVEDEV – P. OSTELLINO, *Roy Medvedev. Intervista sul dissenso in URSS*, Laterza, Bari, 1977.

L. PLIUŠČ, *Nel carnevale della storia*, Mondadori, Milano, 1978.

A. SACHAROV, *Mémoires*, Seuil, Paris, 1990.

A. SOLŽENICYN, *Il prezzo della distensione*, Ares, Milano, 1975.

A. SOLŽENICYN, *Arcipelago Gulag*, Mondadori, Milano, 1995.

C. VAISSIE, *Pour votre liberté et pour la notre. Le combat des dissidents de Russie*, Robert Laffont, Paris, 1999.

V. ZUBOK, *The Zhivago's Children. The Last Russian Intelligentsia*, Belknap Press, Cambridge (MA), 2009.

Dissenso in Cecoslovacchia

AA.VV., *Charta 77: cinque anni di non consenso*, Outprints, Bologna, 1988.

AA.VV., *Primavera indimenticata. Alexander Dubček ieri e oggi*, L'Unità Editrice, Roma, 1988.

AA.VV., *Alexander Dubček e Jan Palach. Protagonisti della storia europea*, a cura di F. Leoncini, Rubbettino, Soveria Mannelli, 2008.

AA.VV., *A quaranta anni dalla Primavera di Praga (1968-2008)*, a cura di F. Guida, Carocci, Roma, 2009.

J. BUGAJSKI, *Czechoslovakia: Charter 77's Decade of Dissent*, Praeger, New York, 1987.

F. CACCAMO, *Jiří Pelikán. Un lungo viaggio nell'arcipelago socialista*, Marsilio, Venezia, 2007.

A. DUBČEK, *Il socialismo dal volto umano. Autobiografia di un rivoluzionario*, Editori Riuniti, Roma, 1996.

F. LEONCINI, *Che cosa fu la 'Primavera di Praga'? Idee e progetti di una riforma politica e sociale*, Libreria Editrice Cà Foscarina, Venezia, 2007.

F. Leoncini – C. Tonini, *Primavera di Praga e dintorni. Alle origini dell'89*, Edizioni Cultura della Pace, S. Domenico di Fiesole, 2000.

Z. Mlynář, *Praga questione aperta*, De Donato, Bari, 1976.

Z. Mlynář, *Le froid vient de Moscou. Prague 1968*, Gallimard, Paris, 1978.

Z. Mlynář – J. Pelikán, *Budapest, Prague, Varsovie: le printemps de Prague quinze ans après*, La Decouverte, Paris, 1983.

J. Pelikán, *Congresso alla macchia*, Vallecchi, Firenze, 1970.

J. Pelikán, *Ici Prague: l'opposition intérieure parle*, Éditions Seuil, Paris, 1973.

J. Pelikán – A. Carioti, *Io, esule indigesto. Il PCI e la lezione del 1968 a Praga*, Reset, Milano, 1998.

J.F. Pontuso, *Václav Havel, Civic Responsability in the Postmodern Age*, Rowman & Littlefield Publishers, Lanham, 2004.

V.O.N.S., *Comité de defense des personnes injustement poursuivies, Procès à Prague, 22-23 octobre 1979*, Editions Maspero, Paris, 1980.

Dissenso e opposizione in Polonia

AA.VV., *Gierek e gli operai polacchi. Registrazione del dibattito a Stettino*, a cura di R. Rossanda, Nuova Italia Edizioni, Bari, 1973.

AA.VV., *Per Mickiewicz*, a cura di A. Ceccherelli, Accademia Polacca delle Scienza, Varsavia-Roma, 2001.

AA.VV., *Solidarność 20 anni dopo*, a cura di E. Jogalla e G. Leardi, Rubbettino, Soveria Mannelli, 2002.

C. Bouyeure, *L'invention du politique. Une biographie d'Adam Michnik*, Les Editions Noir Sur Blanc, Lausanne, 2007.

M. Craig, *The Crystal Spirit: Lech Wałesa and His Poland*, Dunton Green, London, 1985.

M. Dobb – K.S. Karol – D. Trevisan, *Poland: Solidarity: Wałesa*, McGraw-Hill, New York, 1981.

J. Kuroń, *La mia Polonia. Il comunismo, la colpa, la fede*, Ponte delle Grazie, Firenze, 1990.

J.J. Lipski, *KOR, Workers' Defense Committee in Poland, 1976-1981*, University of California Press, Berkeley, 1985.

K. Pomian, *Polonia: sfida all'impossibile? Dalla rivolta di Poznań a Solidarność*, Marsilio, Venezia, 1983.

L. Wałesa, *Un cammino di speranza*, De Agostini, Novara, 1987.

R. Zuzowski, *Political Dissent and Opposition in Poland. The Workers' Defense Committee «KOR»*, Greenwood Press, Harcover, 1992.

Postfazione

Il lavoro di Valentine Lomellini è interessante, prezioso ed originale.

Interessante perché è consacrato allo studio di un tema essenziale, quello delle relazioni tra la sinistra italiana, nelle sue due principali componenti storiche che furono il socialismo ed il comunismo, con l'URSS e alcuni Paesi comunisti dell'Est europeo. La rivoluzione russa del 1917 è stata all'origine della rottura tra i due rami della famiglia socialista che non hanno mai cessato di discutere animosamente, tra le altre cose, sul loro posizionamento nei confronti dell'URSS e, dopo il 1945, dei Paesi comunisti dell'Europa centrale ed orientale. Tale scissione ha segnato tutta la storia della sinistra nel corso del Ventesimo secolo e provoca ancora oggi delle profonde lacerazioni nella vita politica europea, ed in particolare in Italia.

Prezioso perché si basa sulla consultazione quasi esaustiva della stampa, su una buona assimilazione dei lavori storici precedenti in italiano, francese e inglese, e su un'indagine scrupolosa condotta negli archivi italiani, in particolare quelli del PCI e del PSI, ma anche in alcuni archivi francesi. E questa giovane ricercatrice ha saputo come utilizzare perfettamente tale documentazione.

Il libro è originale per un triplice motivo. In primo luogo perché l'autrice ha avuto l'intelligenza di analizzare il PSI e il PCI, correlando le loro azioni sin da subito (ed ampliando talvolta le sue riflessioni ad altri partiti, come il Partito comunista francese, il Partito socialista di François Mitterrand, e anche il Partito comunista spagnolo) su un periodo di circa di vent'anni. In secondo luogo, perché Valentine Lomellini ha realizzato una ricerca di vasto respiro, che si interessa all'URSS ed a due Paesi comunisti europei, come la Cecoslovacchia e la Polonia, attraversati ripetutamente da crisi a partire dal 1968 sino alla caduta del Muro di Berlino. Infine, perché ella ha studiato il rapporto del PCI e del PSI con i regimi comunisti, la percezione che essi avevano dei loro oppositori e, nel caso, le azioni intraprese nei confronti di quest'ultimi.

La ricerca di Valentine Lomellini arriva così ad illustrare una configurazione complessa. Le posizioni del PSI e del PCI sono determinate da molteplici parametri: l'analisi dell'URSS e dei Paesi comunisti, la loro conoscenza della realtà di tali Paesi e dei loro dirigenti, la loro valutazione delle evoluzioni delle relazioni internazionali, la loro strategia politica in Italia o, ancora, lo stato delle loro divisioni interne.

Com'è evidente la ricerca è squilibrata, cosa che, in questo caso, è normale.

In effetti, l'autrice dimostra senza problemi che il PSI, dal 1973-1974, ma ancor più dopo il 1976, sotto la guida di Bettino Craxi, si lancia in una critica sempre più approfondita dei Paesi comunisti. Esso mostra una solidarietà con il Dissenso che lo porta all'avanguardia non solamente in Italia ma anche in Europa, dove il resto dei Partiti socialisti e socialdemocratici sono decisamente più reticenti, o perché legati dalla *Ostpolitik*, o perché alleati ai comunisti, sull'esempio del Partito socialista francese che, nell'ambito dell'*union de la gauche* dal 1972 al 1978, ha stipulato un'alleanza con il PCF. In questo modo, il PSI cerca di rovesciare il rapporto di forza con il PCI, afferma la propria identità, crea la propria unità, si differenzia dal Partito comunista italiano e contribuisce a metterne in luce i dilemmi. La denuncia dell'URSS e dei Paesi socialisti, la solidarietà con il Dissenso sono al servizio di una strategia politica che punta a fare del PSI il partito centrale del sistema politico italiano ed a rafforzarne l'autorevolezza nel panorama della sinistra europea. Valentine Lomellini non trascura tuttavia le divisioni che si sono manifestate, principalmente tra la fine degli anni Sessanta ed i primi Settanta, tra i socialisti, né tralascia l'evoluzione intervenuta nella seconda metà del decennio con il ricorso alla categoria del totalitarismo per definire l'URSS e i Paesi satelliti. Ma in sostanza, la questione è chiara.

In compenso, ed a ragione, Valentine Lomellini è costretta a dedicare pagine ben più lunghe a ciò che accade al PCI. Un partito estremamente diviso tra più sensibilità che si esprimono negli organismi dirigenti e qualche volta anche pubblicamente, cosa che obbliga il gruppo dirigente, ed in particolare Enrico Berlinguer dal 1972 al 1984, a destreggiarsi tra posizioni diverse per preservare l'unità del partito. Un partito intrappolato in contraddizioni insormontabili. In questo periodo, per ragioni di politica nazionale ed europea, esso vuole affermare una certa autonomia dall'URSS e dunque critica, a volte in modo severo, l'Unione sovietica ed i Paesi satelliti, ma senza mai rompere con il blocco comunista: da qui, gli incessanti ed estenuanti tentativi di mediazione con Mosca.

Le ragioni di questa strategia sono molteplici: in fondo, il PCI pensa che l'Unione Sovietica sia intrinsecamente superiore al mondo capitalista, che essa possa giocare un ruolo essenziale nella distensione internazionale – inseguita con convinzione dai comunisti italiani poiché quest'ultima serve i loro interessi in Italia – e infine perché, sino all'ultimo, si illude sulle potenzialità di riforma che esistono nei Partiti comunisti al potere.

L'ossessione di non cedere alle sirene dell'«antisovietismo» è un'idea fissa della direzione comunista che i sovietici, così come i dirigenti degli altri Paesi comunisti, sfruttano abilmente.

Ugualmente, il PCI – pur sapendo che, per la componente comunista riformatrice o socialista dei dissidenti dei Paesi comunisti, esso costituisce, dalla seconda metà degli anni Cinquanta in poi e ancor più dopo gli anni Sessanta, un vero punto di riferimento – evita di fornire loro un sostegno pieno e risoluto, e più ancora d'intrattenere con essi dei rapporti formali per il timore di indisporre ancor più l'URSS. Le contorsioni permanenti del PCI in un pericoloso gioco equilibrista fanno che il suo messaggio sia totalmente inintelligibile. La sua ossessione di non provocare rotture irrimediabili con l'URSS frustra i suoi simpatizzanti più ostili al campo socialista, mentre le critiche – a volte anche severe – che esso formula contro Mosca, irritano i prosovietici.

L'apparente discrezione del PCI nei confronti dei dissidenti di sinistra (dato per assodato che esso non prende nemmeno in considerazione coloro che si rifanno ad altre filosofie) finisce comunque per indignare i filosovietici ed i 'tifosi' dei Paesi comunisti. Essa delude tuttavia coloro che, a sinistra, sono vicini ai dissidenti e che ignorano, all'epoca, gli interventi, talvolta fermi, in loro favore, effettuati in occasione degli incontri tra Partiti comunisti, dei quali si trova traccia negli archivi. Così come ignorano l'intensità delle pressioni sovietiche di natura politica, materiale e quasi psicologica, sui dirigenti del PCI che l'autrice, grazie alla documentazione archivistica, ci mostra.

Nel complesso, il libro di Valentine Lomellini permette di comprendere quanto si è approfondito il fossato che separa il PCI e il PSI, un divario accentuato dal violento antagonismo personale tra Enrico Berlinguer e Bettino Craxi. La condanna nel dicembre 1981 del colpo di Stato in Polonia da parte del PSI e del PCI, che apre una crisi profonda tra i ranghi di quest'ultimo con i tradizionalisti prosovietici raggruppati dietro Armando Cossutta, non permette un ravvicinamento duraturo tra i due partiti: al contrario. Valentine Lomellini ne prende atto e ritiene di non spingersi ad analizzare i percorsi totalmente divergenti che la maggior parte dei socialisti italiani e dei comunisti prenderanno a partire dagli anni Novanta, quando Silvio Berlusconi, 'sceso in campo', tornerà a fare uso del tema dell'anticomunismo.

Ugualmente la storica, in modo perfettamente legittimo, si è concentrata sull'analisi dei gruppi dirigenti di partito, estesa talvolta al ruolo degli intellettuali socialisti e soprattutto comunisti. Essa non ha quindi potuto indagare ciò che succedeva nelle masse dei partiti, tra gli aderenti della «base» o ancora tra i simpatizzanti. Come hanno vissuto questi ultimi tali avvenimenti e le prese di posizione delle istanze ufficiali dei due partiti? Ecco una prossima ricerca che Valentine Lomellini potrebbe intraprendere. Con nostro grande piacere.

Marc Lazar
Professore di Storia e sociologia politica
a Sciences Po (Paris) e alla LUISS-Guido Carli (Roma)

(si ringrazia Guia Migani per la collaborazione alla traduzione)

Indice dei nomi

Gallerano, N., 35 n, 246 n
Galli, G., 35 n, 42 n, 74 n, 78 n, 80 n
Galliussi, S., 107 n
Galluzzi, C., 38 n, 60, 108 n
Gambetta, G., 226
Garavini, G., 5
Garavini, S., 66
Gardner, R., 158 n
Garimberti, P., 160 n, 163 n
Garosci, A., 38 n
Garthoff, R.L., 231 n, 232 n
Garzia, A., 80 n
Gassert, P., 34 n
Gatto, S., 78 n
Geneste, P., 4
Gentiloni Silveri, U., 105 n
Gerardi, F., 38 n, 41 n
Gerratana, V., 77 n
Gervasoni, M., 4, 41 n, 133, 163 n, 164 n, 206 n, 230 n
Geyer, D.C., 34 n
Ghini, C., 167 n
Giannotti, L., 76 n, 204 n
Giedroyc, J., 174
Gierek, E., 46, 47, 48, 49, 50, 74 n, 75 n, 148, 174, 175, 177, 182, 202 n, 218, 239
Gilbert, M., 4
Gilmozzi, M., 68
Ginsborg, P., 231 n
Ginzburg, A., 127, 142, 162 n
Giolitti, A., 25, 36 n, 41 n
Giovagnoli, A., 163 n, 229 n
Giovanni Paolo II (vedi Wojtyła, K.)
Glyn, A., 169 n
Goldkorn, W., 229 n, 233 n
Gomułka, W., 45, 46, 47, 48, 50, 74 n, 75 n
Gorbačëv, M.S., 92, 106 n, 148, 160 n, 167 n, 168 n, 209,

215, 216, 220, 223, 224, 225, 226, 231 n, 232 n, 239
Gorbanevskaïa, N., 166 n
Goruppi, S., 39 n, 41 n, 42 n, 43 n, 44 n, 78 n, 80 n, 98, 109 n, 110 n
Gozzano, F., 51, 76 n
Gramsci (Fondazione), 64, 72, 116, 145, 194, 227, 231 n
Graziosi, A., 103, 107 n, 108 n, 111 n, 161 n, 167 n, 168 n
Grečko, A.A., 18
Gremetz, M., 202 n
Grémion, P., 35 n
Grunberg, G., 207 n
Gruppi, L., 28, 108 n, 160 n
Gualtieri, R., 168 n, 207 n
Guerra, A., 4, 16, 30, 36 n, 40 n, 41 n, 43 n, 75 n, 77 n, 78 n, 108 n, 109 n, 111 n, 146, 147, 148, 154, 159 n, 162 n, 165 n, 167 n, 168 n, 169 n, 202 n, 204 n, 206 n, 222, 229 n, 230 n, 231 n, 240, 246 n
Guerrieri, L., 34 n
Guida, F., 4, 34 n
Guiso, A., 43 n
Gundle, S., 43 n
Guyot, R., 38 n

H
Hajek, J., 101, 246 n
Hanhimaki, J.M., 77 n, 161 n
Hargrove, E.C., 161 n
Hassner, P., 223, 231 n
Havel V., 26, 155, 158 n, 226, 227
Havemann, R., 81 n, 154
Herling, G., 136
Höbel, A., 4, 10, 16, 34 n, 35 n, 36 n, 166 n, 168 n
Hochman, J., 26

Indice dei nomi

Solženicyn, A.I., 83, 84, 85, 86,
87, 88, 89, 90, 91, 92, 93,
104, 107 n, 236, 243
Soutou, G.-H., 4
Spadolini, G., 210
Spini, V., 4, 79 n, 107 n, 154,
169 n, 200
Spiri, A., 106 n, 165 n, 246 n
Spriano, P., 143, 144, 145, 167 n
Stalin, I.V.D., 79 n, 122, 141, 143,
144, 145, 146, 147, 206 n
Starewicz, A., 75 n
Strada, V., 89, 105 n, 147, 168 n
Suny, R.G., 77 n
Suslov, M.A, 15, 67, 97, 129,
161 n
Svoboda, A., 40 n

T
Tamburrano, G., 35 n, 40 n, 45,
50, 75 n, 79 n
Tanassi, M., 20, 40 n, 47
Tatò, A., 135, 158 n, 197, 205 n,
207 n
Taviani, E., 81 n
Terracini, U., 21, 22, 26, 53, 56,
76 n, 86, 97, 165 n
Terzuolo, E., 4
Tessmer, C., 34 n
Thorez, M., 167 n
Thornton, R.C., 162 n
Timmerman, H., 164 n
Togliatti, P., 12, 13, 36 n, 43 n,
60, 65, 81 n, 142, 143, 145,
218
Tognoli, C., 246 n
Tonini, C., 34 n, 74 n
Tortorella, A., 47, 74 n, 81 n,
109 n, 137, 138, 165 n,
166 n, 200
Trentin, B., 80 n, 166 n
Treu, T., 170 n

Trigon, M., 109 n
Trombadori, A., 183, 204 n
Turati, F., 35 n

U
Uhl, P., 155
Ulam, A., 94, 108 n, 167 n
Urban, J.B., 35 n, 205 n

V
Vacca, G., 170 n
Vaculík, L., 26
Vaissié, C., 107 n
Valenti, G., 42 n
Valentini, C., 39 n
Valenza, P., 78 n
Valori, D., 169 n
Vance, C., 124
Vanik, C., 55
Varsori, A., 4, 5, 35 n, 106 n, 114,
158 n, 164 n, 168 n
Vasconi, L., 36 n, 46, 50, 54, 62,
63, 74 n, 75 n, 76 n, 79 n,
154, 160 n, 163 n, 207 n,
218, 224, 230 n, 232 n
Vajl', P., 93
Vecchietti, T., 193
Védrine, H., 229 n
Vidali, B., 69, 81 n
Vilanova, P., 139, 166 n
Villari, R., 158 n, 166 n
Villetti, R., 163 n, 164 n
Viola, A., 169 n
Vittorelli, P., 68
Vittoria, A., 144, 167 n, 169 n

W
Wałesa, L., 183, 187, 190, 196,
199, 205 n, 207 n
Wasiak, P., 160 n
Weisner, W., 108 n
Werblan, 183, 202 n

Quaderni di storia

serie diretta da Fulvio Cammarano